S0-BJS-468

AS ESFERAS DA JUSTIÇA

EM DEFESA DO PLURALISMO
E DA IGUALDADE

MICHAEL WALZER

AS ESFERAS DA JUSTIÇA
EM DEFESA DO PLURALISMO E DA IGUALDADE

Tradução
NUNO VALADAS

FICHA TÉCNICA

Título original: *Spheres of Justice*
Autor: *Michael Walzer*
Copyright © 1983 by Basic Books, Inc.
Edição publicada por acordo com HarperCollins Publishers, Inc.
Tradução © Editorial Presença, Lisboa, 1999
Tradução: *Nuno Valadas*
Capa: *Robert Delaunay.* Circular Forms, *pormenor. Sector Gráfico da Editorial Presença*
Fotocomposição: *Multitipo — Artes Gráficas, Lda.*
Impressão e acabamento: *Tipografia Peres*
1.ª edição, Lisboa, Setembro, 1999
Depósito legal n.º 141 009/99

Reservados todos os direitos
para Portugal à
EDITORIAL PRESENÇA
Rua Augusto Gil, 35-A 1049-043 Lisboa
Email: info@editpresenca.pt
Internet: http://www.editpresenca.pt/

«A memória dos justos é uma bênção»

Joseph P. Walzer
1906-1981

ÍNDICE

Advertência ao leitor

Os números entre parênteses rectos reportam-se à nota que, relativamente a cada capítulo, contém a referência completa do título em causa.

PREFÁCIO

A igualdade, entendida literalmente, é um ideal constantemente atraiçoado. Homens e mulheres empenhados traem-no, ou parecem fazê-lo, mal organizam um movimento para a igualdade e distribuem poder, posições e influências entre si. Aqui é um secretário executivo que recorda os primeiros nomes de todos os membros, acolá um adido de imprensa que trata os jornalistas com excepcional habilidade, mais além um popular e incansável orador que percorre as secções locais e «lança as bases». Estas pessoas são tão necessárias como inevitáveis e, indubitavelmente, algo superiores aos seus colegas. Serão traidores? Talvez sim... ou talvez não.

A atracção da igualdade não nos é explicada pelo sentido literal do termo. Se vivermos num regime autocrático ou oligárquico, poderemos sonhar com uma sociedade em que o poder seja partilhado e em que a cada um caiba exactamente o mesmo quinhão.

Sabemos, porém, que uma igualdade dessa espécie não sobreviverá à primeira assembleia dos novos membros. Alguém terá de ser eleito presidente e alguém fará um enérgico discurso para nos convencer a segui-lo. Lá para o fim do dia já teremos começado a organizar-nos, pois é para isso que servem as assembleias. Se vivermos em regime capitalista, poderemos sonhar com uma sociedade onde todos possuam a mesma quantia em dinheiro. Sabemos, porém, que o dinheiro distribuído igualmente ao meio-dia de domingo se encontrará desigualmente redistribuído antes de a semana acabar. Uns poupá-lo-ão enquanto outros o investirão e haverá ainda outros que o gastarão (e das mais variadas maneiras). O dinheiro existe para tornar possíveis todos estes comportamentos e se não existisse, a troca directa de bens conduziria ao mesmo resultado, embora com um pouco mais de lentidão. Se vivermos num regime feudal, poderemos sonhar com uma sociedade cujos membros sejam igualmente venerados e respeitados. Mas, embora possamos dar a todos o mesmo título, bem sabemos que não podemos recusar-nos a reconhecer — e no fundo queremos ser capazes de um tal reconhecimento — a existência daquelas muitas e variadas espécies e dos muitos variados graus, de perícia, vigor, sabedoria, coragem, bondade, energia e graça que distinguem os indivíduos uns dos outros.

E muitos de nós, apesar de adeptos da igualdade, não ficaríamos contentes com o regime que seria necessário para pôr em prática o seu sentido literal: o Estado sob a forma do leito de Procusta. «O igualitarismo» — escreveu Frank Parkin — «parece necessitar de um sistema político no qual o Estado possa pôr continuamente em xeque aqueles grupos sociais e profissionais que, por virtude das suas aptidões, instrução ou atributos pessoais, possam, se assim não for... reivindicar um quinhão desproporcionado dos benefícios sociais. O modo mais eficaz de pôr esses grupos em xeque é negando-lhes o direito de se organizarem politicamente[1]*.»*

Isto, de um adepto da igualdade. Quanto aos opositores, referem estes ainda com maior prontidão a repressão que seria necessária, bem como a monotonia e o conformismo assustador que um tal estado de coisas produziria. Uma sociedade de iguais, dizem-nos, seria um mundo de aparências falsas, no qual as pessoas que não fossem efectivamente iguais seriam obrigadas a parecê-lo e a agir como se o fossem. E uma tal falsidade teria de ser imposta por uma elite ou uma vanguarda cujos membros fingiriam não estar realmente nessa posição. Não é uma perspectiva atraente.

Mas não é isto o que queremos dizer quando falamos de igualdade. Há igualitaristas que aceitam o ponto de vista de Parkin, mas concordam com a repressão política. O seu credo é, porém, sinistro e, tal como tem sido entendido, não é susceptível de atrair muitos adeptos. Mesmo os que defendem aquilo a que chamo «igualdade simples» não estão habitualmente a pensar numa sociedade nivelada e conformista. Em que pensam então? O que pode querer dizer o termo «igualdade» se não for tomado à letra? Não tenho para já a intenção de colocar as seguintes questões filosóficas convencionais: Por virtude de que características somos iguais uns aos outros? E o que caracteriza a igualdade no tocante a essa realidade? Este livro é todo ele uma resposta complexa à primeira destas questões; ignoro, porém, a resposta à segunda, embora no último capítulo sugira uma característica relevante. Há, porém, com toda a certeza mais do que uma, sendo mais plausível que a resposta a esta questão se traduza numa lista do que numa só palavra ou frase. A resposta tem a ver com o facto de nos reconhecermos uns aos outros como seres humanos e membros da mesma espécie e aquilo que reconhecemos são corpos e espíritos, sentimentos e esperanças e até, talvez, almas. Tendo em conta o objectivo deste livro, dou como certo esse reconhecimento. Somos muito diferentes, mas somos também manifestamente semelhantes. Cabe agora perguntar que disposições (complexas) sociais resultam dessa diferença e dessa semelhança.

O sentido original da igualdade é negativo; na sua origem o igualitarismo traduz-se por uma política abolicionista. Visa a eliminação, não de todas as diferenças, mas apenas de um determinado conjunto de diferenças e de um conjunto diferente em diferentes épocas e lugares. Os seus alvos são sempre precisos: os privilégios aristocráticos, a abundância capitalista, o poder burocrático e a supremacia racial ou sexual. Em todos estes casos, porém, a luta assume formas parecidas. O que está em causa é a capacidade revelada por um grupo de pessoas para dominar os seus semelhantes. Não é o facto de existirem ricos e pobres que dá origem à política igualitária, mas antes o facto de os ricos «oprimirem os pobres», lhes imporem a pobreza e lhes exigirem um comportamento submisso. Do mesmo modo, não é a existência de aristocratas e plebeus ou de detentores de cargos públicos e cidadãos comuns (e muito menos a existência de diferentes raças ou sexos) que origina a exigência pelo povo da abolição das diferenças políticas e sociais; é antes o que os aristocratas fazem aos plebeus, o que os detentores de cargos públicos fazem aos cidadãos comuns e o que os que detêm o poder fazem aos dele privados.

A experiência da sujeição — e acima de tudo, da sujeição pessoal — está por trás da visão da igualdade. Os adversários desta visão afirmam frequentemente que as paixões que animam a política igualitária são a inveja e o despeito e é razoavelmente verdadeiro que estas paixões proliferam em todos os grupos inferiores. Em certa medida elas moldarão a sua política; daí o «comunismo rude» que Marx descreveu nos seus primeiros escritos e que não é senão a inveja posta em prática[2]. *Porém, a inveja e o despeito são paixões incómodas; não satisfazem ninguém e penso que é exacto afirmar que o igualitarismo não é tanto o pô-las em prática como um esforço consciente para fugir ao condicionalismo que as produz. Ora isso torna-as excessivas; é que há uma espécie de inveja que se encontra, por assim dizer, à superfície da vida social e não tem consequências sérias. Eu posso invejar a competência do meu vizinho para a jardinagem, a sua voz rica de barítono ou até mesmo a sua habilidade para conquistar o respeito dos nossos amigos comuns, mas isso não me induzirá a organizar um movimento político.*

O objectivo do igualitarismo político é uma sociedade livre da dominação. Esta é a esperança viva que dá pelo nome de igualdade*: acabarem os salamaleques e as reverências, bem como a adulação e o servilismo; acabarem o medo tremebundo e a arrogância desmesurada, bem como os senhores e os escravos. Não é a esperança da eliminação das diferenças; não temos todos de ser idênticos, nem possuir as mesmas quantidades das mesmas coisas. Homens e mulheres são iguais entre si (para todos os efeitos morais e políticos importantes) sempre que ninguém detém ou controla os meios de dominação. Porém, os meios de dominação são constituídos de modo diferente conforme as sociedades. Nascimento e linhagem, riqueza imobiliária, capital, educação, graça divina, autoridade, todos estes factores serviram, nesta ou naquela época, para permitir que certas pessoas dominassem outras. A dominação exerce-se sempre por meio de um conjunto de bens sociais. Embora a experiência seja pessoal, não há nada nas próprias pessoas que determine a natureza daquela. Por essa razão, mais uma vez, se pode afirmar que a igualdade, tal como nós a sonhámos, não exige a repressão das pessoas. Temos de compreender e controlar os bens sociais; não temos, porém, de esticar ou encolher os seres humanos.*

O meu propósito com o presente livro é o de descrever uma sociedade na qual nenhum bem social sirva ou possa servir como meio de dominação. Não tentarei descrever o que poderíamos fazer para criar essa sociedade. Essa explicação é bastante difícil: igualitarismo sem o leito de Procusta, um igualitarismo aberto e vivo que não coincide com o significado literal do termo, mas antes com os elementos mais ricos da sua visão, um igualitarismo compatível com a liberdade. Simultaneamente, não é meu propósito esboçar uma utopia não situada em parte alguma, nem um ideal filosófico aplicável em qualquer parte. Uma sociedade de iguais encontra-se aqui e agora ao nosso próprio alcance e, como tentarei demonstrar, já latente na nossa comum concepção dos bens sociais. A nossa *comum concepção: visão que é pertinente ao mundo social no qual se desenvolveu, mas não é pertinente, ou não o é necessariamente, a todos os mundos sociais. Ajusta-se a uma certa concepção das relações dos seres humanos entre si e ao modo como se servem daquilo que fazem para dar forma a essas relações.*

A minha posição é radicalmente particularista. Não pretendo ter atingido uma grande distância relativamente ao mundo social em que vivo. Uma das maneiras de iniciar o empreendimento filosófico — talvez a maneira original — consiste em sair da caverna, deixar a cidade, subir à montanha e adaptar a si próprio (o que nunca poderá adaptar-se a homens e mulheres comuns) um ponto de vista objectivo e universal. Então, descrever-se-á o terreno da vida quotidiana a partir de um ponto distante de modo a fazê-lo perder os seus contornos peculiares e tomar uma forma genérica. Tenciono, porém, permanecer na caverna, na cidade e no terreno. Outra maneira de fazer filosofia consiste em explicar aos nossos concidadãos o mundo de significados que compartilhamos. É concebível que os conceitos de justiça e igualdade possam ser entendidos como produtos filosóficos, mas uma sociedade justa ou igualitária não pode sê-lo. Se uma tal sociedade não existir já neste momento — oculta, por assim dizer, nos nossos conceitos e categorias — nunca a conheceremos em concreto nem a compreenderemos de facto.

Com o fim de sugerir a possível realidade do igualitarismo (de uma certa espécie), tentei apoiar o meu raciocínio em vários exemplos históricos e contemporâneos e em relatos de distribuições na nossa própria sociedade e, para contrastar, numa série de outras. As distribuições não favorecem relatos interessantes e raramente poderei contar as histórias que gostaria de contar, com princípio, meio e um fim a realçar uma conclusão moral. Os meus exemplos são esboços rudes, umas vezes focando os agentes da distribuição, outras vezes as maneiras de actuar, outras ainda, os critérios e, por último, a utilização e o sentido das coisas que compartilhamos, dividimos e trocamos. Estes exemplos aspiram a lembrar a força das coisas em si mesmas ou, mais propriamente, a força da concepção que temos das coisas. Nós construímos o mundo social tanto na nossa mente, como com as nossas mãos e o mundo especial que construirmos adapta-se a interpretações igualitárias. Mais uma vez, não a um igualitarismo literal, já que as nossas concepções são demasiado complexas para isso; tendem, porém, firmemente a condenar a utilização das coisas com fins de dominação.

Esta condenação tem a sua origem, segundo penso, menos numa concepção universalista das pessoas do que numa concepção pluralista dos bens. Daí que nas páginas que se seguem eu imite John Stuart Mill e renuncie às vantagens (na sua maior parte) que para a minha posição poderiam resultar do conceito de direitos individuais (ou seja, humanos ou naturais)[3]*. Há alguns anos, quando escrevi acerca da guerra, apoiei-me fortemente no conceito de direitos individuais. É que a teoria da justiça na guerra pode, na verdade, basear-se nos dois direitos mais importantes e largamente reconhecidos dos seres humanos na sua forma mais simples (negativa): não ser privado da vida nem da liberdade*[4]*. O que é talvez mais importante é que estes dois direitos parecem fundamentar os juízos morais que mais frequentemente fazemos em tempo de guerra. Eles prestam um bom serviço. Porém, são de fraca utilidade quando temos de reflectir sobre a justiça distributiva. Invocá-los-ei prin-*

cipalmente nos capítulos sobre a qualidade de membro e a previdência; mas mesmo aí não nos levarão muito longe no tocante à essência do raciocínio. O esforço que se faça para elaborar um comentário completo sobre a justiça ou uma defesa da igualdade através da multiplicação de direitos, em breve torna ridículo o resultado da multiplicação. Dizer a respeito do que quer que seja que pensemos que as pessoas devem ter, que têm o direito de o ter, não é dizer grande coisa. Os homens e as mulheres têm efectivamente outros direitos além do direito à vida e à liberdade, mas aqueles não resultam da nossa comum natureza humana; e sim antes de concepções que compartilhamos sobre os bens sociais. Têm características locais e especiais.

Contudo, o princípio da utilidade de Mill também não pode funcionar como argumento decisivo nas discussões sobre a igualdade. A «utilidade no seu sentido mais amplo» poderá, penso eu, funcionar do modo que quisermos. Provavelmente, porém, o utilitarismo clássico necessitaria de um programa coordenado, de um plano central muito especial, para a distribuição dos bens sociais. E embora o plano pudesse dar origem a algo parecido com a igualdade, não seria uma igualdade como aquela que descrevi, livre de toda a espécie de dominação, já que o poder dos autores do plano seria dominante. Uma vez que temos de respeitar os significados sociais, as distribuições não podem ser coordenadas, quer com referência à felicidade geral, quer com referência ao que quer que seja. A dominação só será excluída se os bens sociais forem distribuídos por razões distintas e «internas». Explicarei o que isto quer dizer no meu primeiro capítulo e demonstrarei então que a justiça distributiva não é — ao contrário do utilitarismo — uma ciência unificada, mas antes uma arte da diferenciação.

E a igualdade é simplesmente o produto dessa arte, pelo menos para nós, trabalhando com os instrumentos que temos à mão. No resto do livro, tentarei então descrever esses instrumentos e as coisas que fazemos e distribuímos, uma por uma. Tentarei explicar o que significam para nós bem-estar, dinheiro, educação, tempo livre, poder político e assim por diante e ainda que papel desempenham nas nossas vidas e como poderíamos compartilhá-los, dividi-los e trocá-los se estivéssemos livres de toda e qualquer espécie de dominação.

Princeton, New Jersey, 1982

AGRADECIMENTOS

Os agradecimentos e citações têm a ver com a justiça distributiva, sendo a moeda com a qual pagamos as nossas dívidas intelectuais. O pagamento é importante; há, com efeito, um provérbio no Talmude que diz que quando um sábio refere todas *as suas fontes, torna um pouco mais próximo o dia da redenção. Porém, não é fácil uma referência integral; provavelmente, ignoramos, ou somos incapazes de reconhecer, muitas das nossas dívidas mais importantes e, por isso, o grande dia ainda vem longe. Até nesta matéria a justiça é incompleta e imperfeita.*

No ano lectivo de 1970-1971 dei um curso na Universidade de Harvard, juntamente com Robert Nozick sobre o tema «Capitalismo e Socialismo». O curso era em forma de debate e metade desse debate encontra-se em Anarquia, Estado e Utopia, *do Professor Nozick (Nova Iorque, 1974); o presente livro contém a outra metade. Não tentei replicar aos pontos de vista de Nozick por forma detalhada, tendo-me limitado a apresentar a minha própria posição. Contudo, devo mais do que o que poderia dizer às nossas discussões e desacordos.*

Vários capítulos deste livro foram lidos e discutidos em reuniões da Associação para a Filosofia Legal e Ética e em seminários patrocinados pela Escola de Ciências Sociais, no Instituto de Estudos Avançados. Estou grato a todos os sócios da Associação e aos meus colegas do Instituto durante os anos lectivos de 1980-1981 e 1981-1982. Quero agradecer especialmente as opiniões e críticas de Jonathan Bennett, Marshall Cohen, Jean Elshtain, Charles Fried, Clifford Geertz, Philip Green, Amy Gutmann, Albert Hirschman, Michael McPherson, John Schrecker, Marc Stier e Charles Taylor. Judith Jarvis Thomson leu o manuscrito na íntegra e chamou-me a atenção para todas aquelas passagens em que, embora eu tivesse todo o direito de dizer o que disse, teria sido melhor ter estabelecido uma discussão. E tentei estabelecer tais discussões embora não sempre com a profundidade que ela (e eu) desejaria.

Robert Amdur, Don Herzog, Irving Howe, James T. Johnson, Marvin Kohl, Judith Leavitt, Dennis Thompson e John Womack leram, cada um, um capítulo do livro e deram opiniões úteis. A minha mulher, Judith Walzer, leu uma grande parte, conversou comigo sobre o livro no seu todo e apoiou-me nos meus esforços para dizer algo, ainda que apenas em esboço, sobre parentesco e amor.

Não há ninguém que, ao escrever sobre a justiça nos tempos que correm, possa deixar de reconhecer e admirar o resultado conseguido por John Rawls. No meu texto, discordei as mais das vezes com Uma Teoria da Justiça *(Cambridge, Mass., 1971). O meu empreendimento é muito diferente do de Rawls, apoiando-se em diversas disciplinas académicas (mais na história e na antropologia do que na economia e na psicologia). Porém, não teria tomado forma como tomou (e talvez até nem tivesse tomado qualquer forma) sem o seu trabalho. Há dois outros filósofos contemporâneos que se aproximam mais do que Rawls do meu ponto de vista relativamente à justiça. Em* A Justiça e o Bem Humano *(Chicago, 1980), William M. Galston opina como eu que os bens sociais «se dividem por diferentes categorias» e que «cada uma destas categorias traz à cena um conjunto distintivo de reivindicações». Em* Justiça Distributiva *(Indianapolis, 1966), Nicholas Rescher opina como eu a favor de uma explicação «pluralista e heterogénea» da justiça. Penso, porém, que o pluralismo destas duas opiniões se encontra viciado pelo aristotelismo de Galston e pelo utilitarismo de Rescher. O meu raciocínio desenvolve-se sem estes compromissos fundamentais.*

O capítulo sobre a qualidade de membro, numa primeira versão, apareceu pela primeira vez em Fronteiras: A Autonomia Nacional e os seus Limites, *preparado para publicação por Peter G. Brown e Henry Shue e publicado por Rowman e Littlefield (Totowa, N. J., 1981). Estou grato àqueles pelos comentários e críticas e a estes pela autorização dada para reeditar aqui o ensaio. Uma secção do capítulo 12 apareceu pela primeira vez em* The New Republic *(3 e 10 de Janeiro de 1981). Alguns dos ensaios coligidos no meu livro* Princípios Radicais *(Nova Iorque, 1980) e anteriormente publicados na revista* Dissent *constituem afirmações primitivas e experimentais da teoria aqui apresentada. Fui ajudado na sua reformulação pela análise crítica de* Princípios Radicais, *feita por Brian Barry em* Ethics *(Janeiro de 1982). Os dois versos tirados de «Em Tempo de Guerra» de W. H. Auden foram extraídos de* O Auden Inglês: Poemas, Ensaios e Escritos Dramáticos, 1927-1939, *coligidos por Edward Mendelson, William Meredith e Monroe K. Spears, testamenteiros de W. H. Auden, tendo a sua inclusão no presente livro sido gentilmente autorizada pelo editor Random House, Inc.*

A minha secretária, Mary Olivier, no Instituto de Estudos Avançados, dactilografou o manuscrito e voltou a dactilografá-lo vezes sem conta com infalível exactidão e uma paciência inesgotável.

Finalmente, Martin Kessler e Phoebe Hoss, da Basic Books, proporcionaram o género de encorajamento e de conselhos que, numa sociedade perfeitamente justa, todos os autores receberão.

CAPÍTULO I

A IGUALDADE COMPLEXA

O pluralismo

A justiça distributiva é um conceito amplo. Põe o universo dos bens totalmente ao alcance da reflexão filosófica. Nada é omitido e nenhum aspecto da nossa vida escapa a um exame minucioso. A sociedade humana é uma comunidade distributiva. Não é apenas isso, mas é-o de modo importante: nós reunimo-nos para compartilhar, dividir e trocar. Reunimo-nos também para fazer as coisas que são compartilhadas, divididas e trocadas, mas mesmo essa execução — o próprio trabalho — é distribuída entre nós no que se chama a divisão do trabalho. O meu lugar na economia, a minha posição na ordem política, a minha reputação entre os meus colegas, o meu património pessoal, tudo isto me vem de outros homens e mulheres. Pode dizer-se que é certo ou errado, justo ou injusto, ter eu aquilo que tenho; porém, atenta a variedade das distribuições e o número de participantes, esses juízos nunca são fáceis.

O conceito de justiça distributiva tem tanto a ver com ser e fazer como com ter, tanto com a produção como com o consumo, tanto com a identidade e a posição como com a terra, o capital ou os bens pessoais. Diferentes combinações políticas exigem, e diferentes ideologias justificam, diferentes distribuições da qualidade de membro, bem como de poder, honra, respeito, eminência ritual, graça divina, parentesco e amor, riqueza, segurança física, trabalho e lazer, recompensas e punições e ainda de uma porção de bens concebidos de maneira mais detalhada e concreta: alimentação, alojamento, vestuário, transportes, assistência médica, bens de qualquer espécie e todas aquelas coisas pouco vulgares (quadros, livros raros, selos) que os seres humanos coleccionam.

E a esta multiplicidade de bens corresponde uma multiplicidade de processos distributivos, agentes e critérios. Há, por exemplo, sistemas distributivos simples: galés de escravos, mosteiros, manicómios e jardins de infância (embora, se analisarmos atentamente cada uma destas espécies, lhes encontremos complexidades inesperadas); porém, nenhuma sociedade humana desenvolvida conseguiu, até hoje, evitar a multiplicidade. Teremos que estudá-los a todos, tanto os bens como as distribuições, e em muito diferentes épocas e lugares.

Não há, contudo, um ponto único de acesso a este universo de combinações e ideologias distributivas. Nunca existiu um meio universal de trocas. A partir do declínio da economia de troca directa, o dinheiro passou a ser o meio mais comum. Porém, a velha máxima segundo a qual há coisas que o dinheiro não compra, é verdadeira, tanto do ponto de vista normativo como real. Aquilo que deveria ou não deveria estar à venda é algo que os homens e as mulheres têm sempre de decidir e têm decidido de muitas e variadas maneiras. O mercado tem sido, através da história, um dos mais importantes mecanismos de distribuição dos bens sociais; contudo, nunca foi, e está muito longe de o ser ainda hoje, um sistema distributivo completo.

Do mesmo modo, também nunca houve um centro único de decisão a partir do qual todas as distribuições fossem controladas nem um grupo único de agentes a tomar decisões. Nenhum poder público foi alguma vez tão penetrante que tivesse conseguido regular todos aqueles modelos de comparticipação, divisão e troca que dão forma a uma sociedade. As coisas escapam ao domínio do Estado; concebem-se novos modelos tais como redes familiares, mercados negros, alianças burocráticas e organizações políticas e religiosas clandestinas. As autoridades públicas podem obrigar ao pagamento de impostos, recrutar, atribuir, regular, nomear, recompensar ou punir, mas não podem controlar os bens todos nem fazer-se substituir pelos outros agentes de distribuição. Nem mais ninguém pode fazê-lo; no mercado há estratagemas e açambarcamentos, mas jamais existiu uma conspiração distributiva que tenha obtido um êxito total.

E, finalmente, nunca existiu um critério único nem um conjunto único de critérios interligados para todas as distribuições. Merecimento, aptidão, nascimento e linhagem, amizade, necessidade, livre troca, lealdade política, decisão democrática, todos ocuparam os seus lugares, juntamente com muitos outros, numa coexistência incómoda, invocados por grupos concorrentes, confundidos uns com os outros.

Em matéria de justiça distributiva a história mostra-nos uma grande variedade de combinações e ideologias. Contudo, o primeiro impulso do filósofo é o de resistir às mostras da história, ao universo das aparências e ir em busca de uma unidade subjacente: uma curta lista de bens essenciais rapidamente resumida num único bem; um critério distributivo único ou um conjunto interligado; e o próprio filósofo colocado, pelo menos simbolicamente, num único ponto de decisão. Na minha opinião, ir em busca da unidade é não compreender o objecto da justiça distributiva. Contudo, num certo sentido, o impulso filosófico é inevitável. Mesmo que optemos pelo pluralismo, como é o meu caso, essa opção requer uma defesa coerente. Tem de haver princípios que justifiquem a opção e lhe tracem limites, pois o pluralismo não nos exige que perfilhemos todo e qualquer critério distributivo ou que aceitemos todo e qualquer candidato a agente. Podemos admitir que haja um princípio único e uma única espécie legítima de pluralismo. Continuaríamos, porém, perante um pluralismo compreensivo de uma grande variedade de distribuições. Contrastando com isto, a mais funda convicção da maioria dos filósofos que escreveram sobre a justiça, de Platão em diante, é a de que há um e apenas um sistema distributivo que a filosofia pode correctamente compreender.

Este sistema é hoje vulgarmente descrito como aquele que seria escolhido por homens e mulheres racionais se fossem obrigados a escolher imparcialmente, ignorando a própria situação, impedidos de fazer reivindicações individuais e na situação de confrontados com um conjunto abstracto de bens[1]. Se estas restrições ao conhecimento e à capacidade reivindicativa forem convenientemente concebidas e se os bens forem definidos por forma apropriada, chegar-se-á provavelmente a uma conclusão singular. Homens e mulheres racionais, constrangidos desta ou daquela maneira, optarão por um e apenas um sistema distributivo. Não é, porém, fácil de avaliar a força dessa conclusão singular. É com toda a certeza duvidoso que esses mesmos homens e mulheres, uma vez transformados em pessoas comuns, com uma forte consciência da própria identidade, com os seus próprios bens nas suas mãos e enredados nos problemas do quotidiano, reiterassem aquela sua hipotética opção ou sequer a reconhecessem como sua. A questão mais importante não é a do individualismo do interesse, o que os filósofos sempre afirmaram poder com segurança — ou seja, incontestavelmente — pôr de lado. As pessoas comuns também o podem fazer, digamos que em nome do interesse público. O maior problema reside no particularismo da história, da cultura e da qualidade de membro. Mesmo que estejam empenhados na imparcialidade, a questão que mais provavelmente se colocará nos espíritos dos membros de uma comunidade política não será «Qual será a escolha de indivíduos racionais em condições de universalização de tal ou tal espécie?», mas antes «Qual será a escolha de indivíduos como nós, posicionados como estamos, participando de uma cultura e dispostos a continuar a dela participar?» E esta questão pode ser facilmente transformada em «Que opções fizemos já no decurso da nossa vida comum? Que conceitos compartilhamos (realmente)?»

A justiça é uma construção humana e é duvidoso que só haja uma maneira de a atingir. De qualquer modo, começo por pôr em dúvida, e mais do que isso, esta ideia-modelo filosófica. As questões postas pela teoria da justiça distributiva admitem várias respostas, havendo aí espaço para a diversidade cultural e a opção política. Não se trata apenas de executar um certo princípio único ou um conjunto de princípios em diversos contextos históricos. Ninguém nega que haja várias formas de execução moralmente permitidas. Vou mais longe do que isso e afirmo que os princípios de justiça são, eles próprios, pluralistas na sua forma; que os vários bens sociais devem ser distribuídos com base em motivos diferentes, segundo processos diferentes e por diversos agentes; e que todas estas diferenças derivam de diferentes concepções dos próprios bens sociais — consequência inevitável do particularismo histórico e cultural.

A teoria dos bens

As teorias da justiça distributiva focam um processo social vulgarmente descrito como se tivesse a seguinte forma:

> As pessoas distribuem bens às (outras) pessoas.

«Distribuir» significa aqui dar, atribuir, trocar e assim por diante, chamando-se a atenção principalmente para os indivíduos que se encontram nos extremos de cada uma destas acções, não para os produtores e os consumidores e sim para os agentes distribuidores e para os recebedores de bens. Estamos, como sempre, interessados em nós próprios, mas neste caso é numa versão especial e limitada de nós próprios, como pessoas que dão e recebem. De que natureza somos? Quais são os nossos direitos? De que necessitamos, o que queremos e o que merecemos? A que temos direito? O que é que aceitaríamos em condições ideais? As respostas a estas questões transformam-se em princípios distributivos que se supõe controlarem o movimento dos bens. Estes, abstractamente considerados, são concebidos como movendo-se em todas as direcções.

Contudo, esta concepção da realidade é demasiado simples e vai muito rapidamente obrigar-nos a elaborar amplas asserções a respeito da natureza humana e da actuação moral, sendo pouco provável que essas asserções alguma vez obtenham a concordância geral. É minha intenção propor uma descrição mais complexa e precisa do processo essencial:

> As pessoas concebem e criam bens que depois distribuem entre si.

Aqui a concepção e a criação precedem e comandam a distribuição. Os bens não aparecem sem mais nem menos nas mãos de agentes distribuidores que façam com eles o que muito bem queiram ou os distribuam de acordo com um certo princípio geral[2]. Pelo contrário, os bens, com tudo o que significam — e por causa do que significam — constituem o instrumento crucial das relações sociais, introduzindo-se no espírito das pessoas antes de lhes virem parar às mãos e sendo as distribuições ajustadas de acordo com concepções compartilhadas sobre o que são os bens e para que servem. Os agentes distribuidores estão constrangidos pelos bens que possuem; quase se poderia dizer que os bens se distribuem a si próprios pelas pessoas.

> As coisas vão sobre a sela*
> E cavalgam a Humanidade[3].

Trata-se, porém, aqui de coisas especiais e de grupos especiais de homens e mulheres. E, evidentemente, somos nós quem faz as coisas, incluindo a sela. Não quero negar a importância da intervenção humana unicamente para desviar a nossa atenção da distribuição em si mesma para a concepção e criação: a designação dos bens, a atribuição de um significado e o fabrico colectivo. O que temos de expor e irá delimitar o pluralismo das possibilidades distributivas é uma teoria dos bens. Tendo em conta o nosso objectivo imediato, essa teoria pode resumir-se em seis proposições.

1. Todos os bens objecto da justiça distributiva são bens sociais. Não são nem podem ser avaliados por forma idiossincrásica. Não estou certo de que haja outras espécies de bens; é minha intenção deixar essa questão em aberto. Alguns objectos

---

* Esta expressão tanto pode ter o sentido literal de «a cavalo» como o figurado de «em posição de comando». *(NT)*

domésticos são estimados por razões pessoais e sentimentais, o que sucede, porém, unicamente naquelas culturas em que o sentimento se encontra habitualmente ligado àqueles objectos. Um belo poente, o aroma do feno acabado de ceifar, a emoção causada por uma vista sobre a cidade: estamos aqui, talvez, perante bens avaliados de modo pessoal, ainda que sejam também e mais nitidamente objecto de avaliação cultural. As próprias invenções novas não são avaliadas de acordo com o pensamento dos seus inventores, sendo, sim, objecto de um processo mais largo de concepção e criação. Os bens de Deus estão indubitavelmente isentos desta regra — como resulta do primeiro capítulo do Génesis, onde se lê: «Deus, vendo toda a sua obra, considerou-a muito boa» (1:31). Esta avaliação não necessita da concordância da Humanidade (que poderia ser duvidosa) nem de uma maioria de homens e mulheres reunidos em condições ideais (embora, provavelmente, Adão e Eva no Éden a aprovassem). Não me recordo, porém, de quaisquer outras isenções. Os bens deste mundo têm significados compartilhados, porque a concepção e criação são processos sociais. Pela mesma razão, os bens têm significados diferentes em sociedades diferentes. A mesma «coisa» é avaliada por motivos diversos, ou melhor, é valorizada aqui e desvalorizada ali. John Stuart Mill lamentou-se uma vez do facto de que «as pessoas manifestam as suas preferências em grupo»; não conheço, porém, outra maneira de gostar ou não dos bens sociais[4]. Uma pessoa isolada dificilmente poderia entender o significado dos bens ou imaginar as razões para se gostar ou deixar de gostar deles. Uma vez que as pessoas manifestam as suas preferências em grupo, torna-se possível aos indivíduos afastar-se, propendendo para significados latentes ou subversivos e visando a valores alternativos como, por exemplo, os da notoriedade e da excentricidade. Uma excentricidade tranquila tem, por vezes, sido um dos privilégios da aristocracia e é um bem social como outro qualquer.

2. Os homens e as mulheres aceitam identidades concretas por causa do modo como concebem e criam e a seguir possuem e utilizam os bens sociais. «A fronteira entre o eu e o meu» — escreveu William James — «é muito difícil de traçar[5].» As distribuições não podem ser entendidas como actos de homens e mulheres que ainda não têm bens especiais na mente ou nas mãos. Na verdade, as pessoas já mantêm uma relação com um conjunto de bens e têm uma história de transacções, não apenas umas com as outras, mas também com o mundo moral e material em que vivem. Sem essa história que começa com o nascimento, não seriam homens e mulheres numa acepção admissível do termo e não teriam a mínima noção de como iniciarem a actividade de dar, atribuir e trocar bens.

3. Não há um conjunto único de bens primários ou básicos imaginável por todos os universos morais ou materiais; de outro modo, um tal conjunto teria de ser concebido em termos tão abstractos que teriam pouca utilidade no planeamento de distribuições específicas. O próprio conjunto das necessidades, se tivermos em conta tanto as necessidades morais como as físicas, é muito vasto e as suas classificações muito diversas. Um só bem necessário e um que é sempre necessário — por exemplo, a comida — tem significados diferentes em lugares diferentes. O pão é o sustento da vida, o corpo de Cristo, o símbolo dominical, o instrumento da hospitalidade e assim por diante. É concebível que haja um sentido limitado

segundo o qual o primeiro daqueles significados é primordial, de modo que se houvesse vinte pessoas no mundo e pão à justa para alimentar as vinte, a primazia do pão-como-sustento-da-vida daria um princípio distributivo suficiente. Mas essa é a única circunstância em que o faria; e mesmo aí, não poderíamos ter a certeza. Se a utilização religiosa do pão entrasse em conflito com a sua utilização nutritiva — se os deuses ordenassem que o pão fosse cozido e queimado em vez de comido — não é de modo nenhum certo qual das utilizações seria primordial. Como poderemos, pois, incluir o pão na lista universal? Esta questão é ainda mais difícil de responder, sendo as respostas convencionais menos plausíveis, ao passarmos das necessidades para as oportunidades, os poderes, as reputações e por aí fora. Estas só poderão ser incluídas se se lhes retirar todo e qualquer sentido específico, tornando--as, assim, destituídas de sentido para todos os efeitos práticos.

4. Contudo, é o significado dos bens que determina a sua deslocação. Os critérios e as combinações distributivas são intrínsecos, não ao bem em si mesmo, mas ao bem social. Se compreendermos o que é, o que significa para aqueles para os quais é um bem, compreenderemos como, por quem e por que motivo deve ser distribuído. Todas as distribuições são justas ou injustas conforme os significados sociais dos bens em causa. Isto é obviamente um princípio justificativo, mas é também um princípio crítico*. Quando os cristãos medievais, por exemplo, condenavam o pecado da simonia, estavam a querer dizer que o significado daquele específico bem social, a função eclesiástica, excluía a sua compra e venda. Atenta a concepção cristã da função, resultava daí — e sinto-me inclinado a afirmar que resultava necessariamente — que quem exercia tal função deveria ser escolhido pela sua sabedoria e piedade e não pela sua riqueza. Há presumivelmente coisas que o dinheiro pode comprar, mas não esta. Do mesmo modo as palavras *prostituição* e *suborno*, tal como *simonia*, referem-se à compra e venda de bens que, se tivermos em conta certas interpretações do seu significado, não deverão nunca ser comprados ou vendidos.

5. Os significados sociais são, por sua natureza, históricos e, por isso, as distribuições, justas ou injustas, mudam com os tempos. Na verdade, certos bens essenciais possuem aquilo a que poderíamos chamar estruturas normativas características, reiteradas através das linhas (mas não de todas) do tempo e do espaço. É devido a esta reiteração que o filósofo britânico Bernard Williams se sente habilitado a afirmar que os bens deveriam ser sempre distribuídos por «motivos

* Não serão os significados sociais — como referiu Marx — mais do que «ideias da classe dominante», «as relações materiais dominantes entendidas como ideias[6]»? Não creio que alguma vez sejam só ou simplesmente isso, embora os membros da classe dominante e os intelectuais por eles patrocinados possam muito bem encontrar-se em posição de tirar partido de e distorcer os significados sociais no seu próprio interesse. Todavia, ao fazê-lo, encontrarão provavelmente resistência, enraizada (intelectualmente) nesses mesmos significados. A cultura de um povo é sempre um produto colectivo ainda que não inteiramente cooperativo, sendo sempre um produto complexo. O entendimento comum dos bens específicos contém princípios, processos e concepções de actuação que os governantes não escolheriam se tivessem de escolher *agora mesmo*, e assim estabelece os termos da crítica social. O apelo àquilo a que chamarei princípios «internos», contra as usurpações praticadas por homens e mulheres poderosos, é o modo normal do discurso crítico.

relevantes», parecendo aqui a relevância ter a ver com um significado mais essencial do que social[7]. A opinião de que os cargos deveriam ser para candidatos qualificados, embora não seja a única opinião até agora defendida a respeito dos cargos, é claramente manifestada em diferentes sociedades onde a simonia e o nepotismo, sob nomes diversos, tem sido, por modo idêntico, julgados pecaminosos ou injustos. (Tem havido, porém, uma larga divergência de pontos de vista sobre que espécie de posições ou lugares poderão ser adequadamente considerados «cargos».) Por outro lado, a punição tem sido largamente considerada como um bem negativo que deverá caber àqueles que se julga merecerem-na, com base num veredicto e não numa decisão política. (Mas o que é um veredicto? Quem deve proferi-lo? Em resumo, como é que se deve fazer justiça aos homens e mulheres acusados? Tem havido divergências significativas sobre estas questões.) Estes exemplos convidam à investigação empírica. Não existe processo meramente intuitivo ou especulativo que permita apreender os motivos relevantes.

6. Quando os significados são diferentes, as distribuições devem ser autónomas. Todo o bem social ou conjunto de bens sociais constitui, por assim dizer, uma esfera distributiva dentro de cujos limites só certos critérios e combinações são adequados. O dinheiro é inadequado na esfera das funções eclesiásticas; é uma intrusão proveniente doutra esfera. Por outro lado, a piedade não seria vantajosa no mercado, tal como o mercado tem habitualmente vindo a ser entendido. Tudo o que puder ser correctamente vendido deve sê-lo tanto a homens e mulheres piedosos como aos ímpios, heréticos e pecadores (de outro modo, não se faria muito negócio). O mercado encontra-se aberto a todos os visitantes, a igreja não. Evidentemente, não há sociedade alguma em que os significados sociais sejam totalmente distintos. O que acontece numa esfera distributiva influencia o que se passa nas outras. Poderemos, quando muito, ir em busca de uma autonomia relativa. Porém, a autonomia relativa, tal como o significado social, é um princípio crítico ou mesmo, como irei demonstrar ao longo do presente livro, um princípio radical.

Predomínio e monopólio

De facto, as violações são sistemáticas. A autonomia é uma questão de significado social e valores compartilhados, mas é mais provável que resulte em reformas e rebeliões ocasionais do que numa permanente realização. Apesar de toda a complexidade das suas combinações distributivas, a maior parte das sociedades está organizada no que se poderia chamar uma versão social do escalão ouro: um bem ou um conjunto de bens é predominante e determina o valor em todas as esferas de distribuição. E esse bem ou conjunto de bens é vulgarmente monopolizado, sendo o seu valor mantido pela força e coesão dos seus possuidores. Um bem é predominante se os indivíduos que o têm e porque o têm puderem exigir uma extensa variedade de outros bens. E encontra-se monopolizado sempre que um único homem ou mulher, um monarca no mundo dos valores — ou um grupo de homens e mulheres, oligarcas portanto — o conseguir reter em seu poder contra todos os seus rivais. O predomínio refere-se a um modo de utilização dos bens sociais que não é delimitado pelos seus significados intrínsecos ou que concebe esses significados à sua própria imagem. O monopólio refere-se a um modo de possuir ou controlar os bens sociais com o fim de tirar partido do seu predomínio. Quando os bens são raros e extremamente necessários como a água no deserto, o próprio monopólio os torna predominantes. A maior parte das vezes, porém, o predomínio é uma criação social mais elaborada, representando o trabalho de muitas pessoas, misturando a realidade com os símbolos. Força física, reputação familiar, cargos religiosos ou políticos, riqueza imobiliária, capital, cada um destes, em diferentes períodos históricos, foi predominante e cada um destes foi monopolizado por este ou por aquele grupo de homens e mulheres. E, seguidamente, todas as coisas boas vêm parar às mãos daqueles que têm a melhor coisa. Se possuíres esta, as outras virão em série ter contigo. Ou, mudando a metáfora, um bem predominante converte-se noutro bem e a seguir em muitos outros em conformidade com o que frequentemente se parece com um processo natural, mas é de facto mágico, como que uma espécie de alquimia social.

Nenhum bem social domina alguma vez inteiramente o conjunto dos bens, nenhum monopólio é alguma vez perfeito. Pretendo unicamente descrever tendências, mas tendências cruciais. É que é possível caracterizar sociedades inteiras a partir dos padrões de conversão estabelecidos no seu interior. Algumas dessas caracterizações são simples: numa sociedade capitalista o capital é predominante, sendo prontamente convertido em prestígio e poder; numa tecnocracia, os conhecimentos técnicos desempenham o mesmo papel. Não é, porém, difícil imaginar nem encontrar combinações sociais mais complexas. Efectivamente, o capitalismo e a tecnocracia são mais complexos do que o que os seus nomes sugerem, ainda que os nomes contenham informação real a respeito dos modos mais importantes de compartilhar, dividir e trocar. O controlo monopolístico de um bem predominante dá origem a uma classe dominante cujos membros se encontram no topo do sistema distributivo — tal como os filósofos, ao pretenderem ter a sabedoria que amam, gostariam de fazer. Porém, uma vez que o predomínio é sempre incompleto e o monopólio imperfeito, o domínio de cada classe dominante é sempre instável. É continuamente ameaçado por outros grupos em nome de padrões alternativos de conversão.

Os conflitos sociais têm unicamente a ver com a distribuição. A firme ênfase dada por Marx aos modos de produção não deve esconder dos nossos olhos esta verdade simples: a luta pelo controlo dos meios de produção é uma luta distributiva. A terra e o capital estão em jogo e são estes os bens que podem ser compartilhados, divididos, trocados e convertidos continuamente. Todavia, a terra e o capital não são os únicos bens predominantes; é possível (tem sido historicamente possível) chegar a eles através de outros bens: poder político ou militar, cargo ou carisma religioso e por aí fora. A história não nos mostra nenhum bem predominante único nem nenhum bem naturalmente predominante e, sim, apenas espécies diferentes de magia e grupos rivais de mágicos.

A pretensão de monopolizar um bem predominante — quando concebida para fins públicos — constitui uma ideologia. A sua forma normal consiste em relacionar a posse legítima com um conjunto qualquer de qualidades pessoais por meio de um princípio filosófico. Assim, a aristocracia, ou governo dos melhores, é o princípio daqueles que baseiam a sua pretensão no nascimento ou na inteligência; estes são geralmente os que monopolizam a riqueza fundiária e a reputação familiar. A supremacia divina é o princípio dos que afirmam conhecer a palavra de Deus; são os que monopolizam a graça e o cargo. A meritocracia, ou carreira aberta ao talento é o princípio dos que afirmam ser talentosos; são os que, com mais frequência, monopolizam a educação. A livre troca é o princípio dos que estão prontos, ou dizem estar prontos, a arriscar o seu dinheiro; são os que monopolizam a riqueza mobiliária. Estes grupos — e ainda outros, semelhantemente caracterizados pelos seus princípios e haveres — competem uns com os outros, lutando pela supremacia. Ora vence um grupo, ora outro, ora se organizam coligações e a supremacia é dificilmente compartilhada. Não há nem deveria haver vitória final. Isto não quer, porém, dizer que as pretensões dos diferentes grupos sejam forçosamente erradas ou que os princípios que invocam não sejam válidos como critérios distributivos; os princípios são, com frequência, estritamente correctos dentro dos limites de uma esfera especial. As ideologias são facilmente corrompidas, mas a sua corrupção não é o seu aspecto mais interessante.

Foi no estudo destas lutas que busquei o fio condutor do meu raciocínio. As lutas têm, em minha opinião, uma forma paradigmática. Um determinado grupo de homens e mulheres — classe, casta, estrato, condição, aliança ou formação social — entra na posse de um monopólio ou de um quase-monopólio de um certo bem predominante ou uma coligação de grupos entra nessa posse e assim por diante. O bem predominante é, mais ou menos sistematicamente, convertido em todo o género de outras coisas: oportunidades, poderes e reputações. Deste modo, os fortes apoderam-se da riqueza, os bem-nascidos da alta distinção, os superiormente instruídos dos cargos públicos. Talvez seja amplamente aceite que a ideologia em que se fundamentam estes actos é correcta. Porém, o despeito e a resistência são (quase) tão subtis como a convicção. Há sempre algumas pessoas — e passado algum tempo haverá um grande número — que pensam que os ditos actos não são de justiça, mas sim de usurpação. O grupo dominante não possui, ou não é o único a possuir, as qualidades que se arroga e o processo de conversão viola o entendimento comum dos bens em jogo. O conflito social é intermitente ou endémico; a partir de certa altura, propõem-se contra-reivindicações. Embora estas sejam de vários tipos, há três que são especialmente importantes:

1. A reivindicação de que o bem predominante, qualquer que ele seja, se redistribua, de modo que possa ser igual ou, pelo menos, mais amplamente compartilhado; isto é o mesmo que dizer que o monopólio é injusto.
2. A reivindicação de que se abra a porta à distribuição autónoma de todos os bens sociais; isto é o mesmo que dizer que o predomínio é injusto.
3. A reivindicação de que um certo bem novo, monopolizado por um certo grupo novo, venha substituir o bem então predominante; isto é o mesmo que dizer que o padrão vigente de predomínio e monopólio é injusto.

A terceira reivindicação é, segundo Marx, o modelo de toda a ideologia revolucionária — excepto, talvez, da ideologia proletária ou última ideologia. Assim, de acordo com a teoria marxista, a Revolução Francesa acabou com o predomínio da linhagem e do sangue nobre, bem como com o domínio feudal da terra, substituindo-os pela riqueza da burguesia. A situação primitiva reproduz-se com diferentes sujeitos e objectos (isto nunca deixa de ter importância) e então a luta de classes renova-se imediatamente. Não é minha intenção neste momento aprovar ou criticar o ponto de vista de Marx. Suponho, efectivamente, que em toda a ideologia revolucionária há algo daquelas três reivindicações, mas também essa não é uma posição que vá agora tentar defender. Qualquer que seja o seu significado sociológico, a terceira reivindicação não tem interesse filosófico, a menos que se acredite que haja um bem de tal modo naturalmente predominante que os seus possuidores possam legitimamente reivindicar governar-nos a todos. Num certo sentido, Marx acreditava precisamente nisto. Os meios de produção constituem o bem predominante através da história e o marxismo é uma doutrina historicista, na medida em que sugere que quem controlar os bens predominantes, governa legitimamente[8]. Após a revolução comunista, todos controlaremos os meios de produção; nessa altura, a terceira reivindicação esgota-se na primeira. Entretanto, o modelo de Marx constitui um programa para a luta distributiva no momento presente. Claro que será importante quem vence neste ou naquele momento, mas não saberemos como nem porque é que é importante, se prestarmos unicamente atenção às sucessivas afirmações de predomínio e monopólio.

A igualdade simples

Preocupar-me-ei com as duas primeiras reivindicações e por fim unicamente com a segunda, já que esta me parece ser a que melhor exprime a pluralidade de significados sociais e a complexidade real dos sistemas distributivos. Contudo, a primeira é a mais comum entre os filósofos, harmonizando-se com a sua própria busca da unidade e da singularidade; terei de explicar em pormenor as suas dificuldades.

Os homens e mulheres que formulam a primeira reivindicação contestam o monopólio, mas não o predomínio deste ou daquele bem social. Isto é também uma contestação do monopólio em geral pois se, por exemplo, a riqueza for predominante e largamente compartilhada, não há mais bem nenhum que possa ser monopolizado. Imaginemos uma sociedade em que tudo esteja à venda e todos os cidadãos tenham o mesmo dinheiro. Chamarei a isto o «regime da igualdade simples». A igualdade multiplica-se através do processo de conversão até abranger todo o conjunto de bens sociais. O regime da igualdade simples não durará muito, porque o desenvolvimento posterior da conversão com a livre troca no mercado trará de certeza consigo desigualdades. Se se quisesse manter a igualdade simples no tempo, seria necessária uma «lei monetária» semelhante às leis agrárias da Antiguidade ou à lei sabática dos Hebreus, estabelecendo um regresso periódico à situação primitiva. Só um Estado centralizado e activista teria a força suficiente para impor aquele regresso e não é certo que as autoridades pudessem ou quisessem realmente fazê-lo, sendo o dinheiro o bem predominante. Em todo o caso, a situação primitiva é instável por outras razões. Não é só o monopólio que voltará a surgir, mas também o predomínio que desaparecerá.

Na prática, a destruição do monopólio do dinheiro neutraliza o seu predomínio. Outros bens entram em jogo e a desigualdade assume novas formas. Vejamos novamente o regime da igualdade simples. Tudo está à venda e todos possuem o mesmo dinheiro. Logo, todos têm, digamos, igual capacidade para pagar a educação dos seus filhos. Uns fazem-no, outros não. Acaba por ser um bom investimento: cada vez mais, outros bens sociais são postos à venda unicamente para quem tiver diplomas académicos. Em breve, toda a gente investe na educação ou, mais provavelmente, a aquisição universaliza-se através do sistema fiscal. Então, porém, a escola transformar-se-á num universo competitivo no qual o dinheiro já não será predominante. Em vez disso, predominarão o talento natural, a educação familiar ou a habilidade para provas escritas e o êxito académico bem como a obtenção de diplomas serão monopolizados por um novo grupo. Chamemos-lhe (o que eles se chamam a si mesmos) o «grupo dos bem dotados». Eventualmente, os membros deste grupo pretenderão que o bem que controlam seja predominante fora da escola: cargos, títulos, prerrogativas e também riqueza, tudo seja possuído por eles. Esta carreira encontra-se aberta aos talentos, à igualdade de oportunidades e outras coisas mais. É disto que a justiça precisa; o talento vem sempre à tona e, em qualquer caso, os homens e mulheres de talento ampliarão os recursos à disposição dos demais. Nasce assim a meritocracia de que fala Michael Young, com todas as suas concomitantes desigualdades[9].

O que fazer agora? É possível fixar limites aos novos padrões de conversão, aceitando, mas limitando o poder monopolista dos talentosos. Suponho que é esta a finalidade do princípio da diferença de John Rawls, segundo o qual as desigualdades só se justificam se forem concebidas para trazer — e efectivamente trouxerem — os maiores benefícios possíveis para a classe social mais desfavorecida[10]. Mais explicitamente, o princípio da diferença é uma limitação imposta aos homens e mulheres de talento uma vez destruído o monopólio da riqueza. Funciona assim: imaginemos um cirurgião que reclama mais do que o seu igual quinhão de riqueza, invocando a competência adquirida e os diplomas obtidos na dura luta de competição na faculdade de medicina. Esta reivindicação é admissível se, e unicamente se, essa admissão for benéfica nos termos estipulados. Ao mesmo tempo, actuar-se-á no sentido de delimitar e regulamentar a venda da cirurgia, quer dizer, a conversão directa da competência cirúrgica em riqueza.

Esta regulamentação terá de ser necessariamente obra do Estado, tal como o são as leis agrárias e monetárias. A igualdade simples necessitaria de uma intervenção estatal contínua para destruir ou constranger os monopólios incipientes e reprimir novas formas de predomínio. Nesse caso, porém, o próprio poder estatal passará a ser o objecto principal da luta competitiva. Grupos de homens e mulheres tentarão primeiro monopolizar e depois servir-se do Estado para consolidar o seu controlo sobre outros bens sociais. A não ser assim, o Estado será monopolizado pelos seus próprios agentes de acordo com a lei de ferro da oligarquia. A política é sempre o caminho mais directo para o predomínio, e o poder político (mais do que os meios de produção) é provavelmente o mais importante — e sem dúvida o mais perigoso — bem na história da Humanidade*. Daí a necessidade de restringir os agentes do constrangimento e de criar controlos e equilíbrios constitucionais. Estes limites são impostos ao poder político e são tanto mais importantes quanto os vários monopólios sociais e económicos foram destruídos.

Uma das maneiras de limitar o poder político é pela sua ampla distribuição. Isto pode não funcionar atentos os bem conhecidos perigos do despotismo da maioria; estes perigos são, porém, provavelmente, menos graves do que frequentemente se afirma. O grande perigo do governo democrático é o da sua debilidade para fazer frente aos monopólios reemergentes na sociedade, em geral, bem como à força social dos plutocratas, burocratas, tecnocratas, meritocratas e por aí fora. Em teoria, o poder político é, em democracia, o bem predominante, sendo convertível de qualquer modo que os cidadãos queiram. Todavia e mais uma vez, na prática, quebrar o monopólio do poder neutraliza o seu predomínio. O poder político não pode ser largamente compartilhado sem ser sujeito à atracção de todos os outros bens que os cidadãos já têm ou esperam vir a ter. Por isso, a democracia é, como Marx reconheceu, essencialmente um sistema reflector que espelha a distribuição prevalecente e emergente dos bens sociais[11]. O processo de decisão democrática moldar-se-á pelas concepções culturais que determinam ou apoiam os novos monopólios. Para levar a melhor sobre estes monopólios, deve o poder ser centralizado ou talvez também monopolizado. Dir-se-á, mais uma vez, que o Estado tem de ser muito poderoso para poder realizar os objectivos que lhe são cometidos pelo princípio da diferença ou por qualquer outra regra identicamente intervencionista.

Mesmo assim, o regime da igualdade simples poderá funcionar. Podemos imaginar uma tensão mais ou menos estável entre os monopólios emergentes e os constrangimentos políticos, entre a reclamação de privilégios formulada, por exemplo, pelos talentosos e a imposição do princípio da diferença e, por último, entre os agentes dessa imposição e a constituição democrática. Desconfio, porém, que as dificuldades reaparecerão e que em muitas ocasiões o único remédio para os privilégios pessoais será o estatismo, e a única saída para o estatismo será constituída pelos privilégios pessoais. Mobilizaremos poder para restringir o monopólio e,

---

* Queria chamar aqui a atenção para algo que se irá esclarecendo, à medida que for prosseguindo, e que é o facto de o poder político ser um bem de natureza especial. Tem ele uma dupla característica. Em primeiro lugar, é como as outras coisas que os homens e mulheres fazem, valorizam, trocam e compartilham: umas vezes é predominante, outras não; umas vezes encontra-se largamente repartido, outras é possuído por muito poucos. E em segundo lugar, diferencia-se de todas as outras coisas porque, como quer que seja possuído e seja quem for que o possua, o poder político é a actividade reguladora dos bens sociais em geral. É utilizado para defender os limites de todas as esferas distributivas, incluindo a sua própria e para impor a concepção comum do que são os bens e para que servem. (Pode, porém, ser utilizado, evidentemente, para invadir as diversas esferas e pôr de lado essa concepção.) Neste segundo sentido, poderíamos dizer efectivamente que o poder político é sempre predominante — junto aos limites, mas não no seu interior. O problema fulcral da vida política é o de manter essa distinção crucial entre «junto a» e «no interior de». Isto é, porém, um problema que não se pode resolver se nos ativermos aos imperativos da igualdade simples.

em seguida, iremos em busca de uma maneira qualquer de restringir o poder que mobilizámos. Mas não há artifício que não abra oportunidades para que homens e mulheres estrategicamente colocados se apossem e tirem proveito de bens sociais importantes.

Estes problemas resultam de se encarar o monopólio e não o predomínio como a questão essencial da justiça distributiva. É claro que não é difícil perceber por que foi que os filósofos (e também os activistas políticos) se concentraram no monopólio. As lutas distributivas da era moderna começam com uma guerra contra a posse única da terra, dos cargos públicos e da honra pela aristocracia. Este monopólio afigura-se especialmente pernicioso por se basear mais no nascimento e na linhagem, com o que o indivíduo nada tem a ver, do que na riqueza, ou no poder, ou na educação, os quais podem — pelo menos em princípio — ser alcançados com o próprio esforço. E quando todos os homens e mulheres se tornam, por assim dizer, pequenos proprietários na esfera do nascimento e da linhagem, obteve-se efectivamente uma importante vitória. Os direitos adquiridos pelo nascimento deixam de constituir um bem predominante; daí em diante valem muito pouco e a riqueza, o poder e a educação passam para primeiro plano. Todavia, com respeito a estes últimos bens, a igualdade simples não pode de modo algum aceitar-se ou só pode aceitar-se sujeita às vicissitudes que acabei de descrever. No âmbito das suas esferas, tal como são geralmente entendidas, estes três bens tendem a gerar monopólios naturais que só podem ser reprimidos se o poder estatal for, ele próprio, predominante e se estiver monopolizado por autoridades empenhadas na repressão. Há, porém, creio eu, outro caminho para outra espécie de igualdade.

Tirania e igualdade complexa

Pretendo demonstrar que nos devemos concentrar na atenuação do predomínio e não — ou não essencialmente — na destruição ou limitação do monopólio. Devemos ter em atenção o que poderiam significar o estreitamento do conjunto em que os bens especiais podem converter-se e a justificação da autonomia das esferas distributivas. Mas esta argumentação, embora historicamente não seja rara, nunca surgiu integralmente nos textos filosóficos. Os filósofos têm propendido para criticar (ou justificar) os monopólios existentes ou emergentes, de riqueza, poder e educação. E quando não é assim, têm criticado (ou justificado) conversões específicas: de riqueza em educação ou de cargos públicos em riqueza. E tudo isto, as mais das vezes, em nome de um sistema distributivo radicalmente simplificado. A crítica do predomínio sugere, em vez disso, um modo de reformular e, seguidamente, conviver com a actual complexidade das distribuições.

Imaginemos agora uma sociedade em que diferentes bens sociais sejam possuídos monopolisticamente — como de facto são e sempre serão, impedindo a contínua intervenção estatal — mas em que nenhum bem específico seja geralmente convertível. Lá mais para diante, tentarei definir os limites precisos da convertibilidade, mas por agora bastará uma descrição geral. Esta é uma sociedade igualitária complexa. Embora surjam muitas pequenas desigualdades, a desigualdade não se multiplicará por meio do processo de conversão nem aumentará ao passar pelos diferentes bens, porque a autonomia das distribuições tenderá a produzir uma variedade de monopólios locais, detidos por diferentes grupos de homens e mulheres. Não pretendo afirmar que a igualdade complexa seja necessariamente mais estável que a igualdade simples, mas inclino-me a pensar que abriria caminho a formas de conflitos sociais mais difundidas e particularizadas. E manter-se-ia em alto grau a resistência à convertibilidade por banda dos homens e mulheres comuns nas suas esferas de competência e controlo se não houvesse uma acção estatal em larga escala.

Este quadro afigura-se-me atractivo, mas ainda não expliquei porque o é. A argumentação a favor da igualdade complexa começa com a nossa concepção — quer dizer, a nossa concepção real, concreta, positiva e especial — dos vários bens sociais. E, a seguir, passa para uma descrição do modo pelo qual nos relacionamos uns com os outros por meio desses bens. A igualdade simples é um estado distributivo simples de acordo com o qual, se eu tiver catorze chapéus e você tiver catorze chapéus, somos iguais. E se os chapéus forem predominantes, ainda bem, pois nesse caso a nossa igualdade estender-se-á a todas as esferas da vida social. Porém, do ponto de vista em que aqui me coloco, o que temos é simplesmente o mesmo número de chapéus e não é provável que os chapéus predominem por muito tempo. A igualdade é uma relação complexa entre pessoas, mediada pelos bens que fazemos, compartilhamos e dividimos entre nós; não é uma identidade de posses. Requer, portanto, uma diversidade de critérios distributivos que espelhe a diversidade dos bens sociais.

A argumentação a favor da igualdade complexa foi desenvolvida por Pascal de modo admirável num dos seus *Pensamentos*:

> É da natureza da tirania o desejo de poder sobre o mundo inteiro e fora da sua esfera própria.
>
> Há diversos grupos — os fortes, os belos, os inteligentes, os devotos — e cada homem reina no seu e não em qualquer outra parte. Porém, algumas vezes encontram-se, e tanto os fortes como os belos lutam pelo predomínio — estupidamente, pois o seu predomínio é doutro género. Não se entendem entre eles e cada um comete o erro de aspirar ao domínio universal. Nada o pode alcançar, nem mesmo a força, pois esta é impotente no reino dos sábios.
>
> *Tirania.* As seguintes afirmações são por isso falsas e tirânicas: «Porque sou belo, exijo respeito»; «Sou forte, logo os homens devem amar-me...» «Sou... etc.».
>
> A tirania é o desejo de obter por um meio aquilo que só por outro se pode conseguir. Temos deveres diferentes para com diferentes predicados: o amor é a resposta adequada ao encanto, o medo à força e a crença à instrução [12].

Marx desenvolveu uma argumentação semelhante nos seus primeiros escritos; talvez este *pensamento* estivesse presente no seu espírito:

> Admitamos que o homem é homem e que a sua relação com o mundo é humana. Nesse caso, o amor só pode receber amor em troca, a confiança só

> confiança, etc. Se quiserdes gozar a arte, tereis de ser uma pessoa artisticamente educada; se quiserdes influenciar outras pessoas, tereis de ser alguém que efectivamente consiga estimular e encorajar os outros... Se amais sem despertar amor em troca, i. e. se não sois capaz, ao apresentardes-vos como um amante, de vos tornardes amado, então o vosso amor é impotente e desventurado [13].

Estes argumentos não são fáceis e a maior parte deste meu livro é simplesmente uma exposição do seu sentido. Porém, agora vou tentar algo mais simples e esquemático: traduzi-los para a linguagem que tenho vindo a usar.

A primeira afirmação de Pascal e de Marx é a de que as qualidades pessoais e os bens sociais têm as suas próprias esferas de acção nas quais produzem livre, espontânea e legitimamente os seus efeitos. Há conversões prontas ou naturais que resultam do significado social dos bens especiais e são intuitivamente plausíveis por causa desse significado. O apelo é feito ao nosso entendimento comum e, ao mesmo tempo, contra a nossa aquiescência comum aos padrões de conversão ilegítima. Ou melhor, é um apelo da nossa aquiescência ao nosso ressentimento. Há algo de errado, segundo Pascal, na conversão da força em crença. Em termos políticos, Pascal quer dizer que nenhum governante pode legitimamente mandar nas minhas opiniões, baseando-se unicamente no poder que exerce. Nem pode — acrescenta Marx — legitimamente pretender influenciar os meus actos; se o quiser fazer, terá de ser persuasivo, prestável, encorajante e por aí fora. A força destes argumentos depende de uma certa comunhão no entendimento do saber, da influência e do poder. Os bens sociais têm significados sociais e é através da interpretação desses significados que encontramos o caminho para a justiça distributiva. O que buscamos são princípios internos de cada esfera distributiva.

A segunda afirmação é a de que o menosprezo destes princípios resulta em tirania. Converter um bem noutro, quando não há qualquer conexão íntima entre eles, é invadir a esfera em que governa regularmente um outro grupo de homens e mulheres. O monopólio não é inapropriado no interior das esferas. Nada há de errado, por exemplo, no domínio que homens e mulheres persuasivos e prestáveis (políticos) têm sobre o poder político. Todavia, o uso do poder político para obter acesso a outros bens é um uso tirânico. Generaliza-se, deste modo, uma velha descrição da tirania: os príncipes tornam-se tiranos — de acordo com os autores medievais — quando se apoderam dos haveres ou subjugam a família dos seus súbditos [14]. Na vida política — e não só — o predomínio sobre os bens produz a dominação das pessoas.

O regime da igualdade complexa é o contrário da tirania. Estabelece um conjunto tal de relações que torna a dominação impossível. Em termos formais, a igualdade complexa significa que a situação de qualquer cidadão em determinada esfera ou com respeito a determinado bem social, nunca pode ser abalada pela sua situação noutra esfera ou com respeito a outro bem social. Assim, o cidadão X pode ser escolhido com preferência sobre o cidadão Y para um cargo político e daí resultar uma desigualdade entre ambos na esfera política. Mas não serão desiguais, em geral, desde que o cargo de X lhe não confira quaisquer vantagens sobre Y noutra esfera: melhor assistência médica, acesso a melhores escolas para os filhos, oportunidades empresariais, etc. Desde que os cargos públicos não sejam bens predominantes nem sejam geralmente convertíveis, os seus detentores estarão — ou pelo menos, poderão estar — em pé de igualdade com os homens e mulheres que dirigem.

O que aconteceria, porém, se o predomínio fosse eliminado, estabelecendo-se a autonomia das esferas e passando as mesmas pessoas a obter êxito em esfera após esfera, a triunfar em todos os grupos e a acumular bens sem ter de recorrer a conversões ilegítimas? Isto produziria certamente uma sociedade plena de desigualdades, mas, além disso, daria a entender da forma mais convincente possível que uma sociedade de iguais não seria realizável. Duvido que qualquer argumento igualitário pudesse sobreviver em face de uma tal evidência. Tomemos uma pessoa que escolhemos livremente (sem qualquer relação com os seus laços familiares ou riqueza pessoal) como nosso representante político. É também um empresário arrojado e criativo. Quando era mais novo, estudou ciências, obteve de modo assombroso altas classificações em todos os exames e fez importantes descobertas. Na guerra, foi insuperavelmente bravo e ganhou as mais altas condecorações. Enérgico e humano, é estimado por quantos o conhecem. Haverá alguém assim? Talvez, mas tenho as minhas dúvidas. Contamos histórias como esta que acabo de contar, mas as histórias são ficção, representando a conversão de poder, dinheiro ou talento académico em fama lendária. Em qualquer caso, não existem pessoas desta espécie em número suficiente para constituírem uma classe dominante e submeterem os outros. E também não podem obter êxito em todas as esferas distributivas pois há algumas esferas às quais é alheia a ideia de êxito. É ainda improvável que os seus filhos possam, no circunstancialismo da igualdade complexa, herdar o seu êxito. De um modo geral, os políticos, empresários, cientistas, militares e amantes mais dotados, serão pessoas distintas e desde que os bens que possuem não arrastem outros consigo, não há motivo para recearmos os seus êxitos.

A crítica do predomínio e da dominação aponta para um princípio distributivo ilimitado. *Nenhum bem social x deverá ser distribuído a homens e mulheres que possuam um bem y, só por possuírem este último e sem ter em atenção o significado daquele x.* Este princípio tem sido provavelmente reiterado, uma vez por outra, relativamente a cada *y* que alguma vez tenha sido predominante. Não tem, contudo, sido afirmado em termos gerais. Pascal e Marx alvitraram a aplicação do princípio contra todos os possíveis *ys* e eu tentarei desenvolver essa aplicação. Tomarei em consideração, não os membros dos grupos de Pascal — os fortes ou os fracos, os belos ou os menos atraentes — e sim, antes, os bens que compartilham e dividem. A finalidade do princípio é a de focar a nossa atenção; não é ele que determina os quinhões da divisão. O princípio conduz-nos ao estudo do significado dos bens sociais e à observação atenta das várias esferas distributivas a partir do seu interior.

Três princípios distributivos

É pouco provável que daqui resulte uma teoria elegante. Nenhuma descrição do significado de um bem social ou dos limites da esfera em que legitimamente opera, é incontroversa. Não há também um processo claro de produção e verificação das várias descrições. Na melhor das hipóteses, as discussões serão violentas, reflectindo a natureza variada e cheia de conflitos da vida social que procuramos simultaneamente compreender e regular — mas não regular antes de compreender. Porei assim de lado todas as afirmações feitas em nome de um único critério distributivo, pois nenhum tal critério pode alguma vez corresponder à diversidade dos bens sociais. Há, porém, três critérios que parecem satisfazer os requisitos do princípio ilimitado e têm frequentemente sido defendidos como sendo o começo e o fim da justiça distributiva, pelo que terei de dizer algo a respeito de cada um deles. Livre troca, merecimento e necessidade: todos estes tem verdadeira força, mas nenhum deles tem força para passar além do alcance das distribuições. São parte da história, mas não toda a história.

Livre troca

A livre troca é obviamente ilimitada; não garante qualquer sistema distributivo especial. Em nenhum momento de qualquer processo de troca, plausivelmente considerado «livre», será possível prever a divisão específica dos bens sociais que prevalecerá num qualquer momento posterior.[15] (Pode, porém, ser possível prever a estrutura geral da divisão.) Pelo menos em teoria, a livre troca cria um mercado em que todos os bens são convertíveis noutros bens por meio do instrumento neutral que é o dinheiro. Não há bens predominantes nem monopólios. Daí que as sucessivas divisões que se alcançarem reflectirão directamente o significado social dos bens divididos. É que cada contrato, negócio, venda e compra terá sido voluntariamente acordado por homens e mulheres que conhecem aquele significado e que foram, na verdade, os seus autores. Todas as trocas são manifestações de significados sociais. Assim, por definição, nenhum *x* virá alguma vez parar às mãos de quem tem *y* só por este facto e desprezando aquilo que *x* realmente significa para determinado outro membro da sociedade. O mercado é radicalmente pluralista nas suas operações e resultados e infinitamente sensível aos significados que os indivíduos atribuem aos bens. Quais as possíveis restrições que se podem então impor à livre troca, em nome do pluralismo?

Acontece, porém, que a vida quotidiana do mercado e a experiência real da livre troca são muito diferentes do que o que a teoria aventa. O dinheiro, supostamente um instrumento neutral, é, na prática, um bem predominante, sendo monopolizado por pessoas que têm um talento especial para negociar e regatear. É o dedo especial da sociedade burguesa. Há então outras pessoas que exigem uma redistribuição do dinheiro e o estabelecimento do regime da igualdade simples e aí começa a busca de um meio de apoiar esse regime. Porém, mesmo que nos concentremos no primeiro momento calmo da igualdade simples — a livre troca baseada em quinhões iguais —, ainda assim precisaremos de fixar limites àquilo que pode ser trocado por quê. É que a livre troca deixa as distribuições totalmente nas mãos dos indivíduos e os significados sociais não estão sujeitos — ou não estão sempre sujeitos — às decisões interpretativas dos indivíduos.

Tomemos um exemplo fácil, o caso do poder político. Pode conceber-se o poder político como um conjunto de bens de valor variável: votos, influência, cargos, etc. Todos eles podem ser negociados no mercado e acumulados por indivíduos prontos a sacrificar outros bens. Porém, mesmo que os sacrifícios sejam reais, daí resultará uma forma de tirania — uma tirania menor, atentas as condições da igualdade simples. Porque estou disposto a ficar sem o meu chapéu, votarei duas vezes; você, que dá menos valor ao voto do que ao meu chapéu, decididamente não votará. Desconfio que o resultado é tirânico mesmo no que a nós ambos respeita, embora tenhamos celebrado um acordo voluntário. E é seguramente tirânico com respeito a todos os outros cidadãos que daqui em diante terão de se submeter ao meu desmedido poder. Não é porque os votos não possam ser negociados; segundo uma certa interpretação, a política democrática resume-se nisso. E sabe-se de fonte segura que os políticos democráticos compram votos ou tentam comprá-los, prometendo gastos públicos que irão beneficiar certos grupos de votantes. Mas isto é feito em público, com fundos públicos e está dependente da aprovação pública. O negócio privado está excluído por virtude daquilo que é a política (ou a política democrática), ou seja, por virtude do que fizemos quando constituímos a comunidade política e do que continuamos a pensar a respeito do que fizemos.

A livre troca não é um critério geral, mas só seremos capazes de especificar os limites dentro dos quais actua, por meio de uma análise atenta dos bens sociais especiais. E quando tivermos terminado essa análise, chegaremos, na melhor das hipóteses, a um conjunto de limites filosoficamente reconhecido e não necessariamente ao conjunto que deveria ser politicamente reconhecido. É que o dinheiro infiltra-se por todos os limites — é esta a primeira forma de imigração ilegal, e saber precisamente onde deveremos tentar detê-la é uma questão tanto de conveniência como de princípio. O insucesso nessa detenção num determinado ponto tido como aceitável gera consequências em toda a cadeia de distribuições, mas sobre isto debruçar-nos-emos num outro capítulo.

Merecimento

Tal como a livre troca, o merecimento dá a impressão de ser tanto ilimitado como pluralista. Pode imaginar-se um único agente neutral, distribuindo recompensas e punições, infinitamente sensível a todas as formas de merecimento individual. Nesse caso, o processo distributivo encontrar-se-ia efectivamente centralizado, mas os resultados seriam imprevisíveis e diversos. Não haveria qualquer bem predominante. Nenhum x seria alguma vez distribuído sem se ter em conta o seu significado social já que, se não se prestar atenção ao que x é, é conceptualmente impossível afirmar que x é merecido. Todos os diferentes grupos de homens e mulheres receberiam a recompensa apropriada. Não é, porém, fácil imaginar como funcionaria isto na prática. Faria, por exemplo, sentido dizer que este homem encantador merece ser amado. Mas não faz sentido dizer que ele merece ser amado por esta (ou outra qualquer) mulher em particular. Se ele a amar, mas ela ficar insensível aos seus (reais) encantos, tanto pior para ele. Duvido que ele queira que a situação seja corrigida por uma agência externa. O amor dos homens e mulheres individuais, tal como o entendemos, só por eles próprios pode ser distribuído e, nesta matéria, raramente se guiam por considerações de merecimento.

Passa-se exactamente o mesmo com a influência. Tomemos aqui o caso de uma mulher amplamente considerada como pródiga em incentivar e encorajar os outros. Talvez mereça ser um membro influente da nossa comunidade. Não merece, porém, que eu seja por ela influenciado ou que a siga. Também não seria desejável que, por assim dizer, a minha adesão lhe fosse concedida por uma agência competente para tais concessões. Ela pode fazer seja o que for para me incentivar e encorajar, em suma, tudo quanto é vulgarmente entendido como incentivante e encorajante. Contudo, se eu (teimosamente) me recusar a ser incentivado e encorajado, não lhe estarei a negar nada que ela mereça. O mesmo argumento é extensivo aos políticos e aos cidadãos comuns. Os cidadãos não podem trocar os votos por chapéus; não podem individualmente decidir transpor a fronteira entre a esfera política e o mercado. Contudo, na esfera política tomam decisões individuais e aí também raramente se guiam por considerações de merecimento. Não é nítido que os cargos possam ser merecidos — outra questão que vou ter de adiar —, mas ainda que pudessem, a nossa percepção do que é a política democrática seria violada se fossem distribuídos por uma qualquer agência central.

Do mesmo modo, embora tracemos os limites da esfera em que actua a livre troca, o merecimento não desempenhará qualquer papel no interior desses limites. Vamos supor, por exemplo, que tenho jeito para o negócio e, assim, consegui juntar uma boa quantidade de belos quadros. Se aceitarmos, como o fazem os pintores na maior parte dos casos, ser o mercado o local próprio para o comércio de quadros, nada haverá de errado em tê-los na minha posse. O meu título é legítimo. Seria, porém, impróprio dizer-se que mereço tê-los só porque tenho jeito para o negócio. O merecimento parece requerer uma relação particularmente estreita entre bens especiais e pessoas especiais, ao passo que a justiça só às vezes requer uma relação desse tipo. E, contudo, podemos continuar a afirmar que só as pessoas com cultura artística, que merecem ter quadros, deveriam realmente tê-los. Não é difícil imaginar um mecanismo distributivo. O Estado poderia comprar todos os quadros postos à venda (os artistas deveriam, porém, ser possuidores de uma autorização para esse efeito para evitar o aparecimento de um sem-número de quadros), avaliá-los e distribuí-los então pelos homens e mulheres com cultura artística, sendo os melhores quadros para os mais cultos. O Estado faz algo de parecido com isto, às vezes, relativamente a coisas de que as pessoas necessitam — assistência médica, por exemplo —, mas não relativamente a coisas que as pessoas merecem. Nisto há dificuldades práticas, mas desconfio haver uma razão mais funda para esta diferença. O merecimento não tem a urgência da necessidade e não envolve uma detenção (posse e consumo) do mesmo tipo. Daí o estarmos preparados para tolerar a separação entre possuidores de pinturas e pessoas com cultura artística ou não estarmos preparados para reclamar o género de interferência no mercado que seria necessária para pôr termo à separação. Claro que é sempre possível tomar providências públicas paralelamente ao mercado e, portanto, poderíamos sustentar que as pessoas com cultura artística não merecem pinturas e sim museus. Talvez seja assim, mas o que elas não merecem é que os outros contribuam com dinheiro para, ou afectem fundos públicos à compra de pinturas e à construção de edifícios. Terão de nos convencer que a arte vale dinheiro e terão de estimular e incentivar a nossa própria cultura artística. Se não forem capazes de o fazer, o seu amor à arte pode acabar por ser «impotente e desastroso».

Mesmo que quiséssemos conferir a distribuição do amor, da influência, dos cargos públicos, das obras de arte e por aí fora a omnipotentes árbitros do merecimento, como os escolheríamos? Como poderia alguém merecer essa posição? Só Deus, que conhece os segredos que se escondem nos corações dos homens, seria capaz de fazer as distribuições necessárias. Se os seres humanos tivessem de fazer esse trabalho, o mecanismo distributivo em breve seria dominado por um qualquer bando de aristocratas (tal como eles próprios se intitulariam) com uma concepção firme sobre o que seria melhor e mais meritório, e insensíveis aos diversos méritos dos seus concidadãos. O merecimento deixaria então de ser um critério pluralista e encontrar-nos-íamos perante um novo grupo (de uma espécie já velha) de tiranos. É evidente que escolhemos pessoas para servirem como árbitros do merecimento — por exemplo, em júris ou para conferir prémios; mais adiante, valerá a pena debruçarmo-nos sobre as prerrogativas de um jurado. É, porém, importante sublinhar desde já que este actua numa esfera limitada. O merecimento é uma pretensão sólida, mas que exige um juízo difícil e só em condições muito especiais dá lugar a distribuições específicas.

Necessidade

Temos, por fim, o critério da necessidade. «A cada um de acordo com as suas necessidades» é geralmente tido como sendo a metade distributiva da famosa máxima de Marx: devemos distribuir a riqueza da comunidade de modo a satisfazer as necessidades dos seus membros [16]. Uma proposta plausível, mas radicalmente incompleta. Na verdade, a primeira metade dessa mesma máxima é também uma proposta distributiva, mas que não se ajusta à regra da segunda metade. «De cada um de acordo com a sua capacidade» sugere que os postos de trabalho deveriam ser distribuídos (ou que os homens e mulheres deveriam ser recrutados para o trabalho) na base das qualificações individuais. Porém, os indivíduos não precisam, obviamente, dos empregos para que são qualificados. É possível que esses empregos sejam raros e haja um grande número de candidatos qualificados; quais são os que mais precisam daqueles empregos? Se as suas necessidades materiais se encontrarem já acauteladas, talvez nem precisem de todo de trabalhar. Ou se, em certo sentido imaterial, todos eles precisarem de trabalhar, então essa necessidade não os distinguirá uns dos outros, pelos menos à vista desarmada. Em qualquer caso, não deixaria de ser estranho pedir a uma comissão de selecção que estivesse, por exemplo, à procura de um director de hospital, que fizesse a sua escolha na base das necessidades dos candidatos com preferência sobre as do pessoal e dos doentes. Porém, este último conjunto de necessidades, mesmo quando não é motivo de desacordo político, não dará lugar a uma única decisão distributiva.

A necessidade também não funcionará relativamente a um grande número de outros bens. A máxima de Marx não tem qualquer utilidade no respeitante à distribuição de poder político, consideração e fama, veleiros, livros raros ou objectos belos de qualquer espécie. Rigorosamente falando, estas não são coisas de que alguém necessite. Nem mesmo tomando o verbo *necessitar* num sentido menos literal, como fazem as crianças, considerando-o uma forma mais forte do verbo *querer*, estaremos perante um critério distributivo. As espécies de coisas que acabo de relacionar não podem ser distribuídas igualmente por quem tem iguais carências, já que algumas delas são geralmente — e outras são necessariamente — escassas e algumas ainda não podem ser de todo possuídas sem que outras pessoas, por razões particulares, estejam de acordo sobre quem deve possuí-las.

A necessidade gera uma esfera distributiva especial, na qual ela própria constitui o princípio distributivo. Numa sociedade pobre, uma alta porção da riqueza social será introduzida nessa esfera. Porém, atenta a grande variedade de bens que surgem em qualquer vida normal, mesmo que seja vivida num nível material muito baixo, haverá sempre outros critérios distributivos, actuando paralelamente à necessidade, e será sempre necessário ter em atenção as fronteiras que os separam uns dos outros. É certo que nesta esfera a necessidade se ajusta à regra distributiva geral do *x* e do *y*. Bens necessários distribuídos a pessoas necessitadas na proporção das suas necessidades, não são, obviamente, dominados por quaisquer outros bens. O facto relevante não é o ter *y* e sim, unicamente, o não ter *x*. Penso, porém, que já podemos agora concluir que qualquer critério, qualquer que seja a sua força, se ajusta à regra geral na sua própria esfera e não em qualquer outro lado. O resultado da regra é o seguinte: bens diferentes para grupos diferentes de homens e mulheres, por razões diferentes e de acordo com processos diferentes. E perceber isto bem, ou mais ou menos bem, é como que traçar o quadro completo do universo social.

Hierarquias e sociedades de casta

Ou, mais exactamente, é como que traçar o quadro de um mundo social especial. É que a análise que proponho é, por natureza, iminente e fenomenológica. Dela não resultará um quadro ideal ou um plano-mestre, mas antes um quadro e um plano adequados às pessoas para as quais são traçados e cuja vida comum reflectem. O objectivo é, evidentemente, conseguir uma reflexão de natureza especial que pegue naquelas concepções mais profundas dos bens sociais que não se reflectem necessariamente na prática diária do predomínio e do monopólio. Mas o que fazer, se não existirem tais concepções? Tenho vindo a presumir durante todo este tempo que os significados sociais têm a ver com a autonomia — ou com a relativa autonomia — das esferas distributivas e na verdade muitas vezes têm. Não é, porém, impossível imaginar uma sociedade em que o predomínio e o monopólio sejam, não violações, e sim decretos de significado e em que os bens sociais sejam concebidos em termos hierárquicos. Na Europa feudal, por exemplo, o vestuário não era (como hoje) um bem de consumo e sim um distintivo de classe social. A classe dominava o vestuário. O significado do vestuário era dado pela imagem da ordem feudal. Usar adornos aos quais se não tinha direito era como que uma mentira, pois daí resultava uma afirmação falsa a respeito da classe da pessoa que os usava. Quando um rei ou um primeiro-ministro se vestiam como plebeus para ficar a saber algo sobre as opiniões dos seus súbditos, estava-se como que perante uma fraude política. Por outro lado, as dificuldades em fazer cumprir o código do vestuário (as leis sumptuárias) sugerem que sempre houve uma consciência alternativa do significado do vestuário. Numa dada altura, pelo menos, podem começar a ser reconhecidos os limites de uma esfera diferente, na qual as pessoas se vestem de acordo com o que podem pagar ou com o que querem gastar ou ainda com o modo como se querem apresentar. As leis sumptuárias podem ainda ser executadas, mas agora já se podem apresentar — e homens e mulheres vulgares fazem-no, de facto — argumentos igualitários contra elas.

Poderá imaginar-se uma sociedade em que todos os bens sejam hierarquicamente concebidos? Talvez o sistema de castas da antiga Índia tivesse tido esta forma (muito embora esta afirmação tenha um grande alcance, sendo prudente duvidar da sua veracidade; ainda que mais não seja, o poder político parece ter escapado sempre ao código das castas). Imaginamos as castas como grupos rigidamente separados e o sistema de castas como uma «sociedade plural», um mundo de barreiras[17]. Todavia, o sistema é constituído por uma extraordinária integração de significados. Prestígio, riqueza, saber, cargos, profissões, alimentação, vestuário e até o bem social da conversa, tudo isto está sujeito à disciplina tanto intelectual como física da hierarquia. E a hierarquia é, ela própria, determinada unicamente pelo valor da pureza ritual. É possível haver um certo tipo de mobilidade colectiva pois as castas e subcastas podem cultivar as marcas exteriores de pureza e (dentro de severos limites) subir de posição na escala social. E o sistema como um todo baseia-se numa doutrina religiosa que promete igualdade de oportunidades, não nesta vida, mas sim através das vidas da alma. A condição de um indivíduo aqui e agora «é o resultado do seu comportamento na última encarnação... e se este não foi satisfatório, tal pode ser remediado pela conquista de mérito na vida presente o que elevará a sua condição na próxima»[18]. Não devemos pensar que os homens e as mulheres estejam alguma vez satisfeitos com a desigualdade radical. Porém, as distribuições fazem, aqui e agora, parte de um sistema único e amplamente não contestado, no qual a pureza predomina sobre outros bens e o nascimento e a descendência predominam sobre a pureza. Os significados sociais sobrepõem-se e aderem uns aos outros.

Quanto mais perfeita é essa adesão, menos possibilidade há de pensar sequer na igualdade complexa. Todos os bens são como que coroas e tronos numa monarquia hereditária. Não há oportunidade nem critérios para distribuições autónomas. De facto e na verdade, as próprias monarquias hereditárias raramente são instituídas de forma tão simples. O significado social do poder real implica vulgarmente uma certa noção de graça divina, dom mágico ou sagacidade humana; estes critérios são, em termos de titularidade de cargos públicos, independentes de nascimento e descendência. E assim acontece com a maioria dos bens sociais: só de modo imperfeito se integram em sistemas mais amplos, sendo entendidos, pelo menos algumas vezes, nos seus próprios termos. A teoria dos bens explica entendimentos deste género (onde eles existirem) e a teoria da igualdade complexa tira partido deles. Afirmamos, por exemplo, ser tirânico um homem sem graça, nem dom, nem sagacidade, sentar-se no trono. E esta é só a primeira e mais óbvia espécie de tirania. É possível buscar muitas outras.

A tirania tem sempre uma natureza específica: é uma ultrapassagem de um limite especial, uma violação de um significado social. A igualdade complexa exige a defesa dos limites; funciona por meio da diferenciação dos bens, tal como a hierarquia funciona por meio da diferenciação das pessoas. Mas só poderemos falar num *regime* de igualdade complexa se houver muitos limites a defender, não sendo possível especificar o seu número exacto. Não há número exacto. A igualdade simples é mais fácil: um bem predominante largamente distribuído produz uma sociedade igualitária. A complexidade é, porém, difícil: quantos bens devem ser autonomamente concebidos até que as relações em que intervêm se possam tornar em relações entre homens e mulheres iguais? Não há uma resposta certa e, por conseguinte, não há um regime ideal. Porém, assim que começamos a distinguir significados e a delimitar esferas distributivas, estamos lançados num empreendimento igualitário.

Cenário da discussão

A comunidade política é o cenário adequado a este empreendimento. Não é, na verdade, um universo distributivo auto-suficiente; só o mundo é um universo distributivo auto-suficiente e a ficção científica contemporânea convida-nos a especular acerca de um tempo em que nem mesmo isso será verdade. Os bens sociais são compartilhados, divididos e trocados através de fronteiras políticas. O monopólio e o predomínio actuam quase tão facilmente para lá das fronteiras como no seu interior. As coisas são movimentadas e as pessoas movimentam-se para cá e para lá através das linhas divisórias. Apesar disso, a comunidade política está provavelmente o mais próximo possível de um universo de significados comuns. A língua, a história e a cultura unem-se para produzir uma consciência colectiva. O carácter nacional, concebido como uma postura mental fixa e permanente, é obviamente um mito; porém, a partilha de sensibilidades e intuições entre os membros de uma comunidade histórica é uma realidade da vida. Por vezes, as comunidades histórica e política não coincidem e haverá talvez um crescente número de Estados no mundo actual em que as sensibilidades e intuições não são facilmente compartilhadas; a partilha verifica-se em unidades mais pequenas. Assim, talvez devêssemos ir em busca de um meio qualquer de ajustar as decisões distributivas às necessidades dessas unidades. Porém, esse ajustamento deve, ele próprio, ser realizado politicamente e o seu preciso carácter dependerá das opiniões partilhadas entre os cidadãos acerca do valor da diversidade cultural, da autonomia local, etc. É a estas opiniões que devemos recorrer quando elaboramos os nossos raciocínios — todos nós e não apenas os filósofos; é que em matéria de moralidade o raciocínio basta-se com o recurso a significados comuns.

Além disso, a política cria os seus próprios laços de comunhão. Num mundo de estados independentes, o poder político é um monopólio local. Pode dizer-se que estes homens e mulheres traçam, sob todo e qualquer constrangimento, o seu próprio destino. Ou melhor, lutam o melhor que podem para o traçar. E se o destino só parcialmente está nas suas mãos, a luta está-o totalmente. É a eles que cabe a decisão de apertar ou afrouxar os critérios distributivos, de centralizar ou descentralizar processos, de intervir ou recusar a intervenção nesta ou naquela esfera distributiva. Haverá provavelmente um conjunto de chefes que tome realmente as decisões, mas os cidadãos devem ser capazes de reconhecer os chefes como seus. Se os chefes forem cruéis ou estúpidos ou imensamente venais, como frequentemente são, os cidadãos ou alguns deles, tentarão substituí-los, lutando pela distribuição do poder político. Essa luta será moldada pelas estruturas institucionais da comunidade, ou seja, pelos resultados de lutas anteriores. A política presente é produto da política passada, criando um cenário inevitável para a apreciação da justiça distributiva.

Há uma última razão para se aceitar a ideia da comunidade política como um cenário, razão essa que exporei com algum detalhe no próximo capítulo. A comunidade é em si mesma um bem — podendo conceber-se que seja o bem mais importante — que é distribuído. Trata-se, contudo, de um bem que só pode ser distribuído aceitando pessoas, e, nesse aspecto, todos os sentidos da frase são relevantes, pois elas devem ser fisicamente admitidas e politicamente recebidas. Daí que a qualidade de membro não possa ser conferida por uma agência externa; o seu valor depende de uma decisão interna. Se não houvesse comunidades capazes de tomarem tais decisões, não haveria, neste caso, qualquer bem que valesse a pena distribuir.

A única alternativa plausível à comunidade política é a própria Humanidade, a sociedade das nações, o mundo inteiro. Mas se tomássemos o mundo como cenário, teríamos de imaginar uma realidade que ainda não existe: uma comunidade que incluísse todos os homens e mulheres onde quer que se encontrassem. Teríamos de inventar um conjunto de significados comuns para essas pessoas e de evitar, se pudéssemos, a imposição dos nossos próprios valores. E teríamos de pedir aos membros dessa comunidade hipotética (ou aos seus hipotéticos representantes) que acordassem entre eles nas combinações e padrões distributivos a considerar como justos. O contratualismo ideal ou a comunicação não distorcida, que representam uma abordagem (não a minha) da justiça em comunidades especiais, podem muito bem ser a única abordagem para o mundo no seu todo[19]. Mas qualquer que fosse o hipotético acordo, não poderia ser executado sem se quebrarem os monopólios políticos dos Estados existentes e sem se centralizar o poder a um nível global. Por este motivo, o acordo (ou o cumprimento forçado) teria como consequência, não a igualdade complexa, e sim a igualdade simples — desde que o poder fosse predominante e largamente partilhado — ou simplesmente a tirania — desde que o poder estivesse nas mãos, como provavelmente estaria, de um grupo de burocratas internacionais. No primeiro caso, os habitantes do mundo teriam de viver com as dificuldades atrás descritas: o contínuo ressurgimento dos privilégios locais, a contínua reafirmação do estatismo global. No segundo caso, teriam de viver com dificuldades consideravelmente piores. Mais adiante terei algo a dizer a respeito destas dificuldades. Por agora, aceito-as como razões suficientes para que me limite a falar de cidades, países e Estados que têm formado a sua própria vida interna.

Todavia, no que respeita à qualidade de membro surgem questões importantes entre e no seio dessas comunidades; tentarei focá-las e trazer à luz todas aquelas ocasiões em que os vulgares cidadãos nelas se concentram. De um modo limitado, a teoria da igualdade complexa pode ser alargada das comunidades especiais à sociedade das nações e este alargamento tem a seguinte vantagem: não irá espezinhar as opiniões e decisões locais. Justamente por essa razão, também não produzirá um sistema uniforme de distribuições por esse mundo fora, começando apenas por se ocupar dos problemas suscitados pela pobreza generalizada existente em várias partes do globo. Não creio que esse começo não seja importante; em qualquer caso, não posso ir além dele. Para que o pudesse fazer seria necessária uma teoria diferente que teria como tema, não já a vida normal dos cidadãos, e sim as relações entre os Estados, estas já mais distanciadas: uma teoria diferente, um livro diferente, uma outra ocasião.

CAPÍTULO II

A QUALIDADE DE MEMBRO*

Membros e estranhos

O conceito de justiça distributiva pressupõe um universo limitado em cujo interior têm lugar as distribuições: um grupo de pessoas empenhadas em dividir, trocar e compartilhar bens sociais, começando por elas mesmas. Esse universo, como já demonstrei, é a comunidade política, cujos membros distribuem poder uns aos outros, evitando, se puderem, partilhá-lo com quem quer que seja. Quando pensamos em justiça distributiva, estamos a pensar em cidades ou países independentes, capazes de compor os seus próprios padrões de divisão e troca, com justiça ou sem ela. Estamos a imaginar um grupo constituído e uma população fixa e, assim, negligenciamos a primeira e mais importante questão distributiva: como se constitui esse grupo?

Não pretendo com isto perguntar «Como se *constituiu*?» O que aqui me preocupa não são as origens históricas dos diferentes grupos e sim as decisões que tomam no presente relativamente às suas populações presentes e futuras. O bem primário que distribuímos uns aos outros é a qualidade de membro de uma comunidade humana. E o que fizermos com respeito à qualidade de membro irá estruturar todas as nossas outras opções distributivas: irá determinar com quem faremos essas opções, a quem exigiremos obediência e cobraremos impostos e a quem atribuiremos bens ou serviços.

Os homens e as mulheres que não sejam membros de nada são apátridas. Essa condição não exclui toda e qualquer espécie de relação distributiva; os mercados, por exemplo, estão normalmente abertos a todos quantos deles se acercarem. Porém, os não-membros são vulneráveis e estão desprotegidos no mercado. Embora participem livremente na troca de bens, não têm qualquer quinhão nos bens parti-

---

* *Membership*, em inglês. Não há, em português, vocábulo único que exprima com fidelidade este conceito. Sacrificou-se, por isso, a elegância à fidelidade, ao traduzir esta palavra por «qualidade de membro» (e em alguns — poucos — casos por «posição de membro» por parecer aí mais adequado), embora reconhecendo que se está perante uma expressão algo pesada e pouco elegante do ponto de vista estilístico. Consideramos, neste contexto, particularmente infeliz a tradução por «pertença» ou por «adesão» — que já temos visto utilizar — atento o sentido muito mais lato destes vocábulos, pois podem significar várias outras realidades. *(NT)*

lhados. Estão excluídos da provisão comunitária de segurança e previdência. Mesmo aqueles elementos de segurança e previdência que, como a saúde pública, são colectivamente distribuídos, não são garantidos aos não-membros, pois estes não têm lugar garantido na colectividade e correm sempre o risco de expulsão. A situação de apátrida é infinitamente perigosa.

Contudo, a qualidade de membro e a sua falta não constituem o único — ou, tendo em atenção o nosso propósito, o mais importante — conjunto de possibilidades. Também é possível ser membro de um país pobre ou de um país rico, viver num país densamente povoado ou num grandemente despovoado, ser súbdito de um regime autoritário ou cidadão de uma democracia. Uma vez que os seres humanos são altamente móveis, um grande número de homens e mulheres diligenciam regularmente alterar a sua residência e a sua qualidade de membro, deslocando-se de um meio desfavorável para outro favorável. Os países ricos e livres são, tal como as universidades de elite, assediados por pretendentes. Têm então de decidir sobre a sua dimensão e natureza. Mais precisamente, como cidadãos de um desses países, temos de decidir. Quem devemos admitir? Deve a admissão ser livre? Podemos seleccionar os pretendentes? Qual é o critério apropriado para a distribuição da qualidade de membro?

As formas plurais que tenho vindo a usar na formulação destas perguntas sugerem a resposta convencional às mesmas: nós, que já somos membros, fazemos a selecção de acordo com a nossa própria concepção do significado que para a nossa comunidade tem a qualidade de membro e da espécie de comunidade que queremos formar. A qualidade de membro como bem social é constituída pela nossa concepção, o seu valor é fixado pelo nosso trabalho e pelas nossas conversas e, a seguir, encarregamo-nos (quem mais poderia fazê-lo?) da sua distribuição. Porém, não o distribuímos entre nós; ele já é nosso. Distribuímo-lo aos estranhos. Por isso, a selecção é também determinada pelo nosso relacionamento com os estranhos; não apenas pela concepção que temos desse relacionamento, mas também pelos contactos reais, pelas ligações, pelas alianças que contraímos e pelos resultados que temos obtido além-fronteiras. Concentrar-me-ei primeiro nos estranhos, na acepção literal do termo, ou seja, homens e mulheres que vemos, por assim dizer, pela primeira vez. Não sabemos quem eles são nem o que pensam e, todavia, aceitamo-los como homens e mulheres. Como nós, mas não dos nossos: quando decidimos sobre a qualidade de membro, temos que os considerar do mesmo modo que nos consideramos a nós.

Não vou tentar contar aqui de novo a história do pensamento ocidental a respeito dos estranhos. Em várias línguas antigas, incluindo o latim, havia uma única palavra para designar tanto os estranhos como os inimigos. Só lentamente, e através de um longo processo de tentativas, é que acabámos por distinguir uns e outros e admitir que, em certas circunstâncias, os estranhos (mas não inimigos) possam ter direito à nossa hospitalidade, assistência e boa vontade. Esta admissão pode ser formalizada como o princípio de ajuda mútua que recorda os deveres que temos, como escreveu John Rawls, «não apenas para com indivíduos concretos, digamos, para com aqueles que colaboram conjuntamente num determinado plano social, mas também para com as pessoas em geral»[1]. A ajuda mútua estende-se para lá das fronteiras políticas (e também das culturais, religiosas e linguísticas). As bases filosóficas deste princípio são difíceis de precisar (a sua história fornece a sua base prática). Duvido que Rawls tenha razão ao afirmar que podemos estabelecê-lo só com imaginar «como seria uma colectividade se este dever fosse rejeitado»[2], pois rejeição não é questão que diga respeito a uma colectividade especial; esta questão surge unicamente entre pessoas que não compartilham — ou não sabem que compartilham — uma vida comum. As pessoas que compartilham uma vida comum têm deveres muito mais fortes.

É a ausência de planos de colaboração que estabelece o contexto da ajuda mútua: dois estranhos encontram-se no mar ou no deserto ou então, como na fábula do Bom Samaritano, à beira da estrada. Aquilo que devem exactamente um ao outro não é de modo nenhum claro, mas é vulgar dizer-se, em tais casos, que é de exigir uma assistência positiva se: *a*) a mesma for necessária ou urgentemente necessária, a uma das partes; e *b*) se os riscos e custos de a prestar forem relativamente pequenos para a outra parte. Nestas circunstâncias devo parar e auxiliar o estranho prejudicado onde quer que o encontre e independentemente da sua ou da minha qualidade de membro. Esta é a nossa moral e cremos que será também a dele. Aliás, esta é uma obrigação que pode ser afirmada aproximadamente da mesma forma ao nível do colectivo. Os grupos de pessoas devem auxiliar os estranhos carenciados que, de uma maneira ou de outra, encontrem no seu caminho. Porém, nesses casos, o limite dos riscos e custos encontra-se nitidamente traçado. Não sou obrigado a levar para minha casa o estrangeiro prejudicado, salvo por pouco tempo, e seguramente não sou obrigado a cuidar dele nem mesmo a ligar-me a ele para o resto da minha vida. A minha vida não pode ser regulada nem determinada por esses encontros casuais. O governador John Winthrop, argumentando contra a livre imigração para a nova comunidade puritana de Massachusetts, afirmava com insistência que este direito de recusa se aplica também à ajuda mútua colectiva: «No tocante à hospitalidade, esta regra não obriga para além de uma necessidade momentânea, excluindo a residência permanente.»[3] Se a opinião de Winthrop é ou não defensável, é uma questão a que me irei referir unicamente de um modo gradual. Agora quero apenas mencionar a ajuda mútua como um (possível) princípio externo para a distribuição da qualidade de membro, um princípio que não depende do ponto de vista que, a respeito dessa qualidade, prevalece numa determinada sociedade. A força do princípio é incerta, em parte devido à sua própria imprecisão e ainda porque, às vezes, entra em choque com a força interna dos significados sociais. E estes significados podem ser e são especificados através dos processos decisórios da comunidade política.

Poderíamos optar por um mundo sem significados especiais nem comunidades políticas: um mundo em que ninguém fosse membro de nada ou em que todos «pertencessem» a um único Estado global. Estas são as duas formas de igualdade simples no que se refere à qualidade de membro. Se todos os seres humanos fossem estranhos uns para os outros, se todos os nossos encontros fossem como os encontros no mar ou no deserto ou à beira da estrada, então não haveria qualidade de membro para distribuir. A política de admissões nunca constituiria um problema. A determinação do lugar onde e do modo como vivêssemos e das pessoas com quem vivêssemos, dependeria dos nossos desejos pessoais e depois das nossas parcerias e negócios. A justiça não seria mais do que ausência de coerção, boa-fé e bom samaritanismo — tudo questão de princípios externos. Se, pelo contrário, todos os seres humanos fossem membros de um Estado global, a qualidade de membro já teria sido igualmente distribuída e nada mais haveria a fazer. O primeiro destes quadros sugere uma espécie de libertismo* global; o segundo, uma espécie de socialismo global. São estas as duas condições sob as quais a distribuição da qualidade de membro nunca teria lugar. Ou não haveria uma tal qualidade para distribuir ou a mesma adviria (para toda a gente) do nascimento. Num futuro previsível, não é, porém, provável que algum destes quadros se torne realidade, havendo contra ambos fortíssimos argumentos aos quais me referirei mais adiante. Em qualquer caso, enquanto membros e estranhos forem — como o são presentemente — dois grupos distintos, decisões de admissão terão de ser tomadas e haverá homens e mulheres admitidos e outros rejeitados. Atentos os requisitos imprecisos da ajuda mútua, estas decisões não são impostas por qualquer norma amplamente aceite. É por isso que as políticas de admissão dos vários países raramente são criticadas salvo em termos que sugerem que o único critério relevante é o da caridade e não o da justiça. É seguramente possível que uma crítica mais funda conduziria à negação da distinção membro/estranho. Tentarei, todavia, defender esta distinção e, em seguida, descrever os princípios internos e externos que regulam a distribuição da qualidade de membro.

A discussão exigirá uma cuidadosa revisão das políticas, tanto de imigração como de naturalização. Vale, porém, a pena começar por registar sucintamente que há certas semelhanças entre estranhos no espaço político (imigrantes) e futuros descendentes (filhos). As pessoas tanto entram num país, ao nascerem de pais que já ali se encontram, como e mais frequentemente do que ao cruzarem a fronteira. Ambos estes processos podem ser controlados. Todavia, no primeiro caso, a menos que pratiquemos um infanticídio selectivo, estaremos a lidar com indivíduos ainda por nascer e, portanto, desconhecidos. Os subsídios a grandes famílias e os programas de controlo de natalidade determinam unicamente o volume da população e não as características dos seus elementos. Poderíamos, é certo, conceder o direito de dar à luz de modo diferente conforme os grupos de pais, estabelecendo quotas étnicas (assim como quotas segundo o país de origem na política de imigração) ou quotas determinadas pela classe ou pela inteligência, ou então autorizando o comércio de certificados do direito de dar à luz, no mercado. São maneiras de estabelecer quem tem filhos e de determinar a natureza da população futura. São, contudo, maneiras indirectas e ineficientes mesmo no aspecto étnico, a menos que o Estado regulamente também os casamentos mistos e a assimilação. Mesmo que não se chegasse a tanto, esta política exigiria níveis de coerção elevadíssimos e seguramente inaceitáveis: a preponderância do poder político sobre o parentesco e o amor. Assim, a principal questão que se põe à actuação pública é unicamente a do volume da

* De libertista, ou seja, partidário do livre-arbítrio; não confundir com libertário que é sinónimo de anarquista. *(NT)*

população — os seus aumento, estabilidade ou diminuição. Por quantas pessoas vamos distribuir a qualidade de membro? As questões mais vastas e filosoficamente mais interessantes «A que espécies de pessoas?» e «A que pessoas em especial?» são muito claramente encaradas quando nos voltamos para os problemas ligados à admissão ou rejeição de estrangeiros.

Analogias: comunidades de moradores, associações e famílias

As políticas de admissão são determinadas, em parte, por argumentos acerca das condições económicas e políticas no país hospedeiro, e ainda por argumentos acerca da natureza e «destino» desse mesmo país e, também, em parte, por argumentos acerca da natureza dos países (comunidades políticas) em geral. Os últimos são, pelo menos em teoria, os mais importantes pois a nossa compreensão dos países em geral determinará quais os países em especial que têm o direito que convencionalmente invocam: o de distribuir a qualidade de membro de acordo com as suas (especiais) razões. Porém, poucos de nós têm qualquer experiência directa do que é um país ou do que significa ser membro. Experimentamos com frequência sentimentos fortes para com o nosso país, mas não temos dele mais do uma ideia imprecisa. Como comunidade política (mais do que espaço) é, afinal, invisível; na realidade, o que vemos são os seus símbolos, cargos e representantes. Desconfio que o compreendemos melhor quando o comparamos com outro em associações de ideias mais limitadas cujo alcance podemos mais facilmente apreender. É que todos somos membros de grupos formais e informais de muitas e variadas espécies e conhecemos intimamente o seu funcionamento. E todos estes grupos têm — necessariamente — políticas de admissão. Mesmo que nunca tenhamos desempenhado funções públicas, mesmo que nunca tenhamos emigrado de um país para outro, todos tivemos a experiência de aceitar ou rejeitar estranhos e todos tivemos a experiência de ser aceites ou rejeitados. É minha intenção utilizar esta experiência. O meu raciocínio desenvolver-se-á através de uma série de comparações grosseiras no decurso das quais o significado especial da qualidade política de membro se tornará, assim o penso, cada vez mais evidente.

Consideremos agora três realidades possivelmente semelhantes à comunidade política: comunidades de moradores, associações ou famílias. A lista não é obviamente exaustiva, mas servirá para iluminar certos aspectos essenciais da admissão e exclusão. Escolas, burocracias e sociedades, embora possuam algumas das características das associações, distribuem posição social e económica para além de posição de membro. A elas me referirei separadamente. Muitas associações domésticas são parasitárias no que toca à posição dos seus membros, dependendo da actuação de outras associações: os sindicatos dependem das políticas de assalariamento das empresas; as organizações de pais e professores dependem da receptividade das comunidades de moradores ou da selectividade das escolas privadas. Os partidos políticos, em geral, são como as associações; as congregações religiosas são frequentemente planeadas de modo a assemelharem-se a famílias. A que se deverão assemelhar os países?

A comunidade de moradores é uma associação humana enormemente complexa, mas temos alguma ideia de como é — uma ideia pelo menos parcialmente reflectida (embora também cada vez mais contestada) no direito americano contemporâneo. É uma associação sem qualquer política de admissões organizada ou legalmente obrigatória. Os estranhos podem ou não ser bem-vindos; não podem, porém, ser admitidos ou excluídos. É claro que ser ou não ser bem-vindo é por vezes, na realidade, o mesmo que ser admitido ou excluído, mas a distinção é importante, do ponto de vista teórico. Em princípio, os indivíduos e as famílias entram numa comunidade de moradores por motivos próprios; escolhem, mas não são escolhidos. Ou, mais propriamente, na ausência de controlo legal, o mercado controla-lhes as deslocações. Essas deslocações são determinadas não só pela sua própria opção, mas também pela sua esperteza para arranjar trabalho e um lugar para viver (ou, numa sociedade diferente da nossa, para descobrir uma comuna fabril ou um prédio de apartamentos cooperativo, dispostos a recebê-los). De um ponto de vista ideal, o mercado funciona independentemente da actual composição da comunidade de moradores. O Estado apoia esta independência ao recusar-se a impor pactos restritivos e ao actuar no sentido de prevenir ou minimizar a discriminação no emprego. Não há combinações institucionais capazes de manter a «pureza étnica», muito embora haja, por vezes, leis zonais que mantêm uma separação por classes[4]*. Relativamente a todo e qualquer critério formal a comunidade de moradores é uma associação casual, «não uma selecção, mas antes uma amostra da vida como um todo... Devido à própria neutralidade do espaço», como escreveu Bernard Bosanquet, «estamos sujeitos ao impacte directo de todos os possíveis factores»[6].

O argumento de que o território nacional seria tão «neutral» como o espaço local era vulgar na economia política clássica. Os mesmos autores que, no século XIX, defendiam o comércio livre, defendiam igualmente a imigração irrestrita. Argumentavam com a total liberdade de contratar, sem qualquer restrição política. A sociedade internacional — pensavam eles — ganharia forma como um mundo de comunidades de moradores, com os indivíduos a andarem livremente de um lado para o outro em busca de prosperidade pessoal. Em sua opinião, como Henry Sidgwick referia na década de 90 do século passado, a única tarefa das autoridades públicas é «a de manter a ordem num determinado território... mas não em qualquer caso a de determinar quem vai habitar esse território, nem a de restringir o gozo dos seus benefícios naturais a uma certa fracção especial da espécie humana»[7]. Os benefícios naturais (como os mercados) estão abertos a todos os que chegam, guardados que sejam os limites do direito de propriedade privada; se se esgotarem ou desvalorizarem devido ao excesso de gente, presumivelmente as pessoas deslocar-se-ão para outras circunscrições, administradas por outras autoridades.

* A utilização de leis zonais para impedir o acesso a comunidades de moradores (vilas, aldeias, cidades) de certas espécies de pessoas — nomeadamente das que não fazem parte de famílias convencionais — é um novo aspecto da nossa história política que aqui não vou comentar[5].

Sidgwick pensava que isto seria possivelmente o «ideal do futuro», mas avançava três argumentos contra um mundo de comunidades de moradores no presente. Em primeiro lugar, nesse mundo não haveria lugar para o sentimento patriótico, e, assim, aos «agregados casuais» que provavelmente resultariam da livre deslocação de pessoas, «faltaria coesão interna». Os moradores seriam estranhos uns aos outros. Em segundo lugar, a livre deslocação poderia interferir nos esforços para «elevar o nível de vida das classes mais pobres» de um determinado país, uma vez que esses esforços não poderiam ser empreendidos com a mesma energia e o mesmo êxito em todas as partes do mundo. E, em terceiro lugar, a promoção da cultura moral e intelectual e o funcionamento eficiente das instituições políticas poderia ser «vencida» pela contínua criação de populações heterogéneas [8]. Sidgwick apresentou estes três argumentos como uma série de considerações utilitárias destinadas a contrabalançar os benefícios da mobilidade laboral e da liberdade contratual. Creio, porém, que a sua natureza é muito diferente. Os últimos dois argumentos vão buscar a sua força ao primeiro, mas só se este for concebido em termos não-utilitários. Só se o sentimento patriótico tiver base moral, só se a coesão comunitária produzir obrigações e desígnios compartilhados, só se houver tanto membros como estranhos, é que as autoridades públicas terão algum motivo para se preocuparem especialmente com o bem-estar da sua própria gente (e de toda a sua própria gente) e com o êxito das suas próprias cultura e política. É que é no mínimo duvidoso que o nível de vida médio das classes mais pobres por esse mundo fora baixasse, em condições de completa liberdade laboral. E não há também uma sólida evidência de que a cultura não possa florescer num ambiente cosmopolita nem de que seja impossível governar concentrações casuais de pessoas. No que toca ao último caso, os teóricos da política há muito que descobriram que certos tipos de regime — nomeadamente os regimes autoritários — prosperam na ausência de coesão comunitária. A circunstância de a mobilidade completa produzir autoritarismo poderia sugerir um argumento utilitário contra a mobilidade, mas esse argumento só seria convincente se os homens e mulheres, individualmente livres para se deslocarem de um lado para o outro, exprimissem o desejo de uma outra forma de governo. Não é, porém, certo que o fizessem.

Contudo, a plena mobilidade laboral é provavelmente uma miragem, já que é quase certo que lhe seria oposta resistência a nível local. Os seres humanos, como já referi, movimentam-se bastante, mas não porque gostem de se movimentar. A maior parte deles tem tendência para ficar onde está, a não ser que a vida lhes seja aí muito difícil. Experimentam uma tensão entre o amor ao lugar e o desconforto sentido em determinado lugar. Enquanto alguns deixam as suas terras e se tornam estrangeiros em novos países, outros ficam onde estão e ressentem-se da presença de estrangeiros no seu país. Daí que, se alguma vez os Estados se transformarem em grandes comunidades de moradores, é provável que as comunidades de moradores se transformem em pequenos Estados. Os seus membros organizar-se-ão para defender a política e a cultura locais contra estranhos. Historicamente, as comunidades de moradores tornaram-se fechadas e provincianas (pondo de lado casos de coerção legal) sempre que o Estado era aberto: nas cidades cosmopolitas dos impérios multinacionais, por exemplo, em que as autoridades públicas não encorajam qualquer identidade especial, mas permitem que os vários grupos criem as suas próprias estruturas institucionais (como na antiga Alexandria), ou nos centros de recepção dos movimentos imigratórios em massa (nos princípios do século XX, em Nova Iorque) em que o país se apresenta aberto, mas constitui também um mundo estranho, ou melhor, um mundo cheio de gente estranha. Passa-se o mesmo onde o Estado não existe de todo ou em zonas em que não funciona. Nos sítios em que localmente se criam e despendem fundos sociais, como, por exemplo, numa paróquia inglesa do século XVII, os locais procurarão excluir os recém-chegados que se apresentem como prováveis beneficiários sociais. Só a nacionalização da previdência (ou a nacionalização da cultura e da política) abrirá as comunidades de moradores a todos quantos nelas queiram entrar.

As comunidades de moradores só poderão abrir-se se os países estiverem fechados, pelo menos potencialmente. Só se o Estado fizer uma selecção entre os candidatos a membros e garantir a lealdade, segurança e previdência dos indivíduos que seleccionar, é que as comunidades locais poderão apresentar-se como associações «neutrais», unicamente determinadas pela preferência pessoal e pela capacidade do mercado. Uma vez que as escolhas individuais dependem grandemente da mobilidade local, esta combinação afigurar-se-ia ser a preferida numa sociedade como a nossa. A política e a cultura numa democracia moderna requerem provavelmente o tipo de largueza e também de limitação que os Estados proporcionam. Não tenho a intenção de negar valor às culturas regionais nem às comunidades étnicas; pretendo apenas lembrar a rigidez que a ambas seria imposta na ausência de Estados inclusivos e protectores. Derrubar os muros do Estado não é, como alvitrava Sidgwick com apreensão, criar um Estado sem muros, é antes criar mil pequenas fortalezas.

As fortalezas também poderiam ser derrubadas: mais não seria necessário do que um Estado global suficientemente poderoso para aniquilar as comunidades locais. Daí resultaria então o mundo dos economistas políticos tal como Sidgwick o descreveu: um mundo de homens e mulheres totalmente desenraizados. As comunidades de moradores poderiam manter uma certa cultura coesiva por uma ou duas gerações numa base voluntária; porém, haveria pessoas a entrar e outras a sair e em breve a coesão morreria. O carácter distintivo das culturas e dos grupos depende do isolamento e, sem este, não pode conceber-se como um traço estável da vida humana. Se considerarmos esse carácter distintivo como um valor, como parece entender a maioria das pessoas (embora algumas delas sejam pluralistas globais e outras apenas lealistas locais), então o isolamento deve ser consentido em qualquer parte. Num dado nível da organização política, algo como um estado soberano se constituirá e reivindicará o poder de pôr em prática a sua própria política de admissão e de controlar e, algumas vezes, restringir a corrente imigratória.

Mas este direito de controlar a imigração não abrange nem implica o direito de controlar a emigração. A comunidade política pode definir a sua população apenas num sentido, mas não no outro; esta distinção é reiterada de várias formas durante toda a explanação da qualidade de membro. A restrição nas entradas serve para defender a liberdade e o bem-estar, assim como a política e a cultura de um grupo de pessoas comprometidas umas para com as outras e com a sua vida comum.

Porém, a restrição nas saídas substitui o compromisso pela coacção. No que respeita aos membros coagidos, deixa de existir uma comunidade que valha a pena defender. Um Estado talvez possa banir cidadãos individuais ou expulsar estrangeiros que vivam dentro das suas fronteiras (desde que haja um local disposto a recebê-los). Salvo em épocas de emergência nacional, em que toda a gente é obrigada a trabalhar pela sobrevivência da comunidade, não podem os Estados impedir aquelas pessoas de se levantarem e partirem. A circunstância de os indivíduos terem o direito de deixar o seu país não lhes dá, porém, o direito de ingressarem noutro (qualquer outro). A imigração e a emigração são moralmente assimétricas[9]. A analogia adequada neste caso é com a associação já que é característico das associações na sociedade doméstica — como acabei de alvitrar, é-o também dos Estados na sociedade internacional — que elas possam regular as admissões mas não impedir as saídas.

Tal como as associações, os países têm comissões de admissão. Nos Estados Unidos, o Congresso funciona como uma comissão desse género, embora raramente faça selecções individuais. Em vez disso, estabelece as qualificações de carácter geral, as categorias para admissão e exclusão e as quotas numéricas (limites). A partir daí os indivíduos admissíveis são aceites com vários graus de discricionariedade administrativa, a maior parte das vezes de acordo com a ordem de chegada. Este procedimento afigura-se eminentemente defensável embora não signifique que se devesse defender um conjunto especial de qualificações e categorias. Dizer que os Estados têm o direito de actuar em certas áreas não é o mesmo que dizer que tudo quanto fazem nessas áreas é correcto. Há certas bitolas especiais de admissão que se podem discutir, apelando, por exemplo, para a índole e características do país hospedeiro e para as concepções compartilhadas por aqueles que já são membros. Essa discussão tem de ser julgada tanto moral e politicamente como concretamente. A pretensão dos americanos defensores da imigração restrita (digamos, em 1920), segundo a qual estariam a defender um país branco e protestante homogéneo, pode, de maneira plausível, ser qualificada de injusta e também de inexacta: como se os cidadãos não brancos e não protestantes fossem homens e mulheres invisíveis que não tivessem de ser contados no recenseamento nacional[10]! Os americanos primitivos, em busca dos benefícios da expansão económica e geográfica, tinham criado uma sociedade pluralista e a realidade moral dessa sociedade deveria ter norteado o legislador dos anos 20. Porém, se seguirmos a lógica da analogia com a associação, teremos de dizer que a primitiva decisão poderia ter sido diferente e os Estados Unidos poderiam ter tomado a forma de uma comunidade homogénea, um Estado-nação anglo-saxónico (presumindo o que, em todo o caso, aconteceu: o extermínio virtual dos índios, os quais, entendendo correctamente os perigos da invasão, lutaram o melhor que puderam para manter os estrangeiros afastados do seu território pátrio). As decisões desta espécie estão sujeitas a constrangimento; ainda não estou, porém, preparado para dizer no que consiste este constrangimento. Em primeiro lugar, é importante insistir no facto de que a distribuição da qualidade de membro na sociedade americana, como em qualquer sociedade actual, é matéria de decisão política. Pode ter sido dada rédea larga ao mercado do trabalho, como aconteceu nos Estados Unidos durante várias décadas, mas tal não acontece fortuita nem fatalmente; depende de opções que, em última análise, são políticas. Que tipo de comunidade querem os cidadãos criar? Com que outros homens e mulheres querem compartilhar e trocar bens sociais?

São estas exactamente as questões a que os membros de uma associação respondem quando decidem sobre a qualidade de membro, embora normalmente com referência a uma comunidade menos extensa e a um conjunto mais limitado de bens sociais. Nas associações só os fundadores se escolhem a si próprios (ou uns aos outros); todos os outros membros foram escolhidos por aqueles que se tornaram membros antes deles. Os indivíduos podem ser capazes de apresentar boas razões pelas quais deveriam ser escolhidos, mas ninguém de fora tem o direito a estar dentro. Os membros decidem livremente sobre os seus futuros parceiros e as decisões que tomam são competentes e definitivas. Só quando as associações se dividem em facções e brigam por causa da propriedade, pode o Estado intervir e decidir quem são os membros. Quando os Estados se dividem não há, porém, recurso possível já que não há órgão superior. Daí que possamos conceber os Estados como associações, com poder soberano relativamente aos seus próprios processos de selecção *.

Mas se esta descrição é exacta no que à lei diz respeito, não constitui já um relato preciso da vida moral das comunidades políticas contemporâneas. É manifesto que os cidadãos crêem com frequência ser obrigados a abrir as portas do seu país — talvez não a quem quer que pretenda entrar e sim a um grupo especial de estranhos, aceites como «parentes» nacionais ou étnicos. Neste sentido, os Estados são mais como as famílias do que como as associações, pois é característico das famílias o facto de os seus membros se encontrarem moralmente ligados a pessoas que não escolheram e que vivem fora da casa de família. Em épocas agitadas, a casa de família é também um refúgio. De vez em quando e sob os auspícios do Estado, acolhemos concidadãos aos quais não estamos ligados, como fizeram famílias inglesas durante o *blitz* com as crianças de Londres; todavia, a nossa generosidade mais espontânea vai para os nossos amigos e parentes. O Estado aceita aquilo a que podemos chamar a «regra do parentesco» ao dar prioridade na imigração aos parentes de cidadãos. É esta a política actual nos Estados Unidos, a qual se afigura especialmente adequada a uma comunidade política largamente formada pela admissão de imigrantes. É uma maneira de reconhecer que a mobilidade laboral tem um preço social: uma vez que os trabalhadores são homens e mulheres com família, não é possível admiti-los em atenção ao seu trabalho sem aceitar um certo compromisso, digamos, para com os seus velhos pais ou para com os seus irmãos e irmãs enfermos.

Em comunidades formadas de modo diverso e em que o Estado representa uma nação amplamente instalada, desenvolve-se então normalmente outro género de compromisso, segundo normas determinadas pelo princípio da nacionalidade. Em

* Winthrop salientou claramente: «Se nós aqui formos uma corporação estabelecida por livre consentimento, se o lugar da nossa habitação for nosso, então ninguém tem o direito de se juntar a nós... sem o nosso consentimento [11].» Adiante me referirei a esta questão do «lugar» (p. 57).

épocas agitadas, o Estado é um refúgio para os membros da nação, quer sejam ou não residentes e cidadãos. Talvez a fronteira da comunidade política tenha sido traçada há vários anos de modo a deixar as suas aldeias e cidades do lado errado; talvez sejam filhos ou netos de emigrantes. Não têm direitos legais de membro, mas se forem perseguidos no país onde vivem, olham para a sua pátria não só com esperança, mas também com expectativa. Sou levado a dizer que tais expectativas são legítimas. Gregos expulsos da Turquia e turcos da Grécia, após as guerras e revoluções de princípios do século XX, tiveram de ser acolhidos pelos Estados que tinham as respectivas denominações colectivas. Para que mais servem esses Estados? Não se limitam a dirigir uma porção de território e um conjunto fortuito de pessoas; constituem também a expressão política de uma vida comum e (as mais das vezes) de uma «família» nacional que nunca se encontra totalmente contida no interior das suas fronteiras legais. Após a Segunda Guerra Mundial, milhões de alemães, expulsos pela Polónia e pela Checoslováquia, foram aceites pelas duas Alemanhas que deles cuidaram. Mesmo que esses Estados tivessem sido considerados livres de qualquer responsabilidade nas expulsões, eles teriam ainda tido a obrigação especial para com os refugiados. A maior parte dos Estados reconhece este género de obrigações na prática; alguns fazem-no na lei.

Território

Poderíamos pois imaginar os países como associações ou famílias nacionais. Mas os países são também Estados territoriais. Embora as associações e as famílias sejam proprietárias de imóveis, não reclamam nem detêm (salvo em sistemas feudais) jurisdição territorial. Pondo de parte as crianças, não controlam a localização física dos seus membros. O Estado controla realmente a localização física, mais que não seja, no interesse das associações e das famílias e dos indivíduos que os constituem; este controlo é acompanhado de certos deveres. Poderemos analisá-los melhor se tivermos uma vez mais em conta a assimetria entre a imigração e a emigração.

O princípio da nacionalidade tem uma importante limitação, normalmente aceite na teoria, ainda que nem sempre na prática. Apesar de o reconhecimento da afinidade nacional ser um motivo para permitir a imigração, o não reconhecimento não é motivo para expulsão. Esta questão é muito importante no mundo moderno, já que muitos Estados recém-independentes se vêem a controlar territórios nos quais foram admitidos grupos estrangeiros sob os auspícios do antigo regime imperial. De vez em quando, essas pessoas são obrigadas a partir, vítimas de uma hostilidade popular que o novo governo não é capaz de conter. Mais frequentemente, é o próprio governo que fomenta essa hostilidade e age positivamente no sentido de expulsar os «elementos estrangeiros», invocando, quando o faz, esta ou aquela versão da analogia com a associação ou com a família. Aqui porém, nenhuma analogia é aplicável, pois embora nenhum «estranho» tenha direito a ser membro de uma associação ou de uma família, penso que é possível referir uma espécie de direito territorial ou de localização.

Hobbes expôs a discussão na forma clássica, ao enumerar os direitos de que se abdica e os que se conservam, aquando da assinatura do contrato social. Os direitos conservados incluem a autodefesa e, portanto, «o uso do fogo, da água, do ar livre, *de um lugar para viver* e... de todas as coisas necessárias à vida» (itálico meu)[12]. Aquele direito não incide, na verdade, sobre um local determinado, mas é exequível contra o Estado que existe para o proteger; a pretensão do Estado à jurisdição territorial deriva em última análise do direito individual ao lugar. Daí que o direito tenha simultaneamente uma forma colectiva e uma forma individual, as quais podem entrar em conflito. Não se pode, porém, dizer que a primeira suplante sempre ou necessariamente a segunda, pois aquela nasceu para benefício desta. O Estado deve algo aos seus súbditos incondicionalmente, sem referência à identidade colectiva ou nacional destes. E o primeiro local a que os súbditos têm direito é seguramente aquele onde, juntamente com as suas famílias, viveram e construíram as suas vidas. Os laços e expectativas criados depõem contra a transferência forçada para outro país. Se não puderem ter este pedaço de terra (ou casa, ou apartamento) em especial, haverá então que lhes encontrar outro no mesmo «local» geral. Pelo menos inicialmente, a esfera da qualidade de membro está assente: os homens e mulheres que definem o significado da qualidade de membro e que concebem as regras de admissão da comunidade política, são unicamente os homens e mulheres que já lá estão. Os novos Estados e governos devem manter relações pacíficas com os antigos habitantes dos territórios que administram. E os países são susceptíveis de se configurar como territórios fechados e talvez dominados por certas nações (associações ou famílias), mas que sempre incluirão estrangeiros desta ou daquela espécie e cuja expulsão seria injusta.

Desta combinação resulta uma possibilidade importante: a de que a muitos dos habitantes de um certo país não seja concedida a plena qualidade de membro (cidadania) por causa da sua nacionalidade. Referir-me-ei a essa possibilidade, pronunciando-me pela sua rejeição, quando me reportar aos problemas específicos da naturalização. Tais problemas, porém, poderiam ser totalmente evitados, pelo menos ao nível do Estado, se se optasse por uma combinação radicalmente diferente. Debrucemo-nos novamente sobre a analogia com a comunidade de moradores: talvez devêssemos negar aos Estados nacionais, como negamos às igrejas e aos partidos políticos, o direito colectivo de jurisdição territorial. Talvez devêssemos insistir nos países abertos e consentir que apenas os grupos não-territoriais se pudessem fechar. Comunidades abertas de moradores juntamente com associações e famílias fechadas, é esta a estrutura da sociedade doméstica. Por que não poderia ou não deveria isto ser alargado à sociedade global?

Um alargamento deste género foi efectivamente proposto pelo escritor socialista austríaco Otto Bauer, reportando-se aos antigos impérios multinacionais da Europa Central e Oriental. Bauer teria organizado as nações em corporações autónomas, às quais seria permitido lançar impostos sobre os seus membros para fins educacionais e culturais, mas a quem seria negada qualquer domínio territorial. Os indivíduos poderiam deslocar-se livremente no espaço político no interior do império, conservando as suas qualidades nacionais de membro, quase tanto como se deslocam presentemente nos Estados seculares e liberais, conservando as suas qualidades religiosas de membro e filiações partidárias. Tal como as igrejas e os partidos, as corporações poderiam admitir ou recusar novos membros de acordo com quaisquer critérios que os membros mais antigos julgassem apropriados [13].

Aqui, a principal dificuldade é a de que todas as comunidades nacionais que Bauer queria conservar nasceram e foram mantidas ao longo dos séculos na base da coexistência geográfica. Não é qualquer má compreensão da sua história que leva as nações recém-libertadas do domínio imperial a lançarem-se em busca de uma situação territorial sólida. As nações buscam países, porque, em certo e profundo sentido, já têm países: o elo entre a gente e a terra é um aspecto crucial da identidade nacional. Os seus dirigentes percebem, além disso, que por haver tantos problemas cruciais (incluindo problemas de justiça distributiva, tais como educação, etc.) que podem ser mais satisfatoriamente resolvidos no âmbito de unidades geográficas, o centro da vida política nunca poderá estabelecer-se em qualquer outro local. As corporações «autónomas» serão sempre apêndices, e provavelmente apêndices parasitários, dos Estados territoriais, e renunciar ao Estado é o mesmo que renunciar a toda e qualquer efectiva autodeterminação. É por isso que as fronteiras e as deslocações de indivíduos e grupos através delas são objecto de duras disputas assim que o domínio imperial se desvanece e as nações iniciam o processo de «libertação». E, voltamos a afirmar, a reversão deste processo ou a repressão dos seus efeitos exigiria uma coerção maciça numa escala global. Não existe qualquer meio fácil de evitar a formação de um país (nem a proliferação de países), tal como presentemente o concebemos. Por esta razão, a teoria da justiça deve tomar em consideração o Estado territorial, especificando os direitos dos seus habitantes e reconhecendo o direito colectivo de admissão e rejeição.

A discussão não pode, porém, acabar aqui, uma vez que o controlo do território abre o Estado às exigências da necessidade. O território é um bem social num duplo sentido. É um espaço onde se vive, terra e água, recursos minerais e riquezas potenciais, e um recurso para os desamparados e famintos. E é um espaço de vida protegido, com fronteiras e polícia, um recurso para os perseguidos e os sem-pátria. Estes dois recursos são diferentes e poderíamos tirar diferentes conclusões no que respeita às espécies de reclamações que podem ser feitas relativamente a cada um deles. Porém, a questão em jogo deve começar por ser colocada em termos gerais. Poderá uma comunidade política excluir os homens e mulheres desamparados e famintos, perseguidos e sem-pátria — numa palavra, necessitados — só por serem estrangeiros? Estarão os cidadãos obrigados a aceitar estranhos? Admitamos que os cidadãos não têm obrigações formais e que não estão vinculados por nada mais rígido do que o princípio da ajuda mútua. Este princípio deve, porém, ser aplicado, não directamente aos indivíduos e sim aos cidadãos como grupo, já que a imigração é matéria de decisão política. Os indivíduos participam no processo decisório se o Estado for democrático; contudo, não decidem por eles e sim pela comunidade em geral. Ora este facto tem implicações de ordem moral. Substitui a proximidade pela distância e o dispêndio pessoal de tempo e energia pelas despesas burocráticas e impessoais. A despeito da afirmação de John Winthrop, a ajuda mútua é mais coerciva para as comunidades políticas do que para os indivíduos por haver um grande conjunto de acções de beneficência aberto à comunidade que só minimamente afectará os seus actuais membros considerados como instituição ou mesmo um por um, ou família por família, ou associação por associação. (Todavia, a beneficência afectará talvez os filhos, netos ou bisnetos dos membros actuais de modo não facilmente mensurável ou mesmo compreensível. Não estou certo até que ponto é que considerações deste tipo se poderão utilizar para diminuir a série de acções necessárias.) Nestas acções inclui-se provavelmente a admissão de estranhos, pois a admissão num país não implica o tipo de intimidade que dificilmente se poderia evitar no caso das associações e das famílias. Não poderia, assim, a admissão ser moralmente imperativa, pelo menos para *estes* estranhos que não têm outro lugar para onde ir?

Parte desta argumentação, ao converter a ajuda mútua num encargo mais apertado para as comunidades do que alguma vez poderia ser para os indivíduos, vem provavelmente sublinhar a pretensão vulgar de que o direito de exclusão depende da extensão territorial e da densidade populacional de determinados países. Assim, Sidgwick escreveu que «não pode admitir que um Estado possuidor de grandes porções de terra desocupada tenha o direito absoluto de afastar os elementos estrangeiros» [14]. Em sua opinião, os cidadãos talvez possam fazer alguma selecção entre os estranhos necessitados, não podendo, porém, recusar-se totalmente a admitir estranhos, uma vez que o seu Estado possui (grande abundância de) espaço disponível. Um argumento muito mais forte poderia ser usado, por assim dizer, pela outra parte, se considerarmos os estrangeiros necessitados, não como objecto de uma acção beneficente, e sim como homens e mulheres desesperados e capazes de agir no seu próprio interesse. No seu *Leviathan*, Hobbes afirma que essas pessoas, uma vez que não podem ganhar o seu sustento nos seus próprios países, têm o direito de se mudar para «países não suficientemente habitados onde, porém, não deverão exterminar aqueles que lá encontrarem, devendo antes obrigá-los a viver mais perto uns dos outros e a não percorrerem uma grande extensão de terra com o fim de deitar a mão ao que encontrarem» [15]. Aqui, os «samaritanos» não são activos, sendo antes objecto de uma acção e (como veremos daqui a pouco) onerados com a não-resistência.

«A Austrália branca» e as exigências da necessidade

A tese de Hobbes é nitidamente uma defesa da colonização europeia e também da subsequente «sujeição» dos caçadores e colectores nativos. Tem, contudo, uma aplicação mais vasta. Ao escrever em 1891, Sidgwick estava provavelmente a pensar nos Estados que os colonizadores tinham fundado: os Estados Unidos, onde a agitação relativamente à exclusão dos imigrantes tinha sido um aspecto no mínimo esporádico da vida política durante todo o século XIX, e a Austrália, onde precisamente estava a começar o grande debate sobre a imigração que culminou na política da «Austrália branca». Alguns anos mais tarde, um ministro australiano da imigração defendeu esta política em termos que presentemente já serão familiares: «Pretendemos criar uma nação homogénea. Haverá alguém que possa razoavelmente opor-se a isto? Não tem qualquer governo o direito elementar de decidir qual a composição da nação? É uma prerrogativa precisamente igual à que o chefe da família exerce quando determina quem deve viver na sua casa.» [16] Porém, a «família» australiana possuía um vasto território do qual ocupava (e suponho, na falta de melhores elementos, que ainda ocupa) apenas uma pequena parte. O direito dos australianos brancos aos grandes espaços vazios do subcontinente baseava-se unicamente na exigência que tinham feito e imposto à população aborígene, antes de quaisquer outros. Não parece que este direito possa ser facilmente defendido em face de homens e mulheres necessitados que imploram entrada. Se, empurrados pela fome reinante nas terras densamente povoadas do sudeste asiático, milhares de pessoas abrissem caminho à força numa Austrália que, de outro modo, lhes estaria vedada, duvido que pudéssemos acusar os invasores de agressão. A acusação de Hobbes faz mais sentido: «Vendo que todo o homem, não apenas por direito, mas também por necessidade natural, é suposto esforçar-se o mais que pode para obter o que necessita para a sua conservação; todo aquele que se opuser a tal, por coisas supérfluas, será culpado da guerra que se seguir.» [17]

Contudo, a concepção que Hobbes tinha das «coisas supérfluas» é extraordinariamente vasta. Ele queria dizer supérfluo relativamente à vida em si mesma, relativamente às exigências básicas da sobrevivência física. O argumento torna-se mais plausível, creio eu, se perfilharmos uma concepção mais restrita e ajustada às necessidades de determinadas comunidades históricas. Devemos considerar «modos de vida», tal como, relativamente aos indivíduos, consideramos «planos de vida». Suponhamos agora que a grande maioria dos australianos podia manter o seu modo de vida actual, apenas sujeito a desvios mínimos, após uma invasão bem sucedida, do género que imaginei. Alguns indivíduos seriam mais drasticamente afectados já que chegam a «precisar» de centenas ou mesmo milhares de milhas livres para a vida que escolheram. Não deve, porém, a tais necessidades ser concedida prioridade moral relativamente às reivindicações de estranhos necessitados. O espaço naquela escala é um luxo, de acordo com os argumentos mais convencionais dos bons samaritanos e está ainda sujeito a um certo tipo de expropriação moral. Presumindo, pois, que há realmente terra supérflua, a pressão da necessidade obrigaria uma comunidade política como a da Austrália Branca a confrontar-se com uma escolha radical. Os seus membros poderiam entregar terras para manter a homogeneidade ou poderiam abdicar da homogeneidade (concordar com a criação de uma sociedade multirracial) para conservar as terras. E não teriam outra escolha. A Austrália Branca só como Pequena Austrália poderia sobreviver.

Estabeleci a discussão nestes termos veementes com o fim de sugerir que a versão colectiva da ajuda mútua poderá exigir uma redistribuição limitada e complexa da qualidade de membro e/ou do território. Mais longe do que isto não podemos ir. Não é possível descrever a pequenez da «Pequena Austrália» sem ter em atenção o significado concreto de «coisas supérfluas». Afirmar, por exemplo, que o espaço habitável deveria ser igualmente distribuído por todos os habitantes do globo, seria permitir que a versão individual do direito a um lugar no mundo prevalecesse à versão colectiva. Efectivamente, negar-se-ia assim que as associações e famílias nacionais pudessem alguma vez adquirir um título sólido sobre determinada porção de território. Uma alta taxa de natalidade num território vizinho anularia imediatamente esse título e exigiria uma redistribuição territorial.

Igual dificuldade surge no tocante à riqueza e aos recursos. Também estes podem ser supérfluos, muito para além do que os habitantes de um determinado Estado necessitam para ter uma vida decente (precisamente como eles próprios definem o que significa uma vida decente). Estarão estes habitantes moralmente obrigados a aceitar imigrantes de países mais pobres enquanto os recursos supérfluos existirem? Ou estarão mesmo eles obrigados a mais do que isso, para além dos limites da ajuda mútua, até que uma política de aceitação franca deixe de atrair e beneficiar a gente mais pobre do mundo? Sidgwick parece ter optado pela primeira hipótese; propôs ele uma versão primitiva e provinciana do princípio da diferença de Rawls: pode restringir-se a imigração assim que a coibição de o fazer «interfira sensivelmente... nos esforços do governo para manter um alto nível de vida entre os membros da comunidade em geral — e em particular nas classes mais pobres» [18]. Porém, a comunidade pode muito bem decidir pôr termo à imigração mesmo antes disso, no caso de querer exportar a sua riqueza supérflua (alguma). Os seus membros ver-se-ão perante uma alternativa parecida com a dos australianos: poderão partilhar a sua riqueza com estranhos necessitados fora do seu país ou dentro dele. Qual é, porém, a porção exacta da sua riqueza que terão de partilhar? Uma vez mais, algum limite terá de haver fora (e com toda a probabilidade consideravelmente fora) da igualdade simples, caso contrário a riqueza comunitária estaria sujeita a um escoamento sem limites precisos. A própria expressão «riqueza comunitária» deixaria de ter sentido se todos os recursos e todos os produtos fossem globalmente comuns. Ou, mais propriamente, haveria só uma comunidade, um Estado mundial cujos processos redistributivos, com o tempo, tenderiam a anular a especificidade histórica dos das associações e famílias nacionais.

Se deixarmos de fora a igualdade simples, continuará a haver muitas comunidades com diferentes histórias, modos de vida, climas, estruturas políticas e economias. Haverá no mundo lugares que continuarão a ser mais apetecíveis do que outros, pelo menos para alguns dos seus habitantes. Daí que a imigração continue a ser objecto de discussão mesmo depois de as reclamações de justiça distributiva terem sido satisfeitas numa escala global, presumindo, contudo, que a sociedade global é e deve ser essencialmente pluralista e que as reclamações são resolvidas por uma versão da ajuda mútua colectiva. As diferentes comunidades terão de continuar a tomar decisões sobre as entradas e continuarão a ter o direito de as tomar. Se não podemos garantir a dimensão integral da base territorial ou material sobre a qual um grupo de pessoas constrói uma vida comum, podemos, não obstante, afirmar que a vida comum é pelo menos sua e que lhes cabe aceitar ou escolher os seus companheiros e associados.

Os refugiados

Há, porém, um grupo de estranhos necessitados cujas reclamações não podem ser satisfeitas pela entrega de terras nem pela exportação de riqueza; só pela aceitação das pessoas o podem ser. Este grupo de refugiados é o que necessita da própria qualidade de membro que não é um bem exportável. A liberdade que faz com que certos países sejam possíveis pátrias para homens e mulheres cujas convicções políticas ou religiosas não são toleradas no lugar onde vivem, não é também exportável ou, pelo menos, ainda se não descobriu maneira de a exportar. Trata-se de bens que só no espaço protegido de um determinado Estado se podem compartilhar. Ao mesmo tempo, a aceitação de refugiados não diminui necessariamente a dose de liberdade de que os membros gozam naquele espaço. As vítimas de perseguições políticas ou religiosas reclamam por isso a sua aceitação de modo extremamente enérgico. «Se não me aceitardes» — dizem — «serei morto, perseguido ou brutalmente oprimido pelos governantes do meu país.» Que poderemos responder?

Podemos muito bem ter para com alguns refugiados obrigações do mesmo género das que temos para com os nossos concidadãos. É este obviamente o caso no que respeita a qualquer grupo de pessoas relativamente às quais tivermos contribuído para que se convertessem em refugiados. O mal que lhes causámos cria entre nós uma afinidade; por isso, os refugiados vietnamitas foram, em sentido moral, realmente americanizados ainda mesmo antes de terem chegado a esta terra. Podemos, porém, ser obrigados a ajudar homens e mulheres perseguidos ou oprimidos por outrem, se forem perseguidos ou oprimidos por serem como nós. A afinidade ideológica, tal como a étnica, podem criar laços que transpõem as fronteiras políticas, nomeadamente, por exemplo, quando afirmamos perfilhar certos princípios na nossa vida em comunidade e incitamos homens e mulheres em qualquer outra parte a defender esses princípios. Num Estado liberal, as afinidades desta última espécie podem ser muito ténues e, apesar disso, moralmente compulsivas. Os refugiados políticos do século XIX, em Inglaterra, não eram geralmente liberais ingleses. Eram hereges e oposicionistas de toda a espécie, em luta com as autocracias da Europa central e oriental. Era principalmente por causa dos seus inimigos que a Inglaterra reconhecia neles um certo parentesco. Ou, então, atentemos nos milhares de homens e mulheres que fugiram da Hungria após a revolução falhada de 1956. É difícil recusar-lhes um semelhante reconhecimento, atenta a contextura da Guerra Fria, a natureza da propaganda ocidental e a simpatia já manifestada para com os «combatentes da liberdade» da Europa oriental. Estes refugiados tiveram provavelmente de ser aceites em países como a Grã-Bretanha e os Estados Unidos. A repressão de camaradas políticos, tal como a perseguição a correligionários* parece criar o dever de auxílio, mais que não seja, para proporcionar refúgio aos mais expostos e ameaçados. Talvez todas as vítimas do autoritarismo e da intolerância sejam camaradas morais dos cidadãos liberais; gostaria de apresentar esta tese, mas tal levaria longe de mais o conceito de afinidade e, em qualquer caso, é desnecessário. Enquanto o número de vítimas for pequeno, a ajuda mútua dará os mesmos resultados práticos; se o número crescer e formos obrigados a escolher entre as vítimas, buscaremos então com justiça, uma relação mais directa com o nosso modo de vida. Se, por outro lado, não houver qualquer relação com vítimas em especial, havendo antes mais antipatia do que afinidade, não se verificará

* Referência à religião e não à política. *(NT)*

qualquer condicionalismo que obrigue a preferi-las a quaisquer outras pessoas igualmente necessitadas *. À Grã-Bretanha e aos Estados Unidos muito dificilmente poderia ser pedido, por exemplo, que dessem guarida aos estalinistas que fugissem da Hungria em 1956, se a revolução tivesse triunfado. Mais uma vez, se afirmará que as comunidades têm de ter fronteiras e embora estas sejam determinadas, tendo em conta o território e os recursos, não deixam de depender, no que à população diz respeito, de uma consciência de relação e reciprocidade. Os refugiados devem apelar para essa consciência. Pode desejar-se que sejam bem sucedidos; porém, em certos casos e com referência a um certo Estado, podem muito bem não ter direito a sê-lo.

Uma vez que a afinidade ideológica (muito mais do que a étnica) é objecto de reconhecimento mútuo, há aqui muito espaço para a escolha política e, por conseguinte, tanto para a exclusão como para a aceitação. Daí o poder dizer-se que a minha tese não alcança o desespero do refugiado. E também não propõe qualquer modo de lidar com o alto número de refugiados produzido pela política neste século. Por um lado, todos têm de ter um lugar para viver e um lugar onde seja possível uma vida razoavelmente segura. Mas, por outro, este direito não pode ser imposto a certos Estados hospedeiros. (Este direito não pode ser imposto, na prática, enquanto não houver uma autoridade internacional capaz de o impor e se houvesse uma tal autoridade faria certamente melhor em intervir contra os Estados cujo comportamento brutal obrigou os seus cidadãos ao exílio, permitindo-lhes assim o regresso a casa.) A crueldade deste dilema é de certo modo mitigada pelo princípio do asilo. Qualquer refugiado que se tenha efectivamente escapado, que não procura mas que encontrou um refúgio pelo menos temporário, pode pedir asilo, sendo este direito presentemente reconhecido, por exemplo, na lei britânica; nesse caso, não poderá ser deportado enquanto o único país disponível e para o qual poderia ser enviado «é um para o qual ele não quer ir, devido a um bem fundado receio de ser perseguido por razões de raça, religião, nacionalidade... ou opiniões políticas»[20]. Embora seja um estranho e recém-chegado, aplica-se-lhe a norma que proíbe a expulsão, como se já tivesse organizado a sua vida onde se encontra, uma vez que não há outro lugar onde a possa organizar.

Este princípio foi, porém, estabelecido em benefício dos indivíduos, considerados um por um, em lugares onde o seu número é tão pequeno que não os deixa ter qualquer influência significativa na natureza da comunidade política. O que acontece quando o seu número não é pequeno? Vejamos o caso dos milhões de russos capturados ou escravizados pelos nazis na Segunda Guerra Mundial em locais mais

* Confrontar com a afirmação de Bruce Ackerman de que «a *única* justificação para restringir a imigração reside na defesa do próprio processo de convivência liberal em curso» (itálico do próprio Ackerman).[19] As pessoas empenhadas na eliminação da «convivência liberal» podem com justiça ser excluídas, ou talvez Ackerman quisesse dizer que só podem ser excluídas se, pelo seu número ou pela força do seu empenhamento, constituírem uma ameaça real. Em qualquer caso, o princípio enunciado deste modo aplica-se unicamente aos Estados liberais. Porém, evidentemente, outras espécies de comunidade política têm também o direito de defender a consciência comum entre os seus membros daquilo que realizam.

tarde invadidos pelos exércitos aliados na sua ofensiva final. Todas estas pessoas foram recambiadas, muitas delas à força, para a União Soviética, onde foram imediatamente fuziladas ou enviadas para a morte em campos de trabalho[21]. Aqueles que previram o que lhes estava destinado pediram asilo no Ocidente, mas, por razões de conveniência (que tinham a ver com a guerra e a diplomacia e não com a nacionalidade e os problemas da assimilação), o asilo foi-lhes negado. Evidentemente que não deviam ter sido recambiados à força assim que se soube que iam ser assassinados, o que quer dizer que os aliados ocidentais deveriam ter-se prontificado a recebê-los, penso que negociando entre eles os números apropriados. Não havia outra opção; em circunstâncias extremas o pedido de asilo é praticamente irrecusável. Suponho que há, efectivamente, limites à nossa responsabilidade colectiva, mas não sei como especificá-los.

Este último exemplo sugere que a conduta moral dos Estados liberais e humanitários pode ser determinada pela conduta imoral de Estados desumanos e autoritários. Mas se isto é verdade, por que acabar com o asilo? Por que preocuparmo-nos unicamente com homens e mulheres que já se encontram realmente no nosso território e pedem para ficar e não com homens e mulheres oprimidos nos seus próprios países e que pedem para entrar? Por que distinguir os afortunados ou os audaciosos que de uma maneira ou de outra conseguiram abrir caminho através das nossas fronteiras, de todos os outros? Mais uma vez, não tenho resposta apropriada a estas perguntas. Parece que somos obrigados a conceder asilo por duas razões: porque a sua recusa nos obrigaria a usar a força contra pessoas indefesas e desesperadas e porque o número normalmente envolvido é, salvo casos excepcionais, pequeno, sendo as pessoas facilmente absorvidas (estaríamos, assim, a usar a força por «coisas supérfluas»). Porém, se dermos abrigo a todos quantos no mundo puderem razoavelmente dizer que dele carecem, poderemos ser submergidos. O apelo «Dai-me... as vossas multidões sedentas de liberdade» é generoso e nobre; na realidade, é com frequência moralmente imperioso aceitar grandes quantidades de refugiados, mas o direito de restringir o fluxo continua a ser característico da autodeterminação comunitária. O princípio da ajuda mútua poderá unicamente modificar e não transformar, a política de admissão arreigada no conceito que uma determinada comunidade tem de si própria.

Os estrangeiros e a naturalização

Os membros de uma comunidade política têm o direito colectivo de determinar o modelo da população residente — direito este sempre sujeito ao duplo controlo que já descrevi: o significado da qualidade de membro para os actuais membros e o princípio da ajuda mútua. Neste condicionalismo, certos países, em certas épocas, incluirão provavelmente entre os seus residentes homens e mulheres que são, de diferentes maneiras, estrangeiros. Estas pessoas poderão, por sua vez, ser membros de grupos minoritários ou párias, ou então refugiados ou imigrantes recém-chegados. Admitamos que têm o direito de estar onde estão. Poderão reivindicar a cidadania e direitos políticos na comunidade onde agora vivem? A cidadania está associada à residência? Na verdade, há um segundo processo de admissão denominado «naturalização» e o critério adequado a este processo ainda está para ser determinado. Quero aqui sublinhar que o que está em causa é a cidadania e não (salvo no sentido legal do termo) a nacionalidade. A associação ou família nacional é uma comunidade diversa do Estado, por razões que já sintetizei. Daí que seja possível, digamos, a um imigrante argelino em França, tornar-se cidadão francês («nacional» francês) sem se tornar francês. Mas, não sendo francês e apenas residente em França, terá algum direito à cidadania francesa?

Poder-se-á teimar — como afinal farei — que se deve aplicar à naturalização e à imigração a mesma bitola e que todos os imigrantes e todos os residentes são também cidadãos, pelo menos potenciais. É por isso que o acolhimento territorial é um assunto tão sério. Os membros têm de estar preparados para reconhecer como seus iguais, num mundo de obrigações compartilhadas, os homens e mulheres que acolhem; e os imigrantes têm de estar preparados para compartilhar essas obrigações. Porém, tudo pode ser regulado de outro modo. O Estado controla com frequência rigorosamente a naturalização e demasiado frouxamente a imigração. Os imigrantes passam a ser residentes estrangeiros e, salvo concessão especial, mais nada. Por que são admitidos? Para libertar os cidadãos de trabalhos pesados e desagradáveis. O Estado é, então, como uma família com criados residentes.

Este quadro não é atraente, pois uma família com criados residentes é — penso que inevitavelmente — uma pequena tirania. Os princípios que imperam no lar doméstico são os do parentesco e do amor. São eles que estabelecem o modelo subjacente da reciprocidade e da obrigação, da autoridade e da obediência. Os criados não têm lugar adequado neste modelo, mas têm de ser por ele assimilados. Por conseguinte, na literatura pré-moderna, tendo por tema a vida de família, os criados são normalmente apresentados como crianças de tipo especial: crianças por estarem sujeitos à disciplina; de tipo especial por não lhes ser permitido crescer. A autoridade paterna é afirmada fora da sua esfera, sobre homens e mulheres adultos que não são, e nunca poderão ser, verdadeiros membros da família. Quando essa afirmação já não é possível, quando os criados passam a ser vistos como trabalhadores assalariados, o grande lar familiar inicia o seu lento declínio. O modelo de residência inverte-se gradualmente; os antigos criados passam a procurar constituir os seus próprios lares.

Os metecos em Atenas

Não é possível imaginar uma história parecida ao nível da comunidade política. Os criados residentes não desapareceram do mundo moderno. Como «trabalhadores-hóspedes» desempenham um importante papel nas economias mais avançadas. Mas, antes de me debruçar sobre a situação dos trabalhadores-hóspedes, quero começar por um exemplo de outra época e analisar a situação dos estrangeiros residentes (metecos) na antiga Atenas. A cidade ateniense (polis) era quase literalmente uma família com criados residentes. A cidadania era uma herança que passava de pais para filhos (e apenas quando ambos os pais eram cidadãos: depois de 450 a. C. Atenas vivia sob a lei da endogamia dupla). Por isso, uma grande quantidade do trabalho na cidade era executado por residentes que não tinham qualquer esperança de vir a ser cidadãos. Alguns destes eram escravos; todavia, não me vou preocupar com eles, uma vez que a injustiça da escravidão já hoje se não discute, pelo menos abertamente. O caso dos metecos é mais complicado e interessante.

«Franqueamos a nossa cidade ao mundo», declarou Péricles no seu discurso fúnebre, «e nunca retiramos oportunidades aos estrangeiros.» E, assim, os estrangeiros vieram de boa vontade para Atenas, atraídos pelas oportunidades económicas e talvez também pela «atmosfera de liberdade» que ali se respirava. A maior parte deles nunca se guindou a categoria superior à de operário ou «artífice», mas alguns prosperaram: na Atenas do século IV a. C., os metecos estavam representados entre os mais ricos mercadores. Comparticipavam, todavia, unicamente nos aspectos negativos da liberdade ateniense. Embora fossem obrigados a participar na defesa da cidade, não tinham quaisquer direitos políticos, assim como os não tinham os seus descendentes. Não participavam também nos mais elementares direitos sociais: «os estrangeiros eram excluídos das distribuições de cereais»[22]. Como de costume, esta exclusão revelava e simultaneamente mantinha a posição inferior que os metecos ocupavam na sociedade ateniense. Nas obras literárias que chegaram até nós os metecos são normalmente tratados com desprezo, embora algumas referências favoráveis nas peças de Aristófanes sugiram a existência de outros pontos de vista[23].

Aristóteles, embora fosse meteco, apresenta a clássica defesa da exclusão, em aparente réplica aos críticos que afirmavam constituírem a co-residência e a partilha do trabalho uma base suficiente para a qualidade política de membro. «Um cidadão não adquire essa qualidade», disse, «só por habitar em determinado lugar.» O trabalho, mesmo o obrigatório, não é melhor critério: «Não se devem presumir cidadãos todos aqueles [seres humanos] sem os quais não se poderia ter uma cidade.»[24] A cidadania requeria uma certa «preeminência» que não era acessível a todos. Duvido que Aristóteles estivesse realmente convencido de que esta preeminência se adquirisse pelo nascimento. Para ele, a existência de membros e não membros de castas hereditárias era provavelmente uma questão de conveniência. Alguém tinha de fazer o trabalho pesado da cidade e era preferível que os trabalhadores se diferençassem claramente e aprendessem à nascença qual era o seu lugar. O próprio trabalho, a exigência quotidiana da vida económica, punha a preeminência da cidadania fora do seu alcance. De um ponto de vista ideal, o conjunto dos cidadãos constituía uma aristocracia de ociosos (na realidade, incluía «artífices», assim como a classe dos metecos incluía ociosos) e os seus membros eram aristocratas por serem ociosos e não por causa do nascimento e da linhagem ou de qualquer outro intrínseco dom. A política tomava-lhes a maior parte do tempo, embora Aristóteles talvez não dissesse que governavam sobre escravos e estrangeiros. Mais propriamente, o que faziam era governarem-se uns aos outros, à vez. Os outros não eram mais do que seus súbditos passivos, a «condição material» da sua preeminência, não mantendo com eles quaisquer relações.

Segundo Aristóteles, os escravos e os estrangeiros viviam no reino da necessidade; a sua sorte era determinada pelas circunstâncias da vida económica. Os cidadãos, pelo contrário, viviam no reino da opção; a sua sorte era determinada na arena política pelas suas próprias decisões colectivas. Esta distinção é, porém, falsa. Na verdade, os cidadãos tomavam toda a espécie de decisões aplicáveis aos escravos e estrangeiros que viviam entre eles, decisões estas relativas à guerra, às despesas públicas, ao incremento do comércio, à distribuição de cereais, etc. As circunstâncias económicas estavam sujeitas ao controlo político, ainda que a extensão desse controlo fosse sempre terrivelmente limitada. Escravos e estrangeiros eram, por isso, na verdade, governados; as suas vidas eram política e economicamente moldadas. Estavam também na arena unicamente por serem habitantes do espaço protegido da cidade-estado, mas não tinham nela qualquer voz. Não podiam exercer cargos públicos nem tomar parte em assembleias ou em júris; não tinham funcionários nem organizações políticas suas e nunca eram consultados sobre as decisões a proferir. Se pensarmos que eram — pese embora a Aristóteles — homens e mulheres capazes de decidir racionalmente, teremos de dizer que eram súbditos de um grupo de tiranos-cidadãos e governados sem o seu consentimento. Efectivamente, parece ter sido esta, pelo menos implicitamente, a opinião de outros autores gregos. Temos assim a crítica de Isócrates à oligarquia: sempre que alguns cidadãos monopolizam o poder político, tornam-se «tiranos» e convertem os seus concidadãos em «metecos»[25]. Se isto for verdade, então os verdadeiros metecos devem ter vivido sempre sob a tirania.

Isócrates não teria, porém, feito esta última afirmação nem temos qualquer registo de metecos que a tenham feito. A escravidão era uma questão muito debatida na velha Atenas, mas «nenhum vestígio subsiste de qualquer controvérsia sobre a *metoikia*»[26]. Alguns sofistas podem ter tido as suas dúvidas, mas a ideologia que distinguia os metecos dos cidadãos parece ter sido largamente aceite tanto por estes como por aqueles. O predomínio do nascimento e da linhagem quanto à qualidade política de membro fazia parte das concepções políticas da época. Os metecos atenienses eram, eles próprios, cidadãos hereditários das cidades de onde tinham vindo e, embora esta categoria não lhes conferisse protecção na prática, talvez ajudasse a contrabalançar a sua baixa condição na cidade onde viviam e trabalhavam. Também eles, se eram gregos, eram de ascendência cidadã e o seu relacionamento com os atenienses pode plausivelmente descrever-se (como foi descrito por Lícias, também meteco e mais propenso do que Aristóteles a reconhecer a sua situação) em termos contratuais: bom comportamento em troca de tratamento equitativo[27].

Contudo, este modo de ver a questão dificilmente se aplicará aos filhos da primeira geração de metecos; nenhum argumento contratualista poderia justificar a criação de uma casta de estrangeiros residentes. A única justificação da *metoikia* reside numa concepção da cidadania como algo que os atenienses literalmente não podiam distribuir, atendendo ao conceito que dela tinham. Tudo o que podiam dar aos estrangeiros era um tratamento equitativo e isto era tudo o que estes podiam pensar em lhes pedir. Há provas fortes a favor deste modo de ver, mas também as há contra. Houve metecos ocasionalmente emancipados, embora talvez por meio de corrupção. Os metecos desempenharam um certo papel na restauração da democracia em 403 a. C. a seguir ao governo dos Trinta Tiranos e foram posteriormente recompensados, a despeito de uma forte oposição, com a concessão da cidadania[28]. Aristóteles opunha-se às grandes cidades com o argumento de que «os estrangeiros residentes estão rapidamente a participar no exercício dos direitos políticos», o que sugere que não havia qualquer obstáculo conceptual à extensão da cidadania[29]. Em qualquer caso, é inegável que esse obstáculo não existe nas comunidades democráticas contemporâneas e é agora altura de considerarmos os nossos metecos. A questão que aparentemente não preocupava os gregos é hoje prática e teoricamente preocupante. Poderão os Estados gerir as suas economias com criados residentes, ou seja, trabalhadores-hóspedes, excluídos do grémio dos cidadãos?

Os trabalhadores-hóspedes

Não vou tentar descrever cabalmente a experiência dos trabalhadores-hóspedes no nosso tempo. As leis e as práticas diferem na Europa de país para país e mudam constantemente; a situação é complexa e instável. Não é necessário aqui mais do que um esboço esquemático (baseado sobretudo na situação legal vigente no princípio dos anos 70) destinado a realçar aqueles aspectos da dita experiência que se apresentam como moral e politicamente controversos[30].

Consideremos, pois, um país como a Suíça, a Suécia ou a Alemanha Ocidental, uma democracia capitalista e um Estado Social, com sindicatos fortes e uma população razoavelmente abastada. Os dirigentes económicos acham cada vez mais difícil atrair trabalhadores para vários serviços que passaram a ser olhados como extenuantes, perigosos e aviltantes. Estes serviços são, todavia, socialmente necessários; é preciso arranjar quem os faça. No plano interno só há uma alternativa, não sendo agradável qualquer dos seus termos. Ou as restrições impostas ao mercado do trabalho pelos sindicatos e pelo Estado Social podem ser violadas e, assim, o sector mais vulnerável da classe trabalhadora local ser obrigado a aceitar ocupações até aí julgadas indesejáveis, o que exigirá uma campanha política difícil e perigosa; ou então os salários e as condições de trabalho desses serviços indesejáveis terão de ser melhorados de forma impressionante de modo a atraírem trabalhadores mesmo com as restrições do mercado local. Todavia, isto aumentaria os custos económicos globais e — o que é provavelmente mais importante — ameaçaria a hierarquia social existente. Em vez de adoptarem qualquer uma destas medidas drásticas, os dirigentes económicos, com a ajuda do governo, deslocam os empregos do mercado de trabalho doméstico para o internacional, disponibilizando-os a trabalhadores dos países mais pobres que os acham menos indesejáveis. O governo abre centros de recrutamento num certo número de países economicamente atrasados e elabora normas para regulamentar a admissão de trabalhadores-hóspedes.

É essencial que os trabalhadores admitidos sejam «hóspedes» e não imigrantes em busca de um novo lar e de uma nova cidadania. É que se os imigrantes viessem na qualidade de futuros cidadãos, iriam ingressar na força doméstica de trabalho, ocupando temporariamente as categorias inferiores, mas recebendo auxílio dos sindicatos e programas sociais, acabando a seu tempo por reproduzir o primitivo dilema. Além disso, à medida que progredissem, entrariam em concorrência directa com os trabalhadores locais, alguns dos quais ultrapassariam. Daí que as normas que regulam a sua admissão sejam elaboradas com o propósito de os privar da protecção da cidadania. São admitidos por um período de tempo determinado, com um contrato com um determinado patrão; se perderem os empregos, terão de partir. E terão de partir em qualquer caso quando os seus vistos expirarem. São impedidos ou dissuadidos de trazer consigo os seus familiares e são alojados em barracas, separados por sexos, nos subúrbios das cidades onde trabalham. Na sua maior parte, são jovens de ambos os sexos, dos seus vinte ou trinta anos; tendo já terminado a sua instrução e encontrando-se ainda de boa saúde, constituem um encargo pequeno para os serviços sociais locais (não beneficiam de protecção no desemprego, uma vez que não lhes é permitido estar desempregados nos países para onde vieram). Não sendo cidadãos, nem efectivos nem potenciais, não têm direitos políticos. As liberdades civis, de palavra, reunião e associação — noutras circunstâncias energicamente defendidas — são-lhes normalmente negadas, umas vezes expressamente pelas autoridades públicas e outras, implicitamente, pela ameaça de despedimento e deportação.

Gradualmente e à medida que se torna evidente que os trabalhadores estrangeiros são, a longo prazo, uma necessidade da economia local, estas condições são algo mitigadas. Para certas ocupações, são-lhes concedidos vistos mais dilatados, é-lhes permitido trazerem as famílias e são-lhes facultados muitos dos benefícios da segurança social. Porém, a sua situação continua precária. A residência está ligada ao emprego e as autoridades estabelecem como regra a possibilidade de deportação de qualquer trabalhador-hóspede que não possa sustentar-se e à sua família sem recorrer amiúde à segurança social. Em épocas de recessão, muitos dos hóspedes são coagidos a partir. Em épocas de prosperidade, porém, é elevado o número dos que optam por vir e arranjam maneira de ficar; rapidamente, os estrangeiros atingem entre dez a quinze por cento da força de trabalho industrial. Assustadas por esta afluência, várias cidades e vilas estabeleceram quotas de residência para trabalhadores-hóspedes (defendendo as suas comunidades de moradores de um Estado aberto). Dependentes das suas ocupações, os hóspedes estão, em qualquer caso, severamente limitados na escolha de um lugar para viver.

A sua vida é dura e o seu salário baixo, de acordo com os padrões europeus, mas não tanto, de acordo com os seus próprios padrões. O mais penoso é não disporem de um lar: trabalham muito e duramente num país estrangeiro onde não são encorajados a fixar-se, onde são sempre considerados estranhos. Para aqueles que vêm sozinhos, a vida nas grandes cidades europeias é como que uma pena de prisão auto-imposta. É-lhes vedada qualquer actividade social, sexual ou cultural normal (e também política, sempre que esta lhes seja possível no país de origem) durante um determinado período de tempo. Durante esse período vivem com dificuldades, poupando dinheiro para enviar para casa. O dinheiro é a única compensação que os países hospedeiros dão aos seus hóspedes e, ainda que muito desse dinheiro seja exportado e não gasto localmente, os trabalhadores ficam muito baratos. O custo de os preparar e ensinar no local de trabalho e de lhes pagar o que o mercado de trabalho doméstico exige, seria muito mais alto do que as quantias que remetem para os seus países de origem. Assim, as relações entre hóspedes e hospedeiros parecem constituir um bom negócio para todos, já que a dureza do trabalho é temporária e o dinheiro enviado para casa tem lá um valor que nunca poderia ter numa cidade europeia.

Que juízo faremos, porém, do país hospedeiro como comunidade política? Os defensores do sistema dos trabalhadores-hóspedes afirmam que aquele é agora economicamente uma comunidade de moradores, continuando, contudo, politicamente a ser uma associação ou uma família. Como lugar para se viver, está aberto a todos os que podem encontrar trabalho; como fórum ou assembleia, como nação ou povo, encontra-se vedado, excepto àqueles que preencherem as condições estabelecidas pelos membros actuais. O sistema é uma admirável síntese de mobilidade laboral e solidariedade patriótica. Porém, esta descrição deixa de algum modo de fora o que realmente se passa. O estado-comunidade-de-moradores, uma associação «neutral» governada unicamente pelas leis do mercado e o estado-associação-ou-família com relações de autoridade e polícia, não coexistem simplesmente, como dois momentos distintos num tempo histórico ou abstracto. O mercado de trabalhadores-hóspedes, embora livre das restrições políticas específicas do mercado laboral doméstico, não está livre de toda e qualquer restrição política. O poder estatal desempenha um papel crucial na sua criação e, a seguir, na imposição das respectivas regras. Sem a negação de direitos políticos e liberdades civis e a omnipresente ameaça de deportação, o sistema não funcionaria. Daí que os trabalhadores-hóspedes não possam ser descritos meramente em termos da sua mobilidade, como homens e mulheres livres de circular à vontade. Onde há hóspedes, há igualmente súbditos. E estes são governados, tal como os metecos atenienses, por um grupo de tiranos-cidadãos.

Mas não aceitam ser governados? O argumento contratualista não é aqui eficaz relativamente a homens e mulheres que, na realidade, vêm sob contrato e ficam apenas por um determinado número de meses ou anos? Sem dúvida que ao virem, sabem mais ou menos o que podem esperar e com frequência regressam, sabendo-o exactamente. Mas este género de consentimento, dado instantaneamente, embora seja suficiente para legitimar as transacções no mercado, não o é em termos de política democrática. O poder político é precisamente a capacidade para tomar decisões no decurso do tempo, para mudar as regras e para enfrentar emergências; não pode ser democraticamente exercido sem o concomitante consentimento dos que lhe estão subordinados. E nestes se incluem todos os homens e mulheres que vivem no território em que aquelas decisões são impostas. A única finalidade de chamar hóspedes aos trabalhadores-hóspedes é, porém, a de lembrar que eles não vivem (realmente) no local onde trabalham. Embora sejam tratados como trabalhadores presos por contrato, não o estão na verdade. Podem largar o trabalho, comprar passagens de comboio ou de avião e voltar para casa; são cidadãos noutro lugar qualquer. Uma vez que vieram voluntariamente, para trabalhar e não para se instalarem, e uma vez que podem partir quando quiserem, por que motivo lhes deveriam ser concedidos direitos políticos no lugar em que se encontram? Pode sustentar-se que o consentimento acima referido só é requerido dos residentes permanentes. Ressalvadas as cláusulas expressas dos seus contratos, os trabalhadores-hóspedes não têm mais direitos do que os turistas.

Todavia, no sentido normal do termo, os trabalhadores-hóspedes não são «hóspedes» e, evidentemente, não são turistas. Acima de tudo, são trabalhadores e vêm (e normalmente ficam por tanto tempo quanto lhes for consentido) porque precisam do trabalho e não porque se espera que gozem a visita. Não estão de férias nem passam os dias a fazer o que lhes apetece. Os funcionários do Estado não são atenciosos nem solícitos, dando informações sobre museus e executando as leis de trânsito ou cambiais. Estes hóspedes sentem o Estado como um poder difuso e sinistro que regula as suas vidas e controla cada um dos seus movimentos sem nunca lhes pedir opinião. A partida é apenas uma opção formal; a deportação uma ameaça permanente na prática. Como grupo constituem uma classe privada de direitos. Constituem, ainda, tipicamente, uma classe explorada e oprimida e são, pelo menos em parte, explorados e oprimidos, por estarem privados de direitos e serem incapazes de organizar eficazmente a sua autodefesa. Não é provável que melhorem a sua situação material salvo se alterarem a sua situação política. Na verdade, o objectivo desta é o de os impedir de melhorar aquela já que, se o pudessem fazer, em breve seriam como os trabalhadores nacionais, relutantes em aceitar trabalhos pesados e degradantes ou baixos níveis salariais.

E, contudo, a sociedade de cidadãos de que estão excluídos não é uma sociedade endogâmica. Comparados com Atenas, todos os países europeus são radical e caracteristicamente heterogéneos e em todos eles existem os apropriados processos de naturalização. Os trabalhadores-hóspedes são, pois, excluídos de uma sociedade de homens e mulheres que inclui pessoas exactamente iguais a eles. Estão encurralados numa posição inferior e que é também anómala; são párias numa sociedade que não se baseia em leis de casta, metecos numa sociedade em que os metecos não têm um espaço que os inclua, protegido e digno. É por isso que a autoridade exercida sobre os trabalhadores-hóspedes se parece muito com a tirania: é o exercício do poder para lá da sua esfera própria, sobre homens e mulheres que se assemelham aos cidadãos em todos os aspectos que são tidos em conta no país hospedeiro, mas que, apesar disso, são excluídos da cidadania.

Aqui o princípio relevante não é o da ajuda mútua, mas sim o da justiça política. Os hóspedes não precisam da cidadania (pelo menos no mesmo sentido em que se poderia dizer que precisam do trabalho). Não são pessoas maltratadas, abandonadas ou desamparadas; são pessoas fisicamente capazes e que podem ganhar dinheiro. Também não estão, nem mesmo em sentido figurado, à beira da estrada; vivem entre os cidadãos. O seu trabalho é socialmente necessário e encontram-se profundamente enredados no sistema legal do país para onde vieram. Uma vez que participam na economia e nas leis, deviam poder considerar-se também como potenciais ou futuros participantes na política. E devem estar na posse daquelas liberdades civis fundamentais cujo exercício constitui preparação bastante para votar e desempenhar cargos públicos. Deve ser-lhes aberto o caminho da cidadania. Podem optar por não ser cidadãos, por regressar a casa ou continuar como estrangeiros residentes. Muitos deles — talvez a maioria — optarão por regressar devido aos laços afectivos que mantêm com a sua família nacional e a sua terra natal. Mas, salvo se manifestarem essa opção, as outras não devem ser interpretadas como outros tantos sinais da sua concordância com a economia e as leis dos países onde trabalham. E se fizerem essa opção, a economia e as leis locais terão provavelmente uma fisionomia diferente: um reconhecimento mais firme das liberdades civis dos hóspedes e uma certa melhoria das suas oportunidades de negociação colectiva seriam difíceis de evitar desde que fossem encarados como potenciais cidadãos.

Gostaria de acrescentar que algo semelhante se poderia obter por outro processo. Os países hospedeiros poderiam diligenciar negociar tratados formais com os países de origem, elaborando uma lista oficial de «direitos dos hóspedes» (aproximadamente os mesmos direitos que os trabalhadores poderiam conquistar como membros de um sindicato ou activistas políticos). Os tratados poderiam incluir uma cláusula estipulando a sua renegociação periódica de modo a que a lista de direitos pudesse adaptar-se às mudanças sociais e económicas. Assim, mesmo quando não estivessem no seu país, a cidadania original dos hóspedes funcionaria a seu favor (como nunca funcionou a favor dos metecos atenienses); num certo sentido, estariam representados no processo decisório local, de uma maneira ou de outra, deveriam poder gozar da protecção conferida pela cidadania efectiva ou potencial.

Pondo de parte esses acordos internacionais, o princípio da justiça política é o seguinte: o processo de autodeterminação pelo qual um Estado democrático regula a sua vida interna deve abrir-se e, de modo idêntico, a todos os homens e mulheres que vivem no seu território, trabalham para a economia local e estão submetidos à lei local*. Por isso, a segunda admissão (a naturalização) depende da primeira (a imigração) e está sujeita unicamente a certas restrições de tempo e idoneidade e nunca à irrevogável restrição do encerramento. Quando a segunda admissão se encontra encerrada, a comunidade política descamba numa multidão de membros e estranhos sem qualquer fronteira política entre eles e na qual os estranhos são dominados pelos membros. Estes últimos serão talvez iguais entre si; não é, porém, a sua igualdade e sim a sua tirania que determina a natureza do Estado. A justiça política constitui um obstáculo à condição permanente de estrangeiro, tanto para as pessoas consideradas individualmente como para uma classe de indivíduos em mudança. Pelo menos, em democracia, isto é assim. Numa oligarquia, como disse Isócrates, os próprios cidadãos são realmente estrangeiros residentes e, por conseguinte, a questão dos direitos políticos não se põe do mesmo modo. Mas, logo que alguns residentes sejam cidadãos de facto, todos o devem ser. Nenhum Estado democrático pode tolerar a criação de um regime fixo para os cidadãos e outro para os estrangeiros (muito embora possa haver fases de transição de uma para a outra, destas realidades políticas). Os homens e as mulheres, ou estão, ou não estão submetidos à autoridade do Estado; se estão, devem ter uma palavra a dizer (e sobretudo uma palavra igual) relativamente à actuação das autoridades. Os cidadãos democráticos estão, pois, perante a seguinte alternativa: se querem introduzir novos trabalhadores no seu país, têm de estar preparados para estender a sua própria

---

* Já me foi dito que esta ideia certamente não se aplica a hóspedes privilegiados: conselheiros técnicos, professores visitantes, etc. Estou de acordo neste ponto, embora não saiba bem como descrever a categoria «trabalhadores-hóspedes» sem incluir aqueles. Não são, porém, muito importantes e resulta da natureza das suas posições privilegiadas o poder de pedir a protecção dos seus Estados de origem sempre que precisem. Gozam de uma espécie de extraterritorialidade.

condição de membro; se estão relutantes em aceitar novos membros, terão de encontrar um meio, dentro dos limites do mercado laboral doméstico, de arranjar quem faça o trabalho socialmente necessário. E são estas as suas únicas opções. O seu direito de escolha deriva da existência neste particular território de uma comunidade de cidadãos e não é compatível com a destruição dessa comunidade nem com a sua transformação em mais uma tirania local.

Qualidade de membro e justiça

A distribuição da qualidade de membro não está inteiramente sujeita às exigências da justiça. Numa quantidade considerável de decisões tomadas, os Estados são totalmente livres de aceitar (ou não) estrangeiros tal como são livres de — não falando nas reivindicações dos necessitados — partilhar a sua riqueza com os amigos estrangeiros, distinguir as obras de artistas, sábios e cientistas de outros países, escolher os seus parceiros comerciais e entrar em acordos de segurança colectiva com outros Estados. Todavia, o direito de escolher uma política de admissão é mais essencial do que qualquer um daqueles, já que não se trata aqui simplesmente de actuar no mundo no exercício da soberania e na prossecução do interesse nacional. O que está aqui em causa é o modelo da comunidade que actua no mundo, exerce a soberania, etc. A admissão e a exclusão estão no âmago da independência comunitária, exprimindo o mais profundo sentido de autodeterminação. Sem elas não poderiam existir *comunidades de carácter* historicamente estáveis, associações permanentes de homens e mulheres especialmente obrigados entre si e com uma consciência especial da sua vida em comum[31].

Porém, a autodeterminação na esfera da qualidade de membro não é absoluta. É um direito exercido, com muita frequência, pelas associações e famílias nacionais, mas de que são titulares, em princípio, os Estados territoriais. Daí o estar sujeito tanto às decisões internas dos membros (de *todos* os membros, incluindo os que têm a qualidade de membro unicamente por direito de posição) como ao princípio externo da ajuda mútua. A imigração é pois, simultaneamente, uma questão de escolha política e de constrangimento moral. Pelo contrário, a naturalização é totalmente imposta: a todos os novos imigrantes, a todos os novos refugiados aceites, a todos os residentes e trabalhadores deve ser dada a oportunidade da cidadania. Se a comunidade estiver tão radicalmente dividida que não seja possível uma cidadania única, o seu território deverá então ser também dividido antes de se exercerem os direitos de admissão e exclusão. É que esses direitos só podem ser exercidos pela comunidade como um todo (mesmo que, na prática, determinada maioria nacional domine o processo decisório), apenas no que respeita aos estrangeiros e não por alguns membros relativamente a outros. Nenhuma comunidade pode ser metade meteca e metade cidadã e pretender que a sua conduta em matéria de admissão se traduza em actos de autodeterminação ou que a sua política seja democrática.

A submissão de estrangeiros e hóspedes a um grupo exclusivo de cidadãos (ou dos escravos aos amos, das mulheres aos homens, dos negros aos brancos, dos povos vencidos aos seus vencedores) não é liberdade comunitária e sim opressão. Os cidadãos são obviamente livres de fundar uma associação, de tornar a qualidade de membro tão restrita quanto quiserem, de elaborar uma constituição e de se governarem uns aos outros. O que não podem é pretender governar e exercer jurisdição territorial sobre as pessoas com quem compartilham o território. Fazê-lo é actuar fora da sua esfera e exceder o seu direito. É uma forma de tirania. De facto, o domínio dos cidadãos sobre os não-cidadãos é provavelmente a forma mais vulgar de tirania que há na história humana. Não vou dizer muito mais do que isto acerca dos problemas especiais dos não-cidadãos e dos estranhos; daqui por diante, quer me refira à distribuição da segurança e da previdência, quer ao trabalho pesado ou ao próprio poder, partirei do princípio de que todos os homens e mulheres possuidores dos requisitos necessários, têm um único estatuto político. Esta presunção não exclui desigualdades de outro tipo noutros aspectos, mas exclui a acumulação de desigualdades que caracteriza as sociedades divididas. A recusa da qualidade de membro é sempre o primeiro de um longo cortejo de abusos. Não há nenhum meio de fazer parar esse cortejo, de modo que temos de contestar a justiça da recusa. A teoria da justiça distributiva começa, pois, com a descrição dos direitos que derivam da qualidade de membro. E, ao mesmo tempo, deverá reivindicar o direito (limitado) ao encerramento, sem o qual nenhuma comunidade poderia existir, e a inclusão política das comunidades existentes. É que é unicamente como membros de algo que os homens e mulheres podem esperar compartilhar dos outros bens sociais — segurança, riqueza, consideração, cargos e poder — que a comunidade política proporciona.

CAPÍTULO III

A SEGURANÇA E A PREVIDÊNCIA

A qualidade de membro e a necessidade

A qualidade de membro é importante devido àquilo que os membros de uma comunidade política devem uns aos outros e a mais ninguém, ou a mais ninguém na mesma medida. E o que devem antes de mais é a providência comunitária de segurança e previdência. Esta afirmação pode ser posta ao contrário: a providência comunitária é importante porque nos mostra o valor da qualidade de membro. Se não providenciássemos uns a favor dos outros, se não reconhecêssemos qualquer distinção entre membros e estranhos, não teríamos motivo para criar e manter comunidades políticas. «Como poderão os homens amar a sua pátria», perguntava Rousseau, «se nada mais há para eles do que para os estranhos e só lhes é concedido o que a ninguém pode ser recusado?»[1] Rousseau pensava que os cidadãos devem amar o seu país e, portanto, que este lhes deve dar razões especiais para isso. A qualidade de membro (tal como o parentesco) implica uma relação especial. Não basta dizer, como o fez Edmund Burke, que «para sermos levados a amar o nosso país, este deve ser amável»[2]. O essencial é que seja amável para nós, embora esperemos sempre que seja amável para os outros (também amamos a sua amabilidade reflectida).

A comunidade política a bem das providências, as providências a bem da comunidade: o processo funciona nos dois sentidos e é esta talvez a sua principal característica. Filósofos e políticos teóricos têm-se mostrado demasiado pressurosos a transformá-lo num mero cálculo. Somos, na verdade, racionalistas da vida quotidiana; juntamo-nos e firmamos ou ratificamos a firma do contrato social com o fim de provermos às nossas necessidades. E só damos valor ao contrato, na medida em que essas necessidades sejam satisfeitas. Porém, uma das nossas necessidades é a própria comunidade: cultura, religião e política. É unicamente sob a égide destas três que todas as outras coisas de que carecemos se transformam em *necessidades socialmente reconhecidas* e assumem uma forma histórica e definida. O contrato social é um acordo destinado a podermos obter decisões colectivas sobre quais os bens necessários para a nossa vida comum e, a seguir, provermos esses bens uns aos outros. Os signatários estão reciprocamente obrigados a mais do que ajuda mútua relativamente ao que devem ou podem dever a toda e qualquer pessoa. Devem a provisão mútua de todas as coisas pelas quais se separaram da Humanidade como um todo e uniram esforços numa comunidade especial. Uma dessas coisa é o *amour social*; porém, embora seja um bem distribuído — com frequência desigualmente distribuído —, apenas surge no decurso de outras distribuições (e das opções políticas que as outras distribuições requerem). A provisão mútua gera a reciprocidade. Assim, a vida comum é simultaneamente o pré-requisito da provisão e uma das suas consequências.

Os homens e mulheres juntam-se, porque em rigor não podem viver isolados. Todavia, podem viver em grupo de muitas e variadas maneiras. A sua sobrevivência e, portanto, o seu bem-estar, requerem um esforço comum: contra a ira dos deuses, a hostilidade dos outros, a indiferença e malevolência da natureza (fomes, inundações, incêndios e epidemias) e a breve duração da vida humana. Não apenas os acampamentos militares, como disse David Hume, mas também os templos, armazéns, obras de irrigação e cemitérios, estão verdadeiramente na origem das cidades[3]. Como esta lista sugere, a origem não é, por natureza, única. As cidades diferem umas das outras, em parte por causa do meio ambiente em que são edificadas e dos perigos imediatos com que os seus construtores se defrontam e, em parte, por causa das concepções que aqueles têm dos bens sociais. Reconhecem mas também criam necessidades uns aos outros e, assim, dão uma forma especial àquilo a que chamarei a «esfera da segurança e da previdência». Esta esfera é tão antiga como a mais antiga comunidade humana. Poder-se-ia dizer, na verdade, que a comunidade primitiva é uma esfera de segurança e previdência, um sistema comunitário de provisão, indubitavelmente distorcido por grandes desigualdades de força e astúcia. O sistema não tem, porém, uma forma natural. Diferentes experiências e diferentes concepções conduzem a diferentes padrões de provisão. Embora haja alguns bens de que se necessita imperiosamente, não há qualquer bem do qual, mal o vejamos, saibamos a posição face a todos os outros bens, e qual a porção dele que devemos uns aos outros. A natureza da necessidade não é evidente por si mesma.

A provisão comunitária é tanto geral como particular. É geral sempre que os dinheiros públicos são gastos de modo a beneficiar todos ou a maioria dos membros sem qualquer distribuição pelos indivíduos. É particular sempre que os bens são realmente entregues a todos ou a alguns dos membros*. A água, por exemplo, é uma das «necessidades básicas da vida civil» e a construção de reservatórios uma forma geral de provisão[4]. Porém, o fornecimento de água a uma comunidade de moradores de preferência a outra (onde, suponhamos, vivem os cidadãos mais abastados) é particular. A obtenção do abastecimento alimentar é geral; a distribuição de alimentos a viúvas e órfãos é particular. A saúde pública é geral na maior

---

* Não é minha intenção repetir aqui a distinção técnica que os economistas fazem entre bens públicos e privados. A provisão geral é sempre pública, pelo menos no sentido menos rigoroso do termo (segundo o qual os bens públicos são só aqueles que não podem ser proporcionados a alguns com exclusão dos outros membros da comunidade). É o que se passa com a maioria das formas de provisão particular, pois mesmo os bens entregues a indivíduos criam benefícios não exclusivos para a comunidade como um todo. As bolsas de estudo para órfãos, por exemplo, são privativas destes e públicas para a comunidade de cidadãos, na qual os órfãos um dia trabalharão e votarão. Porém, os bens públicos desta última espécie, que dependem da sua prévia distribuição a pessoas ou grupos em particular, têm gerado controvérsia em muitas sociedades; elaborei as minhas categorias de modo a poder analisá-los.

parte dos casos; os cuidados prestados aos doentes são, na sua maioria, particulares. Por vezes, os critérios que distinguem a provisão geral da particular diferem radicalmente. A construção de templos e a organização de serviços religiosos é um exemplo de provisão geral destinada a satisfazer as necessidades da comunidade no seu todo, mas a comunhão com os deuses poderá ser permitida unicamente a membros especialmente merecedores (ou poderá ser procurada em privado e em seitas secretas e não-conformistas). O sistema de justiça é um bem geral que satisfaz necessidades comuns; porém, a distribuição efectiva de recompensas e punições poderá servir os interesses particulares de uma classe dominante ou poderá ser organizada — como normalmente pensamos que deveria ser — de modo a dar às pessoas aquilo que individualmente merecem. Simone Weil afirmou que, no que respeita à justiça, a necessidade opera tanto a nível geral como particular, uma vez que os criminosos necessitam de ser punidos[5]. Este emprego da palavra *necessitar* é, porém, idiossincrásico. É mais provável que a punição dos criminosos seja algo que só os outros necessitem. Contudo, a necessidade opera tanto a nível geral como particular relativamente a outros bens: os cuidados de saúde constituem um exemplo evidente, sobre o qual me debruçarei mais tarde com algum pormenor.

Apesar do vigor próprio do termo, as necessidades são evasivas. As pessoas não têm só necessidades, têm ideias sobre elas; têm prioridades e graus de necessidade e estas prioridades e graus têm a ver, não só com a sua natureza humana, mas também com as suas história e cultura. Uma vez que os recursos são sempre escassos, as opções são difíceis. Suponho que estas não podem ser senão políticas. Estão sujeitas a um certo esclarecimento filosófico, mas o conceito de necessidade e a dependência da provisão comunitária, não revelam por si qualquer determinação de prioridades ou graus. É claro que não podemos nem temos de satisfazer todas as necessidades no mesmo grau nem qualquer necessidade até ao último grau. Os antigos atenienses, por exemplo, proporcionavam banhos públicos e ginásios aos cidadãos, mas nunca lhes proporcionaram o que quer que fosse de remotamente parecido com seguro de desemprego ou segurança social. Faziam uma opção sobre a maneira de gastar os dinheiros públicos, opção essa presumivelmente baseada na noção que tinham dos requisitos necessários à vida em comum. Dificilmente se poderá dizer que estavam errados. Penso que há noções de necessidade que levam a essa conclusão, mas essas não seriam aceitáveis — e talvez nem fossem compreensíveis — para os atenienses.

O problema do grau sugere ainda mais claramente a importância da opção política e a irrelevância de qualquer condição meramente filosófica. As necessidades são, não só evasivas, como também expansíveis. Na expressão do filósofo contemporâneo Charles Fried, as necessidades são vorazes e devoram os recursos[6]. Seria, porém, errado afirmar que, por isso, a necessidade não pode ser um princípio distributivo. É, na verdade, um princípio sujeito a limitações políticas, as quais (dentro de certos limites) podem ser arbitrárias e estabelecidas por uma qualquer coligação temporária de interesses ou maioria de eleitores. Veja-se o caso da segurança física numa cidade moderna americana. Seria possível providenciar por uma segurança total e eliminar toda e qualquer fonte de violência, excepto a violência doméstica, se se pusesse um poste de iluminação de dez em dez e se colocasse um polícia de trinta em trinta metros, aproximadamente, pela cidade fora. Só que isso seria muito caro, de maneira que nos conformamos com algo menos. Quanto menos, só politicamente pode ser decidido*. Podemos imaginar o tipo de coisas que seriam objecto dos debates. Penso, acima de tudo, que haveria uma certa compreensão — mais ou menos compartilhada e só marginalmente controvertida — relativamente ao que constitui a segurança «bastante» ou quanto ao nível acima do qual a insegurança é simplesmente intolerável. A decisão seria ainda afectada por outros factores: necessidades alternativas, o estado da economia, a agitação no sindicato da polícia, etc. Mas, qualquer que seja a decisão a que se chegue por fim, quaisquer que sejam as razões, a segurança é providenciada, porque os cidadãos dela necessitam. E porque, a um determinado nível, todos necessitam dela, o critério da necessidade continua a constituir um padrão crucial (como adiante veremos), embora não possa determinar prioridades nem graus.

A provisão comunitária

Nunca existiu uma comunidade política que não satisfizesse, tentasse satisfazer ou afiançasse que satisfazia, as necessidades dos seus membros, tal como estes as entendiam. E nunca existiu uma comunidade política que não empenhasse o seu dinamismo colectivo — a sua capacidade de dirigir, regular, pressionar e coagir — nesse projecto. Os modos de organização, os níveis de tributação e a ocasião e extensão do recrutamento sempre foram objecto de controvérsia política. Todavia, o uso do poder político nunca foi, até há muito pouco tempo, controvertido. A construção de fortalezas, barragens e obras de irrigação, a mobilização de exércitos e a garantia do abastecimento alimentar e do comércio em geral, todas requerem coerção. O Estado é uma ferramenta que não pode ser fabricada sem ferro. E a coerção exige, por sua vez, os seus agentes. A provisão comunitária é sempre executada directamente por um conjunto de autoridades (padres, militares e burocratas) que introduzem distorções características no processo, sorvendo dinheiro e trabalho para os seus fins pessoais ou utilizando a provisão como forma de controlo. Estas distorções não me preocupam porém, para já. Em vez disso, quero realçar o sentido em que todas as comunidades políticas são, em princípio, «estados sociais». Todos os conjuntos de autoridades estão, pelo menos supostamente, empenhados na provisão de segurança e previdência; todos os conjuntos de membros estão empenhados em suportar (e efectivamente suportam-nos) os fardos necessários. O primeiro empenho tem a ver com os deveres do cargo; o segundo, com os que derivam da qualidade de membro. Sem uma certa consciência comum de uns e de outros, não haveria qualquer comunidade política, nem segurança ou previdência e a vida da Humanidade seria «solitária, pobre, desagradável, estúpida e curta».

---

* E deve ser decidido politicamente; é para isso que servem as combinações políticas democráticas. Qualquer esforço filosófico para determinar detalhadamente os direitos dos indivíduos iria restringir o alcance do processo decisório democrático. Já defendi esta posição noutro local[7].

Porém, que quantidade de segurança e previdência é necessária? E de que tipo? E distribuída como? E paga como? Estas são as questões importantes e que podem ser resolvidas de várias maneiras diferentes. Uma vez que as resoluções serão adequadas ou inadequadas para uma determinada comunidade, será melhor analisarmos para já alguns exemplos concretos. Escolhi dois, de diferentes períodos históricos, com práticas distributivas, tanto gerais como particulares, bem distintas. Representam eles os dois elementos componentes da nossa tradição cultural: o helénico e o hebraico; não fui, porém, em busca de qualquer coisa como os extremos de uma série de possibilidades. Escolhi antes duas comunidades que são, como a nossa, relativamente democráticas e em geral respeitadoras da propriedade privada. Tanto quanto sei, nenhuma delas figurou alguma vez significativamente em estudos históricos sobre o Estado Social; apesar disso, os cidadãos de ambas conheciam bem o significado da provisão comunitária.

Atenas nos séculos V e IV a. C.

«As cidades-estado helenísticas eram altamente sensíveis àquilo a que podemos chamar o bem-estar geral, quer dizer, estavam realmente dispostas a tomar medidas tendo em vista o benefício do conjunto dos cidadãos; à previdência social... em especial ao benefício dos pobres como tais, eram, pelo contrário, sobejamente indiferentes.»[8] Este comentário do classicista contemporâneo Louis Cohn-Haft consta de um estudo sobre os «médicos públicos» da Grécia Antiga, uma instituição de importância secundária, mas um ponto de partida útil para a minha exposição. Em Atenas, no século V a. C. (e durante o período helenístico que se lhe seguiu, em muitas cidades gregas), um pequeno número de médicos era eleito para uma função pública, do mesmo modo que os generais eram eleitos, sendo remunerados através dos dinheiros públicos. Não se sabe bem quais eram as suas obrigações, já que são incompletos os testemunhos que até nós chegaram. Parece que levavam honorários pelos seus serviços, tal como o faziam outros médicos, embora seja provável que «na qualidade de estipendiários da colectividade de cidadãos estariam (eles) sob forte pressão social para não recusar um doente que não pudesse pagar honorários». A finalidade da eleição e do estipêndio parece ter sido a de garantir a presença de médicos qualificados na cidade, por exemplo, em épocas de epidemia. Esta provisão era geral e não particular e parece que a cidade não manifestava grande interesse na prestação posterior de assistência médica. Honrava os médicos públicos que «prestavam de bom grado os seus serviços a todos quantos os reclamavam». Isto, porém, mostra que a prestação não era uma exigência do cargo; os médicos eram pagos por outras razões[9].

Era isto o que normalmente se passava em Atenas, mas o âmbito da provisão geral era muito largo. Começava pela defesa: a armada, o exército, as muralhas até ao Pireu, tudo isso era trabalho dos próprios cidadãos sob a direcção dos seus magistrados e generais. Ou então começava pelos géneros alimentícios: exigia-se que a assembleia, a intervalos regulares, se ocupasse de um assunto enunciado sempre do mesmo modo: «cereais e defesa do país». Só raramente tinham lugar distribuições de cereais, mas o comércio de importação era rigorosamente controlado e o mercado interno regulado por uma quantidade impressionante de funcionários: dez comissários comerciais, dez superintendentes dos mercados, dez inspectores de pesos e medidas, trinta e cinco «guardiães de cereais» que impunham um preço justo, e — em momentos de crise — um grupo de compradores de cereais «que iam em busca dos fornecimentos onde os pudessem encontrar, lançavam subscrições públicas para obterem os fundos necessários, aplicavam reduções de preços e introduziam o racionamento» [10]. Todos estes funcionários eram escolhidos por sorteio entre os cidadãos. Ou, então, talvez começasse pela religião: os principais edifícios públicos de Atenas eram templos construídos com dinheiros públicos; os sacerdotes eram funcionários públicos que ofereciam sacrifícios em nome da cidade. Ou, então, talvez começasse, como na descrição feita por Locke das origens do Estado, pela justiça: Atenas era policiada por um grupo de escravos do Estado (oitocentos archeiros citas), a organização dos tribunais era complicada e estavam sempre assoberbados com trabalho. E, para além de tudo isto, a cidade fornecia vários outros bens. Cinco comissários dirigiam a construção e reparação das estradas. Um conselho de dez elementos impunha um conjunto bastante pequeno de medidas sanitárias públicas: «eles asseguram que os apanhadores de estrume não o depositem a menos de dez estádios das muralhas» [11]. Como já referi, a cidade proporcionava banhos e ginásios, talvez mais por razões sociais do que higiénicas. O enterro dos corpos encontrados nas ruas constituía um encargo público, como o eram também os funerais dos mortos na guerra, num dos quais Péricles discursou em 431. Finalmente, os grandes festivais dramáticos eram organizados e pagos publicamente, através de uma tributação especial, pelos cidadãos abastados. Será esta última uma despesa de segurança e previdência? Poderemos concebê-la como um aspecto importante da educação política e religiosa do povo ateniense. Em comparação, não havia despesas públicas com escolas ou professores de qualquer nível: não se subsidiava a aprendizagem da leitura e da escrita nem a da filosofia.

Paralelamente a tudo isto, as distribuições particulares autorizadas pela Assembleia Ateniense foram — com uma excepção importante — muito poucas. «Há uma lei» — referiu Aristóteles — «de acordo com a qual todo aquele que possua menos de três *minae* e seja portador de incapacidade física que o impeça totalmente de trabalhar, deverá comparecer perante o Conselho e, se a sua pretensão for aprovada, receberá dois óbolos por dia para seu sustento, pagos pelo erário público» [12]. Estas (muito pequenas) pensões podiam ser contestadas por qualquer cidadão e, nesse caso, o pensionista tinha de se defender perante um júri. Um dos discursos de Lícias que chegou até nós foi escrito para um pensionista deficiente. «Tanto a boa como a má fortuna», induziu Lícias o cidadão a dizer ao júri, «deve ser compartilhada pela comunidade no seu todo» [13]. Dificilmente se poderá aceitar esta afirmação como descrevendo correctamente a prática da cidade. Todavia, os cidadãos reconheciam as suas obrigações para com os órfãos e também para com as viúvas dos militares caídos em combate. Para além disto, a provisão particular era deixada a cargo das famílias dos que dela necessitavam. A cidade interessava-se, mas só à distância: uma lei de Sólon exigia que os pais ensinassem um ofício aos filhos e que os filhos sustentassem os pais na velhice.

A referida excepção importante, evidentemente, consistia na distribuição de dinheiro do erário público a todos os cidadãos que desempenhavam cargos públicos, exerciam funções no Conselho, compareciam às sessões da Assembleia ou faziam parte de um júri. Aqui, a distribuição particular tinha um fim geral: a conservação de uma democracia forte. Os dinheiros pagos tinham por fim permitir que os artesãos e agricultores pudessem perder um dia de trabalho. Não obstante, requeria-se dedicação à causa pública, pois as quantias eram pequenas e menores do que o salário diário, até mesmo de um trabalhador não-especializado. Porém, o total anual era considerável, atingindo algo como metade da receita interna da cidade no século V e mais do que isso em várias ocasiões, no IV [14]. Uma vez que a receita da cidade não resultava de impostos sobre a propriedade fundiária ou sobre o rendimento (e sim de impostos sobre as importações, multas judiciais, rendas, o rendimento das minas de prata, etc.), não se pode dizer que estes pagamentos fossem redistributivos. Porém, distribuíram dinheiros públicos por forma a corrigir de certo modo as desigualdades da sociedade ateniense. Foi isto especialmente o que aconteceu no tocante aos pagamentos a cidadãos de certa idade e que, em qualquer caso, já não estariam a trabalhar. O professor M. I. Finley inclina-se para atribuir a este efeito distributivo a ausência virtual de conflitos civis ou lutas de classes em toda a história da Atenas democrática [15]. Talvez este resultado fosse pretendido, mas o que parece mais provável é que, subjacente àqueles pagamentos, estivesse uma certa concepção da cidadania. Para tornar possível a todo e qualquer cidadão participar na vida política, os cidadãos como entidade colectiva estavam dispostos a desembolsar grandes quantias. Obviamente, esta aplicação beneficiava ao máximo os cidadãos mais pobres, mas a cidade não prestava atenção imediata à pobreza em si mesma.

Uma comunidade judaica medieval

Não vou aqui referir-me a qualquer comunidade judaica em especial; tentarei antes descrever uma comunidade típica na Europa cristã da Alta Idade Média. O que essencialmente me interessa é mostrar uma lista de bens objecto de provisão geral ou particular; esta lista não varia significativamente de um local para outro. As comunidades judaicas sob o domínio islâmico, especialmente as reconstituídas nas notáveis obras do professor S. D. Goiteen, puseram em prática fundamentalmente o mesmo tipo de provisão, embora em circunstâncias algo diversas [16]. Em comparação com Atenas, eram todas autónomas, mas não soberanas. Na Europa, tinham largos poderes de tributação, muito embora muito do dinheiro que cobravam devesse ser entregue ao rei, príncipe ou senhor secular — ou seja, cristão — em pagamento dos impostos lançados por este ou a título de suborno, «empréstimo», etc. Isto pode ser encarado como o preço da protecção. Nas cidades egípcias estudadas por Goiteen, a maior parte dos fundos comunitários era obtida através de apelos à caridade, mas a forma estandardizada das dádivas sugere que a pressão social funcionava de modo muito semelhante ao do poder político. Era quase impossível viver na comunidade judaica sem contribuir e, tirando a conversão ao cristianismo, um judeu não tinha outra alternativa; não havia outro sítio para onde ir.

Em princípio, estas comunidades eram democráticas e dirigidas por uma assembleia de membros do sexo masculino que se reuniam na sinagoga. As pressões externas tendiam a criar uma oligarquia ou, mais precisamente, uma plutocracia: o governo dos chefes das famílias mais ricas, os quais estavam mais bem preparados para lidar com reis avaros. Porém, o governo dos ricos era continuamente contestado pelos membros mais modestos da comunidade religiosa e contrabalançado pela autoridade dos tribunais rabínicos. Os rabinos desempenhavam um papel decisivo na repartição dos impostos, assunto este objecto de constante e frequentemente acesa discussão. Os ricos preferiam um imposto *per capita*, embora em momentos de crise dificilmente pudessem livrar-se de contribuir com o necessário para a sua sobrevivência e da comunidade. Provavelmente e de um modo geral, os rabinos eram a favor da tributação proporcional (alguns deles chegaram mesmo a mencionar a possibilidade de uma tributação progressiva)[17].

Como seria de esperar em comunidades cujos membros estariam, na melhor das hipóteses, precariamente instalados, sendo sujeitos a perseguições periódicas e a uma hostilização constante, uma elevada porção dos dinheiros públicos era distribuída pelas pessoas em apuros. Porém, embora estivesse de antemão determinado que os pobres de uma comunidade gozassem de prioridade relativamente aos judeus «estrangeiros», a solidariedade mais ampla de um povo perseguido é-nos revelada pelo fortíssimo empenho posto no «resgate dos cativos», constituindo uma obrigação irrestrita para qualquer comunidade a quem fosse feito um apelo e um sorvedoiro considerável para os recursos comunitários. «O resgate dos cativos» — dizia Maimónides — «tem preferência sobre o alimentar e vestir os pobres.»[18] Esta preferência baseava-se no risco físico imediato que os cativos corriam, mas, provavelmente, também tinha que ver com o facto de esse risco ser tanto religioso como físico. A conversão forçada ou a escravidão sob o domínio de um senhor não-judeu constituíam ameaças a que as comunidades judaicas organizadas eram especialmente sensíveis, já que se tratava, acima de tudo, de comunidades religiosas cujas ideias sobre a vida pública e as necessidades dos indivíduos de ambos os sexos eram concebidas de modo semelhante no decurso de séculos de discussão religiosa.

As formas principais da provisão geral — salvo no tocante ao dinheiro para protecção — eram de carácter religioso, embora nelas se incluíssem serviços que hoje classificamos como seculares. A sinagoga e os seus servidores, os tribunais e os seus funcionários, todos eram pagos pelos dinheiros públicos. Os tribunais aplicavam a lei talmúdica e a sua jurisdição era ampla (embora se não estendesse aos crimes capitais). Os negócios económicos eram regulados de modo preciso, sobretudo os negócios com os não-judeus, uma vez que estes podiam ter implicações para a comunidade no seu todo. As incisivas leis sumptuárias eram elaboradas também a pensar nos não-judeus, de modo a não suscitar invejas nem ressentimentos. A comunidade proporcionava banhos públicos mais por motivos religiosos do que higiénicos e fiscalizava o trabalho dos magarefes. A carne Kosher era tributada (também nas comunidades egípcias), constituindo assim, simultaneamente, uma forma de provisão e uma fonte de receita. Fazia-se também algum esforço para manter as ruas sem lixo e para evitar sobrepopulação nas zonas judaicas. Nos finais da época medieval, muitas comunidades fundaram hospitais e pagaram a parteiras e a médicos comunitários.

As distribuições particulares assumiam normalmente a forma caritativa de distribuições regulares de víveres e menos frequentes de roupas e distribuições especiais para doentes, viajantes em dificuldades, viúvas, órfãos, etc., tudo numa escala considerável, se atentarmos na dimensão e recursos das comunidades. Maimónides dissera que a forma mais elevada de caridade era o donativo, o empréstimo ou a associação, efectuados com o intuito de tornar o destinatário auto-suficiente. Estas palavras eram citadas com frequência mas, como afirmou Goitein, não determinaram a estrutura dos serviços sociais nas comunidades judaicas. Talvez os pobres fossem em número excessivo e a situação nas comunidades demasiado precária para que pudessem praticar algo mais do que a assistência. Goitein calculou que entre os judeus do Velho Cairo «havia um beneficiário de assistência por cada quatro contribuintes para obras de caridade»[19]. Aqueles que contribuíam com dinheiro, contribuíam também com tempo e trabalho: das suas fileiras saía um grande número de pequenos funcionários envolvidos no trabalho infindável da recolha e distribuição. Daí que esta acção caritativa representasse uma grande e permanente voragem que era aceite como uma obrigação religiosa cujo fim se não antevia até à vinda do Messias. Isto era justiça divina com um toque de ironia judaica: «Deves ajudar os pobres de acordo com as suas necessidades, mas não és obrigado a torná-los ricos.»[20]

Além da caridade, havia formas adicionais de provisão particular, principalmente para fins educacionais. Na Espanha do século XV, cerca de sessenta anos antes da expulsão, fez-se um esforço considerável para instituir algo como a instrução pública, universal e obrigatória. O sínodo de Valladolid de 1432 lançou impostos especiais sobre a carne e o vinho bem como sobre os casamentos, circuncisões e funerais, e determinou que

> todas as comunidades com quinze (ou mais) chefes de família serão obrigadas a sustentar um professor primário qualificado que instrua as crianças nas Sagradas Escrituras... Os pais serão obrigados a enviar os filhos a esse professor e cada um deles lhe pagará de acordo com as suas posses. Se esta receita vier a revelar-se insuficiente, a comunidade será obrigada a completá-la.

Eram exigidas escolas mais avançadas nas comunidades com quarenta ou mais chefes de família. O rabino principal de Castela estava autorizado a desviar dinheiro das comunidades ricas para as pobres com o objectivo de subsidiar escolas com dificuldades[21]. Este programa era consideravelmente mais ambicioso do que tudo quanto até então se tentara. Porém, em todas as comunidades judaicas se dava uma grande atenção à educação: as propinas escolares das crianças pobres eram pagas por todos e havia maiores ou menores subsídios públicos, assim como ajuda caritativa suplementar para as escolas e academias religiosas. Os judeus iam à escola do mesmo modo que os gregos iam ao teatro ou à assembleia — o que nenhuma destas sociedades poderia ter feito se estas instituições tivessem sido deixadas inteiramente a cargo da iniciativa privada.

Tanto os judeus como os gregos nos fazem ver não só a amplitude da actividade comunitária como — o que é mais importante — o modo pelo qual essa actividade se estrutura com base em valores colectivos e opções políticas. Em toda e qualquer comunidade política cujos membros têm uma palavra a dizer relativamente ao governo, é um modelo assim que tem de ser posto a funcionar: um conjunto de provisões gerais e particulares projectadas com a finalidade de conservar e engrandecer uma cultura comum. Dificilmente se poderia ter dado relevo a esta questão se não fosse o aparecimento hodierno de adeptos de um Estado libertário ou com poderes muito reduzidos os quais afirmam que todas estas matérias (excepto a defesa) devem ser deixadas ao esforço voluntário dos indivíduos[22]. Porém, os indivíduos, deixados entregues a si próprios, se isso for uma possibilidade prática, descobrirão necessariamente outros indivíduos para se poder instituir a provisão colectiva. Precisam demasiadamente uns dos outros, não só em termos de bens materiais que possam ser fornecidos através de um sistema de livre troca, mas também de bens materiais que assumam, por assim dizer, uma forma moral e cultural. Podemos, sem dúvida, encontrar exemplos — e há muitos — de Estados que falharam na provisão, ou de bens materiais, ou de moralidade, ou que os proporcionaram tão mal e fizeram tantas outras coisas, que os homens e mulheres comuns não ansiavam por mais nada a não ser a libertação das suas imposições. Todavia, tendo conquistado essa libertação, esses mesmos homens e mulheres não se dispõem unicamente a preservá-la e tratam de elaborar um modelo de provisão adequado às suas necessidades (ou à ideia que têm das suas necessidades). Os argumentos a favor de um Estado com poderes muito reduzidos nunca foram aceites por qualquer parcela significativa da Humanidade. De facto, o que é mais vulgar na história das lutas populares é a exigência, não da libertação, mas sim do cumprimento: que o Estado satisfaça os objectivos que afirma satisfazer e relativamente a todos os seus membros. A comunidade política cresce por invasão sempre que grupos até aí excluídos, um após outro — plebeus, escravos, mulheres e minorias de qualquer espécie —, exigem o seu quinhão de segurança e previdência.

Os justos quinhões

E qual é o seu justo quinhão? Colocam-se aqui efectivamente duas questões distintas. A primeira, respeita ao conjunto de bens que devem ser compartilhados, aos limites da esfera da segurança e previdência; é este o tema da secção seguinte. A segunda, respeita aos princípios distributivos adequados ao conteúdo da dita esfera e que tentarei agora extrair dos exemplos grego e judaico.

O melhor é começar pela máxima talmúdica segundo a qual os pobres devem (o imperativo é aqui importante) ser ajudados de acordo com as suas necessidades. Penso que isto tem a ver com o senso comum e, todavia, tem um aspecto negativo importante: não de acordo com uma qualquer qualidade pessoal como, por exemplo, o encanto físico ou a ortodoxia religiosa. Um dos esforços persistentes da organização comunitária judaica, nunca totalmente coroado de êxito, foi o da eliminação da mendicidade. O mendigo é recompensado pelo seu jeito para contar uma história, pela sua tendência para o patético e frequentemente — na tradição judaica — pela sua audácia, e é recompensado de acordo com a generosidade, a presunção e a *noblesse oblige* do seu benfeitor, mas nunca unicamente de acordo com as suas necessidades. Porém, se estreitarmos o elo de ligação entre as necessidades e a provisão, poderemos libertar o processo distributivo de todos estes elementos estranhos. Quando distribuímos alimentos, temos em atenção a satisfação imediata do objectivo da distribuição: o alívio da fome. Os homens e mulheres famintos não têm de executar uma proeza, passar um exame ou ganhar uma eleição.

É esta a lógica interna, a lógica social e moral da provisão. Desde que a comunidade empreenda fornecer um determinado bem essencial, tem de o fornecer a todos os membros que dele careçam, de acordo com as suas necessidades. A distribuição efectiva será limitada pelos recursos disponíveis, mas todos os outros critérios que não o da necessidade, são sentidos como distorções e não como limitações do processo distributivo. E os recursos disponíveis da comunidade são constituídos unicamente pelo produto passado e presente, pela riqueza acumulada dos seus membros e não por um qualquer «excedente» dessa riqueza. É vulgar afirmar-se que o Estado Social «assenta na disponibilidade de uma certa forma de excedente económico»[23]. Mas o que quer isso dizer? Não podemos subtrair do produto social total as despesas de manutenção de homens e máquinas, o preço da sobrevivência social, e financiar depois o Estado Social com o que restar, uma vez que já financiámos o Estado Social com o que subtraímos. É evidente que o preço da sobrevivência social inclui despesas públicas com, por exemplo, a segurança militar, a saúde pública e a educação. As necessidades socialmente reconhecidas constituem o primeiro encargo do produto social; não há um verdadeiro excedente enquanto não forem satisfeitas. O que o excedente financia é a produção e troca de bens fora da esfera das necessidades. Os homens e mulheres que se apropriam de largas somas de dinheiro antes de as necessidades serem satisfeitas, agem como tiranos, dominando e distorcendo a distribuição da segurança e da previdência.

Gostaria de salientar, uma vez mais, que as necessidades não são meros fenómenos físicos. A própria necessidade de comer toma formas diferentes em condições culturais diferentes. Tomem-se as distribuições gerais de alimentos antes dos feriados religiosos nas comunidades judaicas; estamos perante a satisfação de uma necessidade ritual e não física. Era importante não só que os pobres comessem, mas também que comessem os alimentos certos, pois de outro modo seriam afastados da comunidade. Eram, porém, ajudados, antes de mais, por serem membros dela. Da mesma maneira, se a incapacidade é motivo para conceder uma pensão, então todos os cidadãos incapacitados têm direito a ela; falta, porém, saber o que constitui incapacidade. Em Atenas isto resolvia-se, caracteristicamente, por meio de um pleito. Podem imaginar-se facilmente meios alternativos, mas não razões alternativas, atento o reconhecimento inicial da incapacidade. Na verdade, o pensionista de Lícias sentia-se obrigado a dizer ao júri que era realmente boa pessoa; não quero sugerir que a lógica interna da provisão seja sempre ou imediatamente compreendida. Mas a acusação principal contra o pensionista era a de que ele não se encontrava gravemente incapacitado e a sua principal resposta era a de que se incluía realmente na categoria dos cidadãos incapacitados, tal como sempre tinha sido entendida.

A educação suscita questões mais difíceis de definição cultural e por isso pode servir para confundir o nosso entendimento tanto das possibilidades como dos limites da justiça distributiva na esfera da segurança e da previdência. O conceito de ignorância é, obviamente, mais ambíguo do que os de fome ou incapacidade, já que se reporta sempre a um determinado conjunto de conhecimentos socialmente valorizado. A educação de que as crianças carecem reporta-se à vida que esperamos ou queremos que venham a ter. As crianças são educadas por determinado motivo e são-no de modo particular e não geral (a «educação geral» é um conceito moderno destinado a satisfazer as exigências específicas da nossa sociedade). Nas comunidades judaicas medievais, a finalidade da educação era a de habilitar os homens adultos a participarem activamente nos serviços religiosos e em discussões sobre doutrina religiosa. Uma vez que as mulheres eram religiosamente passivas, a comunidade não se empenhava na sua educação. Em todas as outras áreas da provisão particular (alimentos, vestuário, assistência médica), as mulheres eram ajudadas exactamente do mesmo modo que os homens, de acordo com as suas necessidades. As mulheres não necessitavam, porém, de educação, pois estavam, de facto, abaixo da categoria dos membros plenos da comunidade (religiosa). O seu lugar principal era, não a sinagoga, mas o lar doméstico. A supremacia masculina manifestava-se o mais directamente possível nos serviços religiosos (tal como nos debates na assembleia, entre os atenienses) e convertia-se depois na organização concreta da educação subsidiada.

Esta supremacia era ocasionalmente contestada por autores que salientavam a importância do cumprimento dos deveres religiosos no lar ou o significado religioso da educação das crianças ou ainda (menos frequentemente) a contribuição que as mulheres podiam trazer ao conhecimento religioso[24]. Esta argumentação centrava-se, necessariamente, na religião e o seu êxito dependia de um certo realce moral e intelectual do papel das mulheres na vida religiosa. Uma vez que existiam tensões na tradição judaica, havia algo que discutir. Contudo, no máximo, o que se pretendia lograr era um realce marginal e tanto quanto sei a sinagoga nunca foi realmente descrita como uma tirania masculina. A igualdade educacional era útil ao desenvolvimento de comunidades alternativas das quais as mulheres podiam mais facilmente reivindicar a qualidade de membro; daí os argumentos contemporâneos a favor da igualdade que apelam — como farei — para a ideia de uma cidadania inclusiva.

As comunidades judaicas tinham, todavia, por objectivo a inclusão de todos os homens e, por isso, defrontaram-se com o problema da organização de um sistema educativo que superasse as divisões de classe. Isto podia conseguir-se de várias maneiras. A comunidade podia instituir escolas gratuitas para os pobres como o foram as escolas especiais para órfãos no Antigo Cairo. Ou então podia pagar as propinas das crianças pobres que frequentavam as escolas fundadas e sobejamente pagas pelos mais abastados; era esta a prática mais usual entre os judeus medievais. Ou podia ainda proporcionar educação para todos por meio do sistema tributário e vedar quaisquer encargos adicionais, mesmo para aquelas crianças cujos pais pudessem pagar mais do que os seus impostos. Penso que há uma certa pressão no sentido de se passar do primeiro para o segundo destes sistemas e depois para determinada versão do terceiro. É que qualquer designação social dos pobres como «casos de caridade» é susceptível de causar um tratamento discriminatório nas escolas. Ou então é susceptível de ser sentida pelas crianças (ou pelos seus pais) como tão degradante que inibe a sua participação nas actividades escolares (ou o seu apoio a essas actividades). Estes efeitos podem não ser comuns a todas as culturas, mas encontram-se obviamente espalhados. Entre os judeus medievais havia grande relutância em aceitar a caridade pública e um certo estigma ligado àqueles que o faziam. Efectivamente, um dos objectivos da provisão comunitária pode ser o de estigmatizar os pobres e ensinar-lhes qual é o lugar que lhes cabe na comunidade, mas não no seu todo. Porém, salvo nalguma sociedade rigidamente hierarquizada, este objectivo nunca será formal nem publicamente proclamado e nunca será o único. E se o objectivo publicamente proclamado for, por exemplo, o de instruir as crianças (do sexo masculino) na leitura e discussão da Sagrada Escritura, então uma educação comum e geralmente proporcionada será provavelmente o melhor sistema.

Goiteen observa um movimento nesta direcção nas comunidades que estudou, mas pensa que as razões eram sobretudo financeiras[25]. Talvez em Espanha os rabinos tivessem compreendido o valor da escola comum; resultou daí o elemento compulsório contido no plano por eles concebido. Em qualquer caso, sempre que o objectivo da provisão comunitária é o de abrir caminho à participação comunitária, fará sentido recomendar uma forma de provisão que seja igual para todos os membros. E pode muito bem afirmar-se que nos regimes democráticos a provisão tem sempre este objectivo. A decisão ateniense de pagar a todos os cidadãos que compareciam na assembleia a mesma (pequena) quantia em dinheiro, deriva provavelmente de um certo reconhecimento deste facto. Não teria sido difícil conceber um inquérito às posses de cada um. Porém, os cidadãos não eram pagos de acordo com as suas posses nem de acordo com as suas necessidades individuais, uma vez que não era como indivíduos e sim como cidadãos que eram pagos e como cidadãos eram iguais entre si. Por outro lado, os atenienses vedavam o acesso aos cargos públicos àqueles cidadãos que recebiam pensões por incapacidade[26]. Isto reflecte provavelmente uma opinião peculiar sobre a incapacidade, mas também pode ser entendido como traduzindo os efeitos degradantes que algumas vezes (embora nem sempre) se produzem quando a provisão comunitária toma a forma de caridade pública.

A amplitude da provisão

A justiça distributiva na esfera da segurança e da previdência tem um duplo significado: reporta-se, em primeiro lugar, ao reconhecimento da necessidade e, em segundo, ao reconhecimento da qualidade de membro. Os bens devem ser fornecidos aos membros necessitados por causa da sua necessidade, mas devem sê-lo também de modo a apoiar a sua posição de membros. Não se trata, porém, aqui de os membros poderem reivindicar um conjunto específico de bens. O direito à previdência só se fixa quando uma comunidade adopta um determinado programa de provisão mútua. Num dado condicionalismo histórico, há fortes argumentos a favor da adopção de tal e tal programa. Porém, estes argumentos não se reportam aos direitos individuais e sim à natureza de uma comunidade política em especial. Não se violavam quaisquer direitos por os atenienses não atribuírem fundos públicos à educação das crianças. Talvez pensassem e talvez tivessem razão, que a vida pública da cidade já constituía educação suficiente.

O direito que os membros podem legitimamente reivindicar é de carácter mais geral. Nele se inclui, sem dúvida, uma certa versão do direito hobbesiano à vida, uma certa pretensão sobre os recursos comunitários, tendo em vista a subsistência básica. Nenhuma comunidade pode permitir que os seus membros morram de fome, havendo víveres disponíveis para os alimentar; nenhum governo pode pôr-se passivamente de fora numa altura dessas — não o pode fazer, se se afirmar como um governo de, por ou para a comunidade. A indiferença dos governantes britânicos durante a fome da batata na Irlanda, no segundo quartel do século passado, é um sinal evidente de que a Irlanda era uma colónia, um território conquistado e não uma parte efectiva da Grã-Bretanha[27]. Com isto não pretendemos justificar a indiferença — existem deveres para com as colónias e os povos submetidos — e tão-só sugerir que os irlandeses teriam estado mais bem servidos por um governo seu, fosse ele qual fosse, virtualmente. Talvez Burke tivesse chegado muito perto da verdade ao definir o direito básico aqui em causa, do seguinte modo: «O governo é uma invenção da sabedoria humana para satisfazer as carências humanas. Os homens têm direito a que estas carências sejam satisfeitas por aquela sabedoria.»[28] Só falta dizer que a sabedoria em questão é a sabedoria, não de uma classe dirigente, como Burke parece ter pensado, mas da comunidade no seu todo. Só a sua cultura, o seu carácter e as suas concepções comuns podem definir as «carências» que têm de ser satisfeitas. Mas a cultura, o carácter e as concepções comuns não são dados assentes; não operam automaticamente e a qualquer momento especial podem os cidadãos discutir a amplitude da provisão mútua.

E discutem o sentido do contrato social, a concepção original e reiterada da esfera da segurança e da previdência. Este contrato não é do género hipotético ou ideal, tal como foi descrito por John Rawls. Homens e mulheres racionais, na condição original, destituídos de qualquer conhecimento especial da sua posição social e da sua percepção cultural, optariam provavelmente, como afirmou Rawls, por uma distribuição igual de todos e quaisquer bens de que lhes dissessem terem necessidade[29]. Porém, esta fórmula não ajuda muito na determinação das opções que as pessoas farão ou fariam logo que soubessem quem são e onde estão. Num mundo de culturas especiais, concepções opostas do bem, recursos escassos e necessidades inapreensíveis, não pode haver uma fórmula única e universalmente aplicável. Não pode haver uma via única e universalmente aprovada que nos conduza de uma noção como, por exemplo, a de «justos quinhões» a uma lista que compreenda os bens a que esta noção se aplica. Justos quinhões de quê?

Justiça, tranquilidade, defesa, previdência e liberdade: é esta a lista apresentada pela Constituição dos Estados Unidos. Poder-se-ia considerá-la exaustiva se os seus termos não fossem vagos; no máximo, constituirão um ponto de partida para um debate público. O apelo normal nesse debate é para uma ideia mais ampla: o direito geral referido por Burke que aceita determinada força apenas em certas condições e requer a existência de diversos tipos de provisão em diferentes épocas e lugares. A ideia é, simplesmente, a de que nos agrupámos e formámos uma comunidade para enfrentarmos as dificuldades e perigos que sozinhos não poderíamos enfrentar.

E, por isso, sempre que se nos deparam dificuldades e perigos dessa espécie, buscamos ajuda comunitária. À medida que muda a proporção entre a capacidade individual e a colectiva, mudam também os tipos de ajuda pretendidos.

A história da saúde pública no Ocidente pode ser proveitosamente narrada nestes termos. Uma certa provisão mínima é já muito antiga como o mostram os exemplos grego e judaico; as medidas adoptadas eram-no em função da consciência que a comunidade tinha do perigo e da extensão dos seus conhecimentos médicos. Com o decurso dos anos, sistemas de vida numa escala mais ampla deram origem a novos perigos e o processo científico trouxe consigo uma nova consciência do perigo e uma nova percepção das possibilidades de os enfrentar. E então houve grupos de cidadãos que fizeram pressão para que se organizasse um programa mais vasto de provisão comunitária, tirando partido da nova ciência para obter a redução dos riscos da vida urbana. É para isso — poderiam justamente dizer — que serve a comunidade. Pode formular-se um argumento semelhante no caso da segurança social. O próprio êxito da provisão geral no campo da saúde pública aumentou largamente a duração normal da vida humana e, portanto, também a duração do período durante o qual as pessoas não são capazes de se sustentar e durante o qual se encontram física, mas com muita frequência não social, política ou moralmente incapacitadas. Mais uma vez, o auxílio aos inválidos se revela como uma das mais antigas e vulgares formas de provisão particular. Porém, agora é necessária numa escala muito maior do que até aqui. As famílias encontram-se assoberbadas com os encargos da velhice e buscam o auxílio da comunidade política. Discute-se o que se deve fazer exactamente. Palavras como *saúde, perigo, ciência* e mesmo *velhice* têm diferentes significados em diferentes culturas; não é possível qualquer especificação extrínseca. Não se quer, todavia, dizer com isto que não seja suficientemente claro para as pessoas envolvidas que algo — um determinado conjunto de coisas — se deve fazer.

Talvez estes exemplos sejam demasiado fáceis. A doença é uma ameaça de carácter geral; a velhice, uma perspectiva também geral. Já o mesmo se não passa com o desemprego e a pobreza que, provavelmente, se encontram fora das previsões de muita gente rica. Os pobres podem sempre ser isolados e encerrados em guetos, censurados e punidos pela sua própria desgraça. Pode dizer-se que neste aspecto a provisão já não é defensável com a invocação de algo como o «significado» do contrato social. Analisemos, porém, mais detalhadamente os casos simples, já que, na verdade, encerram todas as dificuldades dos difíceis. A saúde pública e a segurança social convidam-nos a imaginar a comunidade política, na expressão de T. H. Marshall, como uma «associação de socorros mútuos» [30]. Toda a provisão é recíproca, sendo os membros ora provedores ora providos, tal como os cidadãos de Aristóteles ora governavam ora eram governados. Este quadro é venturoso e facilmente compreensível em termos contratualistas. Não se trata aqui unicamente de os agentes racionais, nada sabendo da sua situação específica, concordarem com estas duas formas de provisão; os agentes reais, os vulgares cidadãos de todas as democracias modernas, concordaram efectivamente com elas. Ambas são — ou assim parece — tanto do interesse das pessoas hipotéticas como das reais. A coerção só é necessária na prática, porque uma determinada minoria de pessoas reais não compreende ou não compreende de modo consistente os seus reais interesses.

Só os imprudentes e os descuidados têm de ser obrigados a contribuir e pode sempre dizer-se que aderiram ao contrato social precisamente para se protegerem contra a sua própria imprudência e o seu próprio descuido. Na verdade, porém, as razões para a coerção vão muito mais longe do que isso; a comunidade política é algo mais do que uma associação de socorros mútuos e a extensão da provisão comunitária em cada caso — o que é e o que deveria ser — é determinada por ideias de necessidade que são mais problemáticas do que a exposição até aqui sugere.

Vejamos novamente o caso da saúde pública. Nenhuma provisão comunitária é possível nesta matéria sem a coarctação de uma larga série de actividades proveitosas para alguns membros individuais da comunidade, mas ameaçadoras para um maior número. Mesmo algo tão simples como o fornecimento de leite não contaminado a grandes populações urbanas, requer um amplo controlo público; este controlo é um êxito político e o resultado de duras lutas, ao longo de muitos anos, em cidade após cidade[31]. Quando os fazendeiros ou os intermediários da indústria de lacticínios defendiam o comércio livre estavam, sem dúvida, a actuar racionalmente no seu próprio interesse. O mesmo se pode dizer de outros empresários que lutavam contra as restrições resultantes das inspecções, da regulamentação e da execução desta. As actividades públicas deste género podem ser de um altíssimo valor para nós, mas não têm esse altíssimo valor para todos os outros. Embora tenha citado a saúde pública como um exemplo da provisão geral, é certo que os respectivos cuidados são ministrados a expensas de apenas alguns membros da comunidade. Além disso, beneficiam a maior parte dos mais vulneráveis dos outros; daí a especial importância das leis da construção para quem vive em apartamentos superlotados e das leis antipoluição para quem vive na vizinhança imediata de chaminés industriais ou esgotos. A segurança social beneficia também os membros mais vulneráveis, mesmo que, pelas razões que já indiquei, o pagamento efectivo seja igual para todos. É que os ricos podem, ou muitos pensam que podem, ajudarse a si próprios mesmo em tempos difíceis, e prefeririam sobretudo não ser obrigados a ajudar quem quer que seja. A verdade é que qualquer esforço sério no sentido da provisão comunitária (na medida em que o rendimento da comunidade deriva da riqueza dos seus membros) é por natureza redistributivo[32]. Os benefícios proporcionados não são, rigorosamente falando, mútuos.

Mais uma vez, agentes racionais, ignorando a sua própria posição social, concordariam com uma tal redistribuição. Concordariam, porém, com demasiada facilidade e a sua concordância não nos ajuda a saber qual a espécie de redistribuição que é necessária. Qual a sua dimensão? Para que fins? Na prática, a redistribuição é uma questão política e adivinha-se a coerção que envolve, pelas batalhas que furiosamente se travam a respeito das suas natureza e extensão. Todas as medidas especiais são introduzidas por iniciativa de uma coligação de interesses particulares. Porém, o apelo último nestes conflitos não é para os interesses particulares e nem mesmo para um interesse público concebido como a sua soma, e sim para valores colectivos e concepções compartilhadas da qualidade de membro, da saúde, da alimentação e alojamento e do trabalho e lazer. Os próprios conflitos concentram-se com frequência, pelo menos publicamente, em questões de facto; as concepções são tidas como assentes. Assim, os empresários da indústria de lacticínios negaram enquanto puderam a relação entre o leite contaminado e a tuberculose. Mas assim que essa relação foi estabelecida, tornou-se-lhes difícil contestar a inspecção do leite: *caveat emptor* não era, em tal condicionalismo, uma doutrina plausível. Do mesmo modo, nos debates sobre as pensões de velhice na Grã-Bretanha, a maior parte dos políticos concordava com o tradicional valor britânico do esforço pessoal, havendo, porém, viva discordância quanto a saber se o esforço pessoal ainda estaria ao alcance das associações de beneficência dos trabalhadores existentes. Estas eram verdadeiras associações de socorros mútuos organizadas numa base estritamente voluntária, mas aparentavam estar na iminência de ser submergidas pelo número crescente de idosos. Tornou-se cada vez mais evidente que os seus membros simplesmente não tinham recursos que lhes permitissem proteger-se, a eles próprios e uns aos outros, da pobreza na velhice. E poucos políticos britânicos se encontravam preparados para opinar que deviam ser deixados sem auxílio[33].

Aqui temos, pois, uma noção mais precisa do contrato social: é um acordo, tendo por objecto a redistribuição dos recursos dos membros em conformidade com determinada concepção compartilhada das suas necessidades, sujeito a uma determinação política actual no tocante ao pormenor. Este contrato é um vínculo moral. Une fracos e fortes, afortunados e desafortunados e ricos e pobres, criando uma união que transcende todas as divergências de interesses e vai buscar a sua força à história, à cultura, à religião, à língua, etc. As discussões sobre a provisão comunitária são, ao mais profundo nível, interpretações dessa união. Quanto mais estreita e compreensiva for, mais amplo será o reconhecimento das necessidades e maior a quantidade de bens sociais introduzidos na esfera da segurança e da previdência[34]. Não duvido que muitas comunidades políticas redistribuíram recursos com base em princípios muito diferentes, não de acordo com as necessidades dos seus membros em geral, e sim de acordo com o poder dos bem-nascidos ou dos ricos. Mas isso, como refere Rousseau no seu *Discurso sobre a origem da desigualdade entre os homens,* torna o contrato social numa fraude[35]. Em qualquer comunidade em que os recursos sejam tirados aos pobres e dados aos ricos, violam-se os direitos dos pobres. A sabedoria da comunidade não é empenhada na satisfação das suas necessidades. O debate político sobre a natureza dessas necessidades terá de ser suprimido, senão a fraude será rapidamente desmascarada. Quando todos os membros compartilham a tarefa de interpretar o contrato social, o resultado será um sistema mais ou menos amplo de provisão comunitária. Se todos os Estados forem em princípio Estados sociais, as democracias serão muito provavelmente Estados sociais na prática. Até mesmo a imitação da democracia dá origem à previdência, como acontece nas «democracias populares», onde o Estado protege o povo de todas as desgraças menos daquelas que ele próprio lhes inflige.

Assim, os cidadãos democratas discutem entre si e optam por muitas e variadas espécies de segurança e previdência, indo muito além dos meus exemplos «fáceis» de saúde pública e pensões de velhice. A categoria das necessidades socialmente reconhecidas é ilimitada. É que a consciência que as pessoas têm do que necessitam, abrange não só a vida em si mesma, mas também a boa vida e o equilíbrio adequado entre ambas é também motivo de discussão. O teatro ateniense e as academias judaicas eram ambos financiados com dinheiro que poderia ter sido gasto, por exemplo, em habitação ou na saúde. Porém, o teatro e a educação eram encarados pelos gregos e pelos judeus, não como constituindo um simples enriquecimento da vida normal, e sim como aspectos vitais do bem-estar comunitário. Gostaria mais uma vez de sublinhar que este juízo não pode facilmente ser apodado de incorrecto.

O estado social americano

Que tipo de provisão comunitária é o adequado a uma sociedade como a nossa? Não é minha intenção referir aqui antecipadamente os resultados do debate democrático nem especificar pormenorizadamente a extensão ou as formas da provisão. Pode, porém, afirmar-se que os cidadãos de uma democracia industrial moderna devem muito uns aos outros e esta afirmação proporcionará uma boa oportunidade para avaliar a solidez crítica dos princípios que tenho vindo a defender: que todas as comunidades políticas devem ter em conta as necessidades dos seus membros como eles colectivamente as concebem; que os bens a distribuir o devem ser de acordo com as necessidades; e que a distribuição deve reconhecer e apoiar a igualdade subjacente das posições de membro. Estes princípios são muito gerais e destinam-se a ser aplicados a um amplo conjunto de comunidades — na verdade, a toda e qualquer comunidade cujos membros sejam iguais entre si (perante Deus ou perante a lei) ou onde se possa dizer com verosimilhança que, qualquer que seja o modo como na realidade são tratados, deveriam ser iguais entre si. Estes princípios provavelmente não se aplicarão a uma comunidade organizada hierarquicamente como na Índia tradicional, onde os frutos da colheita são distribuídos, não de acordo com as necessidades, e sim de acordo com a casta — ou melhor, como refere Louis Dumont, onde «as necessidades de cada um são concebidas como diferentes, dependendo da (sua) casta». A cada um é garantido um quinhão de maneira que a aldeia indiana de Dumont não deixa de ser uma comunidade social, «uma espécie de cooperativa em que o objectivo principal é o de assegurar a subsistência de todos de acordo com a sua função social», mas não uma comunidade social ou uma cooperativa cujos princípios possamos facilmente entender[36]. (Dumont não nos diz, porém, como se pensa que os víveres sejam distribuídos em épocas de escassez. Se o modelo de subsistência é o mesmo para todos, regressamos a um universo que nos é familiar.)

É claro que estes três princípios se aplicam aos cidadãos dos Estados Unidos e têm aqui uma força considerável devido à abastança da comunidade e a um amplo entendimento do que são as necessidades individuais. Por outro lado, os Estados Unidos têm presentemente um dos mais miseráveis sistemas de provisão comunitária do mundo ocidental. Isto é assim por uma série de razões: a comunidade dos cidadãos encontra-se debilmente organizada; há vários grupos étnicos e religiosos que têm programas sociais próprios; a ideologia da autoconfiança e da oportunidade empresarial está largamente implantada; os movimentos de esquerda — nomeadamente o movimento trabalhista — são relativamente fracos[37]. O processo democrático de decisão reflecte esta realidade e em princípio nada há de errado nisso. Contudo, o modelo de provisão vigente não está à altura das exigências inerentes à esfera da segurança e da previdência e a opinião comum dos cidadãos aponta para um modelo mais complexo. Poder-se-ia também afirmar que os cidadãos americanos devem trabalhar para construir uma comunidade política mais forte e com mais experiência. Porém, esta afirmação, embora tivesse consequências distributivas, não se refere propriamente à justiça distributiva. A questão é: que obrigações têm os cidadãos uns para com os outros, tendo em atenção a comunidade em que efectivamente vivem?

Consideremos o exemplo da justiça criminal. A distribuição real de punições é um assunto a que me referirei num dos capítulos seguintes. Porém, a autonomia da punição, a certeza de que as pessoas são punidas por motivos justos (sejam eles quais forem) depende da distribuição de recursos no interior do sistema legal. Para que homens e mulheres recebam o seu justo quinhão de justiça, é preciso antes de mais que tenham um justo quinhão de assistência legal. Daí a instituição do defensor público e do defensor nomeado; assim como os famintos devem ser alimentados, também os acusados devem ser defendidos e devem sê-lo de acordo com as suas necessidades. Não há, contudo, um observador imparcial do sistema legal americano que não duvide que os recursos necessários para corresponder a este figurino estejam disponíveis na generalidade[38]. Ricos e pobres são tratados de maneiras diferentes nos tribunais americanos, apesar de haver um comprometimento público por banda destes, no sentido de os tratar de modo igual. Deste comprometimento extrai-se um argumento no sentido de uma mais generosa provisão. Se a justiça deve ser administrada a todos, deve sê-lo de modo igual para todos os cidadãos acusados, sem olhar aos seus meios de fortuna (ou às suas raça, religião, filiação partidária, etc.). Não é minha intenção subestimar as dificuldades práticas que isto implica; esta é, porém, uma vez mais, a lógica interna da provisão, constituindo um exemplo ilustrativo da igualdade complexa. É que a lógica interna da recompensa e da punição é diferente, requerendo, como mais adiante demonstrarei, que as distribuições sejam proporcionais ao merecimento e não à necessidade. A punição é um bem negativo que deve ser monopolizado por quem agiu mal e foi declarado culpado de ter agido mal (após uma defesa competente).

A assistência legal não levanta problemas teóricos pois existem já as estruturas institucionais necessárias à sua prestação, estando apenas em causa a disposição da comunidade de viver de acordo com a lógica das suas instituições. Quero agora passar a referir-me a uma área em que as instituições americanas se encontram relativamente subdesenvolvidas e em que o empenhamento comunitário é problemático, estando sujeito a permanente discussão política: é a área da assistência médica. Porém, aqui a argumentação no sentido de uma provisão mais alargada tem de ser mais cuidadosa. Não basta invocar um «direito ao tratamento». Vou ter de narrar um pouco da história da assistência médica como bem social.

A questão da assistência médica

Até uma época recente, a prática da medicina tinha principalmente a ver com a iniciativa privada. Os médicos cobravam honorários por fazerem os seus diagnósticos, darem conselhos e curarem ou não curarem os doentes. Talvez a natureza privada da relação económica estivesse ligada à natureza pessoal da relação profissional. Penso que é mais provável que tivesse a ver com a relativa marginalidade da própria medicina. Efectivamente, os médicos podiam fazer muito pouco pelos seus doentes e a atitude normal em face da doença (como em face da pobreza) era de estóico fatalismo. Ou então, havia remédios populares que não eram muito menos eficazes — sendo algumas vezes mais eficazes — do que os receitados pelos médicos oficializados. A medicina popular proporcionava às vezes uma espécie de provisão comunitária a nível local, mas também era igualmente susceptível de produzir novos médicos que, por sua vez, cobravam honorários. A cura pela fé obedecia a um modelo semelhante.

Deixando de lado estas duas, pode dizer-se que a distribuição da assistência médica tem estado nas mãos da classe médica, uma corporação de médicos que data pelo menos do tempo de Hipócrates no século V a. C. Esta corporação tem actuado no sentido de excluir os médicos não convencionais e de regulamentar o número de clínicos nas várias comunidades. Nunca foi do interesse dos seus membros a existência de um mercado genuinamente livre. Mas já é do interesse dos seus membros a venda de serviços a pacientes individuais e assim, de uma maneira geral, os ricos têm sido bem assistidos (de acordo com o que vulgarmente se entende por boa assistência), ao passo que os pobres quase não têm sido sequer assistidos. Nalgumas comunidades urbanas — por exemplo, nas comunidades judaicas medievais —, os serviços de saúde encontravam-se mais amplamente disponíveis. Eram, porém, virtualmente desconhecidos da maioria das pessoas durante a maior parte do tempo. Os médicos eram criados dos ricos, encontrando-se frequentemente adstritos a casas nobres e a cortes reais. Todavia, no que respeita a esta realidade prática, a classe sempre teve má consciência colectiva. É que a lógica distributiva do exercício da medicina parece ser esta: a assistência deve ser proporcional à doença e não à riqueza. Daí que sempre tenha havido médicos, como os que na Grécia Antiga foram distinguidos, que serviram os pobres, por assim dizer, nas horas vagas, embora ganhassem a vida ao serviço dos doentes que pagavam. A maior parte dos médicos, quando presentes numa emergência, sente-se, todavia, obrigada a assistir às vítimas independentemente da sua situação material. O facto de o apelo «Há algum médico por aqui?» não dever ficar sem resposta se houver um médico para lhe responder, tem a ver com o bom samaritanismo profissional. Em épocas normais, contudo, verificaram-se poucos apelos à assistência médica, principalmente por haver pouca fé na sua utilidade. E, assim, a má consciência da classe não teve como repercussão qualquer exigência política no sentido da substituição da liberdade profissional pela provisão comunitária.

Durante a Idade Média na Europa, a cura das almas era pública e a cura dos corpos privada. Actualmente, na maior parte dos países europeus, verifica-se o inverso. Esta inversão exprime-se sobretudo em termos de uma mudança muito importante na concepção comum das almas e dos corpos: deixámos de confiar na cura das almas e passámos a acreditar cada vez mais — e até de modo obsessivo — na cura dos corpos. A célebre afirmação de Descartes, de que a «preservação da saúde» era o «mais importante de todos os bens» deve ser interpretada como simbolizando aquela mudança ou como a sua proclamação, pois na história das atitudes populares o *Discurso do Método* de Descartes foi precursor[39]. Assim, como a eternidade perdeu importância na consciência popular, a longevidade passou para primeiro plano. Entre os cristãos medievais a eternidade era uma necessidade socialmente reconhecida, fazendo-se todos os esforços para garantir a sua ampla e igual distribuição e para que todos os cristãos tivessem igual oportunidade de salvação e de alcançar a vida eterna; daí a construção de igrejas em todas as paróquias, a realização regular de serviços religiosos, o catecismo para os jovens, a comunhão obrigatória, etc. Para os cidadãos modernos a longevidade é uma necessidade socialmente reconhecida e cada vez se fazem mais esforços para garantir a sua ampla e igual distribuição e para que todos os cidadãos tenham igual oportunidade de vida longa e saudável; daí a existência de médicos e hospitais em todos os concelhos, os exames regulares, a educação sanitária para os jovens, a vacinação obrigatória, etc.

Paralelamente à mudança de atitude e como sua consequência natural, ocorreu uma mudança nas instituições: da igreja para a clínica e o hospital. A mudança foi, porém, gradual, tendo-se operado através de um lento desenvolvimento do interesse comunitário na assistência médica e de uma lenta erosão do interesse na assistência religiosa. A primeira forma importante de provisão médica surgiu na área da prevenção e não do tratamento, provavelmente porque aquela não implicava interferência com as prerrogativas da corporação dos médicos. Contudo, o início da provisão na área do tratamento ocorreu mais ou menos simultaneamente com as grandes campanhas de saúde pública de finais do século XIX e ambas revelam indubitavelmente a mesma sensibilidade às questões da sobrevivência física. A concessão de autorizações aos médicos, a instituição de escolas médicas e clínicas urbanas estatais e a filtragem de dinheiro dos impostos para os grandes hospitais voluntários constituíram medidas que implicaram talvez somente uma interferência marginal com a classe, tendo algumas delas, na realidade, reforçado o seu carácter corporativo; representam, porém, já um importante empenhamento público[40]. Representam, na verdade, um empenhamento que, em última análise, só pode ser levado a bom termo através da conversão dos médicos (ou uma porção substancial deles) em médicos públicos (tal como uma porção mais pequena outrora se converteu em médicos de corte) e da abolição de ou da imposição de restrições ao mercado da assistência médica. Mas antes de apoiar essa conversão, quero acentuar a inevitabilidade do empenhamento de que decorre.

O que aconteceu no mundo moderno foi simplesmente que a própria doença, mesmo quando é endémica e não epidémica, passou a ser vista como uma calamidade. E uma vez que a calamidade pode ser enfrentada, *deve* ser enfrentada. As pessoas não suportam aquilo que já não crêem ter de suportar. Todavia, enfrentar a tuberculose, o cancro ou as doenças cardíacas requer um esforço comum. A investigação médica é dispendiosa e o tratamento de muitas doenças, em especial, excede em muito os recursos do cidadão comum. A comunidade tem, pois, de intervir e uma comunidade democrática intervirá mesmo mais ou menos energicamente, mais ou menos eficazmente, tudo dependendo do resultado de determinadas lutas políticas. Daí o papel desempenhado pelo governo americano (ou pelos governos, já que muita da actividade desenvolvida o é a nível estadual ou local) ao subsidiar a investigação, preparar médicos, instalar hospitais e fornecer equipamento, regulamentar planos voluntários de seguros e arcar com o tratamento dos muito idosos. Tudo isto representa «uma invenção da sabedoria humana para satisfazer as carências humanas». E tudo o que se exige para o tornar moralmente imperioso é o estabelecimento de um conceito de «necessidade» tão ampla e profundamente aceite que se possa dizer de modo plausível que não se trata da necessidade deste ou daquele indivíduo isolado e sim da comunidade em geral, ou seja, de uma «necessidade» humana, ainda que culturalmente adaptada e caracterizada*.

Porém, uma vez iniciada, a provisão comunitária fica sujeita a outras imposições de ordem moral: deverá prover do que é «necessário» igualmente todos os membros da comunidade e deverá fazê-lo de modo a respeitar as suas qualidades de membro. Presentemente, mesmo o modelo da provisão médica nos Estados Unidos, embora ande longe de um serviço nacional de saúde, está projectado para proporcionar uma assistência minimamente decente a todos quantos dela carecem. A partir do momento em que os dinheiros públicos são adjudicados, as autoridades públicas dificilmente poderão projectar menos do que isso. Todavia, ao mesmo tempo, não foi ainda tomada qualquer decisão política no sentido de pôr directamente em causa o sistema da livre iniciativa no domínio da assistência médica. E enquanto esse sistema existir, a riqueza predominará na (neste sector da) esfera da segurança e da previdência: os indivíduos serão assistidos de acordo com as suas possibilidades de pagamento e não com a sua necessidade de assistência. De facto, a situação é mais complexa do que o sugerido por esta regra, pois a provisão comunitária já se introduziu no mercado livre e tanto os muito doentes como os muito velhos recebem algumas vezes precisamente o tratamento que devem receber. É, porém, evidente que a pobreza continua a ser um importante obstáculo a um tratamento consistente e adequado. Talvez a estatística mais reveladora do que se passa com a medicina americana contemporânea seja a que mostra existir uma maior correlação entre as consultas médicas e hospitalares e a classe social do que entre aquelas e o grau ou incidência da doença. É muito mais provável os americanos das classes média e alta terem um médico particular e consultarem-no com frequência e muito menos provável ficarem gravemente doentes, do que os seus concidadãos mais pobres[44]. Se a assistência médica fosse um luxo, esta disparidade não teria grande importância; porém, assim que aquela passou a ser uma necessidade socialmente reconhecida e assim que a comunidade passou a investir na sua provisão, essa importância

---

* Argumentando contra a afirmação de Bernard Williams de que o único critério adequado à distribuição da assistência médica é o da necessidade médica[41], Robert Nozick pergunta porque não concluir então «que o único critério adequado à distribuição de serviços de barbearia é o da necessidade de ser barbeado»[42]. Esta conclusão talvez seja legítima se se atender unicamente ao «objectivo interno» da actividade em causa, concebida em termos universais. Mas já o não é se se atender ao significado social dessa actividade, ao lugar que o bem distribuído ocupa na vida de um grupo de pessoas em especial. Pode conceber-se uma sociedade em que o corte de cabelo tenha um significado cultural de tal modo essencial que a provisão comunitária seja moralmente exigível; porém, o facto de nunca ter existido uma tal sociedade é algo mais do que simplesmente interessante. Ao reflectir sobre estas questões servi-me com utilidade de um artigo de Thomas Scanlon; adopto aqui a sua alternativa «convencionalista»[43].

existe. É que, assim, a privação constitui um duplo prejuízo: para a saúde e para a posição social dos atingidos. Médicos e hospitais passaram a ser elementos de tal modo importantes na vida contemporânea que a privação do auxílio que prestam é, não só perigosa, mas também degradante.

Porém, todo e qualquer sistema de provisão sanitária plenamente desenvolvido requer a coarctação da corporação médica. De um modo mais geral, é verdade que a provisão de segurança e de previdência requer a coarctação daqueles homens e mulheres que anteriormente controlavam os bens em causa e os vendiam no mercado (presumindo — o que de modo nenhum é sempre verdade — que o mercado precede a provisão comunitária). É que o que fazemos ao declarar que este ou aquele bem é necessário é bloquear ou restringir a sua livre troca. Também bloqueamos quaisquer outros processos distributivos que não tenham em conta a necessidade: eleição popular, competição meritocrática, favoritismo pessoal ou familiar, etc. O mercado é, porém, pelo menos actualmente nos Estados Unidos, o principal concorrente da esfera da segurança e da previdência e é também o objecto principal de apropriação por parte do Estado Social. Os bens necessários não podem ser deixados ao arbítrio nem distribuídos de acordo com os interesses de um qualquer grupo poderoso de proprietários ou profissionais.

Com muita frequência a propriedade é abolida e os profissionais efectivamente recrutados para ou, pelo menos, «alistados» no serviço público. Prestam serviço no interesse das necessidades sociais e não — ou, pelo menos, não exclusivamente — no seu próprio interesse. Assim, os padres em benefício da vida eterna, os militares no interesse da defesa nacional e os professores das escolas públicas no interesse da educação dos alunos. Os padres agirão mal se venderem a salvação, os militares se se alistarem como mercenários e os professores se derem tratamento preferencial aos filhos dos ricos. Algumas vezes, o recrutamento é apenas parcial como quando os advogados são chamados a actuar como funcionários judiciais, servindo a causa da justiça, mesmo quando simultaneamente servem os seus clientes e a si próprios. Outras vezes, o recrutamento é apenas ocasional e temporário como quando os advogados são chamados a actuar como «defensores nomeados» de réus que não podem pagar. Nestes casos, faz-se um esforço especial para respeitar a natureza pessoal da relação advogado-cliente. Já procurei descobrir um esforço semelhante em qualquer serviço nacional de saúde plenamente desenvolvido. Não vejo, porém, razão para respeitar a liberdade mercantil dos médicos. Os bens necessários não são mercadorias. Ou, mais precisamente, podem ser comprados e vendidos unicamente na medida em que estejam disponíveis acima e para além do nível de provisão fixado por um processo democrático de decisão (e, unicamente, na medida em que essas compra e venda não distorçam a distribuição abaixo desse nível).

Poderia, todavia, dizer-se que a recusa até hoje de financiar um serviço nacional de saúde constitui uma decisão política do povo americano sobre o nível da assistência comunitária (e sobre a importância relativa dos outros bens): um nível mínimo para todos, designadamente o nível das clínicas urbanas e liberdade de iniciativa para além disso. Este modelo parece-me inadequado, o que não quer dizer que a decisão seja necessariamente injusta. Não é, porém, esta a decisão do povo americano. A apreciação comum da importância da assistência médica levou-o muito mais longe. De facto, o governo federal e os governos estaduais e locais subsidiam actualmente diferentes níveis de assistência para diferentes classes de cidadãos. Isto talvez também estivesse certo se a classificação estivesse relacionada com a finalidade da assistência — se, por exemplo, aos militares e aos trabalhadores da defesa fosse dado um tratamento especial em tempo de guerra. Contudo, a classificação em pobres, classe média e ricos constitui uma triagem indefensável. Enquanto os dinheiros comunitários forem gastos, como actualmente são, no financiamento da investigação, na construção de hospitais e no pagamento de honorários a médicos em consultas particulares, os serviços assegurados por estas despesas devem poder ser utilizados igualmente por todos os cidadãos.

Esta é, pois, a argumentação a favor de um Estado Social americano alargado. Deriva dos três princípios atrás expostos e sugere que expressa por esses princípios é a de libertar a segurança e a previdência do modelo de predomínio actualmente existente. Embora seja possível a existência de uma variedade de sistemas institucionais, aqueles três princípios parecem favorecer a provisão em espécie, fornecendo um argumento importante contra certas propostas actuais no sentido de se distribuir dinheiro em vez de educação, auxílio legal ou assistência médica. O imposto negativo sobre o rendimento, por exemplo, constitui um plano para aumentar o poder de compra dos pobres, ou seja, uma versão modificada da igualdade simples[45]. Este plano não abolirá, todavia, o predomínio da riqueza na esfera da necessidade. Não havendo uma igualização radical, os homens e mulheres com mais poder de compra poderão sempre fazer — e não deixarão de o fazer — subir o preço dos serviços necessários. Assim, a comunidade investirá — ainda que agora apenas indirectamente — no bem-estar individual, mas sem uma provisão adequada ao tipo de necessidade. Mesmo com igualdade de rendimentos, a assistência sanitária prestada através do mercado não satisfará as necessidades nem o mercado providenciará adequadamente no que se refere à investigação médica. Esta argumentação não é, todavia, contra o imposto negativo sobre o rendimento pois pode acontecer que o dinheiro em si, numa economia de mercado, seja uma das coisas de que as pessoas carecem. E, nesse caso, talvez também devesse ser prestado em espécie.

Quero sublinhar, uma vez mais, que não é possível determinar *a priori* quais as necessidades que devem ser reconhecidas nem há qualquer meio de determinar *a priori* quais os níveis de provisão adequados. As nossas atitudes relativamente à assistência médica têm uma história; já foram diferentes e sê-lo-ão novamente. As formas de provisão comunitária mudaram no passado e continuarão a mudar. Não mudam, porém, automaticamente à medida que mudam as atitudes. A velha ordem tem os seus clientes, havendo uma certa letargia tanto nas instituições como nos indivíduos. Além disso, as atitudes populares raramente são tão nítidas como no caso da assistência médica. Assim, a mudança é sempre uma questão de discussão, organização e luta política. Tudo o que os filósofos podem fazer é descrever a estrutura básica das discussões e constrangimentos que aquelas implicam. Daí os já referidos três princípios que podem resumir-se numa versão revista da famosa máxima de Marx: de cada um, segundo a sua capacidade (ou os seus recursos); a cada um, segundo as suas necessidades socialmente reconhecidas. Penso que este é o significado mais profundo do contrato social. Falta apenas planear os detalhes, mas na vida quotidiana os detalhes são tudo.

Apontamento sobre a caridade e a dependência

A longo prazo, o efeito da provisão comunitária é o de restringir a amplitude não só da compra e venda, mas também dos donativos caridosos. Isto é verdade pelo menos nas comunidades judaico-cristãs, em que a caridade foi tradicionalmente um suplemento importante dos impostos e dízimos e uma fonte importante de assistência na pobreza. Hoje, no Ocidente, parece aceitar-se como regra geral a de que quanto mais desenvolvido estiver o Estado Social, menos lugar e menos motivação haverá para os donativos caridosos[46]. Esta consequência não é nem imprevista nem mesmo indesejada. Os argumentos contra a caridade são muito semelhantes aos argumentos contra a mendicidade. É que a mendicidade é um tipo de actuação extorquida aos pobres pelas pessoas caridosas e esta actuação é indecorosa, constituindo um exemplo especialmente penoso do poder do dinheiro fora da sua esfera. «A caridade ofende quem a recebe», afirma Marcel Mauss no seu ensaio antropológico clássico *O Donativo,* «e todo o nosso esforço moral se dirige à supressão do patrocínio inconscientemente nocivo do rico esmoler»[47]. A caridade pode também ser um meio de comprar influência e consideração, muito embora isto seja mais provável através de actos de fundação religiosa, educativa ou cultural do que através da assistência na pobreza. Actos deste género podem ser também censuráveis, uma vez que é admissível dizer-se que é aos padres e aos crentes, aos professores e aos estudantes, e aos cidadãos em geral — e não aos homens e mulheres ricos — que cabe tomar as decisões cruciais em matéria religiosa, educativa e cultural. Quero, porém, focar aqui unicamente a utilização directa da riqueza para ajudar os necessitados; é este o sentido clássico da caridade judaica e cristã.

A caridade privada produz a dependência pessoal e, portanto, também os vícios habituais da dependência: de um lado deferência, passividade e humildade; arrogância do outro. Se a provisão comunitária tem de respeitar a qualidade de membro, deve procurar triunfar sobre esses vícios. Contudo, a mera substituição da caridade privada pelo subsídio público não tem este efeito. Pode, porém, ser necessária já que a comunidade se apresenta como mais apta a manter um programa regular, consistente e impessoal de auxílio e, assim, a ajudar os pobres de acordo com as suas necessidades. O auxílio por si mesmo, todavia, não gera a independência; os velhos modelos sobrevivem e os pobres continuam deferentes, passivos e humildes, enquanto as autoridades públicas tomam a arrogância dos particulares seus antecessores. Daí a importância de programas como os recomendados por Maimónides e destinados a tornar os pobres independentes: reabilitação, reciclagem, atribuição de subsídios a pequenas empresas, etc. O próprio trabalho é uma das coisas de que os homens e as mulheres precisam e a comunidade deve ajudar à sua consecução sempre que aqueles sejam incapazes de o conseguir para si próprios e uns para os outros.

Mas também isto requer um planeamento e uma administração centralizados e convida à intervenção de planeadores e administradores. É ainda importante que todo e qualquer programa de provisão comunitária dê ensejo ao aparecimento de várias formas de iniciativa pessoal e associação voluntária. O objectivo é a participação nas actividades comunitárias, ou seja, a concretização da qualidade de membro. Não se trata, porém, de começar por eliminar a pobreza para, uma vez atingido este resultado, os antigos pobres passarem a participar na vida política e cultural do resto da comunidade; antes, a luta contra a pobreza (e contra todas as outras carências) é uma das actividades em que muitos cidadãos, tanto pobres como menos pobres e abastados devem participar. E isto quer dizer que, mesmo numa comunidade que aspire à igualdade (complexa) dos seus membros, há lugar para aquilo a que Richard Titmuss chamou «a relação desinteressada»[48].

Os exemplos do sangue e do dinheiro

Titmuss estudou os modos pelos quais num certo número de países se colhe sangue para uso hospitalar e focou principalmente dois deles, diferentes um do outro: a compra e a doação voluntária. O seu livro é uma defesa da doação, tanto por ser mais eficiente (produz melhor sangue) como por exprimir e enaltecer o espírito do altruísmo comunitário. Este argumento é profundo e relevante, mas ainda o seria mais se Titmuss tivesse feito uma segunda comparação para a qual, todavia, não encontrámos exemplos práticos. Podemos imaginar outra forma de provisão, nomeadamente um imposto de sangue, a obrigação de cada um contribuir com um certo número de litros por ano. Isto aumentaria grandemente o fornecimento, já que aumentaria o número de dadores, habilitando as autoridades sanitárias a escolher entre eles, colhendo sangue apenas dos cidadãos mais saudáveis, do mesmo modo que só os fisicamente aptos são recrutados para o serviço militar. Titmuss continuaria a dizer, penso eu, que a relação desinteressada é melhor e não só porque o imposto de sangue representaria — pelo menos no nosso universo cultural — uma agressão demasiado forte à integridade física. É que é sua intenção afirmar que há mérito na doação particular, sendo acertado pôr em dúvida que este mérito pudesse duplicar com a colheita pública, mesmo que decretada através de uma decisão democrática.

Mas este argumento poderia ser válido também para o dinheiro, pelo menos quando as quantias são pequenas e a capacidade de contribuir se encontra largamente espalhada. A doação de sangue não representa um exercício de poder por banda dos homens e mulheres capazes de o dar nem se destina a obter deferência ou dependência dos que dele carecem. Os dadores agem movidos pela vontade de ajudar e efectivamente ajudam, sentindo indubitavelmente algum orgulho por ter ajudado. Porém, nada disto os leva a vangloriar-se de modo especial, pois aquela ajuda está amplamente disponível. Assim, a igualdade resgata a caridade. Agora, o que aconteceria se a grande maioria dos cidadãos fosse igualmente, ou mais ou menos igualmente, capaz de contribuir com dinheiro (digamos, para um «cofre da comunidade») a favor dos seus concidadãos mais carenciados? É claro que a tributação continuaria a ser necessária, não só para serviços como a defesa, a segurança interna e a saúde pública, em que a provisão é geral, mas também para muitas formas de provisão particular. Há, porém, um argumento a apresentar e que é muito semelhante ao de Titmuss a respeito do sangue, a favor do estímulo aos donativos privados. O acto de dar é bom em si mesmo; gera um sentimento de solidariedade e de competência comunitária. E, então, as actividades conexas de organizar campanhas de recolha de fundos e de decidir como gastar o dinheiro irão envolver cidadãos comuns num trabalho que correrá paralelo a e complementará o trabalho das autoridades, aumentando, de um modo geral, o nível da participação.

E se este argumento é válido para o dinheiro, é ainda mais válido no que se refere ao tempo e à energia. Estes últimos constituem as dádivas mais valiosas que os cidadãos podem fazer uns aos outros. A profissionalização da «assistência social» contribuiu para o afastamento daqueles funcionários amadores que superintendiam na provisão comunitária nas comunidades grega e judaica e agora precisa-se amargamente de algo que modernamente os substitua. Assim, afirma-se num estudo recente sobre a assistência social no Estado Social: «a mobilização das capacidades altruístas é essencial para que uma ajuda efectiva seja prestada aos mais necessitados» e aqui por «ajuda efectiva» deve entender-se tanto a integração na comunidade como a provisão e a assistência[49]. A burocracia é inevitável, atenta a dimensão das comunidades políticas e a multiplicidade dos serviços necessários. Porém, o rígido dualismo de curadores profissionais e pupilos impotentes pode criar enormes perigos para o governo democrático, a menos que seja mediado por voluntários, organizadores, representantes dos pobres e dos idosos, amigos locais e moradores. Pode conceber-se a relação desinteressada como uma certa forma de política: tal como o voto, a petição e a manifestação, a dádiva é uma maneira de conferir um sentido concreto à união de cidadãos. E conforme a previdência tem geralmente como objectivo abolir o predomínio do dinheiro na esfera da necessidade, assim a participação activa dos cidadãos em matéria de previdência (e também de segurança) tem como objectivo assegurar que o predomínio do dinheiro não venha a ser substituído pelo predomínio do poder político.

CAPÍTULO IV

O DINHEIRO E AS MERCADORIAS

O alcoviteiro universal

No tocante ao dinheiro duas questões se levantam: O que pode comprar? e como é distribuído? Devem ser tratadas por esta ordem, pois só após terem sido descritas a esfera na qual o dinheiro actua e a finalidade desta actuação é que se pode razoavelmente analisar a sua distribuição. Temos de perceber quão importante é o dinheiro.

Será melhor começar pela ideia ingénua — que é também a ideia comum — de que o dinheiro é de importância vital, a raiz de todos os males e a fonte de todo o bem. «O dinheiro paga todas as coisas», diz o Eclesiastes. Segundo Marx, é o alcoviteiro universal, ajustando uniões escandalosas entre as pessoas e os bens e quebrando todas as barreiras naturais e morais. Marx podia ter descoberto isto ao olhar em torno de si na Europa do século XIX, mas, na verdade, encontrou-o num livro, *Timon de Atenas* de Shakespeare, no qual Timon, escavando a terra em busca de ouro, questiona o seu objectivo:

> Ouro? Amarelo, resplandecente e precioso ouro? Não ó deuses,
> Não sou um ocioso adorador: raízes, ó límpidos céus!
> Tanto disto tornará o negro, branco; o feio, belo;
> O injusto, justo; o vil, nobre; o velho, novo; o covarde,
> valente.
> . . . .
> Porque isto
> Afastará de vós os vossos sacerdotes e os vossos servos,
> Arrancará a almofada de sob a cabeça do homem valoroso;
> Este escravo amarelo
> Fará e desfará religiões; abençoará os malditos;
> Obrigará à adoração da amarelenta lepra; colocará ladrões,
> Dando-lhes títulos, vénias e aplauso,
> Junto dos senadores na bancada. É isto
> Que faz com que a melancólica viúva volte a casar,
> E com que aquela, de quem o lazareto e as chagas ulceradas
> Enojam, se torne olorosa e desejável

Como que numa nova primavera. Vem, terra maldita,
Rameira reles da humanidade que semeias a discórdia
No tropel das nações, que eu te farei
Mostrar o teu verdadeiro carácter[1].

Timon foi conduzido a um estado de desespero niilista; porém, esta é a linguagem familiar da crítica moral. Não gostamos de ver sacerdotes corrompidos ou homens valorosos privados do seu conforto, nem religiões destruídas ou ladrões galardoados com títulos de nobreza. Mas porque não haveria a «melancólica viúva» de ver regressar novamente a Primavera? Timon é aqui movido por um escrúpulo estético e não moral. A questão é, porém, a mesma: a viúva é metamorfoseada pelo seu dinheiro. Assim o seremos todos, desde que sejamos suficientemente ricos. «O que sou e posso fazer», disse Marx, «não é de modo nenhum determinado pela minha individualidade. Sou feio, mas posso comprar para mim as mais lindas mulheres. Por consequência, não sou feio... Sou estúpido, mas uma vez que o dinheiro é a inteligência real de todas as coisas, como é que pode o seu possuidor ser estúpido?»[2]

É este o «verdadeiro carácter» do dinheiro, talvez especialmente assim numa sociedade capitalista, mas também de um modo mais geral. Afinal Marx estava a citar Shakespeare e este pôs as suas palavras na boca de um nobre ateniense. Onde quer que o dinheiro seja utilizado, alcovita entre coisas incompatíveis, arremete contra as «entidades auto-subsistentes» da vida social, inverte as individualidades e «obriga os adversários a abraçarem-se». É, porém, evidente que é para isso que o dinheiro serve e é por isso que nos servimos dele. Numa linguagem mais neutral, é o meio universal das trocas e é também de grande utilidade, pois as trocas são essenciais à vida que partilhamos com outros homens e mulheres. O igualitarismo simples do rebelde plebeu de Shakespeare, Jack Cade:

...o dinheiro deixará de existir[3]!

ecoa de certo modo no pensamento radical e socialista contemporâneo, tendo eu, porém, dificuldade em imaginar o tipo de sociedade que pretende sugerir. Os radicais contemporâneos não pensam certamente restabelecer a economia de troca directa e os pagamentos em espécie aos trabalhadores. Talvez pretendam pagar aos trabalhadores com cupões de tempo/trabalho, convertíveis unicamente em armazéns do Estado. Estes, porém, depressa seriam trocados mais amplamente, nas costas da polícia, se necessário. E Timon voltaria a aparecer, escavando o solo, à procura de cupões.

Aquilo a que Marx e Shakespeare se opunham era à universalidade do meio e não ao meio em si mesmo. Timon pensa que a universalidade é característica do dinheiro e talvez tenha razão. Abstractamente concebido, o dinheiro não é mais do que uma expressão de valor. Daí que não seja desrazoável afirmar que todas as coisas com valor, todos os bens sociais, se podem expressar em termos monetários. É natural que seja necessária uma série de conversões para se passar daquelas coisas para este valor em dinheiro. Não há, porém, motivo para pensarmos que essas conversões se não possam fazer; na verdade, fazem-se todos os dias. A própria vida tem um valor e, portanto, eventualmente um preço (que se pensa ser diferente para vidas diferentes); se assim não fosse, como poderíamos sequer conceber os seguros e as indemnizações? Ao mesmo tempo, sentimos a universalidade do dinheiro como algo de degradante. Vejamos a definição de cínico atribuída a Oscar Wilde: «Um homem que conhece o preço de tudo e o valor de nada.» Esta definição é demasiado absoluta; não é cínico pensar-se que o preço e o valor algumas vezes coincidirão. Porém, é assaz frequente que o dinheiro não possa representar o valor; fazem-se as conversões, mas como acontece com as traduções da boa poesia, algo se perde no processo. Daí que só se possa comprar e vender universalmente se se desprezarem os valores reais; se atendermos a valores, há coisas que não se podem comprar nem vender. Trata-se de coisas especiais; a universalidade abstracta do dinheiro é enfraquecida e limitada pela criação de valores a que se não pode facilmente pôr um preço ou a que não queremos pôr um preço. Embora estes valores estejam frequentemente em discussão, podemos averiguar quais são. Trata-se de uma questão empírica. Quais são as trocas monetárias que se encontram bloqueadas e proibidas, sendo consideradas intoleráveis e convencionalmente censuradas?

O que o dinheiro não compra

Já me referi ao pecado da simonia que podemos conceber como exemplo paradigmático de troca bloqueada. Os cargos religiosos não estão à venda, pelo menos enquanto Deus for concebido de certa maneira. Numa cultura diferente da da Idade Média cristã, o bloqueio pode ser quebrado: se os deuses podem ser apaziguados com sacrifícios, porque não poderão ser subornados com ouro reluzente? Na Igreja, porém, este tipo de suborno está excluído. Não é que não aconteça, mas toda a gente sabe que não devia acontecer. É um negócio clandestino; tanto o comprador como o vendedor mentirão a respeito do que fizeram. A desonestidade é sempre um guia útil à existência de padrões morais. Quando as pessoas se esgueiram através da fronteira da esfera do dinheiro, estão a revelar a existência dessa fronteira. Ela ali está, aproximadamente no ponto em que começam a esconder-se e a dissimular. Algumas vezes, porém, é preciso batalhar para traçar limites claros, e até estarem traçados, o tráfico é mais ou menos livre. O dinheiro está inocente até prova em contrário.

O recrutamento em 1863

A Lei de Alistamento e Recrutamento de 1863 decretou a primeira mobilização militar da história americana. Desde a época colonial que o serviço nas milícias era obrigatório, tratando-se, porém, de uma obrigatoriedade local e de boa vizinhança e sendo opinião geral a de que ninguém podia ser compelido a combater longe da sua terra. A guerra com o México, por exemplo, foi travada só com voluntários. Porém, a Guerra da Secessão foi um conflito numa escala diferente; prepararam-se exércitos colossais para o combate, o poder de fogo era o maior que até então se conhecera, as baixas eram elevadas e a necessidade de homens aumentava à medida que o conflito se ia arrastando. O Ministério da Guerra — e o Presidente Lincoln também — acharam que a única maneira de ganhar a guerra era uma mobilização nacional[4]. Esta mobilização corria o risco de ser impopular, atentas as tradições regionalistas da política americana e o profundo antiestatismo do pensamento liberal (e ainda a dimensão e a profundidade do sentimento antiguerra). E, na verdade, a sua execução foi severa e, por vezes, violentamente contestada. Criou, porém, um precedente. A obrigatoriedade foi definitivamente transferida do plano local para o nacional, onde se fixou desde então e o serviço no exército federal — mais do que na milícia local — foi instituído como obrigação dos cidadãos. Houve, contudo, uma disposição da lei de 1863 que criou um precedente extremamente negativo: a isenção de todo aquele cujo nome tivesse sido tirado à sorte, desde que quisesse e pudesse apresentar trezentos dólares para pagar a um substituto.

As isenções podiam ser compradas por trezentos dólares. Esta prática não era inteiramente nova. As milícias locais multavam os homens que não se apresentavam à incorporação e havia uma certa indignação pelo facto de os cidadãos abastados frequentemente considerarem a multa como um imposto em substituição do serviço (ao passo que os cidadãos pobres eram ameaçados com prisão por dívidas)[5]. Agora, porém, a guerra e a sua crueldade aumentavam essa indignação. «Será que (Lincoln) pensa que os pobres devem sacrificar as suas vidas», perguntava um nova-iorquino, «e consente que os ricos paguem trezentos dólares para ficar em casa?»[6] Não se sabe bem qual foi o papel que opiniões deste género tiveram nos motins antimobilização que perturbaram Manhattan em Julho de 1863, após o primeiro sorteio. Em qualquer caso, era uma opinião frequentemente manifestada por todo o país, a de que os pobres não deviam ser obrigados a sacrificar as suas vidas; assim, embora a lei tenha sido executada, nada de parecido voltou a ser posto em vigor. Seria aquele negócio inocente no tocante às milícias em que pouco mais estava em causa do que algumas horas de exercícios e marchas? Com certeza um teórico político rousseauniano diria que não e poderia, noutros tempos, ter feito um enérgico apelo às convicções republicanas dos americanos comuns. Porém, o serviço nas milícias estava muito desvalorizado nos anos que antecederam a Guerra da Secessão e os castigos rousseaunianos pela não-comparência — ostracismo ou expulsão da comunidade — teriam parecido excessivos à maioria dos americanos. Talvez a multa correspondesse ao significado do serviço. O caso era, todavia, diferente quando a própria vida estava em jogo.

Não quer isto dizer que trezentos dólares constituíssem um preço demasiado baixo ou que empregos arriscados não pudessem ser contratados por quantias superiores ou inferiores no mercado de trabalho. A questão era que o Estado não podia impor um emprego arriscado a alguns dos seus cidadãos, isentando outros por determinado preço. Esta reivindicação correspondia ao sentimento profundo do que significava ser cidadão do Estado, ou melhor, daquele Estado, nos Estados Unidos em 1863. Penso que podia ser bem sucedida, mesmo contra uma maioria de cidadãos, pois esta podia muito bem não compreender a lógica das suas próprias instituições ou deixar de aplicar coerentemente os princípios que dizia professar. Porém, em 1863 foram a resistência e a indignação de multidões de cidadãos que traçaram a linha divisória entre o que se podia e o que se não podia vender. O Ministério da Guerra actuara de forma negligente e o Congresso legislara precipitadamente. Mais tarde disse-se que o que pretenderam foi apenas criar um «incentivo» para o alistamento[7]. Na verdade, contaram com um duplo incentivo: o risco de morte era um incentivo para alguns pagarem trezentos dólares a outros para os quais estes trezentos dólares constituíam um incentivo para aceitarem o risco de morte. Foi um mau expediente para uma república, pois deu a impressão de abolir a *coisa pública* e converter o serviço militar (mesmo quando a própria república estava em perigo) num negócio privado.

O facto de a lei não ter sido reposta em vigor não quer dizer que se não tenha procurado obter efeitos semelhantes. Apenas se usaram processos menos evidentes e menos eficazes, como aconteceu com os adiamentos de incorporação dos estudantes universitários ou com os bónus para os recrutados que se alistassem voluntariamente. Contudo, agora aceitamos o princípio da igualdade de tratamento, graças à luta política de 1863 e sabemos mais ou menos onde passa a linha divisória traçada por aquele. Por isso, podemos opor-nos mesmo a ultrapassagens tortuosas e clandestinas e à reposição por meio de subterfúgios legislativos daquilo que não pode ser abertamente reposto. A venda de isenções é uma troca bloqueada; há muitas outras vendas igualmente bloqueadas, pelo menos em princípio.

As trocas bloqueadas

Vou tentar apresentar a série completa e actual das trocas bloqueadas nos Estados Unidos. Basear-me-ei em parte no primeiro capítulo da obra de Arthur Okun, *Equality and Efficiency*, na qual o autor traça uma linha divisória entre a esfera do dinheiro e aquilo a que chama o «domínio dos direitos»[8]. Os direitos são evidentemente à prova de compra e venda e Okun enuncia novamente de modo elucidativo a Declaração dos Direitos como uma série de trocas bloqueadas. Mas não são só os direitos que ficam de fora da relação monetária. Sempre que banimos o uso do dinheiro, estamos, na verdade, a criar um direito, designadamente a que este bem em especial seja distribuído de outro modo. Temos, porém, que discutir o significado do bem antes de podermos dizer algo mais sobre a sua justa distribuição. É minha intenção agora guardar para mais tarde a maior parte dos argumentos e limitar-me a fornecer uma lista das coisas que não se podem trocar por dinheiro. Esta lista reproduz ou antecipa outros capítulos, pois é um aspecto da esfera do dinheiro que confina com todas as outras esferas; é por isso que é tão importante estabelecer os seus limites. As trocas bloqueadas estabelecem limitações ao predomínio da riqueza.

1. Os seres humanos não podem ser comprados nem vendidos. A venda de escravos, a própria venda de nós próprios como escravos, está posta de parte. Isto é um exemplo daquilo a que Okun chama «proibição das trocas filhas do desespero»[9]. Há muitas proibições deste género, limitando-se, porém, as outras a regular o

mercado de trabalho; farei delas uma lista à parte. Esta determina o que se pode ou não vender: nem as pessoas, nem a sua liberdade e sim unicamente a sua força de trabalho e as coisas que fabricam. (Os animais podem vender-se porque os concebemos como não tendo personalidade, muito embora a liberdade seja um valor para alguns deles.) A liberdade pessoal não é, contudo, à prova de recrutamento ou prisão; é apenas à prova de compra e venda.

2. O poder e a influência política não podem ser comprados nem vendidos. Os cidadãos não podem vender os votos nem as autoridades as suas decisões. O suborno é um negócio ilegal. Nem sempre foi assim; em muitas culturas os presentes de clientes e peticionários fazem parte da remuneração dos detentores de cargos públicos. Mas aqui a relação baseada em presentes só funciona — quer dizer, só se ajusta a um conjunto de significados mais ou menos coerentes — quando os «cargos» ainda não se destacaram plenamente como bens autónomos e quando a fronteira entre o público e o privado é vaga e indistinta. Não funciona numa república, onde a fronteira se apresenta nitidamente traçada: Atenas, por exemplo, possuía um extraordinário conjunto de regras destinadas a reprimir o suborno; quanto mais cargos os cidadãos partilhavam, mais elaboradas se tornavam essas regras[10].

3. A justiça penal não está à venda. Não se trata apenas de nem os juízes nem os jurados poderem ser subornados, mas também de os serviços dos defensores constituírem matéria de provisão comunitária, ou seja, uma forma necessária de previdência, atento o princípio do contraditório.

4. Liberdades: de expressão, imprensa, religião e reunião; nenhuma requer pagamento em dinheiro, nenhuma pode ser posta em leilão. São naturalmente garantidas a todos os cidadãos. Diz-se com frequência que o exercício destas liberdades custa dinheiro mas, rigorosamente falando, tal não acontece. A expressão e o culto são baratos, tal como o são as reuniões de cidadãos e a publicação em muitas das suas formas. O acesso rápido a grandes audiências é caro, mas isso é outra questão, não já de liberdade em si mesma, mas antes de influência e poder.

5. O direito ao casamento e à procriação não está à venda. Os cidadãos estão limitados a um cônjuge, não podendo comprar uma licença de poligamia. E mesmo que venham a estabelecer-se limites ao número de filhos que podemos ter, penso que aqueles não assumirão a forma que imaginei no capítulo 2: licenças para ter filhos negociáveis no mercado.

6. O direito a abandonar a comunidade política não está à venda. É evidente que o Estado moderno investe nos cidadãos e poderia legitimamente exigir a restituição de uma parte desse investimento, em trabalho ou em dinheiro, antes de autorizar a emigração. A União Soviética adoptou uma política deste género, sobretudo como um mecanismo para impedir totalmente a emigração. Aplicada de modo diferente, parece assaz justa, mesmo que tenha então efeitos distintos conforme se trate de cidadãos bem ou mal sucedidos. Porém, os cidadãos podem, por sua vez, argumentar que nunca pediram a assistência sanitária ou a educação que receberam (digamos, enquanto crianças) e nada devem em troca. Este argumento subestima os benefícios da cidadania, mas apreende habilmente o seu carácter consensual. Por isso, é melhor deixá-los partir, desde que tenham cumprido aquelas obrigações em

espécie (serviço militar) que são cumpridas em qualquer caso pelos jovens de ambos os sexos que ainda não atingiram a plenitude consensual da cidadania. A estas ninguém se pode furtar, pagando.

7. E assim se afirma novamente que não podem ser vendidas pelo governo nem compradas pelos cidadãos isenções, do serviço militar, da obrigação de participar em júris ou de qualquer outra forma de trabalho imposto pela comunidade, por razões já referidas.

8. Os cargos políticos não podem ser comprados; comprá-los seria uma forma de simonia, já que a comunidade política é uma igreja no sentido de que os seus serviços são de grande importância para os respectivos membros e a riqueza não é indício certo de competência para os fornecer. Também a posição profissional se não pode comprar, na medida em que é regulamentada pela comunidade, já que os médicos e os advogados são os nossos padres laicos; temos de estar seguros das suas qualificações.

9. Os serviços sociais básicos, tais como a protecção policial ou a instrução primária e secundária só marginalmente se podem comprar. Há um mínimo garantido a todos os cidadãos e que não tem de ser pago pelas pessoas. Se os polícias importunarem os comerciantes, pedindo-lhes dinheiro para protecção, estarão a actuar como bandidos e não como polícias. Porém, os comerciantes podem contratar seguranças e guardas-nocturnos para obterem um nível de protecção mais elevado do que aquele que a comunidade política está disposta a pagar. Do mesmo modo, os pais podem contratar explicadores para os filhos ou enviá-los para colégios particulares. O mercado de serviços só está sujeito a restrições se distorcer a natureza ou diminuir o valor da provisão comunitária. (Quero também chamar a atenção para o facto de alguns bens serem parcialmente fornecidos e, portanto, parcialmente subtraídos ao controlo do mercado. Aqui o mecanismo é o da troca, não bloqueada, mas antes subsidiada, como é o caso do ensino politécnico e universitário, de muitas actividades culturais, das viagens em geral, etc.)

10. São proibidas as trocas desesperadas ou «trocas de último recurso», muito embora o significado do desespero seja sempre objecto de controvérsia. O de oito horas, as leis sobre o salário mínimo e as leis que regem a saúde e a segurança, todas elas estabelecem limites mínimos e padrões básicos abaixo dos quais os trabalhadores não podem licitar uns contra os outros por um emprego. Os empregos podem ser leiloados, mas só dentro daqueles limites. Esta limitação à liberdade do mercado é em nome de uma certa concepção comunitária da liberdade individual, constituindo uma reafirmação, a um nível inferior de prejuízo, da proibição da escravatura.

11. Os prémios e distinções de vária ordem, tanto de natureza pública como privada, não estão disponíveis para compra. A Medalha de Honra do Congresso não se pode comprar, o mesmo acontecendo com o Prémio Pulitzer, o Prémio do Jogador Mais Ilustre ou até mesmo o troféu conferido por uma câmara de comércio local ao «comerciante do ano». A celebridade está, evidentemente, à venda, embora o preço possa ser alto; não o está, porém, o bom nome. O prestígio, a consideração e a posição social situam-se algures entre aqueles dois. O dinheiro está implicado na sua distribuição, mas, mesmo na nossa sociedade, só algumas vezes é decisivo.

12. A graça divina não se pode comprar e não é assim só porque Deus não precisa de dinheiro. Os seus servidores e representantes precisam deste com frequência. Todavia, é opinião comum a de que a venda de indulgências está a precisar de reforma, senão mesmo da Reforma*.

13. O amor e a amizade não se podem comprar, pelo menos de acordo com o significado que geralmente lhes é atribuído. É claro que se pode comprar todo o género de coisas — roupas, automóveis, guloseimas, etc. — que fazem com que uma pessoa seja melhor candidato ao amor e à amizade ou ganhe mais confiança em si mesmo na busca de amantes e amigos. Os anunciantes jogam geralmente com esta possibilidade que é assaz real.

> Porque o dinheiro pode mais
> Do que as estrelas do destino para atrair o amor[11].

A venda directa está, porém, bloqueada, não pela lei, mas, mais profundamente, pelas nossas moral e sensibilidade comuns. Há homens e mulheres que se casam por dinheiro, mas este não é um «verdadeiro casamento espiritual». O sexo está à venda, mas esta venda não cria uma «relação com sentido». As pessoas que crêem que as relações sexuais estão moralmente ligadas ao amor e ao casamento são propensas a apoiar a proibição da prostituição, assim como, noutras culturas, as pessoas que criam que aquelas relações constituíam um ritual sagrado, teriam censurado o comportamento das sacerdotisas que tentassem fazer algum dinheiro por fora. O sexo só pode ser vendido quando é concebido em termos de prazer e não exclusivamente em termos de amor conjugal ou devoção religiosa.

14. Finalmente, há uma longa série de vendas criminosas que fica de fora. A sociedade «Crime, Lda.» não pode vender os seus serviços, a chantagem é ilegal, a heroína não se pode vender, como também se não podem vender bens roubados ou enganosamente descritos, leite adulterado ou informações consideradas vitais para a segurança do Estado. E a polémica prossegue a respeito de automóveis inseguros, armas, camisas inflamáveis, medicamentos com certos efeitos secundários, etc. Todos estes são exemplos de como a esfera do dinheiro e das mercadorias está sujeita a uma permanente redefinição.

Penso que esta lista é exaustiva, embora seja possível que tenha omitido alguma categoria essencial. Em todo o caso, a lista é suficientemente longa para demonstrar que se o dinheiro paga todas as coisas, fá-lo, por assim dizer, nas costas de muitas delas e a despeito do seu significado social. O mercado em que as trocas destas coisas são livres é um mercado negro e os homens e mulheres que o frequentam fazem-no provavelmente de modo furtivo e mentem, portanto, sobre o que fazem.

---

* Alusão ao movimento que teve lugar no século XVI, na Europa Ocidental, tendo como objectivo a reforma da Igreja Católica e que resultou na formação das Igrejas Protestantes. Este movimento começou com a campanha de Lutero precisamente contra a venda de indulgências ordenada pelo Papa Leão X com a finalidade de obter fundos para financiar a conclusão da Basílica de S. Pedro, em Roma. *(NT)*

O que o dinheiro pode comprar

Qual é a esfera própria do dinheiro? Quais os bens sociais que é correcto vender no mercado? A resposta óbvia é, também, a correcta e aponta para uma série de bens que, provavelmente, sempre se puderam vender no mercado, independentemente de existirem outros que ali se puderam ou não vender: todos aqueles objectos, mercadorias, produtos e serviços, para além do que é comunitariamente fornecido, que os indivíduos acham úteis ou aprazíveis e constituem a existência normal nos bazares, lojas e entrepostos comerciais. Deles fazem parte e, provavelmente, sempre fizeram, tanto objectos de luxo como matérias-primas, tanto bens esteticamente belos como bens funcionais e duradouros. As mercadorias, mesmo quando são simples e primitivas, são, acima de tudo, mercadorias úteis: proporcionam conforto, boa disposição e segurança. As coisas são as âncoras que nos prendem ao mundo [12]. Mas ao passo que todos temos necessidade de nos sentir ancorados, nem todos precisamos das mesmas âncoras. As nossas ligações são diferentes; temos gostos e desejos diferentes; rodeamo-nos de, vestimo-nos e mobilamos as nossas casas com uma grande variedade de coisas; usamos, gozamos e ostentamos as coisas que temos de muitas e variadas maneiras. As relações com os objectos são polimorfas por natureza. Já tem sido dito que esse polimorfismo é uma perversão moderna. Penso, porém, que é uma constante da vida humana. As escavações arqueológicas revelam regularmente uma profusão de bens (ou fragmentos e bocados de bens, mercadorias feitas em cacos): vasos e jarras decoradas, cestos, jóias, espelhos, vestuário enfeitado, bordado, coberto de pérolas e emplumado, tapeçarias, rolos de pergaminho e moedas, infindáveis quantidades de moedas, já que todas aquelas coisas — uma vez ultrapassada a fase da troca directa — se trocam por dinheiro. Não há dúvida que cada cultura tem o seu próprio e característico conjunto de mercadorias, determinado pelo seu modo de produção, a sua organização social e a extensão do seu comércio. Todavia, a quantidade de mercadorias existente em cada conjunto é sempre grande e o meio normal de as separar umas das outras é a troca no mercado.

Não é, porém, o único meio; a oferta de presentes é uma alternativa importante e voltarei a ela mais tarde. O mercado está, contudo, estandardizado, ainda que o que se considera como mercadoria o não esteja. E as relações de mercado reflectem uma determinada concepção moral que se aplica a todos aqueles bens sociais que se consideram negociáveis (e não se aplica aos que como tal se não consideram). Algumas vezes, essa concepção subentende-se; na nossa sociedade, desde que o mercado se libertou das restrições feudais, tem ela sido sempre manifesta, constituindo a sua elaboração um aspecto essencial da nossa vida cultural. Para além do que é matéria da provisão comunitária, ninguém tem direito a este ou àquele objecto útil ou agradável. As mercadorias não surgem à luz do dia designadas por nomes próprios como as embalagens nos grandes armazéns. A maneira correcta de ter essas coisas é fabricá-las ou cultivá-las ou de qualquer modo fornecer outras em troca ou o seu equivalente em dinheiro. O dinheiro é, simultaneamente, uma medida de equivalência e um meio de troca; são estas as suas funções apropriadas e (idealmente) as suas únicas funções. É no mercado que o dinheiro desempenha a sua função e o mercado está aberto a todos os que nele queiram entrar.

Em parte, esta noção do dinheiro e das mercadorias baseia-se na consciência de que não há processo distributivo mais eficiente, de que não há melhor forma de juntar os indivíduos e aquelas coisas em especial que eles acham úteis ou agradáveis. Porém, a um nível mais profundo, a moral do mercado (digamos, na sua forma lockeiana) * consiste numa celebração dos actos de desejar, fabricar, possuir e trocar mercadorias. Estas são, na verdade, amplamente desejadas e têm de ser fabricadas para poderem ser possuídas. Mesmo as bolotas de Locke — o seu exemplo de uma mercadoria simples e primitiva — não nascem nas árvores; a metáfora não se aplica: não estão pronta e universalmente disponíveis. As coisas só com esforço se podem ter; e é este esforço que parece legitimar o direito, ou, pelo menos, o primitivo direito; uma vez possuídas, podem também ser trocadas[13]. Assim, os actos de desejar, fabricar, possuir e trocar estão ligados entre si; são, por assim dizer, os modos das mercadorias. É, contudo, possível reconhecer estes modos sem os celebrarmos. A sua ligação é apropriada dentro dos limites da esfera do dinheiro e das mercadorias e não fora dela. A celebração de Locke tendeu a ultrapassar esses limites, transformando o poder do mercado numa espécie de tirania e distorcendo as distribuições noutras esferas. Esta ideia é corrente e recorrerei frequentemente a ela. As mercadorias podem, porém, extravasar do seu lugar próprio de uma outra maneira que exige mais pronta atenção.

Formulemos novamente a pergunta: o que pode o dinheiro comprar? O sociólogo Lee Rainwater, ao estudar o «significado social do rendimento», dá uma resposta radical e preocupante: «o dinheiro compra a qualidade de membro de uma sociedade industrial». Rainwater não quer dizer-nos que as autoridades que superintendem na imigração e na naturalização podem ser subornadas. A sua afirmação vai mais longe. As actividades normais que fazem com que os indivíduos se vejam a si mesmos e sejam vistos pelos outros, como membros plenos e pessoas sociais, têm vindo cada vez mais a definir-se como actividades de consumo; estas requerem dinheiro.

> Assim, o dinheiro não se limita a comprar alimentos, vestuário, alojamento, electrodomésticos, automóveis... e férias. A compra de todos estes bens permite por sua vez alcançar e manter no dia-a-dia, uma identidade de, no mínimo, «americano médio»... Quando as pessoas não estão protegidas contra esta inexorável dinâmica da economia do dinheiro por um enclave cultural, não podem deixar de se definir o mais elementarmente possível em termos do seu acesso a tudo o que o dinheiro pode comprar[14].

Não quer isto dizer que os indivíduos se distingam uns dos outros pelas escolhas que fazem no âmbito da esfera do dinheiro e das mercadorias ou sequer que se distingam pelos seus êxitos e fracassos nessa esfera. Evidentemente, o mercado é palco de competição e, por conseguinte, distribui certos tipos de consideração e desconsideração (mas não todos os tipos). Contudo, Rainwater pretende dizer mais

---

* De John Locke, filósofo inglês, autor do *Ensaio sobre o Entendimento Humano* (1632-1704). *(NT)*

do que isto. Se não pudermos gastar dinheiro e exibir bens a um nível superior ao requerido pela mera subsistência e se não tivermos algum do tempo livre e algumas das comodidades que o dinheiro pode comprar, sofreremos um mal maior do que a pobreza e que é uma espécie de penúria de posição social, uma deserdação sociológica. Tornar-nos-emos estrangeiros na nossa própria pátria e, frequentemente, nas nossas próprias casas. Não poderemos continuar a desempenhar o nosso papel de pais, amigos, vizinhos, sócios, companheiros ou cidadãos. Isto não é assim em toda a parte; porém, actualmente, na América e em todas as sociedades em que o mercado é rei, as mercadorias interferem na qualidade de membro. Se não possuirmos um certo número de coisas socialmente requeridas, não seremos pessoas socialmente aceites e activas.

Rainwater fornece uma explicação sociológica do feiticismo das mercadorias. Descreve o sonho de um anunciante, pois esta é a mensagem essencial do anúncio moderno: a de que as mercadorias têm significados que vão muito além da sua utilidade óbvia e de que precisamos delas a bem da nossa posição e identidade sociais. Pode sempre dizer-se do anunciante que ele exagera e mesmo que mente, digamos, a respeito da importância deste automóvel ou daquela marca de *whisky*. Mas e se por detrás das suas peculiares mentiras, estiver uma verdade maior? As mercadorias são símbolos de integração; a posição e a identidade são distribuídas pelo mercado e vendidas contra dinheiro à vista (mas disponíveis também para especuladores que podem conceder crédito). Por outro lado, numa sociedade democrática, as definições mais elementares e as autodefinições não podem ser postas à venda desta maneira. É que a cidadania implica aquilo a que podemos chamar o «sentimento de integração», não apenas o sentimento e antes a realidade prática, de se estar em casa no (nesta parte do) mundo social. Esta condição pode ser renunciada, mas nunca vendida; não é alienável no mercado. O insucesso económico, qualquer que seja a quebra de consideração que o acompanhe, nunca pode ter como efeito a desvalorização da cidadania, quer no sentido legal, quer no social. E se tiver esse efeito, teremos de procurar o remédio.

O remédio óbvio é a redistribuição do próprio dinheiro (por exemplo, através de um imposto negativo sobre o rendimento) independentemente da provisão comunitária de bens e serviços; assim como prestamos assistência médica em espécie a bem da saúde e da longevidade, também distribuímos dinheiro em espécie em benefício da qualidade de membro. Ou então podemos garantir empregos e um rendimento mínimo, partindo do princípio de que o dinheiro e as mercadorias, na nossa cultura, são mais susceptíveis de contribuir para um forte sentimento de identidade se forem ganhos. Não podemos, porém, redistribuir as mercadorias directamente, uma vez que temos de permitir aos indivíduos que escolham para si próprios as coisas que acham úteis ou agradáveis, que se definam a si próprios e que modelem e simbolizem as suas identidades para além da qualidade de membro que compartilham. E não podemos tentar determinar as coisas em especial sem as quais a qualidade de membro se desvalorizará ou será perdida e fazer delas os objectos da provisão comunitária, pois o mercado rapidamente fará surgir novas coisas. Se não é isto, será aquilo, e os anunciantes dir-nos-ão que *disto* é que agora necessitamos se queremos andar de cabeça erguida. Porém, a redistribuição de dinheiro ou de empregos e rendimento neutraliza o mercado. Daí em diante, as mercadorias passarão a ter apenas o seu valor de uso, ou melhor, os valores simbólicos serão radicalmente individualizados e não poderão continuar a desempenhar qualquer papel público significativo.

Contudo, estes sistemas só serão plenamente eficazes se a redistribuição deixar toda a gente com a mesma quantia em dinheiro e esta condição, pelas razões que já apontei, não é estável. O mercado produz e reproduz desigualdade; as pessoas acabam por ficar com mais ou menos coisas, em quantidades diferentes e de diferentes espécies. Não há qualquer meio de assegurar que toda a gente possua aquele conjunto de coisas — seja ele qual for — que caracteriza o «americano médio», pois qualquer esforço nesse sentido fará simplesmente subir a média. Temos aqui uma versão triste da busca da felicidade: a provisão comunitária sempre atrás da procura dos consumidores. Talvez haja um ponto para lá do qual o feiticismo das mercadorias perca o seu poder de sedução. Talvez, mais modestamente, haja um ponto mais abaixo no qual os indivíduos estejam a coberto de uma decadência radical da sua posição social. Esta última possibilidade revela o valor das redistribuições parciais na esfera do dinheiro, mesmo se o resultado é algo que fica bastante longe da igualdade simples. Mas revela também que temos de olhar para fora daquela esfera e reforçar as distribuições autónomas nas outras esferas. Afinal de contas, há actividades mais relevantes para o significado da qualidade de membro do que possuir e usar mercadorias.

O nosso propósito é domesticar «a inexorável dinâmica da economia monetária» para tornar o dinheiro inofensivo, ou, pelo menos, para assegurar que os prejuízos sofridos na esfera do dinheiro não sejam fatais, nem para a vida nem para a posição social. O mercado continua, porém, a ser uma esfera competitiva em que o risco é vulgar, em que a prontidão em correr riscos é frequentemente considerada uma virtude e em que as pessoas ganham e perdem. É um lugar excitante, pois mesmo quando o dinheiro compra só o que deve comprar, é sempre algo muito bom de se ter. Paga certas coisas que mais nada pode pagar. E quando tivermos bloqueado todas as trocas ilícitas e controlado todo o peso do dinheiro em si, não teremos razões para nos preocuparmos com as soluções que o mercado proporciona. Os indivíduos continuarão a ter motivos de preocupação e, portanto, tentarão minimizar os seus riscos, ou partilhá-los, ou espaçá-los, ou fazer seguros. No regime da igualdade complexa, certos tipos de risco serão regularmente partilhados, porque o poder de impor riscos aos outros, de tomar decisões impositivas nas fábricas e nas empresas, não é um bem negociável no mercado. Este é só mais um exemplo de troca bloqueada; mais adiante, referir-me-ei a ela mais detalhadamente. Atentos os bloqueios correctos não haverá más distribuições de bens de consumo. Não importa simplesmente que você tenha um iate e eu não, ou que o sistema de som da aparelhagem de alta fidelidade dela seja muito superior ao da dele, ou que nós compremos as nossas carpetes no Sears Roebuck e eles as mandem vir do Oriente. As pessoas darão importância a esses assuntos ou não; é tudo uma questão de cultura e não de justiça distributiva. Enquanto os iates, as aparelhagens de alta fidelidade e as carpetes tiverem unicamente um valor de uso, individualizado e simbólico, não importa a sua distribuição desigual[15].

O mercado

Há um argumento mais forte relativamente à esfera do dinheiro e que é o argumento habitual dos defensores do capitalismo: os efeitos do mercado têm muita importância, pois o mercado, se for livre, dará a cada um exactamente o que merece. O mercado recompensa-nos a todos segundo as contribuições que dermos para o bem-estar uns dos outros[16]. Os bens e serviços que fornecemos são avaliados pelos consumidores potenciais desta e daquela maneira e os valores obtidos são assimilados pelo mercado, o qual determina o preço que recebemos. E esse preço é aquilo que merecemos, pois exprime o único valor que os nossos bens e serviços podem ter, o valor que realmente têm para outras pessoas. Isto, porém, é compreender mal o significado do merecimento. A menos que haja padrões de valor independentes daquilo que as pessoas querem (e têm a intenção de comprar) neste ou naquele momento, não pode haver qualquer determinação de merecimento. Nunca poderíamos saber o que uma pessoa merecia até termos visto o que obtivera. E isso é certamente injusto.

Imagine-se um romancista que está a escrever o que espera venha a ter enorme venda. Analisa o público potencial e planeia o livro para ir ao encontro da moda actual. Talvez tenha tido que violar as regras para o fazer e talvez seja um romancista para quem essa violação tenha sido penosa. Aviltou-se para vencer mais tarde. Será que merece agora os frutos dessa vitória? Será que merece uma vitória que seja frutífera? Vamos supor que o seu romance aparece numa época de depressão em que ninguém tem dinheiro para livros, vendendo-se muito poucos exemplares; a sua recompensa é medíocre. Será que obteve menos do que merece? (Os seus colegas de ofício rir-se-ão do seu desapontamento; talvez seja o que merece.) Passados anos, melhoram os tempos, o livro é reeditado e tem êxito. Será que o seu autor se tornou mais merecedor? É evidente que o merecimento não pode depender do estado da economia. Há muita sorte envolvida nisto; falar de merecimento faz pouco sentido. Faríamos melhor em dizer simplesmente que o escritor tem direito aos seus direitos de autor, grandes ou pequenos[17]. É como qualquer outro empresário que tenha apostado no mercado. É um negócio arriscado, mas ele sabia-o quando apostou. Tem direito ao que obtém, depois de ter pago os custos da provisão comunitária (não vive só no mercado, mas também na cidade). Não pode, porém, pretender que recebeu menos do que o que merece e não importa que os outros pensem que recebeu mais. O mercado não reconhece o merecimento. A iniciativa, o espírito empreendedor, a inovação, o trabalho árduo, o comportamento impiedoso, o jogo ousado, a prostituição do talento: umas vezes são recompensados, outras não.

Porém, as recompensas que o mercado dá, quando as dá, são adequadas a estes tipos de esforço. O homem ou a mulher que fabrica uma ratoeira mais aperfeiçoada, ou abre um restaurante e vende deliciosos *blintzes* *, ou dá umas lições nas horas

---

* *Blintz*: panqueca fina e enrolada, normalmente recheada com uma espécie de requeijão e frequentemente servida com natas fermentadas; do iídiche *blintse*. *(NT)*

vagas, procura ganhar dinheiro. E por que não? Ninguém está disposto a fornecer *blintzes* a estranhos, dia após dia, só para conquistar a sua gratidão. No mundo da pequena burguesia não pode deixar de parecer justo que um empresário, capaz de fornecer bens e serviços a tempo e horas, receba a compensação que tinha em mente quando se lançou ao trabalho.

Este é, na verdade, um tipo de «justiça» que a comunidade pode achar bom para circunscrever e restringir. O lugar da moral do bazar é no bazar. O mercado é uma zona da cidade e não a cidade toda. Penso, porém, que cometem um grande erro aqueles que, preocupados com a tirania do mercado, pretendem a sua abolição total. Uma coisa é expulsar os mercadores do Templo; outra, completamente diferente, é expulsá-los da rua. Esta última atitude requereria uma mudança radical na nossa concepção da utilidade das coisas materiais e de como nos relacionamos com elas e com as outras pessoas através delas. Porém, a mudança não se produz com a abolição; acontece apenas que a troca de mercadorias passa a ser clandestina ou então tem lugar em armazéns estatais como se verifica actualmente nalgumas regiões da Europa Oriental *, de uma forma desoladora e ineficaz.

O vigor do mercado livre reflecte a nossa consciência da grande variedade de coisas desejáveis e, enquanto possuirmos essa consciência, não há motivo para não apreciarmos esse vigor. O raciocínio de Walt Whitman, em *Democratic Vistas*, afigura-se-me rigorosamente certo:

> Para não me enganar, posso do mesmo modo especificar distintamente como estando gostosamente incluído no modelo e padrão destas perspectivas, um carácter prático, vivo, mundano, lucrativo e mesmo materialista. É inegável que as nossas herdades, armazéns, escritórios, têxteis, carvão e artigos de mercearia, maquinaria, contas de caixa, comerciantes, lucros, mercados, etc., devem ser levados a sério e activamente prosseguidos como se tivessem uma existência real e permanente [18].

Não há nada de degradante nos actos de comprar e vender, nada de degradante em querer ter aquela camisa (em vesti-la, em ser visto com ela) ou em querer ter este livro (em lê-lo, em enchê-lo de marcas) e nada de degradante em disponibilizar essas coisas por um preço, mesmo que o preço seja tal que eu não possa comprar simultaneamente a camisa e o livro. E, contudo, eu quero-os a ambos! Esta é outra desdita com a qual a teoria da justiça distributiva nada tem a ver.

O comerciante favorece os nossos desejos. Todavia, enquanto ele não vender pessoas, ou votos, ou influência, enquanto não tiver monopolizado o mercado de trigo em época de escassez, enquanto os seus automóveis não forem armadilhas fatais ou as suas camisas inflamáveis, esse favorecimento é inofensivo. Tentará evidentemente vender-nos coisas que, na verdade, não queremos; mostrar-nos-á o lado melhor das suas mercadorias e ocultará o lado mau. Teremos de ser protegidos

---

* Quando este livro foi escrito, não tinham ainda sido derrubados os regimes implantados na maior parte da Europa Oriental logo após a Segunda Guerra Mundial. *(NT)*

das intrujices (tal como ele o terá de ser dos furtos). Porém, a troca é uma relação de proveito mútuo e nem o dinheiro que o comerciante ganha, nem a acumulação de coisas conseguida por este ou aquele consumidor constituem qualquer ameaça à igualdade complexa, especialmente se a esfera do dinheiro e das mercadorias estiver adequadamente delimitada.

Todavia, este raciocínio será válido unicamente para a pequena burguesia, para o mundo dos bazares e da rua, para a mercearia da esquina, a livraria, a boutique, o restaurante (mas não a cadeia de restaurantes). O que pensar do empresário bem sucedido que se transforma num homem detentor de uma enorme fortuna e poder? Gostaria de salientar que este género de êxito não constitui o objectivo de todos os comerciantes, especialmente nos bazares tradicionais onde o crescimento a longo prazo, o «modelo de progresso linear de-pobre-a-milionário», não faz parte da cultura económica e nem mesmo na nossa sociedade em que aquele modelo dessa cultura faz parte[19]. As pessoas são recompensadas por se remediarem, viverem confortavelmente e lidarem ano após ano com homens e mulheres com quem estão familiarizadas. O triunfo empresarial é só um dos fins dos negócios. É, porém, um fim intensamente procurado e enquanto o insucesso não é problemático (os empresários falhados continuam a ser cidadãos com boa posição), o êxito é-o inevitavelmente. Os problemas são de dois tipos: em primeiro lugar, a retirada do mercado, não só de riqueza, mas também de prestígio e influência; em segundo lugar, o exercício do poder no seu interior. Ocupar-me-ei deles por ordem, analisando primeiro a história de uma empresa e, em seguida, a política relativa a certas mercadorias.

Os maiores armazéns do mundo

Vejamos então o caso de Rowland Macy e dos irmãos Strauss e dos seus famosos armazéns. Macy era um negociante *yankee**, um membro prototípico da pequena burguesia que possuiu e geriu uma série de negócios de tecidos e falhou em todos eles até que, em 1858, abriu um estabelecimento na Sexta Avenida e Rua Catorze em Manhattan[20]. No decurso dos seus insucessos, Macy tinha experimentado novas técnicas publicitárias e determinada política de venda a retalho: pagamento a pronto, preços fixos e um empenhamento em não consentir que outros vendessem mais barato. Outros comerciantes utilizavam práticas semelhantes com mais ou menos êxito, mas o novo estabelecimento de Macy, por razões que não se percebem facilmente, alcançou um êxito extraordinário. E à medida que foi crescendo, Macy diversificou a sua existência de mercadorias e foi gradualmente criando um tipo de empresa inteiramente novo. O que podemos considerar a invenção dos grandes armazéns teve lugar aproximadamente na mesma altura em várias cidades: Paris, Londres, Filadélfia e Nova Iorque, sendo provavelmente

* Neste caso, em sentido restrito: indivíduo originário de um estado do Norte dos Estados Unidos, designadamente da Nova Inglaterra. *(NT)*

verdade que aquela invenção tenha sido (de certo modo) motivada por condições socais e económicas comuns[21]. Contudo, Rowland Macy aproveitou a maré com excepcional habilidade e grande ousadia, tendo-se finado em 1877 como um homem rico. O único filho de Macy era um alcoólico, tendo herdado o dinheiro do pai mas não os negócios. Os armazéns, após um curto interregno, passaram para as mãos de Nathan e Isidor Strauss que durante alguns anos tinham explorado, por concessão, um estabelecimento de venda de loiças na cave.

Até aqui não há qualquer problema. O êxito de Macy deixou, com certeza, outros comerciantes a debaterem-se no seu rasto, debilitados ou mesmo arruinados. Não se pode, porém, proteger os outros contra os riscos do mercado; pode-se protegê-los apenas contra os riscos subsequentes da penúria e da degradação pessoal. Na verdade, o governo japonês faz algo mais do que isto: «estabeleceu limitações à construção de novos grandes armazéns de venda a retalho, lojas de desconto e centros comerciais, reduzindo assim o impacte que têm nos pequenos retalhistas»[22]. Esta política visa a manutenção da estabilidade das comunidades de moradores e poderá muito bem ser uma política sensata; atenta uma certa concepção da comunidade de moradores como um bem distribuído e da cidade como um aglomerado de zonas diferenciadas, poderá mesmo ser uma política moralmente necessária. Em qualquer caso, só fornece protecção àqueles comerciantes que tiverem fugido à concorrência mais intensa. Não há remédio para os concorrentes de Macy, salvo na medida em que se puderem remediar eles mesmos. E enquanto os êxitos como o de Rowland Macy se limitarem à esfera do dinheiro, não podemos fazer mais do que contemplá-los com a mesma admiração (ou inveja) que sentiríamos pelo autor de um livro largamente vendido.

Penso que há uma ideia não muito rigorosa de acordo com a qual se poderá dizer que os empresários bem sucedidos são monopolistas da riqueza: como classe gozam de modo único as prerrogativas especiais que essa riqueza confere; os bens que ela pode comprar estão à sua disposição como à de mais ninguém. A igualdade simples tornaria impossível uma coisa destas, mas a igualdade simples não pode manter-se sem a supressão da compra e venda (e também de todo e qualquer outro tipo de relações de troca). E, mais uma vez, enquanto o dinheiro controlar as mercadorias e nada mais, porque nos havemos de preocupar com a sua acumulação? As objecções são de ordem estética — como no caso de Timon e da «melancólica viúva» — e não moral. Têm mais a ver com a ostentação do que com a dominação.

Contudo, o êxito da família Strauss não se limitou a isto. Isidor, Nathan e o seu irmão mais novo, Oscar, introduziram-se rapidamente num mundo mais amplo do que o que Rowland Macy alguma vez conhecera. Isidor foi amigo e conselheiro do Presidente Cleveland, tomou parte activa em várias campanhas a favor da reforma tarifária e concorreu com êxito ao Congresso em 1894. Nathan esteve activo na política nova-iorquina, foi membro da Tammany*, e sucessivamente

* Tammany ou Tammany Hall: organização política democrática (com referência ao Partido Democrático dos EUA) com sede na cidade de Nova Iorque, fundada em 1789 como associação de beneficência e que foi associada, principalmente em fins do século XIX e princípios deste, a actos de corrupção e abuso de poder. *(NT)*

comissário para os parques e presidente da Junta de Saúde. Oscar foi Secretário do Comércio e Trabalho no governo de Theodore Roosevelt e, mais tarde, ocupou uma série de cargos como embaixador. Os três juntos constituem um bom exemplo, pois não estamos aqui perante os barões medievais que sobrecarregavam o povo de impostos nem perante aniquiladores de sindicatos (os operários que fabricavam charutos para a Macy fizeram, com êxito, greve por salários mais altos em 1895 e a tipografia dos armazéns foi organizada em finais do século passado)[23]. Em quaisquer circunstâncias eram servidores públicos decentes e capazes. E, todavia, dificilmente se duvidará que deviam a sua influência política à sua riqueza e ao seu permanente êxito nos negócios. Poder-se-á dizer que, no fundo, não compraram essa sua influência, mas antes a obtiveram pelo respeito que granjearam no mercado — respeito esse devido tanto à sua inteligência como ao seu dinheiro. Além disso, Isidor Strauss teve de concorrer a uma eleição antes de tomar assento no Congresso. E perdeu na sua luta a favor da reforma tarifária. Tudo isto é verdade e, todavia, outros homens de igual inteligência não desempenharam igual papel na política do seu país. Esta questão é complicada, pois o dinheiro usa uma linguagem subtil e indirecta e algumas vezes, sem dúvida, as pessoas por quem fala são pessoas admiráveis; o êxito no mercado não se verifica unicamente com empresários implacáveis e egocêntricos. Porém, esta linguagem num Estado democrático é insidiosa e requer que busquemos um meio qualquer de limitar a acumulação de dinheiro (tanto como limitamos o seu peso). Uma empresa como a Macy cresce por haver homens e mulheres que a consideram útil; esses mesmos homens e mulheres podem considerar útil ser governados pelos donos de uma tal empresa. Estas duas decisões devem, porém, ser distintas.

Máquinas de lavar, televisores, sapatos e automóveis

Em princípio, armazéns como os de Macy, ou fornecem às pessoas o que elas querem e têm êxito ou não fornecem e não têm. Ou bem que são úteis, ou bem que não são. Muito antes de os empresários se tornarem servidores públicos, foram servidores privados às ordens dos consumidores soberanos. Este é o mito do mercado. Não é, porém, difícil apresentar uma descrição alternativa das relações de mercado. Este, segundo o teórico social francês André Gorz, «é um lugar em que a produção desmedida e os oligopólios de vendas... encontram uma multiplicidade fragmentária de compradores os quais, devido à sua dispersão, são completamente impotentes». Daí que o consumidor não seja, nem possa alguma vez ser, soberano. «Não pode fazer mais do que escolher entre uma variedade de produtos, não tendo, porém, o poder de motivar a produção de outros artigos, mais adequados às suas necessidades, em vez dos que lhe são oferecidos.»[24] As decisões cruciais são tomadas pelos donos e administradores das empresas ou pelos grandes retalhistas; são eles quem determina a variedade de mercadorias dentro da qual fazemos as nossas escolhas e, assim, não obtemos necessariamente as coisas de que (realmente) precisamos. Gorz conclui que estas decisões deveriam ser colectivas. Não basta que o mercado seja limitado; deve, na verdade, ser substituído por uma política democrática.

Vejamos agora alguns dos exemplos de Gorz. Os utensílios planeados para os indivíduos, afirma, são incompatíveis com os planeados para uso colectivo. «As máquinas de lavar privadas, por exemplo, agem contra a instalação de lavandarias públicas.» É preciso tomar uma decisão sobre quais apoiar. «Deverá dar-se preferência ao melhoramento dos serviços colectivos ou ao fornecimento de equipamento individual...? Deverá haver televisores medíocres em todos os apartamentos ou uma sala de televisão em cada prédio, com equipamento da melhor qualidade possível?»[25] Gorz acredita que estas perguntas só poderão ser respondidas por «produtores associados» que sejam também consumidores, ou seja, pelo público democrático no seu todo. Contudo, este parece ser um meio bizarro de situar o poder decisório no que respeita a bens desta espécie. Se aqui se pede uma decisão colectiva, penso que seria melhor que fosse tomada ao nível do prédio de apartamentos ou do quarteirão de casas. Ponham os residentes a decidir que espécies de salas públicas querem pagar e em breve haverá vários tipos de prédios de habitação e vários tipos de comunidades de moradores, conforme os vários gostos. Porém, as decisões deste género aparecerão no mercado exactamente como o faz uma decisão individual; simplesmente terão mais peso. Se esse peso for suficientemente grande, produzir-se-ão e vender-se-ão as máquinas certas. Os fabricantes e os retalhistas estabelecidos podem não estar dispostos a ou preparados para fornecer o que se pretende, mas, nesse caso, novos fabricantes e retalhistas surgirão do universo dos inventores, artífices, oficinas e lojas de novidades. A pequena burguesia é o exército de reserva da classe dos empresários. Os seus membros estão à espera, não das decisões dos «produtores associados», mas sim do apelo do mercado. O monopólio em sentido estrito — o controlo exclusivo dos meios de produção ou do mercado retalhista — tornaria impossível responder ao apelo. Todavia, o Estado pode bloquear convenientemente este tipo de poder do mercado. Fá-lo em nome da livre troca e não da democracia política (e também não no da igualdade simples; mais uma vez, não haverá maneira de garantir o mesmo êxito a todos os empresários).

Nem a democracia seria bem servida se assuntos como a escolha de máquinas de lavar e televisores tivessem de ser debatidos na assembleia. Até onde iriam esses debates? Gorz põe um sem-número de questões: «Deverá toda a gente ter quatro pares de sapatos de curta duração por ano ou um par resistente e dois de curta duração?»[26] Pode imaginar-se um sistema de racionamento em tempo de guerra em que tais decisões tivessem de ser tomadas colectivamente. Do mesmo modo, pode imaginar-se uma escassez de água que obrigue a comunidade política a limitar ou mesmo a proibir o fabrico de máquinas de lavar domésticas. É, porém, evidente que no curso normal dos acontecimentos é este o lugar das escolhas privadas ou locais e, portanto, da resposta do mercado. E este, como já referi, parece produzir tanto sapatos resistentes como de má qualidade, tanto máquinas de lavar grandes como pequenas.

Mas o que aqui está em causa é algo mais. Gorz pretende sugerir que a maré enchente de bens privados torna cada vez mais difícil a vida dos pobres. À medida que um número crescente de consumidores adquire as suas máquinas de lavar, as lavandarias têm de fechar (ou então sobem os preços e tornam-se um serviço de luxo). E, nesse caso, toda a gente precisa de máquina de lavar. Do mesmo modo, à medida que as formas públicas de diversão deixam de atrair as pessoas, à medida que os cinemas de bairro vão fechando, toda a gente precisa de um televisor. À medida que os transportes públicos pioram, toda a gente precisa de um carro. Os custos da pobreza aumentam e os pobres são marginalizados[27]. Este problema é o mesmo que Rainwater coloca e requer o mesmo tipo de redistribuição. Nalguns casos — por exemplo, no caso das tarifas de autocarro e metropolitano — talvez os subsídios sejam possíveis. Mais frequentemente, só um rendimento adicional servirá os objectivos da qualidade social de membro e da integração. Pode ser errado associar tão intimamente a qualidade de membro ao consumo privado; porém, se essa associação se verificar, os membros terão de ser também consumidores.

Poder-se-á, porém, salientar, mais do que os económicos, os aspectos políticos da qualidade de membro. Presumo que Gorz prefere efectivamente a lavandaria colectiva e a sala colectiva de televisão, porque as concebe como alternativas comunitárias à privatização burguesa, como locais onde as pessoas se poderão encontrar e conversar, combinar encontros e até discutir política. Estes bens são públicos no sentido de que, qualquer morador, quer utilize ou não aquelas salas, beneficiará da elevada sociabilidade e da atmosfera mais amigável do prédio de apartamentos como um todo. Todavia, esta espécie de bens tende a perder-se na confusão individualista do mercado. Não se perdem por causa do poder dos administradores de empresa ou dos donos dos grandes armazéns, ou não principalmente por causa disso, mas antes devido às preferências dos consumidores que fazem as suas opções, por assim dizer, um a um e cada um a pensar só em si (ou mais precisamente na sua casa e na sua família)[28]. Será que os consumidores fariam outras opções no caso de votarem como membros de um grupo? Não estou certo, mas, indubitavelmente, o mercado ajustar-se-lhes-ia se o fizessem. Aquelas pessoas que, como Gorz, dão preferência ao consumo colectivo sobre o privado, teriam de demonstrar o seu ponto de vista e, ou perderiam ou ganhariam, ou ganhariam nesta comunidade de moradores ou prédio de apartamentos e perderiam naquele. O ponto forte da argumentação de Gorz é a afirmação de que deveria haver um local público de discussão onde aquela demonstração pudesse ser feita. O mercado não é um local próprio para isso; esta afirmação não é, porém, uma crítica ao mercado, servindo apenas para sublinhar, uma vez mais, que aquele deve situar-se paralelamente a, mas não substituir a esfera política.

A importância disto é demonstrada com a maior vivacidade no que se refere ao automóvel, provavelmente a mais importante das mercadorias modernas. Seguindo o que é agora a principal tradição da crítica social, Gorz está pronto para renunciar àquele: «O automóvel privado desorganiza por completo a estrutura urbana... dificulta a exploração racional dos transportes públicos e contende com uma grande quantidade de actividades de lazer dos grupos e das comunidades (sobretudo ao destruir as zonas habitadas entendidas como constituindo um ambiente vivo).»[29] Talvez tenha razão, mas o automóvel é também o símbolo da liberdade individual e duvido que qualquer público democrático, até onde chega a memória dos homens, alguma vez tivesse votado contra ele, ainda que as consequências a longo prazo da sua produção e utilização em massa tenham sido antecipadamente conhecidas. Neste caso, é, na verdade, necessária uma decisão aplicável a toda a comunidade pois o automóvel privado requer um enorme apoio, expresso em estradas e na respectiva conservação. Podemos presentemente ficar limitados por este apoio sem grande campo de manobra. Porém, esta limitação não resulta unicamente do facto de Henry Ford ter ganho mais dinheiro a vender automóveis do que podia ter ganho a vender carros eléctricos. Uma explicação: este género não tem em conta uma grande parte da história, não só cultural como também política e económica. E, evidentemente, é ainda preciso discutir acerca da amplitude relativa dos apoios ao automóvel privado e aos transportes públicos. Esta é, mais propriamente, uma decisão política e não do mercado; assim, os cidadãos que a tomam têm de ser iguais entre si e os seus vários interesses — como produtores e consumidores, habitantes de apartamentos e proprietários de casas, residentes no centro das cidades e moradores nos subúrbios — têm de estar representados no processo político.

A fixação dos salários

Uma vez que os votos não podem ser transaccionados, ao passo que o dinheiro, os bens e os serviços podem, a igualdade dos cidadãos nunca poderá reproduzir-se no mercado. Os recursos que as pessoas trazem ao mercado são eles próprios determinados, pelo menos em princípio, por aquele. Os homens e as mulheres têm de «fazer» dinheiro e fazem-no através da venda da sua força de trabalho e das suas aptidões adquiridas. O preço que obtêm depende da disponibilidade de trabalho e da procura de certas mercadorias (não poderão ganhar dinheiro se produzirem bens que ninguém quer). Poderíamos abolir o mercado de trabalho da mesma maneira que o das mercadorias: destinando empregos ou destinando sapatos por um qualquer processo político ou administrativo. O argumento contra esta prática é o mesmo em ambos os casos. Pondo de parte a questão da eficiência, este argumento refere-se ao modo como os indivíduos se relacionam com os empregos e as mercadorias, ao significado que ambas estas realidades têm nas suas vidas e ao modo como são procuradas, utilizadas e gozadas. Não pretendo sugerir que haja necessariamente qualquer semelhança entre elas. Para a maioria de nós, o nosso trabalho embora instrumental relativamente à posse das coisas, é mais importante que qualquer conjunto delas. Mas isto quer apenas dizer que a atribuição de trabalho será — provavelmente mais do que a atribuição de coisas — sentida como um acto de tirania.

O caso seria diferente se o trabalho fosse destinado de acordo com o nascimento e posição social, sendo igualmente diferente no tocante às coisas; é que nas sociedades em que o trabalho é hereditário e está hierarquizado, o mesmo acontece com o consumo. Os homens e mulheres a quem é permitido executar unicamente certos trabalhos, estão normalmente autorizados a usar e exibir unicamente certas espécies de mercadorias. É, porém, um aspecto fundamental na identidade individual, actualmente nos Estados Unidos, o de que se uma pessoa faz isto, podia também fazer aquilo; se tem isto, podia também ter aquilo. Sonhamos acordados com as nossas opções. À medida que vamos envelhecendo, esses sonhos tendem a desvanecer-se, particularmente entre os pobres que se vão gradualmente convencendo de que não só lhes falta tempo como também recursos para explorarem as oportunidades do mercado. E faltam-lhes esses recursos — assim lhes é dito — por causa do mercado. O preço da sua liberdade é também a causa do seu insucesso. Não nasceram para ser pobres; simplesmente não foram capazes de ganhar dinheiro.

Na verdade, quanto mais perfeito for o mercado, menores serão as desigualdades de rendimento e menos frequentes os insucessos. Se imaginarmos uma igualdade aproximada em termos de mobilidade, informação e oportunidades de aprendizagem, acontecerá que os empregos mais aliciantes atrairão o maior número de candidatos e, assim, os salários que por eles são pagos, descerão; as pessoas fugirão dos empregos menos aliciantes cujos salários subirão. As aptidões especiais e as aptidões combinadas continuarão a ser recompensadas; não é minha intenção contestar a capacidade de ganho dos excepcionalmente bem dotados (e muito altos) jogadores de basquetebol ou das estrelas de cinema. Porém, muita gente fará por adquirir as necessárias aptidões ou por arquitectar as combinações certas e em muitas áreas da vida económica será elevada a taxa de sucesso. Assim, as flagrantes desigualdades que hoje vemos à nossa volta não poderiam ser mantidas. Derivam elas mais claramente das hierarquias sociais, das estruturas de organização e das relações de poder do que do mercado livre [30]. (E são mantidas por herança, assunto este que mais adiante abordarei.) Tentemos agora imaginar uma situação em que a hierarquia, a organização e o poder tivessem sido, não digo eliminados, mas neutralizados pela igualdade de modo a fazer sobressair as desigualdades específicas do mercado. Que espécies de diversidade de rendimentos persistiriam? O feixe remanescente de factores geradores de assimetrias não é fácil de desemaranhar; a sua complexidade continua a ser discutida entre economistas e sociólogos e não conheço maneira de resolver a discussão [31]. Pretendo unicamente fazer um esboço aproximado e teórico, baseado num mínimo de evidência empírica, pois as circunstâncias que vou descrever verificaram-se apenas nalguns locais e de forma incompleta. Imaginemos então numa sociedade de mercado uma herdade ou uma fábrica democraticamente geridas, uma unidade colectiva de produção. Todos os membros têm igual posição, encontrando-se sob o seu controlo a estrutura concreta da empresa e sendo o poder exercido colectivamente através de comissões, assembleias, debates e eleições. Como é que os membros se irão remunerar uns aos outros? Será que irão estabelecer remunerações diferentes para aqueles trabalhos que requerem maior ou menor especialização? Para os trabalhos mais ou menos duros? Para os trabalhos sujos ou limpos? Ou será que insistirão em que todos tenham salários iguais?

As respostas a estas questões serão provavelmente semelhantes às que forem dadas às questões colocadas por Gorz: serão diferentes consoante forem diferentes as fábricas e as herdades. É este o tema da política das fábricas e herdades, tal como o consumo público e privado é o tema da política dos prédios de apartamentos. E as decisões democráticas seguirão esta ou aquela via, conforme a ideologia dominante no seio dos trabalhadores, o carácter da sua empresa e a evolução dos debates. Atentas as exigências do processo democrático de decisão e a sua ética usual, não se podem esperar grandes diferenças. Até hoje, tem sido esta a experiência verificada em fábricas possuídas ou geridas pelos trabalhadores. Na Jugoslávia *, por exemplo,

* Na Jugoslávia socialista, ou seja, no regime anterior aos acontecimentos que nos últimos anos abalaram a Europa Oriental e Central. *(NT)*

«a tendência habitual dos planos salariais elaborados pelos conselhos de trabalhadores tem sido igualitária»[32]. Um estudo recente sobre experiências americanas é igualmente categórico: «Em cada um dos casos aqui relatados, se as empresas autogeridas não fixaram salários totalmente uniformes, pelos menos igualizaram-nos significativamente, em comparação com o que se passa nas empresas capitalistas e mesmo nas repartições públicas.»[33] As novas regras distributivas parecem, aliás, não ter efeitos negativos na produtividade.

Se as novas regras tivessem efeitos negativos, seriam provavelmente modificadas ou, pelo menos, haveria fortes razões para que o fossem. É que os trabalhadores têm, apesar de tudo, de viver com as limitações do mercado. Só podem distribuir o que ganharem e têm de recrutar novos membros à medida que deles vão necessitando, frequentemente para lugares especiais e requerendo aptidões especiais. Daí que as desigualdades surjam forçosamente em determinada fábrica se o recrutamento ou a atribuição de funções impuserem diversa remuneração e se a não impuserem, então aquelas surgirão entre diferentes fábricas. Algumas fábricas serão mais bem sucedidas do que outras, tal como o Macy foi mais bem sucedido do que outros armazéns. Os seus membros terão de decidir entre investir na expansão com os subsequentes bons resultados ou distribuir os lucros e, se se decidirem pela distribuição, entre o fazê-lo sob a forma de rendimento pessoal ou de serviços comunitários. Outras fábricas procederão de modo desastrado e falharão, talvez por terem apostado no mercado e perdido, talvez devido a dissensões internas e má administração. E então teremos nós, os outros, de decidir se subsidiamos ou não esses fracassos — digamos, a bem da sobrevivência e prosperidade da cidade —, precisamente como actualmente fazemos com as empresas capitalistas.

O rendimento é, pois, determinado por uma combinação de factores, políticos e de mercado. Vou ter de defender no capítulo 12 a descrição específica de factores políticos que acabo de fazer. Por ora, quero apenas afirmar que esta descrição reproduz, no condicionalismo da indústria e da agricultura em larga escala, precisamente aqueles aspectos da economia pequeno-burguesa que fazem com que os seus riscos — e as desigualdades que derivam desses riscos — sejam defensáveis. O processo democrático de decisão, tal como a pequena propriedade pequeno-burguesa, é um meio de tornar o mercado transparente, ligando as suas oportunidades e riscos ao esforço, iniciativa e sorte reais dos indivíduos (ou grupos de indivíduos). É isto que a igualdade complexa exige: não que o mercado seja abolido, mas sim que ninguém seja impedido de utilizar as suas potencialidades por causa da sua baixa posição social ou carência de poder político.

Nestas últimas páginas, segui o raciocínio esboçado em primeiro lugar por R. H. Tawney nos anos que antecederam a Primeira Guerra Mundial. Vale a pena citar este raciocínio com algum pormenor:

> Quando a maioria das pessoas era constituída por pequenos proprietários de terras ou pequenos artesãos... estes corriam riscos. Porém, ao mesmo tempo tinham lucros e sobras. Hoje o artesão corre riscos... mas não tem a expectativa de obter lucros excepcionais, a oportunidade de fazer pequenas especulações e o poder de orientar a sua vida é o que faz com que os riscos valham a pena.

Tawney não duvidava de que valesse a pena correr riscos. Isto não quer, porém, dizer que um grande número de homens e mulheres tenha de viver permanentemente mesmo à beira do perigo; contra esse tipo de vida deve a comunidade conferir protecção. A protecção tem, contudo, os seus limites e, para lá desses limites, os indivíduos e grupos de indivíduos estão entregues a si próprios e são livres de ir em busca do perigo ou de o evitar, se puderem. Se não fossem livres, nem os indivíduos nem os grupos seriam provavelmente o que a nossa cultura (em termos ideais) exige que eles sejam: activos, enérgicos, criativos e democráticos, moldando a sua vida pública e privada. E Tawney prossegue: o risco «é tonificante»,

> *se for voluntariamente assumido,* pois, nesse caso, uma pessoa pondera os prováveis ganhos e perdas e arrisca os miolos e a reputação para ser bem sucedido. Mas quando a maioria das pessoas é constituída por servidores assalariados, não são estes a decidir que riscos vão correr. Tudo foi decidido por eles, pelos seus patrões. Nada ganham com o êxito da empresa, não tendo nem a responsabilidade do esforço nem o orgulho da realização; suportarão unicamente a dor do insucesso. Não nos espantemos pois com que — enquanto assim for — anseiem por segurança acima de tudo... Em tais circunstâncias, a alegação de que às pessoas deve ser permitido correr riscos... constitui um ataque, não aos actuais esforços para dar segurança aos assalariados e sim a todo o sistema salarial[34].

A *todo* o sistema salarial, talvez seja um exagero. Embora os trabalhadores, sob as regras distributivas defendidas por Tawney, não vendessem literalmente a sua força de trabalho nem as suas aptidões adquiridas, apresentar-se-iam, em todo o caso, perante o director de pessoal ou a comissão de pessoal da fábrica local arvorando a sua força e as suas aptidões. As condições de admissão na cooperativa e os proventos respectivos seriam, todavia, determinados em parte pelas forças do mercado — mesmo quando co-determinadas através de um processo político democrático. Tawney não propunha a abolição do mercado de trabalho; tentava sim, como tenho vindo a fazer, definir os limites adequados para o seu funcionamento.

As redistribuições

Pode conceber-se o mercado como uma esfera sem limites, uma cidade sem zonas demarcadas, já que o dinheiro é insidioso e as relações de mercado são expansivas. Uma economia radicalmente dominada pelo princípio do *laissez-faire* seria como um Estado totalitário, invadindo todas as outras esferas e dominando todos os outros processos distributivos. Transformaria todos os bens sociais em mercadorias. Isto chama-se imperialismo de mercado. Penso que é menos perigoso que o imperialismo de Estado porque mais fácil de controlar. As trocas bloqueadas formam um grande número de controlos, exercidos não só pelas autoridades, mas também por homens e mulheres comuns, defendendo os seus interesses e os seus direitos. Os bloqueios, porém, nem sempre resistem e quando as distribuições no mercado não puderem ser contidas nos limites adequados, temos de encarar a possibilidade de redistribuições políticas.

Não me estou a referir aqui às redistribuições através das quais é financiado o Estado Social. Estas são retiradas de um fundo de riqueza, a «riqueza comum», para o qual cada um contribui segundo os seus recursos disponíveis. É por esse fundo que são pagas a segurança física, o culto comunitário, as liberdades civis, a educação, a assistência médica e o que quer que consideremos como implicações da qualidade de membro. A riqueza privada vem mais tarde. Tanto histórica como sociologicamente, a constituição do fundo comum e a repartição são anteriores à compra e venda[35]. Posteriormente, é concebível que a provisão comunitária invada o mercado. É a seguinte a alegação dos chefes de todas as revoltas contra os impostos desde os poujadistas franceses dos anos 50 até aos defensores da Moção 13 na Califórnia: que a carga imposta pela qualidade de membro se tornou demasiado pesada, restringindo os prazeres legítimos e limitando de forma inconveniente os riscos e os incentivos da esfera do dinheiro e das mercadorias[36].

Estes críticos poderão ter razão, pelo menos algumas vezes, pois, na verdade, há aqui conflitos reais. E há também opções práticas difíceis, pois se os constrangimentos e limitações forem demasiado severos, a produtividade pode baixar e haverá então um menor espaço para o reconhecimento social das necessidades. Porém, a um certo nível de tributação, e supondo que não necessariamente ao nível existente, não se pode dizer que a comunidade política invada a esfera do dinheiro; limita-se a reclamar o que lhe pertence.

O imperialismo do mercado requer outro tipo de redistribuição que não é tanto uma questão de traçar um limite, mas mais de voltar a traçá-lo. O que está aqui em causa é o predomínio do dinheiro fora da sua esfera, a capacidade que homens e mulheres ricos têm para negociar favores, comprar cargos públicos, corromper tribunais e exercer o poder político. De um modo geral, o mercado possui os seus territórios ocupados, podendo conceber-se a redistribuição como uma espécie de irredentismo moral, um processo de revisão de fronteiras. Princípios diversos regem este processo em diversos pontos no tempo e no espaço. No que se refere ao meu objectivo imediato, o princípio mais importante enuncia-se (aproximadamente) desta maneira: o exercício do poder pertence à esfera política, enquanto o que se passa no mercado deveria, no mínimo, aproximar-se de uma troca entre iguais (uma troca livre). Estas últimas palavras não significam que todas as mercadorias serão vendidas pelo seu «justo preço» nem que todos os trabalhadores receberão a sua «justa retribuição» *. Esta espécie de justiça é alheia ao mercado. Porém, todas as

---

* Talvez devêssemos conceber o preço justo como outra forma de troca bloqueada: fixa-se um preço por um processo diferente do resultante das transacções e impedem-se as trocas a qualquer outro preço. O conjunto de bens que é controlado por este processo varia muito com as culturas e os períodos históricos, mas os géneros alimentícios são os bens normalmente mais controlados[37]. Entre nós, o preço justo sobrevive no caso dos serviços públicos — que, com muita frequência, se encontram em mãos privadas — em que os preços são, ou é suposto serem, fixados com referência, não ao que o mercado consente, e sim a uma certa concepção comum de um lucro «razoável» e em que os padrões de serviço são controlados de modo semelhante.

trocas devem ser resultado de negócios e não de ordens ou ultimatos. Para que o mercado funcione convenientemente, devem impedir-se as «trocas filhas do desespero», pois a necessidade, no dizer de Benjamin Franklin, «nunca fez um bom negócio»[38]. Num certo sentido, o Estado Social apoia a esfera do dinheiro ao garantir que os homens e mulheres nunca serão obrigados a negociar sem recursos os meios mais elementares de subsistência. Quando o Estado actua para facilitar a organização sindical, está a obedecer à mesma finalidade. Os trabalhadores isolados podem ver-se forçados a contratar em último recurso e levados pela sua pobreza ou pela sua falta de especial habilidade para negociar ou pela sua incapacidade de se mudarem juntamente com a família, a aceitar o ultimato de um qualquer patrão local. A negociação colectiva é mais susceptível de constituir uma troca entre iguais. Não garante um bom negócio como também o não garante a provisão comunitária, mas ajuda a manter a integridade do mercado.

Mas o que agora me interessa é a manutenção da integridade das outras esferas distributivas, por exemplo, tirando a empresários poderosos os meios de arrebatarem o poder político ou de submeterem as autoridades públicas à sua vontade. Quando o dinheiro traz consigo o controlo, não só das coisas, mas também das pessoas, deixa de ser um recurso privado. Deixa de comprar bens e serviços no mercado para passar a comprar coisa diferente noutro lugar, do qual (atenta a nossa concepção democrática da política) a compra e a venda estão banidas. Se não conseguirmos bloquear a compra, teremos então de socializar o dinheiro apenas para reconhecer que este adquiriu carácter político. Está aberto à discussão o ponto em que isto se torna necessário. Este ponto não é fixo, mudando com a força e a coerência relativas da esfera política.

Seria, contudo, errado imaginar que o dinheiro só tem efeitos políticos quando «fala» a candidatos e a autoridades e só quando se mostra discretamente ou se exibe abertamente nos corredores do poder. Também tem tais efeitos quando mais perto da origem, no próprio mercado e nas suas sociedades e empresas. Também aqui é necessária uma revisão de limites. Quando os negociadores sindicais exigiram, pela primeira vez, a instituição de mecanismos de arbitragem, alegaram que a disciplina fabril tinha de ser tratada como a justiça criminal no Estado, numa base judicial ou semi-judicial e não como as decisões de compra e venda de mercadorias, na base de juízos empresariais (ou dos caprichos de alguns empresários)[39].

O que estava em causa era a direcção do local de trabalho e a direcção não é objecto de mercado, pelo menos, numa sociedade democrática. É claro que a luta pelos processos arbitrais não era apenas uma disputa sobre limites e sim também uma luta de classes.

Os trabalhadores defendiam uma esfera política alargada, já que no seu âmbito teriam maior probabilidade de ser bem sucedidos, estando interessados em traçar uma certa orientação. Pode, todavia, afirmar-se, como me sinto inclinado a fazer, que as suas reivindicações eram justas. Esta matéria pode ser objecto não só de luta, mas também de discussão.

E a discussão pode ainda avançar. Mesmo no âmbito das relações antagónicas entre patrões e trabalhadores, com os sindicatos e os procedimentos arbitrais a funcionar, os patrões podem continuar a exercer um poder ilegítimo. Tomam todo o género de decisões, constrangendo e moldando severamente as vidas dos seus empregados (e também dos seus concidadãos). Não poderia o enorme investimento de capital representado pelas fábricas, fundições, máquinas e linhas de montagem ser encarado como um bem político mais favoravelmente do que como um bem económico? Dizer isto não significa que não possa ser partilhado entre os indivíduos de várias maneiras e sim, apenas, que não traria consigo as implicações convencionais da propriedade. Para além de uma certa escala, os meios de produção não são propriamente qualificados de mercadorias, como não o são o sistema de irrigação dos antigos Egípcios, as estradas dos Romanos ou dos Incas, as catedrais da Europa medieval ou as armas dos exércitos modernos, pois geram um tipo de poder que os eleva acima da esfera económica. Voltarei a este assunto quando analisar detalhadamente a esfera política. Por agora, quero apenas salientar que mesmo esta última redistribuição deixaria intacto, senão o mercado capitalista, pelos menos o mercado em si.

As redistribuições são de três espécies: em primeiro lugar, a do poder do mercado, como no caso do bloqueio das trocas desesperadas e do apoio aos sindicatos; em segundo, a do dinheiro, directamente, através do sistema tributário; em terceiro, a do direito de propriedade e das relações de posse, como no caso da instituição dos procedimentos arbitrais ou do controlo cooperativo dos meios de produção. Todas estas redistribuições traçam de novo a linha que separa a política da economia e fazem-no de modo a fortalecer a esfera política — o pulso dos cidadãos, quer dizer, não necessariamente o poder do Estado. (Presentemente na Europa Oriental*, um «irredentismo moral» deste género fortaleceria a esfera económica e dilataria o âmbito das relações de mercado.) Mas por mais forte que seja o seu pulso, os cidadãos não podem tomar decisões a seu bel-prazer. A esfera política tem as suas próprias limitações, confina com outras esferas e encontra os seus limites nestas confinidades. Daí que as redistribuições nunca possam produzir uma igualdade simples, enquanto o dinheiro e as mercadorias existirem e houver um certo espaço social legítimo no interior do qual possam ser trocados ou até mesmo ofertados.

Os presentes e as heranças

Actualmente nos Estados Unidos, os presentes são determinados pelas mercadorias. Se posso ter este objecto e trocá-lo por qualquer outra coisa (no âmbito da esfera do dinheiro e das mercadorias), é evidente que posso dá-lo a quem quiser. Se posso moldar a minha identidade por meio das coisas que possuo, então também posso fazê-lo por meio daquelas de que me desfaço. E — o que é ainda mais evidente — não posso dar aquilo que não tenho. Será, porém, útil pensar mais atentamente nos presentes, pois através da sua história poderemos aprender muito sobre nós próprios e descobrir também algumas maneiras interessantes de ser diferente. Começarei por uma das descrições antropológicas mais conhecidas.

---

* O texto é anterior à queda do Muro de Berlim e acontecimentos que se lhe seguiram. *(NT)*

A troca de presentes no Pacífico Ocidental

O estudo elaborado por Bronislaw Malinowsky sobre as relações de troca entre os ilhéus de Trobriand * e os seus vizinhos é longo e muito detalhado; não começarei por referir a sua complexidade[40]. Vou tentar fazer apenas uma breve análise do seu tema principal, o *Kula*, que é um sistema de troca de presentes pelo qual colares de conchas vermelhas e pulseiras de conchas brancas viajam em sentidos opostos, percorrendo muitas milhas e um círculo de ilhas e presenteadores. Esses colares e pulseiras são objectos rituais, estereotipados na forma, mas diferentes em valor; os melhores são mesmo muito valiosos, as coisas mais valiosas que os ilhéus têm, sendo muito procurados e grandemente apreciados. Aqueles dois objectos são trocados um pelo outro e por nada mais. Não se trata, contudo, aqui de um «comércio» no sentido que costumamos dar a esta palavra; os colares e as pulseiras «não podem nunca ser trocados de mão em mão, com a equivalência entre os dois objectos a ser discutida, negociada e calculada»[41]. A troca assume a forma de uma série de presentes. Dou ao meu parceiro *Kula* um colar; algum tempo depois, talvez tanto como um ano, ele dá-me uma pulseira ou uma colecção de pulseiras. E a série não acaba aqui. Passo as pulseiras a outro parceiro e recebo outro colar que, por minha vez, ofereço. Estes objectos são possuídos apenas temporariamente; de vários em vários anos, deslocam-se ao longo do círculo, do círculo *Kula*, os colares no sentido dos ponteiros do relógio e as pulseiras em sentido oposto. «Uma única transacção não põe termo ao círculo *Kula*, vigorando a regra "uma vez no *Kula*, para sempre no *Kula*"»[42].

Cada presente é, pois, uma retribuição de um presente anterior. A equivalência é deixada ao dador, embora «se espere que retribua com o mesmo e justo valor». Na verdade, «cada deslocação dos artigos *Kula*, cada pormenor da transacção é... regulado por uma série de normas e convenções tradicionais»[43]. Há lugar para a generosidade e lugar para o ressentimento, mas a estrutura básica é inalterável. Poder-se-á concebê-la mais como um sistema de alianças do que como um sistema económico, muito embora esta distinção não tenha qualquer significado para os ilhéus de Trobriand. O círculo *Kula* tem uma certa analogia com a nossa roda social em que os amigos trocam presentes e convites entre si, obedecendo ao que tem de se considerar necessariamente um padrão convencional. Esta troca não é um negócio; não se pode comprar a fuga às obrigações que implica, tendo as retribuições que ser em espécie. E a relação não termina com a retribuição: num grupo de amigos, os presentes e os convites giram e andam continuamente de um lado para o outro. Todavia, o círculo *Kula* domina mais as vidas dos seus participantes do que a roda social as nossas. É, como afirma Marshall Sahlins, a expressão de um contrato social, tendo todas as outras relações e transacções lugar à sua sombra, ou melhor, sob a protecção da paz que instaura e garante[44].

Entre estas encontra-se aquilo a que Malinowsky chama de «comércio puro e simples» e a que os ilhéus chamam *gimwali*. Aqui, o comércio é de mercadorias

---

* As Ilhas Trobriand encontram-se situadas a norte do extremo leste da Nova Guiné, fazendo parte da Papuásia-Nova Guiné. *(NT)*

e não de objectos rituais, sendo inteiramente legítimo negociar, regatear e buscar as próprias conveniências. O *gimwali* é livre; pode ocorrer entre duas pessoas estranhas uma à outra e o fecho do negócio termina a transacção. Os ilhéus traçam uma nítida fronteira entre esta espécie de comércio e a troca de presentes. Ao criticarem o mau comportamento no *Kula* dirão que «foi feito como um *gimwali*»[45]. Ao mesmo tempo, o êxito no comércio puro e simples elevará a posição da pessoa no *Kula*, pois a troca de colares e pulseiras é acompanhada por outros tipos de ofertas e festejos cuidadosamente preparados, exigindo recursos consideráveis. Penso que isto também é verdade no que nos diz respeito, pois o êxito nos negócios modifica a posição da pessoa na roda social. Contudo, somos mais propensos a gastar dinheiro connosco do que com os outros. Entre os ilhéus, pelo contrário, todas as formas de produção e acumulação estão subordinadas ao *Kula*; desde a liberdade de «obter» até uma forma de «gastar» altamente convencional e moralmente coerciva.

Os presentes não são, pois, determinados pelas mercadorias. Os ilhéus têm, na verdade, uma certa concepção da propriedade e embora esta consinta menos liberdade do que a nossa, ainda deixa lugar à escolha pessoal e ao uso privado (ou familiar), não se estendendo, porém, aos objectos *Kula*. Estes pertencem ao círculo e não aos indivíduos. Não podem ser retidos por muito tempo (sob pena de se ficar com a fama de ser «lento» no *Kula*). Não podem ser dados aos próprios filhos em vez de o serem aos parceiros. Não podem circular em sentido errado nem trocados por coisas doutra espécie. Deslocam-se num certo sentido, de acordo com um certo plano e acompanhados por certos ritos e cerimónias. O presente — diriam os ilhéus — é demasiado importante para ser deixado ao arbítrio do dador.

As doações no Código Napoleónico

Entre os ilhéus de Trobriand os presentes fazem amigos, criam confiança, celebram alianças e garantem a paz. Os dadores são homens influentes e prestigiados e quanto mais puderem dar, maior será a sua generosidade e mais se distinguirão entre os seus pares. Há, porém, muitas culturas em que predomina uma concepção muito diversa da presente, de acordo com a qual se trata menos de uma ascensão social do que de uma dissipação dos bens do dador. A riqueza, a terra, o dinheiro e as coisas existem em quantidade limitada e os presentes diminuem-na. Acontece que esta riqueza não pertence simplesmente ao indivíduo (e muito menos ao seu círculo de amigos); este é o seu possuidor legal, mas sob certas condições e para certos fins. Sob outras condições e para outros fins, aquela pertence à sua família ou melhor, à sua linhagem. E, neste caso, as autoridades políticas intervêm para proteger os interesses da geração seguinte.

Esta concepção da riqueza tem a sua origem nas leis feudais e tribais e tem uma longa história que não irei agora contar. Durante a Revolução Francesa, tentou-se destruir a propriedade aristocrática e todas as grandes concentrações de riqueza ao garantir quinhões iguais aos herdeiros de igual grau. Esta garantia foi acolhida pelo Código Napoleónico, embora com modificações, representando obviamente uma severa restrição ao direito de testar dos proprietários individuais. Mas, mais importante do que isso, era o facto de o Código pretender regular os direitos do proprietário ainda em vida, ao limitar o seu direito de dispor do seu dinheiro como muito bem lhe aprouvesse, a favor de estranhos simpáticos ou de parentes fora da linha directa descendente. O legislador criou uma reserva, uma percentagem da totalidade dos bens (de todos os bens que a pessoa alguma vez tivesse possuído), a qual não podia ser doada nem objecto de testamento. «A reserva variava de acordo com o número e espécies de... herdeiros sobreviventes: metade dos bens se não existissem filhos, três quartos se tivessem ficado três ou menos, quatro quintos se tivessem ficado quatro e assim por diante.» No caso de os valores correctos não estarem disponíveis para distribuição, anulavam-se as disposições testamentárias e as doações *inter vivos* eram «reduzidas» ou «restituídas»[46].

Mais uma vez, aqui os presentes não seguem as regras das mercadorias. Os proprietários individuais podem fazer do dinheiro o que quiserem, desde que o gastem consigo. Podem comer os mais delicados manjares confeccionados pelos melhores cozinheiros, passar férias na Riviera, e jogar os seus bens às cartas ou na roleta. A lei regula a sua generosidade para com os estranhos, mas não as suas fraquezas. O contraste pode parecer bizarro, mas não é incompreensível. Seria preciso um regime severamente coercitivo para policiar as fraquezas, ao passo que o controlo dos presentes ou das doações em larga escala parece mais fácil (ficou, na realidade, provado que é muito difícil). Há, porém, aqui uma distinção mais funda. Adquirir e gastar, no sentido vulgar destas palavras, são acções que pertencem à esfera do dinheiro e das mercadorias e são governadas pelas regras próprias dessas esferas que são regras de liberdade. Porém, a distribuição dos bens familiares pertence a outra esfera — a do parentesco — que é governada por princípios de reciprocidade e obrigação. As fronteiras são aqui tão difíceis de traçar como em qualquer outro sector; presentemente, nos Estados Unidos, encontram-se traçadas muito mais apertadamente do que no Código Napoleónico. Todavia, a nossa concepção da obrigação de prestar alimentos aos filhos ou ao ex-cônjuge, revela a existência de um fundo comum familiar, bastante parecido com o fundo comunitário em que não são permitidas as despesas livres. Pode alegar-se que a obrigação de prestar alimentos é, digamos, uma obrigação livremente contraída quando uma pessoa se casa e tem filhos. Não há, porém, acordo, contrato ou opinião individual que dê forma a essa obrigação. Ela é determinada colectiva e não individualmente e essa determinação reflecte a nossa concepção colectiva do que é a família.

De um modo mais geral, porém, desde a fundação da república que os americanos têm sido consideravelmente livres para fazer o que muito bem entendem com o seu dinheiro. A família tem tido menos importância aqui do que na Europa, provavelmente devido à ausência de um passado feudal; em resultado disso, a riqueza escapou mais facilmente ao controlo familiar. Nos seus *Princípios de Economia Política*, publicados pela primeira vez em 1848, John Stuart Mill elogiou este aspecto da vida americana, citando *Travels in North America*, de Charles Lyell:

> Não só é vulgar os capitalistas ricos deixarem por testamento uma parte da sua fortuna como dotação a instituições nacionais como também os indivíduos, durante a sua vida, fazem avultadas doações em dinheiro com a

mesma finalidade. Não existe aqui qualquer lei que obrigue à divisão da propriedade em partes iguais pelos filhos, como em França, e não há, por outro lado, o costume do morgadio ou da primogenitura, como em Inglaterra, de maneira que as pessoas abastadas são livres de partilhar a sua riqueza entre os seus parentes e o público[47].

Mas se a filantropia não está sujeita a controlo e é mesmo incentivada pelo Estado, as doações, heranças de outro tipo e legados a parentes, continuam sujeitos à lei, não no tocante, por assim dizer, ao seu destino, mas à sua dimensão. Presentemente, este controlo legal não tem grande importância, mas o princípio está em vigor e é importante tentar compreender a sua base moral e procurar extrair algumas conclusões relativamente ao seu alcance prático adequado.

Mill apresentou uma descrição utilitária das restrições aos legados e heranças. Se atribuirmos a uma grande fortuna o seu justo valor — diz-nos — «o dos prazeres e proveitos que com ela se possam adquirir», então «torna-se evidente para quem quer que seja, que a diferença para o possuidor entre uma independência moderada e cinco vezes mais do que isso é insignificante quando comparada com o prazer que se poderá tirar... de uma outra disposição dos quatro quintos»[48]. Tenho, porém, muitas dúvidas de que esta visão da utilidade marginal da riqueza convença qualquer potencial possuidor de uma grande fortuna. O dinheiro pode comprar muito mais coisas, além da independência moderada. Mill sugeriu uma razão melhor para as medidas que defendia, ao resumir os efeitos pretendidos: tornar «as enormes fortunas de que ninguém precisa para outros fins pessoais que não sejam a ostentação ou o poder ilegítimo... menos numerosas»[49]. A ostentação não tem obviamente importância; é uma fraqueza vulgar no âmbito da esfera do dinheiro, impossível de controlar, a menos que se imponham leis sumptuárias com o maior rigor. Todavia, o poder ilegítimo pode ser controlado, desde que se mantenha a integridade da esfera política. Em termos ideais, talvez se desfizessem enormes fortunas antes de poderem ser transferidas. Pode, porém, haver razões para que se permita uma substancial (ainda que não ilimitada) acumulação no decurso de uma única vida; com frequência, os efeitos políticos mais importantes só vêm a ser sentidos na geração seguinte, cujos elementos são educados em hábitos de mando. Em todo o caso, o objectivo principal das restrições de legados e heranças, tal como o de qualquer outra forma de redistribuição, é o de garantir as fronteiras das várias esferas. Uma vez atingido este objectivo, o argumento da utilidade marginal de Mill tornar-se-á mais plausível, pois já não haverá muito que uma pessoa possa fazer com dinheiro. Não é, porém, ainda este argumento que fixa limites às transferências. Esses limites terão já sido fixados com referência à solidez relativa daquelas fronteiras (e ao êxito de outras formas de defesa das mesmas). Se, por exemplo, fôssemos totalmente bem sucedidos na interdição da conversão de dinheiro em poder político, poderíamos, nesse caso, deixar completamente de limitar as suas acumulação ou alienação. No pé em que estão as coisas, temos fortes razões para as limitar a ambas, razões estas que têm menos a ver com a utilidade marginal do dinheiro do que com a sua eficácia extramural.

O direito de dar e o direito de receber resultam do significado social do dinheiro e das mercadorias; aqueles direitos, porém, só prevalecem enquanto estas duas entidades, e só estas, forem dadas e recebidas. «A posse de uma coisa», como disse Mill, «não pode ser considerada total sem a faculdade de dela se dispor, por morte ou em vida, a bel-prazer do possuidor»[50]. Aquilo que se pode possuir também se pode dar. A doação unilateral é um fenómeno ímpar na esfera do dinheiro e das mercadorias, tal como tomou forma na nossa sociedade. Não faz parte do *Kula* nem de qualquer outro sistema de troca de presentes. Encontra-se severamente restringida, quando não mesmo totalmente banida, onde quer que a propriedade se apresente investida na família ou na linhagem. É uma característica especial da nossa cultura que abre caminho a certas espécies de generosidade e de dedicação ao bem público (e também a certos comportamentos caprichosos e mesquinhos). Não constitui, porém, generosidade ou dedicação ao bem público passar um cargo político — ou qualquer posição que confira poder sobre outras pessoas — para um amigo ou um parente. E não podem a posição profissional ou a consideração pública ser transmitidas à discrição, pois ninguém tem o poder de o fazer. A igualdade simples exigiria uma longa lista de outras proibições; para falar verdade, exigiria a proibição total dos presentes. Mas é claro que o presente é uma das melhores manifestações da propriedade tal como a concebemos. E enquanto actuarem no âmbito da sua esfera, temos todos os motivos para respeitar os homens e mulheres que dão o seu dinheiro àqueles que amam ou para causas em que estão empenhados, mesmo que os efeitos distributivos daí decorrentes sejam imprevisíveis e desiguais. O amor e o empenhamento, tal como o espírito empreendedor, têm os seus riscos e (algumas vezes) os seus êxitos inesperados, não cabendo necessariamente à teoria da justiça distributiva rejeitá-los ou reprimi-los.

CAPÍTULO V

OS CARGOS PÚBLICOS

A igualdade simples na esfera dos cargos públicos

De acordo com o dicionário, um cargo público é «um lugar de confiança e autoridade ou um serviço desempenhado sob uma autoridade constituída... uma posição ou emprego oficial». Proponho uma definição mais alargada, de modo a abranger o amplo significado que a expressão «autoridade constituída» tem no mundo moderno: um cargo público é uma posição pela qual se interessa a comunidade política no seu todo, escolhendo a pessoa que vai ocupá-la ou regulamentando o processo da escolha. O controlo sobre as nomeações é fundamental. A distribuição de cargos não é matéria que se possa deixar ao arbítrio dos indivíduos ou dos pequenos grupos. Os cargos não podem ser apropriados pelos particulares, nem transmitidos no interior das famílias, nem vendidos no mercado. Esta definição é, evidentemente, convencional, já que posições do género da ali referida foram no passado distribuídas de todas estas maneiras. Nas sociedades a que Weber chama «patrimoniais», até mesmo posições no aparelho de Estado eram detidas como propriedade de indivíduos poderosos e passadas de pais para filhos. Não eram necessárias nomeações; o filho sucedia no cargo como na terra e embora o soberano pudesse reivindicar o direito de reconhecer o título, não podia discuti-lo. Actualmente, o mercado é a principal alternativa ao sistema dos cargos e os detentores do poder do mercado ou os seus representantes autorizados — directores de pessoal, capatazes, etc. — são as principais alternativas às autoridades constituídas. Porém, a distribuição das posições e lugares no mercado vem sendo cada vez mais submetida a regulamentação política.

O conceito de cargo público é muito antigo. No Ocidente, desenvolveu-se com a Igreja Cristã, ganhando especial importância no decurso da longa luta travada para libertar a Igreja do mundo privado do feudalismo. Os chefes da Igreja estabeleceram dois princípios: primeiro, o de que os cargos eclesiásticos não poderiam ser propriedade dos beneficiados ou dos seus protectores feudais e distribuídos por amigos e parentes; segundo, o de que não poderiam ser negociados nem vendidos. O nepotismo e a simonia eram pecados susceptíveis de ser cometidos desde que os particulares controlassem a distribuição de cargos religiosos. Em vez disso, os cargos deveriam ser distribuídos pelas autoridades constituídas da Igreja, agindo em nome de Deus e no interesse do Seu serviço. Deus foi, se assim nos podemos exprimir, o primeiro meritocrata, sendo a piedade e o conhecimento divino as qualificações por Ele exigidas dos Seus funcionários (e também, evidentemente, a capacidade administrativa, a aptidão para lidar com dinheiro e o *savoir faire* político). O arbítrio não foi abolido, mas passou para uma hierarquia administrativa, tendo sido sujeito a uma série de constrangimentos [1].

Os defensores de um funcionalismo público foram buscar à Igreja a ideia de cargo público e secularizaram-na. Tiveram de travar uma longa luta, primeiro, contra o arbítrio pessoal reivindicado pelos aristocratas e gentis-homens e, depois, contra o arbítrio partidário reivindicado pelos democratas radicais. Tal como o serviço de Deus, também o serviço da comunidade política se foi lentamente transformando no ofício de pessoas qualificadas, fora do alcance das famílias poderosas ou dos partidos e facções triunfantes. Poder-se-ia elaborar uma defesa democrática das facções e partidos e, consequentemente, do que veio a ser conhecido como o «*spoils system*» *, pois aqui o arbítrio nas nomeações aparece como tendo sido delegado pela maioria dos cidadãos; mais adiante desenvolverei este raciocínio. Porém, a luta a favor do «*spoils system*» encontrou-se perdida a partir do momento em que esta designação se estabeleceu. Os cargos públicos são demasiado importantes para serem concebidos como despojos** da vitória. Ou melhor, as vitórias são demasiado efémeras e as maiorias demasiado instáveis para moldarem o serviço público de um Estado moderno. Em vez disso, o concurso tornou-se o mecanismo distributivo essencial, de tal modo que actualmente, por exemplo, num Estado como o Massachusetts, praticamente o único emprego estatal para o qual não há concurso (sem falar no governador, no seu gabinete e num certo número de comissões consultivas e reguladoras) é o de «trabalhador» e mesmo para este o processo de assalariamento é rigorosamente supervisionado [2]. Aí não há despojos. Os empregos foram definitivamente transformados em cargos, a bem da honestidade e da eficiência (da «boa administração») e, ainda, a bem da justiça e da igualdade de oportunidades.

A luta pela ideia do cargo público na Igreja e no Estado representa duas partes de uma história que tem agora uma terceira parte: a extensão gradual da ideia à sociedade civil. Presentemente, a qualidade de membro da maior parte das profissões tornou-se «oficial», na medida em que o Estado controla os processos de autorização e participa na imposição de padrões para a prática profissional. Efectivamente, todo e qualquer emprego para o qual se exija um diploma académico, é como que um cargo público, uma vez que o Estado controla o reconhecimento das instituições académicas, dirigindo-as frequentemente ele próprio. Pelo menos em princípio, as classificações e licenciaturas não estão à venda. Talvez seja a pressão do mercado que obriga os patrões a exigir diplomas (cada vez mais adiantados); porém, no processo da selecção académica, dos estágios e dos exames, os padrões praticados não são simplesmente os do mercado, estando nisso activamente interessados os agentes do Estado.

---

* Sem tradução literal adequada. Trata-se do sistema norte-americano (EUA) de distribuição de cargos públicos aos membros do partido que ganhou as eleições. *(NT)*

** *Spoils*: despojos. *(NT)*

O interesse, neste caso, nada tem a ver com Deus nem com a comunidade no seu todo, mas sim com os clientes individuais, os doentes e os consumidores de bens e serviços que dependem da competência dos detentores de cargos. Não estamos dispostos a deixar pessoas desamparadas e necessitadas à mercê de funcionários escolhidos pelo nascimento ou arbitrariamente protegidos por um qualquer indivíduo poderoso. Não estamos também dispostos a deixá-los à mercê de funcionários auto-escolhidos e que não tenham passado por qualquer processo, mais ou menos complexo, de tirocínio e de prestação de provas. Uma vez que os cargos são relativamente escassos, estes processos devem ser imparciais relativamente a todos os candidatos, devendo providenciar-se para que o sejam; essa imparcialidade exige que o seu planeamento seja retirado aos centros de decisão privados. Este poder tem vindo a ser cada vez mais politizado, ou seja, convertido em objecto de discussão pública e sujeito a um estudo cuidadoso e a regulamentação por parte do governo. Este sistema começou pelas profissões especializadas, mas foi recentemente alargado, de maneira a impor limitações em muitas espécies de processos de selecção. Na verdade, as leis que impõem «práticas honestas de emprego» e as decisões judiciais que exigem programas de «acção positiva» têm como efeito converter todos os empregos a que se aplicam em algo de semelhante a cargos públicos.

Nestes últimos exemplos, a principal preocupação tem sido a justiça, mais do que a eficiência ou a competência honesta, embora estas possam igualmente ter sido satisfeitas. Penso que é justo dizer-se que, presentemente, a tendência tanto da ciência como da filosofia política é no sentido de uma reconceptualização dos empregos como cargos, a bem da justiça. Isto está seguramente implícito na última (e menos controversa) parte do segundo princípio da justiça de Rawls: «As desigualdades económicas e sociais devem ser harmonizadas de modo a... ligá-las a cargos e posições abertas a todos em condições de uma justa igualdade de oportunidades.» [3] Qualquer posição pela qual as pessoas compitam entre si e relativamente à qual o triunfo de uma resulte em vantagem sobre as outras, deve ser distribuída «justamente», de acordo com critérios tornados públicos e processos transparentes. Seria injusto que um particular, por razões pessoais ou sem qualquer razão publicamente conhecida e aprovada, se pusesse simplesmente a distribuir cargos e posições. Os cargos devem ser conquistados em competição aberta. O objectivo a atingir é uma meritocracia plena, a concretização (finalmente!) do lema revolucionário francês: as carreiras abertas aos talentos. Os revolucionários de 1789 pensavam que para atingir este objectivo bastariam a destruição do monopólio aristocrático e a abolição de todas as barreiras legais ao progresso individual. Esta era ainda, um século mais tarde, a opinião de Durkheim, ao descrever a boa sociedade como aquela que requeria uma divisão «orgânica» do trabalho e em que «nenhum obstáculo, seja de que natureza for, impede (os indivíduos) de ocuparem no quadro social o lugar... compatível com as suas aptidões» [4]. Acontece, porém, que este feliz desfecho requer o trabalho positivo do Estado, através da realização de exames, do estabelecimento dos critérios que presidirão aos estágios e à atribuição de diplomas e da regulamentação dos processos de recrutamento e selecção. Só o Estado pode contrariar os efeitos discriminatórios do arbítrio individual, do poder do mercado e do privilégio empresarial e garantir a todos os cidadãos igual oportunidade de se mostrarem à altura dos padrões universais.

Assim, a velha divisão do trabalho é substituída por um serviço civil universal, estabelecendo-se uma espécie de igualdade simples. A soma das oportunidades disponíveis divide-se pelo número de cidadãos interessados e a cada um é dada a mesma oportunidade de conseguir um lugar. De qualquer maneira, é esta a tendência da evolução actual, embora haja obviamente muito a fazer até se atingir a sua conclusão lógica: um sistema que agregue todos os empregos, cuja ocupação possa compreensivelmente constituir um proveito económico ou social, ao qual todos os cidadãos tenham acesso em condições precisamente iguais. O quadro não deixa de ter os seus atractivos, mas requer que estejamos de acordo em que todos os empregos são realmente cargos e que devem ser distribuídos, senão pelas mesmas razões, ao menos pelas mesmas espécies de razões. Estas serão necessariamente razões meritocráticas, pois não há outras que liguem as carreiras aos talentos. As autoridades públicas têm de definir os méritos essenciais e impor a sua aplicação uniforme. Os cidadãos esforçar-se-ão por adquirir esses méritos e depois por converter essa aquisição num novo monopólio. As desigualdades sociais, disse Durkheim, «exprimirão exactamente as desigualdades naturais»[5]. Não; o que elas exprimirão é um conjunto especial de desigualdades naturais e artificiais associadas aos actos de ir à escola, fazer um exame, ser bem sucedido numa entrevista, levar uma vida disciplinada e obedecer a ordens. O que pode um serviço civil universal ser senão uma vasta e intrincada hierarquia em que predomina uma certa mistura de virtudes intelectuais e burocráticas?

Há, porém, outra espécie de igualdade simples destinada precisamente a evitar este resultado. De acordo com esta ideia, é menos importante a conversão de todos os empregos em cargos do que a conversão de todos os cidadãos em detentores de cargos, menos importante democratizar a selecção do que fazer a distribuição ao acaso (por exemplo, por sorteio ou rotação). Era esta a ideia que os gregos tinham do serviço civil, mas posteriormente à época clássica foi mais vulgarmente representada por uma certa espécie de radicalismo populista que tem as suas raízes numa profunda aversão aos detentores de cargos: sacerdotes, advogados, médicos e burocratas. A aversão pode sem dúvida dar origem a uma política complexa e subtil. Todavia, a exigência espontânea e irreflectida dos radicais populistas tem frequentemente sido expressa muito simplesmente: morte a todos os detentores de cargos!

Fora com ele! Fala latim[6]!

O radicalismo populista é anticlerical, antiprofissões especializadas e anti-intelectual. Em parte, assume esta forma porque os detentores de cargos são com frequência homens e mulheres de baixa condição que — renegando a sua classe — servem os interesses dos bem-nascidos. Porém, esta hostilidade está também relacionada com aquilo a que o Hamlet de Shakespeare chama «a arrogância do cargo», ou seja, a convicção peculiar manifestada pelos detentores de cargos, segundo a qual têm direito a eles e à autoridade e posição que lhes são inerentes, porque prestaram provas e obtiveram diplomas segundo padrões socialmente aprovados. A obtenção dos cargos é a sua realização e distingue-os como superiores aos seus concidadãos.

As formas mais ponderadas de populismo desempenharam um papel importante, primeiro no pensamento protestante e, depois, no democrático e no socialista. O apelo de Lutero para que todos os crentes fossem considerados sacerdotes tem tido a sua analogia virtualmente com todas as espécies de titularidade de cargos. Temos, assim, o redobrado esforço revolucionário para simplificar a linguagem da lei de modo a que todos os cidadãos possam ser advogados de si mesmos, ou a defesa feita por Rousseau a um sistema de escolas públicas em que os cidadãos comuns se revezassem como professores, ou a vontade manifestada por Jackson de que os cargos públicos fossem preenchidos em regime de rotação, ou a visão tida por Lenine de uma sociedade em que «todos os alfabetizados» fossem também burocratas[7]. O argumento principal em todos estes exemplos é o de que o desempenho de cargos públicos em si mesmo e não unicamente o poder de os distribuir, representa um monopólio injustificável. Se bem que os detentores de cargos não devam ser mortos, é no mínimo necessário rejeitar as suas pretensões de competência e privilégio. Fora, pois, com o latim e com todas as outras formas de conhecimento esotérico que tornam misterioso e difícil o desempenho de um cargo.

Nestas circunstâncias, a igualdade social exprime «exactamente» a igualdade natural, ou seja, a capacidade que todos os cidadãos possuem de comparticipar em todos os aspectos da actividade social e política. Tomada à letra, esta comparticipação só é, porém, possível em sociedades de pequena dimensão, homogéneas e economicamente rudimentares: o melhor exemplo é o da antiga Atenas. Em sociedades mais complexas há uma dificuldade característica, primorosamente enunciada no debate travado na China actual sobre o papel dos «peritos» e dos «vermelhos»[8]. Quando se desvaloriza o saber, cai-se na ideologia; acontece que à gestão da economia moderna são necessários um princípio orientador, uma referência-padrão da disciplina e da avaliação do trabalho. Se ao talento e à prática for negada legitimidade, mesmo na sua esfera própria, então o zelo ideológico é susceptível de imperar ilegitimamente fora daquela a que pertence. Quando o desempenho de cargos públicos se universaliza, igualmente se desvaloriza, ficando aberto o caminho à tirania do conselheiro político e do comissário.

A rotação nos cargos pode coexistir com um sistema de selecção profissional. O moderno serviço militar obrigatório é um exemplo óbvio e não é difícil imaginar sistemas parecidos em muitas outras áreas da vida social. Porém, como este exemplo mostra, é difícil abolir completamente a selecção. Os antigos atenienses elegiam os seus generais, porque pensavam que se tratava de um caso em que a competência era necessária e o sorteio inadequado. E quando Napoleão disse que cada soldado trazia na mochila um bastão de marechal, não queria dizer que qualquer soldado podia vir a ser marechal. Os cargos que requerem dilatada prática ou qualidades especiais de chefia não podem ser facilmente universalizados; os cargos raros só podem ser partilhados entre um número limitado de pessoas e a rotação de indivíduos para fora e para dentro, seria, com frequência, altamente perturbadora, tanto da vida privada como da actividade económica. Nem todos podem ser directores de hospital, mesmo que a rígida hierarquia do hospital moderno tenha sido destruída. E, mais importante do que isso, não é qualquer um que pode ser médico. Não é qualquer um que pode ser engenheiro-chefe numa fábrica, mesmo que esta seja gerida democraticamente. E, mais importante ainda, não é qualquer um que pode trabalhar nas fábricas mais bem sucedidas ou mais aprazíveis.

Pretendo defender, contra aquelas duas formas de igualdade simples, um conjunto de sistemas económicos mais complexo. Um serviço civil universal limitar-se-ia a substituir o predomínio do poder privado pelo predomínio do poder estatal — e, portanto, pelo poder do talento ou da instrução ou de qualquer outra qualificação que as autoridades públicas pensassem ser necessária ao desempenho de cargos. O problema aqui é o de refrear a universalização dos cargos e de prestar uma atenção muito especial aos empregos existentes e ao seu significado social, traçando uma fronteira (que terá de ser traçada de maneira diferente nas diferentes culturas) entre os processos de selecção que a comunidade política deve controlar e os que devem ser deixados aos particulares e aos corpos colegiais. Mais uma vez, a rotação nos cargos só funcionará em alguns deles e não noutros e a sua extensão para além dos limites só poderá ser um logro, um disfarce de novas formas de predomínio. O problema aqui não é o de quebrar o monopólio das pessoas qualificadas e sim o de estabelecer limites às suas prerrogativas. Sejam quais forem as qualificações que optemos por exigir — o conhecimento do latim ou a capacidade para passar num exame, fazer uma conferência ou elaborar cálculos de perdas e ganhos —, devemos batalhar para que aquelas se não convertam em argumentos a favor de reivindicações tirânicas de poder e privilégios. Os detentores de cargos devem manter-se estritamente amarrados aos objectivos destes. Assim como exigimos contenção, também exigimos humildade. Se ambas forem convenientemente entendidas e obrigatoriamente praticadas, o pensamento igualitário preocupar-se-á menos com a distribuição de cargos do que o que actualmente acontece.

A meritocracia

Todavia, o processo pelo qual os indivíduos são seleccionados, digamos, para admissão à faculdade de medicina ou para trabalhar nesta ou naquela fábrica e para todos os subsequentes empregos e promoções, será sempre importante. Requer aquele uma ampla e cuidadosa discussão. A minha intenção é defender um sistema misto de selecção, mas começarei por focar os critérios e procedimentos que se podem aplicar a um serviço civil universal. Quer dizer, vou entrar na discussão sobre a meritocracia. Esta discussão é fundamental em qualquer comunidade política em que a ideia de cargo se tenha implantado, como aconteceu nos Estados Unidos, não só na Igreja e no Estado, mas também na sociedade civil. Admitamos, pois, que todos os empregos são cargos, que a sua distribuição pertence, em última análise, à comunidade política como um todo e que todos os seus membros têm direito a uma «justa igualdade de oportunidades». A que se assemelharia o processo distributivo? Quero salientar desde já que há posições e empregos que não caem propriamente na alçada do controlo político; será, porém, mais fácil ver quais são após a descrição da lógica interna (social e moral) da distribuição de cargos.

O princípio que, no espírito da maioria dos seus defensores, se apresenta como subjacente à ideia de meritocracia, é simplesmente este: os cargos devem ser preenchidos pelas pessoas mais qualificadas, pois a qualificação constitui um caso especial de merecimento. As pessoas podem ou não merecer os seus títulos, mas merecem os lugares para que esses títulos as qualificam. O objectivo da abolição do arbítrio privado é unicamente o de distribuir os cargos de acordo com o merecimento (o talento, o mérito, etc.)[9]. Na verdade, a questão é mais complicada do que o que estas afirmações sugerem. Para muitos cargos requerem-se unicamente qualificações mínimas; um número muito grande de candidatos poderá muito bem fazer o trabalho e nenhuma prática suplementar os habilitaria a fazê-lo melhor. Aqui, a justiça parece exigir que os cargos sejam distribuídos entre os candidatos qualificados na base do princípio «o primeiro a chegar é o primeiro a ser servido» (ou por sorteio); neste caso, o termo *merecimento* é obviamente demasiado forte para exprimir a adequação do detentor do cargo ao lugar respectivo. Porém, outros cargos não têm limitações no tocante à prática e mestria que exigem e para esses poderá fazer sentido dizer-se que, embora um certo número de candidatos se apresente como qualificado, são os mais qualificados que merecem o cargo. O merecimento não parece ser relativo do mesmo modo que a qualificação, mas o verso de Dryden:

> Que quem mais merece, possa reinar sozinho[10],

sugere que pode haver indivíduos merecedores que, em última análise, não merecem qualquer cargo em especial, tal como há indivíduos qualificados que devem dar lugar aos que o são em maior grau.

Contudo, este raciocínio esquece uma importante diferença entre merecimento e qualificação. Ambos os termos, sem dúvida, têm significados ambíguos e com frequência os empregamos de modo a sobreporem-se. Penso, porém, que posso traçar eficazmente a fronteira entre eles, focando certos processos de selecção e certos bens sociais, em especial. *Merecimento* indica uma espécie muito precisa de direito, de tal modo que este precede e determina a selecção, enquanto *qualificação* é um conceito muito mais vago. Pode, por exemplo, merecer-se um prémio porque já pertence à pessoa que teve a melhor actuação; falta apenas identificá-la. As comissões que atribuem os prémios são como os júris, no sentido de que apreciam factos passados e procuram proferir uma decisão objectiva. Pelo contrário, um cargo não pode ser objecto de merecimento, pois pertence às pessoas que são servidas por ele e aquelas ou os seus representantes são livres (dentro dos limites que adiante especificarei) de escolher como lhes aprouver. As comissões de selecção não são como os júris, no sentido de que os seus membros tanto analisam o passado como o futuro: fazem prognósticos a respeito da actuação futura dos candidatos e manifestam também preferências sobre o modo como os cargos deverão ser preenchidos.

A consideração dos candidatos aos cargos situa-se entre estas duas realidades. Na secção seguinte, defenderei a ideia de que todos os cidadãos — ou todos os cidadãos com um mínimo de experiência ou de competência — têm o direito de ser considerados quando os cargos são distribuídos. Porém, a concorrência a um determinado cargo é uma concorrência em que ninguém em particular merece (ou tem o direito de) vencer. Quaisquer que sejam as qualificações de uma pessoa, não há qualquer injustiça pelo facto de não ser escolhida. Não quer isto dizer que não possa ser vítima de injustiça e sim apenas que o facto de não ser escolhida não é em si mesmo injusto. Se alguém for escolhido sem se atender às suas qualificações e antes em atenção à sua linhagem aristocrática ou porque subornou os membros do júri de admissão, diremos, efectivamente, que não merece o cargo. Todos os outros candidatos foram tratados com injustiça. E é compreensível que, quando alguém for objecto de uma boa escolha, digamos que, na verdade o merece. Porém, neste último caso é provável que várias outras pessoas também o mereçam e que nenhuma delas o mereça *realmente*. Os cargos não se ajustam aos indivíduos do mesmo modo que os veredictos. Presumindo que a indagação foi honesta, ninguém se pode queixar de ter sido tratado com injustiça mesmo que, atendendo ao cargo em si e às pessoas que dele dependem, se tenha escolhido o candidato errado. Isto é, evidentemente, o que acontece com os cargos electivos, mas o raciocínio aplica-se a todos os cargos, com excepção dos puramente honorários que são exactamente como os prémios. (Provavelmente, por todos os cargos serem, em parte, honorários, é que a ideia de merecimento se introduziu sorrateiramente na nossa discussão sobre os vários candidatos.)

O contraste entre prémios e cargos e entre merecimento e qualificação pode ser realçado se considerarmos dois casos hipotéticos mas não atípicos. (1) X escreveu aquilo que é correntemente tido como o melhor romance de 1980; porém, um grupo de homens e mulheres empenhado num género mais experimental do que o seguido por X, convence os outros membros do júri a atribuir o prémio do romance-do-ano a Y que escreveu um romance inferior no género preferido. Estão de acordo sobre o mérito relativo de ambos os livros, mas actuam deste modo com a finalidade de encorajar o romance experimental. Podem ter procedido bem ou mal, mas trataram X com injustiça. (2) X é o candidato mais qualificado para a direcção de determinado hospital, no sentido de que possui, mais do que qualquer outra pessoa, aquela competência administrativa que todos concordam ser necessária para o exercício do cargo. Porém, um grupo de homens e mulheres que querem que o hospital siga determinada orientação, convence os outros membros da comissão de selecção a escolher Y que perfilha essa orientação. Podem ter ou não razão relativamente ao que querem fazer no hospital, mas não trataram X com injustiça.

Sem o «comum acordo» que acima referi, estes dois casos não pareceriam tão diferentes. Se apresentamos os conceitos de merecimento e de qualificação como controvertidos — e são-no — pode então razoavelmente dizer-se que prémios e cargos deveriam ser concedidos àqueles indivíduos que melhor se ajustam às definições a que finalmente se chegou. Contudo, os membros do júri deveriam abster-se de julgar o seu programa literário particular incluído na definição de merecimento, ao passo que os membros da comissão de selecção não se encontravam limitados por qualquer imperativo desinteressado nos seus juízos sobre a qualificação. Daí o serem legítimas as queixas a respeito da atribuição de um prémio literário se o processo tiver sido manifestamente politizado, mesmo que a política tenha sido «literária». Porém, em circunstâncias semelhantes, não são legítimas as queixas a respeito da escolha de uma pessoa para um cargo (a menos que essa escolha tenha sido feita com base em razões políticas inatendíveis, como, por exemplo, se o chefe de uma estação de correios for escolhido em atenção à sua fidelidade partidária e não em atenção às suas opiniões sobre a maneira de dirigir a estação). O júri, porque aprecia factos passados, deve atender ao que é melhor, no âmbito da tradição comum da crítica literária; a comissão de selecção faz parte de um processo em curso, de definição política ou profissional.

A distinção que tenho vindo a tentar estabelecer parece não ser aplicável naqueles casos em que os cargos são distribuídos na base de resultados obtidos em exames. Evidentemente que o título de «doutor», por exemplo, cabe a todos os indivíduos que obtêm certo resultado perante os júris médicos. O exame em si limita-se a determinar quais e quantos são esses indivíduos. E nesse caso, tem de se admitir como certo que quem estuda muito, completa o seu trabalho com o material necessário e passa no exame, merece ser reconhecido como médico; seria injusto recusar-lhe o título. Mas já não seria injusto recusar-lhe o internato ou o estágio em determinado hospital. A comissão de selecção do hospital não é obrigada a escolher o requerente que tiver a nota mais alta; pondera não só os resultados dos exames, mas também a actuação futura daquele. Nem há qualquer injustiça no facto de as pessoas se recusarem a consultá-lo sobre os seus problemas de saúde. O seu título apenas o qualifica para se candidatar a um lugar e a uma prática; não lhe confere o direito a qualquer deles. O exame que outorga o título é importante, mas não é a único facto importante, e é por não ser o único facto importante que lhe damos a importância que tem. Se os cargos, com toda a sua autoridade e as suas prerrogativas, pudessem ser merecidos, estaríamos à mercê dos merecedores. Pelo contrário, temos a oportunidade da escolha. Como membros da administração do hospital (responsável perante um conselho directivo que, pelo menos putativamente, representa a comunidade em geral), escolhemos os nossos colegas; como indivíduos no mercado, escolhemos os nossos consultores profissionais. Em ambos os casos, o modo pelo qual a escolha cabe aos que escolhem é diverso daquele pelo qual o veredicto cabe aos membros de um júri.

Mesmo o título de «doutor», embora seja como que um prémio, na medida em que pode ser merecido, já não se assemelha a um prémio, na medida em que não pode permanecer merecido de uma vez para sempre. Um prémio dá-se a determinada actuação e como esta não pode ser dada por não realizada, o prémio não pode ser retirado. A subsequente descoberta de uma fraude pode conduzir à desonra do vencedor, mas enquanto a actuação continuar válida, assim o ficará a distinção concedida, aconteça o que acontecer depois. Pelo contrário, os títulos profissionais estão sujeitos a uma atenta e contínua observação pública e a referência ao resultado do exame que conferiu o título original não terá qualquer valor se a actuação subsequente não se mostrar à altura dos padrões publicamente estabelecidos. A desqualificação implica, evidentemente, um procedimento judicial ou semi-judicial e sentimo-nos inclinados a afirmar que só os indivíduos «merecedores» podem ser desqualificados com justiça. Mais uma vez, a exoneração de um determinado cargo é outra questão. Os procedimentos podem ser, e geralmente são, políticos por natureza; não é forçoso ter o merecimento em consideração. Relativamente a alguns cargos, são válidos tanto o procedimento judicial como o político: por exemplo, os presidentes podem ser acusados ou derrotados na reeleição. É de presumir que só possam ser acusados se o merecerem; podem, porém, ser derrotados sem que o merecimento seja tido em consideração. O normal é que tanto os títulos como os cargos sejam controlados; os primeiros, relativamente a questões de merecimento, e os segundos, com referência a quaisquer questões relevantes para os interessados.

Se considerássemos todos os cargos como prémios e distribuíssemos (e redistribuíssemos) tanto os títulos como os lugares na base do merecimento, a estrutura social daí resultante seria uma meritocracia. Uma distribuição deste género e com este nome é frequentemente defendida por pessoas que pretendem, penso eu, garantir unicamente consideração para os qualificados e não cargos para os merecedores. Presumindo, porém, que há pessoas empenhadas no estabelecimento de uma rígida meritocracia, vale a pena determo-nos por momentos na análise dos méritos filosófico e político desta ideia. Não há processo de estabelecer uma meritocracia que não seja o de atender unicamente ao comportamento pretérito dos candidatos. Daí a estreita relação entre a meritocracia e as provas de exame, pois estas fornecem uma evidência simples e objectiva. Um serviço civil universal requer um exame universal para esse efeito. Tal coisa nunca existiu, mas há um exemplo suficientemente próximo para ser proveitoso.

O sistema chinês de exames

Durante cerca de treze séculos, o governo chinês recrutou os seus funcionários por meio de um complicado sistema de exames. Esse sistema aplicava-se unicamente ao serviço imperial. A sociedade civil era um universo de *laissez-faire*: não havia exames para homens de negócios, médicos, engenheiros, astrónomos, músicos, ervanários, videntes, etc. A única razão para tomar parte naquilo a que um sábio chamou «a vida de exames» era a de conseguir um cargo público [11]. Porém, os cargos públicos constituíam de longe a maior fonte de prestígio social na China pós-feudal. Embora o poder do dinheiro aumentasse durante os treze séculos do sistema de exames e fosse possível comprar cargos em grande parte desse período, uma posição social elevada estava indiscutivelmente ligada às altas classificações em exames. A China era governada por uma classe profissional e cada membro desta classe trazia consigo um diploma de mérito.

Do ponto de vista do imperador, a finalidade dos exames era, em primeiro lugar, a de derrubar a aristocracia hereditária e, em segundo, a de conseguir talentos para o Estado. «Apanhei na minha armadilha os homens mais ambiciosos que há no mundo!», vangloriava-se o imperador T'ai-tsung (627-649) depois de assistir a um cortejo de novos diplomados [12]. Porém, a armadilha só funcionaria se houvesse igualdade de oportunidades, ou qualquer coisa parecida, para os súbditos do imperador. Deste modo, o governo esforçava-se (sempre com recursos inadequados) por manter, paralelamente aos exames, um sistema de escolas públicas locais e de bolsas de estudos e tomava todas as precauções para banir as fraudes e o favoritismo. O sistema escolar nunca se concluiu e as precauções nunca foram inteiramente eficazes. Contudo, as crianças do campo, os Horatio Alger* da antiga China foram subindo a «escada do êxito», sendo a classificação nos exames extraordinariamente justa, pelo menos até à decadência do sistema, no século XIX. Num certo número de casos célebres, os examinadores que tentaram favorecer parentes seus foram executados, uma punição por nepotismo sem par no Ocidente. E o resultado foi o ter-se atingido um grau de mobilidade social provavelmente também sem par no Ocidente, mesmo no nosso tempo. Famílias poderosas e altamente colocadas não sobreviviam a uma geração ou duas de filhos ineptos[13].

Seria, porém, o sistema chinês realmente meritocrático? Seriam os cargos desempenhados por aqueles que «mais mereciam» desempenhá-los? Seria difícil criar um sistema mais susceptível de produzir uma meritocracia e, apesar disso, a história dos exames não faz mais do que demonstrar que esta palavra não tem sentido. Durante o primeiro período (a dinastia Tang), os exames eram complementados e, às vezes, substituídos por um sistema mais antigo pelo qual se exigia às autoridades locais que recomendassem homens de mérito para o serviço do governo. Havia cerca de sessenta «méritos» específicos que as autoridades deveriam tentar encontrar, «em geral relacionados com o carácter moral, a aprendizagem literária, a capacidade administrativa e o conhecimento de assuntos militares»[14]. Mas por mais detalhada que fosse a lista, as recomendações eram inevitavelmente subjectivas; com demasiada frequência, as autoridades limitavam-se a chamar a atenção dos seus superiores para os seus amigos e parentes. Os jovens brilhantes e ambiciosos que o imperador pretendia não eram os que recebia; raramente os pobres eram recomendados. Lentamente e após um certo período de tempo, o sistema de exames emergiu como a principal, virtualmente a única, via de selecção e promoção burocráticas. Era mais objectivo e mais justo. Então, porém, os sessenta «méritos» tiveram de ser abandonados. Os exames só podiam apurar um conjunto muito mais limitado de talentos e aptidões.

Não vou aqui descrever em pormenor a evolução subsequente dos exames. Começaram por se destinar a averiguar dos conhecimentos dos candidatos sobre os clássicos confucianos e, mais importante do que isso, da sua capacidade para pensar de modo «confuciano». As circunstâncias dessa averiguação eram sempre as circunstâncias especiais de um exame em massa cuja tensão era agravada pelo prémio em jogo. Fechados num pequeno compartimento, com uma pequena caixa contendo alimentos, os candidatos escreviam complicados ensaios e poemas sobre textos clássicos e também sobre problemas contemporâneos de filosofia e administração pública[15]. Contudo, um longo processo de rotina, gerado por uma espécie de colaboração entre os candidatos e os examinadores acabou por levar à supressão das perguntas mais especulativas. Em vez disso, os examinadores passaram a insistir cada vez mais na memorização, na filologia e na caligrafia e os candidatos a prestar mais atenção às velhas perguntas de exame do que à interpretação dos livros

* Horatio Alger Jr.: escritor norte-americano (1834-1899), autor de vários livros para jovens. *(NT)*

antigos. O que se passou a averiguar cada vez mais foi acerca da capacidade de prestar provas. Não há muitas dúvidas de que essa capacidade era cuidadosamente testada. Não é, porém, claro qual o significado a atribuir ao êxito. «O talento», escreveu o novelista satírico Wu Ching-tzu, «adquire-se com a preparação para o exame. De que outro modo se poderia obter um cargo?» [16] Isto equivale a dizer que se Hobbes fosse hoje vivo, ocuparia cátedra em Harvard. Sim, mas teria escrito *Leviathan?*

A substituição da vida intelectual pela «vida de exames» é provavelmente inevitável assim que o exame se torna o principal meio de promoção social. E logo que isso acontece, deixa de ser certo que o saco do imperador esteja cheio de talentos. «Não é que o sistema de exames não possa descobrir talentos extraordinários», afirmou um crítico do século XIX, «e sim que os talentos extraordinários surgem, às vezes, fora daquele sistema» [17]. Poder-se-ia, porém, apresentar um argumento semelhante mesmo a propósito do sistema na sua primeira fase. No fim de contas, há um grande conjunto de capacidades humanas — muitas delas atinentes, por exemplo, à administração provincial — que se não podem evidenciar através do estudo dos clássicos confucianos. E pode mesmo haver um conhecimento intuitivo profundo do confucionismo inverificável através de uma prova de exame. Todas essas provas são por natureza convencionais e é unicamente no âmbito das regras da convenção que se pode dizer que os candidatos bem sucedidos merecem as suas classificações e que o subsequente governo dos diplomados constitui uma meritocracia.

Na verdade, os candidatos bem sucedidos não tomavam automaticamente posse de cargos. Os exames criavam uma bolsa de potenciais detentores de cargos relativamente aos quais o Conselho das Nomeações Civis, uma comissão permanente de busca, fazia selecções, procurando talvez uma subdivisão dos sessenta «méritos» ou discutindo sobre quais os «méritos» mais necessários numa dada época. Daí que se não possa dizer que os que passavam no exame mereciam desempenhar um cargo e apenas que tinham o direito a ser considerados relativamente a um conjunto de cargos. Qualquer outro sistema ter-se-ia revelado irremediavelmente rígido, não deixando espaço para juízos sobre outras capacidades além da de fazer exame, nem, mais tarde, para juízos sobre o desempenho efectivo do cargo. Porém, todos esses juízos eram por natureza particularistas e políticos; não possuíam a objectividade das classificações de exame, devendo ter acontecido que indivíduos em certo sentido merecedores tenham sido preteridos, algumas vezes intencionalmente e outras não. Do mesmo modo, acontecia por vezes que indivíduos merecedores reprovavam nos exames. Não quero, porém, com isto dizer que esses indivíduos mereciam um cargo. Isso equivaleria a substituir o juízo das autoridades responsáveis pelo meu. E eu não possuo, mais do que elas, qualquer especial intelecção do significado geral ou universal do mérito.

Na esfera dos cargos públicos, o trabalho das comissões é da maior importância. E hoje, cada vez mais, esse trabalho está sujeito a restrições legais destinadas a garantir a justiça e algo de parecido com a objectividade: tratamento igual para candidatos igualmente sérios. Porém, poucas pessoas defendem a abolição pura e simples das comissões, que se sujeitem todos os candidatos ao mesmo exame (não podem nunca ser objecto da mesma entrevista) e que se torne a posse do cargo automática para aqueles que obtenham esta ou aquela classificação. As comissões são apropriadas devido à sua natureza representativa. O que está afinal em causa não é este ou aquele cargo em abstracto, mas a sua posição, neste preciso momento, neste organismo ou naquela repartição onde estas pessoas já trabalham e onde estas questões são debatidas. As comissões reflectem o tempo e o lugar, falam pelos outros e constituem, elas próprias, arenas para o debate em curso. As escolhas que fazem, embora limitadas por um determinado critério universal, são, acima de tudo, particularistas por natureza. Os candidatos não se limitam a ser aptos ou inaptos em termos gerais; são também aptos ou inaptos para o lugar que querem preencher. Este último ponto é sempre matéria de apreciação e, por conseguinte, requer um grupo de julgadores, discutindo entre si. Certos graus de aptidão do género «satisfaz» estão, como veremos, excluídos. A lista de qualidades relevantes é, porém, sempre longa, tal como a dos sessenta «méritos», e nenhum candidato as possui todas em grau máximo. A especificidade dos cargos é paralela à dos candidatos. Estes são homens e mulheres com energias e debilidades largamente distintas. Mesmo que se pensasse escolher, de entre a massa, a pessoa merecedora (ou a mais «merecedora»), não haveria meio de identificar essa pessoa. Os membros da comissão de selecção estariam em desacordo sobre o adequado equilíbrio de energias e debilidades e estariam em desacordo sobre o seu equilíbrio real neste ou naquele indivíduo. Também aqui começariam por emitir juízos e acabariam por fazer uma votação.

Os defensores da meritocracia têm em mente um objectivo simples, mas de grande alcance: lugares para toda a gente e toda a gente nos lugares certos. Outrora pensava-se que Deus cooperava nesta empresa; hoje requer-se a acção do Estado.

> Alguns devem ser grandes. Os grandes cargos terão
> Grandes talentos. E Deus dá a cada homem
> A virtude, o temperamento, a inteligência, o gosto
> Que o fará subir na vida e o largar
> Precisamente no nicho que lhe estava destinado[18].

Esta é, porém, uma concepção mítica da ordem social que abstrai por completo da ideia complexa que fazemos, tanto das pessoas como dos lugares. Sugere que, em princípio, desde que a informação fosse completa, todas as escolhas seriam unânimes, merecendo o acordo, não só dos candidatos bem sucedidos, mas também dos rejeitados, exactamente como ocorre com as decisões judiciais em que mesmo os criminosos condenados devem ser capazes de reconhecer que tiveram o que mereciam. Na prática, as escolhas não se fazem assim nem é concebível que o sejam, a menos que se imagine um mundo em que se possa, não só predizer, mas também prever as futuras actuações de todos os candidatos, comparando o conhecimento real com o presumido dos anos vindouros. Mesmo nesse caso, desconfio que os juízos das comissões de selecção seriam diferentes dos juízos dos júris, sendo, porém, a diferença difícil de entender.

O significado da qualificação

Em sentido estrito, meritocracia é coisa que não existe. Há sempre que fazer escolhas especiais de entre os possíveis «méritos» ou, mais precisamente, de entre as várias qualidades humanas e, seguidamente, de entre os indivíduos relativamente qualificados. Não há maneira de evitar estas escolhas, pois nenhum indivíduo pode legitimamente reivindicar um cargo nem possui qualquer direito prévio ao mesmo, não havendo também qualquer qualidade única nem qualquer ordenação objectiva das qualidades de acordo com a qual se possa fazer uma selecção impessoal. Chamar «cargo» a um emprego é apenas dizer que a autoridade discricionária foi politizada e não que tenha sido abolida. Todavia, é necessário estabelecer certos limites à própria autoridade das comissões representativas, separando, assim, a esfera dos cargos da da política. As comissões podem ser limitadas de duas maneiras: devem tratar igualmente todos os candidatos qualificados e devem ter em conta apenas as qualidades relevantes. Estas duas limitações sobrepõem-se uma à outra, pois a ideia de relevância faz parte do nosso conceito de igualdade de tratamento. Ocupar-me-ei, porém, de cada uma em separado.

A cidadania é o primeiro cargo, o «lugar» crucial em termos sociais e políticos e a condição prévia de todos os outros. As fronteiras da comunidade política são também os limites do processo de politização. Os não cidadãos não têm o direito de se candidatar; a garantia processual da igualdade de tratamento não se lhes aplica. Os empregos não têm de ser anunciados em jornais estrangeiros; os recrutadores não têm de se aventurar além-fronteiras; os prazos não têm de ser fixados, tendo em conta o correio internacional. Pode ser disparatado excluir os estrangeiros relativamente a certos cargos (muito concretamente, no tocante às cátedras universitárias relativamente às quais podemos ainda sentir-nos obrigados a reconhecer a qualidade de membro da «república das letras»), mas a exclusão não viola os seus direitos. O direito a tratamento igual, tal como o direito a «justos quinhões» de previdência e segurança, só surge no contexto de uma vida política compartilhada. Essa é uma das coisas que os membros devem uns aos outros.

Entre os cidadãos a igualdade de tratamento aplica-se a todos os momentos da selecção, não só relativamente aos candidatos aos cargos, mas também relativamente aos candidatos aos estágios e daí que constitua uma limitação, não só para esta ou aquela comissão de selecção em especial, mas antes para todas as comissões e para todas aquelas decisões que forem gradualmente diminuindo o número dos candidatos qualificados. Imagine-se uma criança de cinco anos capaz de estabelecer objectivos a longo prazo, de fazer planos, de decidir, por exemplo, que quer ser médico. Deverá ter mais ou menos as mesmas oportunidades de qualquer outra criança — igualmente ambiciosa, igualmente inteligente e igualmente sensível às necessidades dos outros — de obter a necessária educação e de conseguir o almejado lugar. Não me ocuparei aqui dos sistemas educativos que esta igualdade exigiria; esse será o tema doutro capítulo. Pretendo, porém, salientar que essa igualdade será sempre aproximada. A pretensão de que todos os cidadãos devem ter precisamente o mesmo quinhão de oportunidades à sua disposição não faz grande sentido, não só devido ao imprevisível impacte de determinadas escolas e de determinados professores em determinados estudantes, mas também devido à inevitável inclusão de indivíduos diferentes em grupos diferentes de candidatos. A igualdade simples pode prometer-se apenas a um único grupo num tempo e num lugar únicos. Porém, os grupos de candidatos diferem radicalmente de uns anos para os outros e as concepções dos cargos mudam. Assim, uma pessoa que teria parecido bem qualificada para determinado lugar no ano passado, este ano não se distingue das outras, ou melhor, as suas qualidades já não são as que a comissão de selecção tem especialmente na ideia. Igualdade de tratamento não significa que as condições do concurso devam ser mantidas inalteradas para todos os concorrentes e apenas que, quaisquer que sejam as condições, as qualidades de cada indivíduo devem ser tidas em consideração.

Na verdade, não são simplesmente as qualidades e sim as qualificações que estão aqui em causa. As qualificações são qualidades indispensáveis ou relevantes para determinados cargos. Claro que esta relevância é sempre objecto de discussão, sendo grande a extensão das divergências admissíveis. Essa extensão tem, todavia, limites; há algumas coisas que não devem entrar nas discussões da comissão de selecção. Se não houvesse limites, a ideia da igualdade de tratamento cairia por completo. É que, quando dizemos que todos os candidatos devem ser tidos em consideração, o que queremos dizer é que devem todos ter (mais ou menos) as mesmas oportunidades de apresentar as suas referências e de argumentar o melhor possível a seu favor. A argumentação que tentarão apresentar é a de que podem fazer o trabalho e bem. E para poderem produzir essa argumentação, terão de ser capazes de fazer alguma ideia do que significa fazê-lo bem, das aptidões que requer, das atitudes e valores adequados, etc. Se forem aceites ou rejeitados por razões que não tenham nada a ver com isto, não poderá então dizer-se que as suas qualificações foram tidas em consideração. Se não fôssemos capazes de distinguir qualificações de qualidades, nunca saberíamos se as pessoas tiveram ou não oportunidade de se qualificar. E as pessoas, como a minha imaginária criança de cinco anos, não teriam podido estabelecer objectivos para elas próprias e trabalhar de qualquer modo racional para os atingir.

Mas nós sabemos realmente, pelo menos em termos gerais, quais são as qualidades relevantes, pois estas são inerentes à prática que se retira da experiência do exercício dos cargos. As comissões de selecção estão empenhadas em procurar estas qualidades, ou seja, empenhadas em procurar candidatos qualificados não só por uma questão de justiça para com os candidatos, mas também por uma questão de preocupação com todas as pessoas que dependem do serviço de detentores qualificados de cargos públicos. Esta dependência deve também ser tida em conta, embora não necessariamente as suas preferências relativamente às qualidades ou aos candidatos. O direito à igualdade de tratamento opera como qualquer outro direito, estabelecendo limites à observância das preferências populares. Porém, no âmbito das qualidades relevantes ou no âmbito do legítimo debate sobre a relevância, as preferências populares devem contar; devemos esperar que a comissão de selecção as tenha em conta.

O âmbito da relevância compreende-se melhor se considerarmos o que está para além dele: aptidões que não serão utilizadas no emprego, características pessoais que não afectarão a actuação e filiações políticas e identificação com certos grupos, para lá da própria cidadania. Não exigimos que os candidatos a um cargo saltem pelo meio dos arcos como os liliputianos de Swift. Não excluímos homens e mulheres de cabelo vermelho ou mau gosto em matéria de cinema ou com a paixão pela patinagem sobre o gelo. Rotários, Adventistas do Sétimo Dia, trotskistas, membros já antigos do Partido Vegetariano, imigrantes da Noruega, da Bessarábia ou das Ilhas dos Mares do Sul, nenhum destes está impedido de exercer cargos públicos. Estes são, porém, casos fáceis. Na verdade, aquelas três categorias — aptidões, características e identificação — são problemáticas. É evidente, por exemplo, que os exames chineses, especialmente na sua última fase, verificavam aptidões que, na melhor das hipóteses, tinham apenas uma relevância secundária para os cargos em causa. O mesmo se pode seguramente dizer hoje em dia, de muitos exames para o funcionalismo civil. Trata-se de meios meramente convencionais de reduzir o grupo de candidatos e se estes tiverem igual oportunidade de se preparar para eles, os exames não são necessariamente condenáveis. Porém, na medida em que o seu uso impede a progressão na carreira baseada na experiência e no desempenho da função, devem ser combatidos. É que o que queremos é a melhor actuação possível no emprego e não no exame.

Maiores dificuldades são suscitadas por um certo número de características pessoais. Menciono a idade, a título de exemplo. Para a maior parte dos cargos públicos a idade de um candidato nada nos diz sobre o género de trabalho que executará. Mas diz-nos aproximadamente durante quanto tempo o fará. Esta consideração é relevante? É evidente que as pessoas deviam poder mudar, não só de emprego, mas também de carreira, praticar novamente e recomeçar na meia-idade. Nem sempre a constância na busca de emprego é uma qualidade notável. E apesar disso, naquelas organizações baseadas em empreendimentos a longo prazo e em ocupações que requerem longos estágios nos locais de trabalho, os candidatos mais velhos são susceptíveis de ficar em desvantagem. Talvez a sua maturidade devesse ser também posta na balança, mesmo que os candidatos mais jovens reclamassem, dizendo que não tinham tido igual oportunidade de amadurecer. A ideia de tentar contrapor o tempo de serviço à maturidade no cargo revela eloquentemente até que ponto estamos longe dos juízos sobre o merecimento e quão empenhados estamos na polémica sobre a relevância.

As polémicas mais fundas e susceptíveis de maior dissensão são as que focam a importância das relações pessoais, da filiação e da qualidade de membro. Foi relativamente a estas que o conceito de cargo público, tal como o enunciei, primeiro ganhou forma. A primeira qualidade a ser declarada irrelevante para o desempenho de cargos foi a relação familiar com a pessoa que faz a nomeação. Não quer isto dizer que o nepotismo não seja frequente na esfera dos cargos, sendo, porém, normalmente encarado como uma forma de corrupção. É um exemplo (relativamente pequeno) de tirania afirmar que, uma vez que «Fulano de Tal» é meu parente, deve ser-lhe concedido o privilégio de exercer determinado cargo. Ao mesmo tempo, a pertinaz campanha contra o nepotismo mostra, uma vez mais, quão problemática é a ideia da relevância e quão difícil é de aplicar.

O que há de errado no nepotismo?

Este termo referia-se originariamente à prática de certos papas e bispos que destinavam certos cargos a sobrinhos seus (ou filhos ilegítimos), procurando, tal como os detentores feudais de cargos públicos, ter herdeiros e não meramente sucessores. Uma vez que um dos objectivos do celibato eclesiástico era o de libertar a Igreja do sistema feudal e assegurar uma sucessão de indivíduos qualificados, aquela prática cedo foi qualificada de pecaminosa[19]. Esta qualificação era tão severa (embora raramente pudesse ser imposta na época feudal) que chegou a excluir toda e qualquer nomeação de parentes, quer por autoridades eclesiásticas, quer por colatores laicos, ainda que possuíssem todas as qualidades relevantes. O mesmo veio a acontecer, muitos anos mais tarde, na vida política e aqui o entendimento passou a abranger (embora de acordo com um significado mais restrito de «pecado»), além dos parentes também os amigos. Nalguns casos, a exclusão de parentes obteve reconhecimento legal, como, por exemplo, na Noruega, onde é ilegal o exercício de funções no mesmo governo por dois membros da mesma família. Na vida académica, os departamentos universitários têm sido frequentemente proibidos de contratar parentes (mas não amigos) dos membros que os integram. A ideia fundamental é a de que não é provável que os padrões objectivos sejam tidos em conta nessas decisões. Talvez isto seja verdade, mas apesar disso a proibição total parece injusta. O que se requer é um processo de contratação que não tenha em conta a situação familiar e não um que incapacite todos os membros da família.

Porém, às vezes, a situação familiar não pode deixar de ser tida em conta. Em certos cargos políticos, por exemplo, já estamos à espera de que os respectivos titulares escolham como colaboradores homens e mulheres em quem possam confiar e que são seus amigos ou companheiros neste ou naquele partido ou movimento. E nesse caso, porque não os parentes, se com estes mantiverem boas relações? A confiança pode ser a mais sólida possível quando a relação é de sangue e a confiança é uma importante qualificação para um cargo. Podemos, pois, dizer que a lei norueguesa é mais severa do que o exigido pelo princípio da igualdade de tratamento. Quando o Presidente John F. Kennedy nomeou o seu irmão Procurador-Geral da República, foi, sem dúvida, um exemplo de nepotismo, mas não daquele género com cuja proibição tenhamos que nos preocupar. Robert Kennedy era suficientemente qualificado e o bom relacionamento que mantinha com o seu irmão ajudá-lo-ia provavelmente no trabalho que tinha que fazer. Esta permissividade não pode, porém, ir muito longe. Os seus inconvenientes são manifestos se considerarmos as eventuais reivindicações de grupos raciais, étnicos e religiosos segundo as quais deveriam ser assistidos exclusivamente por detentores de cargos escolhidos entre os seus membros. Temos aqui uma espécie de nepotismo colectivo cujo efeito seria o de limitar radicalmente o alcance do direito de candidatura.

Pode, mais uma vez, acontecer que para certos cargos (por exemplo, em certas partes de uma cidade) se necessite de homens e mulheres que compartilhem a identidade racial ou étnica dos habitantes, falem a sua língua, estejam profundamente familiarizados com os seus costumes, etc. Talvez isto seja uma questão de eficácia rotineira ou até — como é o caso da polícia — de segurança física. E, neste caso, as comissões de selecção terão legitimidade para tentar encontrar as pessoas necessárias. Havemos, porém, de querer, penso eu, limitar os modos pelos quais a qualidade de membro de um grupo conta como qualificação, tal como limitamos os modos pelos quais contam as relações de sangue e por motivos idênticos. O alargamento da confiança ou da «amizade» para além da família e o da cidadania para além da raça, grupo étnico e religião, é um feito político de grande significado e um dos seus principais objectivos é precisamente o de garantir a abertura das carreiras aos talentos, ou seja, o direito de candidatura de todos os cidadãos.

Poderíamos optar simplesmente por apoiar este feito. Porém, a questão de saber se a qualidade de membro de um grupo deve contar como qualificação para um cargo é complicada pela circunstância de tantas vezes ter contado como desqualificação. Devido à sua qualidade de membro e não por qualquer motivo relacionado com as suas qualificações individuais, vários homens e mulheres têm sido desfavoravelmente discriminados na distribuição de cargos. Daí o dizer-se, a bem da justiça e da compensação, que deveríamos agora discriminar a seu favor e mesmo reservar-lhes um certo número daqueles com carácter de exclusividade. Esta pretensão é tão importante no debate político contemporâneo que terei de me debruçar mais atentamente sobre ela. Não há qualquer outra realidade que tão efectivamente ponha à prova o significado da igualdade de tratamento.

A reserva de cargos

A questão política essencial é a da justiça das quotas de reserva de cargos para os quais é necessário ser membro de determinado grupo, embora, presumivelmente, tal não constitua qualificação suficiente[20]. Em princípio, como já referi, todos os cargos se encontram reservados (ou potencialmente reservados) para os membros da comunidade política. Qualquer outra reserva é e deve ser discutível. Vou adiar por momentos a polémica a respeito da reserva como forma de compensação e começar por pôr a questão de saber se será justificável em si mesma como característica permanente do sistema distributivo. É que, algumas vezes, o facto de o modelo do desempenho de cargos ser diferente de grupo para grupo, é tomado como indício seguro de discriminação[21]. Certos cargos, por exemplo, são desempenhados em termos desproporcionados pelos membros de determinada raça ou por homens e mulheres de origem étnica ou confissão religiosa comum. Se a justiça exige ou determina necessariamente um único e mesmo modelo, devem então os legisladores e os juízes ser chamados a estabelecer a justa proporção. Seja qual for a distribuição de cargos predominante no grupo mais próspero ou mais poderoso, deverá ela ser igualmente praticada em todos os outros grupos. Quanto mais perfeita for a semelhança, maior certeza teremos de que determinados candidatos não irão sofrer por causa da sua qualidade de membros deste ou daquele grupo.

O facto de a justiça, entendida nestes termos, envolver uma considerável coerção, poderia constituir questão de somenos importância se essa coerção fosse, por sua natureza, curativa e temporária e se o modelo acima referido aparecesse como um efeito natural da igualdade de tratamento. Porém, na medida em que os grupos que constituem a nossa sociedade pluralista são realmente diferentes uns dos outros, nenhuma destas condições é susceptível de se verificar. É que os modelos de desempenho de cargos são determinados, não só pelas decisões das comissões de selecção, mas também por uma multidão de decisões individuais: preparar-se ou não se preparar para este ou aquele emprego e solicitá-lo ou não. E estas decisões individuais são determinadas, ora pela vida familiar, ora pela socialização, ora pela cultura local, etc. Uma sociedade pluralista, com diferentes tipos de famílias e de comunidades de moradores, produzirá naturalmente uma variedade de modelos. A justiça como igualação só poderia criar uma ordem artificial.

Isto não é mais um argumento contra a igualação e sim apenas a sua caracterização. Em vários momentos da nossa vida social interferimos nos processos naturais (ou seja, livres e espontâneos). A atribuição de cargos a parentes é, indubitavelmente, um processo natural. Contudo, em cada caso de interferência, temos de meditar profundamente sobre o que está em causa. E o que está aqui primeiro em causa é a igualdade de tratamento para todos os cidadãos. Quando se reservam cargos, os membros de todos os grupos, salvo os daquele em favor do qual a reserva é feita, são tratados como se fossem estrangeiros. As suas qualificações não são atendidas e não têm direito de candidatura. Uma situação deste género poderá aceitar-se num estado binacional em que os membros de cada nação aparecem na verdade como estrangeiros relativamente à outra. O que necessitam é de um ajustamento mútuo e não de justiça em concreto; esse ajustamento pode ser mais eficazmente conseguido num sistema federal em que ambos os grupos tenham garantida uma certa representação[22]. Mesmo uma sociedade mais abertamente pluralista pode muito bem precisar (a bem do ajustamento mútuo), por exemplo, de listas partidárias racial ou etnicamente «equilibradas» ou de governos e tribunais que incluam representantes de todos os grupos mais importantes. Não me sinto inclinado a encarar este género de situações como uma violação da igualdade de tratamento; ser «representante» de um ou doutro sexo é, no fim de contas, uma espécie de qualificação em política. E na medida em que os ajustamentos são informais, poderão sempre ser desfeitos no interesse de candidatos proeminentes. Porém, a teoria da justiça como igualação exigiria que todos os conjuntos de detentores de cargos no serviço civil universal correspondesse, na sua composição racial e étnica, à população americana no seu todo. E isso exigiria, por sua vez, uma negação em larga escala da igualdade de tratamento. A igualdade seria obviamente negada sempre que a proporção de candidatos deste ou daquele grupo diferisse da representação que lhes fosse atribuída. E seria negada mesmo que a proporção estivesse precisamente certa, pois os candidatos de cada grupo seriam comparados só com a sua «espécie», na presunção de que as qualificações estariam distribuídas uniformemente pelas espécies, presunção esta que pode muito bem ser falsa relativamente a um determinado grupo de candidatos.

Porém, talvez os Estados Unidos devessem constituir uma federação de grupos, em vez de uma comunidade de cidadãos. E talvez cada grupo devesse ter o seu próprio conjunto de detentores de cargos oriundos desse mesmo grupo. Só nesse caso se poderia afirmar que o grupo no seu todo seria igual a todos os outros grupos.

O que está em causa deste ponto de vista não é a igualdade de tratamento para os indivíduos e sim a igualdade de posição para as raças e religiões: integridade comunitária e dignidade pessoal dos membros como tais. Uma igualdade deste género é exigência comum dos movimentos de libertação nacional. É que a colonização por estrangeiros dos cargos mais importantes no Estado e na economia é uma das características do domínio imperialista. Mal a independência é conquistada, começa a luta para tomar posse desses cargos. Essa luta é, por vezes, travada de modo brutal e injusto, mas não é em si mesmo injusto que uma nação recém--libertada procure prover a sua administração e as suas classes profissionais com os seus filhos. Nestas circunstâncias, o nepotismo colectivo e a reserva de cargos pode muito bem ser legítima. Porém, como este exemplo sugere, a reserva só é possível depois de se terem traçado fronteiras entre membros e estranhos. Na sociedade americana actual essas fronteiras não existem. Os indivíduos movem-se livremente de um lado para o outro da linha vaga e informalmente traçada entre a identidade e a não-identidade étnica ou religiosa; esta linha não é de modo nenhum vigiada e os movimentos não são sequer registados. Claro que seria possível mudar tudo isto, sendo, porém, importante salientar quão radical seria a mudança necessária. Só se todo o cidadão americano fosse possuidor de uma nítida identidade racial, étnica ou religiosa (ou de uma série de identidades, uma vez que os grupos a que pertencemos têm qualidades de membro que se sobrepõem), e só se essas identidades estivessem legalmente estabelecidas e fossem regularmente verificadas é que seria possível reservar para cada grupo o seu conjunto de cargos*.

O princípio da igualdade de tratamento aplicar-se-ia então só no interior dos grupos federados. A igualdade é sempre relativa; exige que comparemos o tratamento dado a este indivíduo com o dado a determinado conjunto de outros e não a todos os outros. Para se modificar o sistema distributivo basta apenas traçar de novo as suas fronteiras. Não há um conjunto único de fronteiras justas (embora haja fronteiras injustas, ou seja, aquelas que enclausuram as pessoas contra a sua vontade, como num gueto). Daí que um sistema federal — desde que estabelecido por um processo democrático — não seria injusto. Os membros seriam confrontados uns com os outros e depois os grupos também uns com os outros; os nossos juízos em matéria de justiça dependeriam do resultado das confrontações. Isto seria, porém, um sistema pouco sensato para os Estados Unidos presentemente, incompatível com a nossa tradição histórica e as nossas ideias comuns, incompatível também com os padrões de vida contemporâneos e criador de profundas e acirradas

* Este facto é dolorosamente evidente no caso dos intocáveis indianos para os quais o governo planeou um complexo sistema de reserva de cargos. Em princípio, a Índia aboliu o sistema de castas, mas os intocáveis só podem ser ajudados se forem reconhecidos e a proporcionalidade no desempenho de cargos só pode ser estabelecida se forem contados. Daí que a classe dos «intocáveis» tivesse de ser reintroduzida no recenseamento de 1961 e se tivesse de estabelecer processos pelos quais os indivíduos que buscassem os cargos reservados pudessem provar a sua condição. O resultado, como vem relatado por Harold Isaacs — que em termos gerais é adepto da reserva — foi um agravamento das diferenças de casta: «A política de auxílio através dos grupos de casta aumentou... a imobilidade das castas.»[23]

discórdias. Presumo que os defensores da reserva de cargos não têm nada disto em mente. Ocupam-se de problemas mais imediatos e, digam lá o que às vezes disserem, não pretendem, na verdade, que os remédios que propõem se generalizem e tornem permanentes.

O caso dos negros americanos

Aqui chegados, é importante que sejamos tão concretos quanto possível. Os problemas imediatos são os dos negros americanos que surgem no contexto de uma história penosa. Esta história é, em parte, de discriminação económica e educativa, de tal modo que o número de homens e mulheres negros a desempenhar cargos públicos na sociedade americana (pelo menos até há muito pouco tempo) tem sido mais baixo do que o que deveria ser, atentos os níveis de qualificação dos candidatos negros. Mais do que isso, é uma história de escravidão, repressão e degradação, de tal modo que a cultura e as instituições comunitárias da população negra não apoiam as tentativas de qualificação em nada que se pareça com o que fariam se se tivessem desenvolvido em condições de liberdade e igualdade racial. (Podemos dizer isto sem pretender que todas as culturas e comunidades, mesmo em condições ideais, prestariam formas idênticas de apoio.) O primeiro problema dos negros americanos pode ser resolvido, insistindo nos pormenores práticos da igualdade de tratamento: processos justos de emprego, práticas abertas de recrutamento e selecção, recrutamento amplo, tentativas sérias para descobrir o talento mesmo quando não é exibido pelo modo convencional, etc. Todavia, o segundo problema já exige um tratamento de maior alcance e mais radical. Pensa-se que durante algum tempo se deve garantir aos negros uma quota fixa de cargos, porque só um número significativo de detentores de cargos, interagindo com clientes e eleitores, poderá criar uma cultura mais sólida.

Desejaria salientar que a tese que estou a considerar não é a de que a comunidade negra deve ser servida — ou só pode ser correctamente servida — por políticos, carteiros, professores, médicos, etc., negros e que todas as outras comunidades devem igualmente ser servidas pelos seus membros. A força daquela tese não depende da sua generalização. Ou melhor, a generalização adequada é a seguinte: qualquer grupo em situação de igual desvantagem deve ser ajudado de modo semelhante. Esta tese é historicamente determinada e limitada, adaptada a condições especiais e temporária por natureza. A regra que se mantém é a da igualdade de tratamento para os cidadãos individuais e essa regra vai ser reposta assim que os negros se libertarem da armadilha em que a sua negritude se tornou numa sociedade com uma longa história de racismo.

Porém, a dificuldade do remédio proposto é a de que exigiria a negação da igualdade de tratamento àqueles candidatos brancos que nem participam em práticas racistas nem delas são beneficiários directos. Um objectivo social importante e moralmente legítimo vai ser satisfeito através da violação de direitos individuais de candidatura[24]. Contudo, talvez esta descrição seja demasiado forte. Ronald Dworkin afirmou que o direito em causa não é o direito à igualdade de tratamento quando os cargos são distribuídos e sim, apenas, um direito mais geral à igualdade de tratamento quando as regras relativas ao desempenho de cargos são elaboradas. Se considerarmos igualmente todos os cidadãos, ao ponderar a relação custos-benefícios no tocante à reserva de cargos, não estaremos a violar os direitos de ninguém[25]. É útil contrapor esta pretensão à pretensão dos meritocratas. Enquanto eles sugerem uma relação muito íntima entre os empregos e as qualidades relevantes para os desempenhar, Dworkin sugere uma relação demasiado frouxa. Parece negar que haja quaisquer limites significativos às qualidades susceptíveis de contar como qualificações. Porém, na nossa cultura, presume-se que as carreiras estão abertas aos talentos e quem é escolhido para determinado cargo quer que lhe garantam que foi escolhido por possuir, em maior grau do que os outros candidatos, os talentos que a comissão de selecção pensa serem necessários ao desempenho daquele. Os outros candidatos querem que lhes garantam que os seus talentos foram seriamente tidos em conta. E nós todos queremos saber se ambas as garantias são verdadeiras. É por isso que a reserva de cargos nos Estados Unidos actualmente tem sido objecto não só de polémica, mas também de desilusão. A auto-estima e a dignidade pessoal, a confiança mútua e a esperança estão tão em causa como a posição social e económica.

Em causa estão também os direitos, não os direitos humanos ou naturais, e sim os direitos derivados do significado social dos cargos e das carreiras, reivindicados no decurso de longas lutas políticas. Assim como não poderíamos adoptar um sistema de detenção preventiva sem violar os direitos dos inocentes, mesmo que ponderássemos com justiça os custos e os benefícios desse sistema, também não podemos adoptar um sistema de quotas sem violar os direitos dos candidatos. O raciocínio de Dworkin assume uma forma que me parece totalmente adequada ao caso da despesa pública. Enquanto o programa geral de despesa for democraticamente elaborado, uma decisão que opte por investir maciçamente nesta ou naquela área debilitada ou favorecer a agricultura em prejuízo da indústria, não levantará problemas de ordem moral mesmo que haja — como haverá — pessoas favorecidas e outras prejudicadas. Porém, os cargos são carreiras e as penas de prisão são vidas, não podendo os bens desta espécie ser distribuídos como o é o dinheiro, pois estão íntima e profundamente ligados à personalidade e à integridade individuais. A partir do momento em que a comunidade se empenha em distribuí-los, deve ter muito especialmente em atenção o seu significado social, o que requer tratamento igual para todos os candidatos igualmente sérios e (como referirei no Capítulo 11) castigo só para os criminosos.

Se é certo que os direitos estão em causa nestes casos, podem eles, todavia, ser menosprezados. Representam barreiras muito fortes contra certos tipos de tratamento molesto ou ofensivo, barreiras essas, porém, nunca absolutas. Rompemo-las quando a tal somos obrigados, em épocas de crise ou de grande perigo, sempre que pensamos não ter outra alternativa. Daí que todo e qualquer argumento a favor da reserva de cargos deva incluir uma descrição da concomitante crise e uma justificação detalhada da inadequação de medidas alternativas. Um tal argumento poderia ser produzido nos Estados Unidos actualmente, mas não creio que alguma vez o tenha sido. Por mais cruamente que se pinte o quadro da vida comunitária dos negros, parece evidente que os programas e as políticas de que poderia possivelmente esperar-se uma alteração desse quadro, estão por ensaiar. Efectivamente, a reserva de cargos aparece-nos mais como um primeiro do que como um último recurso, embora tenha surgido depois de vários anos em que nada se fez. A razão de se ter recorrido a ela em primeiro lugar foi a de que, embora viole direitos individuais, não representa qualquer ameaça para as hierarquias estabelecidas nem para a estrutura classista no seu todo. É que o objectivo da reserva de cargos é, como já disse, o de reafirmar a hierarquia e não o de a contestar ou transformar. Pelo contrário, as medidas alternativas, embora não violassem os direitos de quem quer que fosse, exigiriam uma significativa redistribuição da riqueza e dos recursos (digamos, a bem de um empenhamento nacional no sentido do pleno emprego). Esta redistribuição estaria, porém, de acordo com as concepções em que se baseia o Estado Social e, embora a oposição fosse enérgica, seria mais susceptível de produzir resultados estáveis do que a reserva de cargos. De um modo geral, a luta contra um passado racista é mais susceptível de ser vencida se for travada de maneira a, em vez de contestar, basear-se em concepções do universo social compartilhadas pela grande maioria dos americanos, tanto negros como brancos.

A reserva de cargos tem outra característica que pode ajudar a explicar por que é que ocupa uma posição de favor (entre outras alternativas, nenhuma das quais, evidentemente, merecedora do firme apoio das elites políticas do nosso tempo). Em princípio, os homens e mulheres a quem forem recusados cargos em virtude da reserva serão unicamente os candidatos (brancos) marginais, qualquer que seja o conceito de qualificação e portanto de marginalidade, adoptado pelas comissões de selecção nesses casos. O impacte será sentido em todas as religiões, grupos étnicos e classes sociais. Contudo, na prática, o impacte atingirá seguramente menos — e, por conseguinte, ameaçará menos — as pessoas e famílias poderosas. Será sobretudo sentido pelo grupo desfavorecido mais próximo, por aqueles homens e mulheres cujas cultura local e instituições comunitárias não fornecem muito mais apoio do que o que os candidatos negros obtêm das suas cultura e instituições. A reserva não fará cumprir a profecia bíblica segundo a qual os últimos serão os primeiros; na melhor das hipóteses, garantirá que os últimos passem a penúltimos. Não creio que haja maneira de evitar este resultado, salvo aumentando o número de grupos com cargos reservados e convertendo o programa correctivo em algo de mais sistemático e duradouro. As vítimas da desigualdade de tratamento situar-se-ão no grupo mais fraco ou no imediatamente a seguir. A menos que estejamos preparados para abandonar a própria ideia de qualificação, os custos não podem ser distribuídos a grupos em posição superior a estes*.

---

* É interessante a circunstância de o regime de preferência de que gozam os veteranos na admissão à função pública parecer ser amplamente aceite, embora tenha havido alguma oposição política e um certo número de objecções legais. A amplitude da aceitação pode ter algo a ver com a amplitude do proveito: os veteranos são oriundos de todas classes sociais e de todos os grupos raciais. Ou talvez seja opinião comum a de que os veteranos perderam, de facto, anos de instrução ou de experiência laboral enquanto outros membros do seu grupo etário foram progredindo, de modo que aquele regime de preferência restabelece a igualdade entre aqueles mesmos grupos que o recrutamento tornou desiguais. Todavia, na prática, são frequentemente apoiados em prejuízo dos membros mais fracos da geração seguinte de candidatos que não beneficiam de qualquer vantagem em treino ou experiência. Mesmo isto é algumas vezes justificado como expressão legítima da gratidão nacional. É, porém, evidente que

O profissionalismo e a arrogância do cargo

O que torna a distribuição dos cargos tão importante é o facto de muitas coisas mais serem distribuídas juntamente com eles (ou com alguns deles): consideração e posição social, poder e privilégio, riqueza e bem-estar. Os cargos são bens predominantes que arrastam outros consigo. A vontade de predomínio é «a arrogância do cargo» e se descobrirmos alguma forma de controlar essa arrogância, o exercício de cargos começará a assumir proporções adequadas. Temos, pois, de descrever a natureza intrínseca da esfera dos cargos: as actividades, relações e recompensas que legitimamente acompanham aquele exercício. O que se segue à qualificação e selecção?

Um cargo é, simultaneamente, uma função social e uma carreira pessoal. Requer o exercício de talento e aptidão com vista a um determinado objectivo. O detentor de um cargo ganha a vida com a sua actividade, mas a sua primeira recompensa é essa própria actividade, o trabalho efectivo para o qual se preparou, que presumivelmente quer executar e que outros homens e mulheres querem igualmente executar. Esse trabalho pode ser torturante, complicado e desgastante e, apesar disso, proporcionar grande satisfação. Dá igualmente prazer falar sobre ele com os colegas, criar um calão profissional e ocultar segredos aos leigos. A «linguagem profissional» * é mais susceptível de dar prazer a quem trabalha em gabinetes do que a quem trabalha em lojas. O segredo crucial é que, obviamente, esse trabalho poderia facilmente ser redistribuído. Um grande número de homens e mulheres poderia igualmente fazê-lo e sentir com isso o mesmo prazer que os actuais detentores.

Não quero com isto negar valor ao conhecimento especializado nem manifestar-me contra a existência de especialistas. O mecânico que me repara o carro sabe coisas que eu não sei e que, aliás, constituem para mim um mistério. O mesmo se passa com o médico que cuida do meu corpo e com o advogado que me guia através do labirinto das leis. Contudo, em princípio, posso aprender o que eles sabem; outros o fizeram, embora alguns deles parcialmente. Eu próprio, sendo o que sou, sei o suficiente para questionar os conselhos dos especialistas que consulto e posso melhorar os meus conhecimentos, conversando com os amigos ou lendo um pouco. A distribuição de conhecimentos socialmente úteis não é uma teia inconsútil, mas não apresenta enormes soluções de continuidade. Ou melhor, a menos que sejam artificialmente mantidas, essas soluções de continuidade serão preenchidas por diferentes espécies de pessoas com diferentes talentos e aptidões e diferentes concepções de especialização.

O profissionalismo é uma forma de manutenção artificial. E, ao mesmo tempo, é muito mais do que isso; é um código ético, um vínculo social, um modelo de regulação mútua e de autodisciplina. Mas evidentemente que a finalidade da

---

os cargos constituem a moeda errada para o pagamento de tais dívidas. Os benefícios educativos são melhores, uma vez que são efectivamente pagos pela nação — ou seja, pelo conjunto dos contribuintes — e não por um qualquer subgrupo arbitrariamente escolhido. Se isto estiver certo, a reparação será preferível à reserva, como compensação dos negros americanos pelos abusos do passado[26].

* *Shoptalk* no original, «fala de loja», em tradução literal. *(NT)*

organização profissional é a de tornar um conjunto especial de conhecimentos objecto da posse exclusiva de um conjunto especial de homens (e mais recentemente, também de mulheres)[27]. Este esforço é feito pelos detentores de cargos em seu próprio proveito. As suas razões são, em parte, materiais; procuram limitar o seu número, de maneira a poderem exigir honorários e vencimentos elevados. Esta é a segunda recompensa pelo exercício de um cargo. Porém, o que está em jogo é algo mais do que o dinheiro, sempre que grupos de detentores de cargos reivindicam uma posição profissional. É a própria posição que está em jogo, constituindo a terceira recompensa. Os homens e mulheres profissionais têm interesse em especificar a natureza das suas actividades, pondo de parte aquelas tarefas que lhes parecem abaixo do nível das suas experiência e habilitações. Buscam determinado lugar numa hierarquia e determinam o seu trabalho de acordo com o nível que esperam atingir. Criam-se novas profissões para alargar a hierarquia com cada grupo adicional a procurar isolar determinada actividade ou conjunto de actividades em que a competência possa ser atestada e, pelo menos em certa medida, monopolizada. Há, porém, uma característica destas profissões mais recentes, como salientou T. H. Marshall, que é a de haver uma escada educativa que a elas conduz, mas «não haver qualquer escada que permita sair delas». Os níveis adjacentes só podem ser alcançados «por uma via diferente, a partir de um nível diferente do sistema educativo»[28]. Médicos e enfermeiros constituem um exemplo útil de profissionais intimamente ligados com diplomas de utilização exclusivamente pessoal. O profissionalismo é, pois, um meio de traçar fronteiras.

E é também um meio de criar relações de poder. Os profissionais exercem o poder através da hierarquia laboral e também nas suas relações com os clientes. Propriamente falando, dão ordens aos seus subordinados, mas apenas dirigem imperativos hipotéticos* aos seus clientes. Se quer curar-se, dizem, faça isto e aquilo. Porém, quanto maior for a distância que puderem manter, maiores serão os segredos à sua disposição e menos hipotéticos serão os seus imperativos. Desprezando a nossa ignorância, dir-nos-ão muito simplesmente o que teremos de fazer. Há, evidentemente, homens e mulheres que resistem à tentação de passar da sabedoria autorizada ao comportamento autoritário, mas a tentação e a oportunidade estarão sempre presentes; é esta a quarta recompensa pelo exercício de um cargo. A expansão dos cargos e a expansão do profissionalismo marcham a par uma da outra, pois assim que começamos a garantir empregos às pessoas qualificadas, estamos a favorecer a inflação da ciência e da perícia especializadas. Há uma óptima razão para conter aquela expansão e recusar universalidade ao serviço civil, mas essa razão também serve para fundamentar o estabelecimento de limites ao predomínio das posições oficiais (e profissionais) e à sua ampla convertibilidade. Queremos pessoas qualificadas para servirem como funcionários públicos, médi-

---

* Na sua obra *Fundamentos da Metafísica dos Costumes* (2.ª sec., §§ 13 e segs.), Kant estabeleceu a distinção entre os imperativos hipotéticos — que subordinam a obrigação a uma condição ou a um fim que se quer, ou se poderia querer, atingir — e o imperativo categórico fundamental que constitui a lei moral na filosofia kantiana e cuja fórmula é: «Procede sempre segundo uma máxima tal que possas querer ao mesmo tempo que ela se torne lei universal» (*ibid.*, § 31). *(NT)*

cos, engenheiros, professores, etc., mas não queremos que estas pessoas mandem em nós. Temos a possibilidade de pagar o que lhes é devido sem termos de suportar a sua arrogância.

Mas o que é que lhes é devido? Cada uma das quatro recompensas pelo exercício do cargo tem formas adequadas e inadequadas. Em certa medida, são determinadas politicamente: constituem o produto de discussões ideológicas e concepções comuns e não podemos deixar de insistir em que os detentores de cargos oficiais, membros desta ou daquela profissão, não tenham direitos exclusivos no processo daquela determinação. Mas deveria ser possível sugerir algumas directrizes de carácter geral derivadas do conceito social de cargo público. A primeira recompensa é o prazer que a actividade proporciona, e não há dúvida que os detentores de cargos qualificados têm direito a todo o prazer que retiram do trabalho que fazem. Todavia, não têm o direito de organizar essa sua actividade de modo a aumentar o seu prazer (ou os seus rendimento, posição ou poder) à custa dos outros. Estão ao serviço de objectivos comunitários e, por conseguinte, o seu trabalho está sujeito ao controlo dos cidadãos da comunidade. Exercemos esse controlo de cada vez que enunciamos as qualificações necessárias para o exercício de determinado cargo ou os padrões de conduta idónea ou ética. Não há, pois, qualquer razão *a priori* para se concordar com esta ou aquela segregação de técnicas ou aptidões especializadas. É que é sempre possível que a comunidade seja mais bem servida ao exigir que os detentores de cargos se desloquem de um para o outro lado das fronteiras de especialização existentes. Vejamos, por exemplo, uma proposta recente para a substituição da medicina liberal por «equipas médicas funcionais»:

> Os membros da equipa deverão estar preparados para adaptar as suas aptidões às necessidades do consumidor, em vez de passarem este para outros profissionais de saúde como expediente de trabalho. O médico deve estar preparado para executar tarefas de «enfermagem» e disposto a fazê-lo, quando autorizado, e, inversamente, o enfermeiro deve ministrar tratamento médico desde que adequado [29].

Esta ideia pode ser boa ou não, mas a proposta chama a nossa atenção para um ponto importante. As actuações convencionais deixam com frequência de alcançar os objectivos do cargo; podem mesmo constituir uma conspiração contra esses objectivos. Os executantes devem, pois, ser obrigados a desempenhar adequadamente as suas tarefas.

E devem ter então uma adequada compensação financeira. Porém, não é fácil determinar a medida dessa compensação. O mercado de trabalho não funciona bem neste campo, principalmente por causa da posição predominante dos cargos, mas também por causa da natureza social do trabalho executado pelas autoridades e da necessidade de diplomas e autorizações. Os titulares de altos cargos têm sido especialmente capazes de limitar o conjunto de candidatos no qual são escolhidos os seus pares e sucessores e, portanto, de fazer subir o seu rendimento colectivo. Sem dúvida, o conjunto de candidatos a certos cargos tem limites reais, mesmo tendo em conta um conjunto realista de qualificações. Porém, é manifesto que não é apenas o mercado — ou não o mercado livre — que determina a retribuição dos cargos[30]. Algumas vezes, os detentores de cargos andam mesmo a assaltar-nos*. Nesse caso, temos todo o direito de resistir e de procurar uma contrapartida qualquer ao poder profissional. Quando está em jogo um trabalho importante, como afirmou Tawney, «nenhuma pessoa decente pode exigir o seu preço. Um general não regateia com o governo sobre o equivalente pecuniário exacto da sua contribuição para a vitória. A sentinela que dá o alarme ao batalhão que dorme não passa o dia seguinte a recolher o valor em dinheiro das vidas que salvou»[31]. Na verdade, esta afirmação é demasiado optimista: os equivalentes domésticos do general e da sentinela com bastante frequência não lutarão de todo ou nem mesmo tocarão a alarme enquanto não tiverem recebido o seu «preço». Porém, não há razão para que concordemos com as suas exigências nem há qualquer prova de que uma enérgica recusa dessa concordância produza vacaturas de cargos ou detentores de cargos não qualificados. Os cargos militares constituem, neste aspecto, um exemplo interessante pois parecem atrair indivíduos qualificados sempre que o seu prestígio social é elevado, independentemente do vencimento oferecido que é geralmente mais baixo do que aquele que os mesmos indivíduos poderiam exigir no mercado. Eles preferem, porém — e não é despropositado —, outra espécie de comando**.

De vez em quando, surge o argumento de que os cargos, nomeadamente os profissionais, têm de ser bem pagos para que os respectivos titulares possam «dedicar-se à vida mental»[32]. Porém, a vida mental, sendo as vidas o que são, é relativamente barata e, em qualquer caso, os proventos do cargo raramente são gastos com as suas exigências. Uma vez entendido o processo complexo pelo que qual são escolhidos os detentores de cargos e reconhecidas as recompensas inerentes a estes, não vislumbro argumento válido contra a manutenção de diferenças salariais entre os cargos e outras espécies de empregos. E, na verdade, é essa a firme tendência do processo democrático de decisão. O exemplo clássico é o da resolução da Comuna de Paris, em 1871, segundo a qual «o serviço público deveria ser feito pelos salários dos operários»[33]. Esta tendência é, porém, visível em todos os estados democráticos e de modo extremamente evidente no que respeita aos cargos da administração pública. Em 1911, por exemplo, o salário dos altos funcionários na Grã-Bretanha era 17,8 vezes superior ao salário por cabeça da população empregada; em 1956, era só 8,9 vezes superior. Os números comparáveis relativos aos Estados Unidos (para 1900 e 1958) eram 7,8 e 4,1; para a Noruega (1910 e 1957), 5,3 e 2,1[34]. A tendência é geral para todos os cargos e todas as profissões, salvo quanto aos médicos nos Estados Unidos onde parece que seguimos o conselho de Bernard Shaw***: «Para ter médicos é melhor tê-los bem pagos»[35]. Porém, a criação de um serviço nacional de saúde também aqui reduziria provavelmente as diferenças.

---

* Trocadilho intraduzível entre *holder* (detentor) e *hold up* (assaltar). *(NT)*

** Outro trocadilho intraduzível, entre *command* («exigir» na economia da frase) e *command* (comando). *(NT)*

*** George Bernard Shaw (1856-1950), dramaturgo, crítico e romancista irlandês, prémio Nobel de 1925. *(NT)*

«O respeito» — afirmou Adam Smith — «representa uma grande parte da retribuição de todas as profissões respeitáveis. No tocante ao proveito pecuniário, tendo em conta os vários aspectos, são geralmente mal retribuídas»[36]. Ponho dúvidas quanto a esta última parte, mas a primeira é seguramente verdadeira e é-o relativamente a todos os detentores de cargos, seja qual for a sua posição na escala hierárquica. Todavia, o respeito é uma recompensa que se deve medir pela actuação e não pelo lugar ocupado; só se for medido nestes termos é que poderemos propriamente falar dele como de algo que as pessoas merecem. E quando é merecido é a mais alta recompensa de um cargo. Desempenhar bem as suas funções e ser conhecido por isso, é, seguramente, o que os homens e as mulheres mais desejam lhes advenha do seu trabalho. Pelo contrário, insistir no respeito sem olhar à actuação, é uma das formas mais vulgares da arrogância oficial. «Se os advogados aplicassem uma verdadeira justiça e os médicos possuíssem a verdadeira arte de curar, não precisariam de usar barretes quadrados (o símbolo do cargo)», disse Pascal para quem a justiça e a arte de curar estavam acima da capacidade do homem-sem-Deus[37]. Mas, ao menos, podemos pedir aos advogados e aos médicos que se aproximem o mais que puderem dos nossos ideais de justiça e de arte de curar e recusar-nos a prestar homenagem aos seus barretes.

O poder dos detentores de cargos é de difícil limitação (falarei nele aqui só resumidamente, voltando ao tema mais tarde quando me referir à esfera política). O exercício de um cargo é uma razão importante para se exercer a autoridade, mas a autoridade dos profissionais e dos burocratas, mesmo quando qualificados, não é simpática. Sempre que podem, utilizam os cargos para estender o seu poder para além do permitido pelas suas qualificações e do requerido pelas suas funções. É por isso que é tão importante que os homens e mulheres que se encontram submetidos à autoridade dos detentores de cargos, tenham voto na determinação da natureza daquelas funções. Esta determinação é, em parte, informal e desenvolve-se nos encontros diários entre os detentores de cargos e os utentes. Deveria ser um dos principais objectivos da educação pública, o de preparar as pessoas para esses encontros, tornando os cidadãos mais bem informados e os cargos menos misteriosos. Mas é também necessário actuar por outras vias para suprir as lacunas na distribuição do conhecimento e do poder: é necessário desencorajar a segregação das especialidades e dos especialistas, impor modelos de trabalho mais cooperativos e complementar a auto-regulamentação dos profissionais com uma qualquer espécie de supervisão comunitária (por exemplo, conselhos de revisão). Esta última medida é extremamente importante, principalmente a nível local, onde a participação popular é mais realista. Aqui o argumento a respeito dos burocratas sociais pode generalizar-se a todos os detentores de cargos: só podem desempenhar correctamente as suas funções se não o fizerem sozinhos. Na verdade, não têm o direito de o fazer sozinhos apesar de a sua competência ter sido atestada pelas autoridades constituídas que se presume representarem o conjunto dos clientes e consumidores. É que os clientes e consumidores têm um interesse mais imediato e as suas opiniões colectivas a respeito da actuação dos detentores de cargos é crucial para o trabalho em curso. A questão está em não submeter os «peritos» aos «vermelhos» e, antes, os detentores de cargos aos cidadãos. Só então se tornará claro para toda a gente que o exercício de um cargo é um modo de servir e não mais uma oportunidade de tiranizar.

A restrição dos cargos

Há duas razões para a expansão dos cargos. A primeira tem a ver com o controlo político de actividades e empregos vitais para o bem-estar da comunidade; a segunda tem a ver com a «justa igualdade de oportunidades». Ambas as razões são boas, mas nem separadamente nem em conjunto requerem um serviço civil universal. O que requerem é a eliminação ou a redução do arbítrio privado (individual ou de grupo), no que se refere a certas espécies de empregos. A política democrática toma o lugar do arbítrio privado. O seu mandato pode ser exercido directamente por autoridades administrativas ou juízes, ou indirectamente por comissões de cidadãos, agindo de acordo com regras publicamente estabelecidas; porém, a referência crítica é à comunidade política no seu todo e o poder efectivo reside no Estado. Todo e qualquer sistema que no mínimo se aproxime de um serviço civil universal é susceptível de se tornar numa operação centralizada. A tendência inevitável de todos os esforços para conseguir o controlo político e a igualdade de oportunidades é a de reforçar e aumentar o poder centralizado. Tal como noutras áreas da vida social, os esforços para vencer a tirania fazem surgir o espectro de novas tiranias.

Mas nem todos os empregos têm de ser convertidos em cargos. Como já referi, os cargos pertencem às pessoas que são servidas por eles: cargos electivos e pertencentes à administração pública, ao povo no seu todo; cargos profissionais e pertencentes a pessoas colectivas, aos clientes e consumidores que só podem ser politicamente representados através do aparelho de Estado. Há, contudo, obviamente empregos aos quais esta descrição não aproveita ou em que a sua aplicação custaria largamente mais do que presumivelmente valeria a pena; há também empregos que aparentam pertencer a grupos mais pequenos de pessoas e em que a política relevante é a política do grupo e não do Estado. Se analisarmos alguns exemplos, creio que veremos rapidamente que se pode deduzir uma argumentação convincente contra a ideia dos cargos e a favor de processos descentralizados de procura e selecção.

O mundo da pequena burguesia

Já salientei o valor da actividade empresarial. Os pequenos armazéns, as oficinas e o comércio de serviços constituem, no seu conjunto, um mundo de trabalho e de trocas socialmente valioso: ocasionalmente, uma fonte de inovação económica e também o sector mais importante da vida de uma comunidade de moradores. Nos Estados Unidos, a maior parte dos empregos do sector pequeno-burguês estão isentos das leis de acção afirmativa* e do justo emprego; muito simplesmente, não é possível uma regulamentação eficaz. Mas é possível eliminar totalmente aquele sector (ou pelo menos empurrá-lo para a clandestinidade) como se fez nos chamados países socialistas e isto em nome da igualdade. É que, como é óbvio, os empregos em armazéns, lojas e agências de serviços não são distribuídos «justamente». Nem podem os candidatos ambiciosos habilitar-se às oportunidades disponíveis através de um processo impessoal. A economia pequeno-burguesa é um mundo personalista em que as trocas de favores são constantes e os empregos são dados a amigos e parentes. O nepotismo não só é aprovado como, frequentemente, se apresenta como moralmente necessário. No âmbito desta moral, o arbítrio é o supremo rei: o arbítrio dos proprietários, das famílias, dos sindicatos demasiado fechados, dos chefes políticos locais, etc.

E, todavia, a interferência das autoridades constituídas afigura-se-me aqui não só indesejável, mas também ilegítima. Em parte, esta é uma questão de escala. Considerada *en masse* **, a actividade empresarial é muito importante, mas as empresas individuais não são muito importantes e não há razão para que a comunidade procure controlá-las. (Ou melhor, deverá estabelecer apenas um controlo pequeníssimo, como, por exemplo, ao fixar um salário mínimo.) Devemos, porém, ter também em atenção as formas pequeno-burguesas de vida em que os empregos se situam num tecido social específico: habitações acanhadas, rotina diária, relações locais, serviços pessoais, cooperação familiar. Não foi por acidente que uma série de grupos imigrantes recém-chegados foram capazes de se introduzir neste mundo económico e ali prosperar. É que se ajudam mutuamente de uma maneira que deixa de ser possível assim que entram no mundo impessoal dos cargos públicos.

O controlo operário

Imaginemos agora que uma parte substancial da economia americana é constituída por companhias e fábricas democraticamente geridas. É minha intenção defender o controlo operário mais adiante, no Capítulo 12. Vou, porém, antecipar essa argumentação (novamente) com o propósito de perguntar quais as espécies de processos de assalariamento adequadas a uma comuna fabril. Deverá exigir-se ao director de pessoal eleito ou à comissão de selecção que adopte o padrão da «justa igualdade de oportunidades»? Talvez não seja apropriado falar aqui de «processos de assalariamento». Uma vez fundada uma comuna, o que passa a estar em causa é a admissão de novos membros. E a qualificação em sentido estrito — como aptidão para executar aquele trabalho ou para aprender a executá-lo — parece ser apenas o primeiro requisito de admissão. Os actuais membros são livres, se assim quiserem, de estabelecer requisitos adicionais que tenham a ver com a concepção que têm da

* *Affirmative action*: política que procura compensar discriminações pretéritas, garantindo iguais oportunidades, por exemplo, na educação e no emprego. *(NT)*

** Em francês, no original. *(NT)*

sua vida comum. Serão, porém, livres de favorecer parentes, amigos, membros deste ou daquele grupo étnico ou homens e mulheres com determinada filiação política?

Numa sociedade com uma longa história de racismo, fará sentido rejeitar critérios raciais e, por conseguinte, impor um conjunto mínimo de práticas justas de emprego. Mas, para além disso, o processo de admissão é adequadamente deixado nas mãos dos membros. Presumivelmente, a comuna estará inserida numa estrutura federal e aqueles operarão no quadro de uma série de regras: regulamentos de segurança, padrões de qualidade, etc. Porém, se não puderem escolher os seus colegas de trabalho, é difícil concluir qual o sentido em que se pode dizer que «controlam» o seu local de trabalho. E se o controlarem efectivamente, poderá então concluir-se que há várias espécies de locais de trabalho, dirigidos segundo princípios diferentes, incluindo os das homogeneidades étnica, religiosa e política. E pode muito bem acontecer que num determinado tempo e num determinado lugar a fábrica mais bem sucedida seja maioritariamente dirigida, por exemplo, por italianos ou por mórmons. Não vejo nisso nada de errado, desde que o êxito não seja convertível fora da sua esfera própria.

O clientelismo político

Há muitos empregos do Estado, especialmente a nível local, que não requerem grandes aptidões e se renovam a um ritmo suficientemente rápido. São, por definição, cargos públicos, uma vez que só podem ser distribuídos pelas autoridades constituídas. Um sorteio entre os homens e mulheres possuidores das qualificações mínimas pedidas — sejam elas quais forem — afigurar-se-ia um processo distributivo óbvio. É este o modo pelo qual atribuímos, por exemplo, lugares nos júris e seria também, com toda a certeza, adequado para os conselhos locais, comissões, juntas de revisão, serviços judiciais de várias espécies, etc. Porém, atenta a autoridade do princípio electivo nos Estados Unidos, não parece haver o que quer que seja de ilegítimo num sistema clientelista, ou seja, um sistema consistente na distribuição efectuada por autoridades eleitas, agora encaradas como chefes políticos vitoriosos, a favor dos seus companheiros e sequazes. Isto é, na verdade, converter cargos em *spoils*, mas desde que estes não sejam cargos para os quais as pessoas tenham de se preparar durante meses ou anos de prática e desde que os detentores de cargos experientes não sejam arbitrariamente afastados, ninguém será injustamente tratado pela conversão. E não é pouco plausível a afirmação de que para certos tipos de função pública, a actividade política é, ela própria, uma importante qualificação.

Efectivamente, a actividade política bem sucedida é a qualificação essencial para os mais altos cargos; não distribuímos os lugares a que chamamos «representativos» com base em fundamentos do género meritocrático, ou, pelo menos, os méritos em causa não são susceptíveis de ser avaliados através de um sistema de exames. Aqui, o processo distributivo está totalmente politizado e, embora o eleitor ideal pudesse talvez comportar-se como um membro de uma comissão de selecção, o eleitorado real não está limitado do mesmo modo que o estão as comissões de selecção. Pode observar-se uma linha contínua de crescente liberdade de escolha, dos júris às comissões e destas ao eleitorado. E acontece, então, que às autoridades eleitas é permitido, com toda a plausibilidade, chamar alguns dos seus apoiantes a exercer cargos junto delas, usando do mesmo arbítrio que foi usado quando elas próprias foram escolhidas.

O sistema clientelista serve para criar lealdade, empenhamento e participação e pode muito bem constituir uma característica necessária de toda e qualquer democracia regionalista ou descentralizada. O serviço civil universal é provavelmente tão incompatível com a democracia local como com a democracia fabril. Ou melhor, o governo local, como as pequenas empresas, funciona melhor quando há espaço livre para a amizade e a troca de favores. Mais uma vez se dirá que se trata aqui de uma questão que, em parte, é de escala, e em parte, depende da natureza dos empregos em causa. Não é minha intenção negar a importância de uma administração impessoal e politicamente neutral, mas essa importância será maior ou menor consoante os vários tipos de actividade pública. Há uma série de actividades relativamente às quais o arbítrio partidário parece ser, senão inteiramente adequado, pelo menos não inadequado. Poder-se-ia mesmo fazer com que se tornasse matéria de acordo e expectativa geral o facto de certos empregos «rodarem» entre os activistas políticos, conforme o seu êxito ou insucesso no dia das eleições.

O que estes três exemplos mostram é que a instituição de um serviço civil universal exigiria uma guerra, não só contra o pluralismo e a complexidade de toda e qualquer sociedade humana, mas, muito especificamente, contra o pluralismo e a complexidade democrática. Mas não seria esta uma justa guerra, uma campanha a favor da «justa igualdade de oportunidades»? Já me esforcei por afirmar que a igualdade de oportunidades é um padrão para a distribuição de alguns empregos, mas não de todos os empregos. É o mais adequada possível aos sistemas centralizados, profissionalizados e burocratizados e a sua prática tende provavelmente a fomentar esses sistemas. Aqui são necessários o controlo comunitário e a qualificação individual e o princípio essencial é o da «justiça». E aqui temos de suportar o domínio da maioria e, por conseguinte, das autoridades públicas e a autoridade de homens e mulheres qualificados. Porém, obviamente, há empregos desejáveis que estão fora daqueles sistemas e que são justamente (ou não injustamente) controlados por pessoas privadas ou por grupos e que não têm de ser distribuídos «justamente». A existência de tais empregos abre caminho a um tipo de êxito para o qual as pessoas não têm de se qualificar — na verdade, nem se podem qualificar — estabelecendo assim limites à autoridade dos qualificados. Há áreas da vida social e económica onde a sua autoridade não prevalece. As fronteiras exactas destas áreas serão sempre problemáticas, mas a sua realidade não o é de modo algum. Distinguimo-las do serviço civil porque o modelo das relações humanas no seu interior é melhor do que seria se o não fizéssemos — melhor, quer dizer, atenta determinada concepção das boas relações humanas.

Esta é, pois, a igualdade complexa na esfera dos cargos públicos. Requer que as carreiras sejam abertas aos talentos, mas estabelece limites às prerrogativas dos talentosos. Se os indivíduos de ambos os sexos pretendem planear as suas vidas e idear carreiras para si próprios, não há maneira de poderem evitar a competição em torno dos cargos com todos os seus triunfos e derrotas. Pode, porém, reduzir-se o frenesi da competição, baixando as paradas. O que está em jogo são os cargos e nada mais. O insucesso de um candidato no exame para o funcionalismo chinês constituía uma tragédia pessoal. Para ele estava tudo em jogo: toda a China adulava servilmente os candidatos bem sucedidos. Para nós, porém, isso seria um conceito errado do valor dos cargos e dos méritos dos seus detentores. Os homens e as mulheres empenhados na igualdade complexa não deixarão de cultivar um sentido mais realista daqueles méritos e do modo como operam na esfera dos cargos. E não deixarão de reconhecer a autonomia das outras esferas em que prevalecem legitimamente outras formas de competição e cooperação, outras formas de enaltecimento, consideração e serviço.

CAPÍTULO VI

O TRABALHO DURO

Igualdade e dureza

Não se trata aqui de trabalho exigente ou árduo. Neste sentido do termo, pode trabalhar-se duramente em quase todos os cargos e em quase todos os empregos. Posso trabalhar duramente a escrever este livro e algumas vezes faço-o. Uma tarefa ou uma causa que nos parece digna do duro trabalho que implica é obviamente uma boa coisa. Apesar de toda a nossa natural preguiça, iremos em busca dela. Porém, *duro* tem outro sentido — como em «Inverno duro» e «coração duro» — e que é o de irritante, desagradável, amargo e difícil de suportar. Neste sentido, é o relato no Êxodo da sujeição de Israel: «E os egípcios amarguravam-lhes a vida com trabalhos duros» (1, 14). Aqui, o termo refere-se a ocupações semelhantes a penas de prisão, a trabalhos que as pessoas não procuram e não escolheriam se dispusessem de alternativas minimamente atraentes. Este género de trabalho é um bem negativo e arrasta normalmente consigo outros bens negativos: pobreza, insegurança, falta de saúde, perigo físico, desonra e degradação. E, todavia, é um trabalho socialmente necessário; tem de ser feito, o que quer dizer que é preciso encontrar quem o faça.

A solução convencional deste problema apresenta-se com a forma de uma equação simples: o bem negativo corresponde à condição social negativa das pessoas em cujas mãos é enfiado. O trabalho duro é distribuído a pessoas vis. Os cidadãos são libertados; aquele trabalho é imposto aos escravos, aos estrangeiros residentes, aos «trabalhadores-hóspedes», todos intrusos. Em alternativa, os nativos que fazem aquele trabalho convertem-se em estrangeiros de «dentro» como os intocáveis indianos ou os negros americanos após a emancipação. Em muitas sociedades, as mulheres têm constituído o grupo mais importante de estrangeiros de «dentro», fazendo o trabalho desprezado pelos homens e libertando estes, não só para actividades económicas compensadoras, mas também para o exercício da cidadania e para a política. Efectivamente, o trabalho doméstico que as mulheres tradicionalmente têm vindo a fazer — cozinhar, limpar, cuidar dos doentes e dos velhos — constitui uma parte substancial da economia nos nossos dias, sendo para ele recrutados estrangeiros (e entre estes, sobretudo mulheres).

A todos estes casos subjaz uma ideia cruel: pessoas negativas para um bem negativo. Aquele trabalho deve ser feito por homens e mulheres cujas qualidades se presumem ajustadas a tal. Devido à sua raça, sexo, inteligência presumida ou condição social, merecem fazê-lo ou não merecem deixar de o fazer ou, de qualquer modo, qualificaram-se para ele. Não é trabalho de cidadãos, homens livres, brancos, etc. Mas que espécie de merecimento ou de qualificação é esta? É difícil explicar o que fizeram os executantes do trabalho duro nesta ou naquela sociedade para merecer o perigo e a degradação que aquele trabalho normalmente implica ou como foi que eles e só eles se qualificaram para tal. Que segredos descobrimos sobre o seu carácter moral? Quando os condenados executam trabalho duro podemos ao menos alegar que merecem esse castigo. Mas mesmo aqueles não são escravos do Estado e o seu aviltamento é (com grande frequência) limitado e temporário, não sendo de maneira nenhuma indiscutível que as formas mais pesadas de trabalho lhes devam ser impostas. E se não lhes devem ser impostas, é óbvio que o não devem ser a mais ninguém. Na verdade, se os condenados são coagidos ao trabalho duro, então os homens e mulheres comuns deveriam provavelmente ser dele isentos, de modo a tornar claro que não são condenados e nunca foram considerados culpados por um júri formado pelos seus pares. E se mesmo os condenados não devem ser coagidos a suportar a opressão (sendo certo que a prisão já é opressão suficiente), então é *a fortiori* verdade que ninguém a deve suportar.

E também não pode ser imposta aos que vêm de fora. Como já afirmei, as pessoas que fazem aquele género de trabalho estão de tal modo intimamente ligadas à vida quotidiana da comunidade política que não pode, com justiça, ser-lhes negada a qualidade de membros. O trabalho duro é um processo de naturalização, conferindo a qualidade de membro aos que suportam aquela dureza. Ao mesmo tempo, há algo de cativante numa comunidade cujos membros se opõem ao trabalho duro (e cujos novos membros são naturalizados para a resistência). Têm uma certa consciência de si próprios e das suas carreiras que os impede de aceitarem a opressão; recusam ser aviltados e têm força suficiente para sustentar essa recusa. Nem a consciência de si mesmo nem a firmeza pessoal têm sido muito vulgares na história da Humanidade. Representam uma conquista significativa da democracia moderna, com toda a evidência intimamente ligada ao crescimento económico, mas também ao êxito total ou parcial da igualdade complexa na esfera da previdência. Há quem diga que é um argumento contra o Estado Social o facto de os seus membros não quererem aceitar certas espécies de empregos. Porém, isto é seguramente um sinal de êxito. Ao concebermos um sistema de provisão comunitária, um dos nossos objectivos é o de libertar as pessoas do imediato constrangimento da necessidade física. Enquanto não estiverem livres dele, ficarão à mercê de qualquer tipo de trabalho duro, como que antecipadamente humilhados. Famintos, impotentes e sempre inseguros, constituem o «exército de reserva do proletariado»*. Desde que tenham alternativas, unir-se-ão e dirão *Não*. E, todavia, aquele trabalho tem de ser feito. Quem o há-de fazer?

Há um velho sonho segundo o qual ninguém terá de o fazer. O problema resolver-se-á com a abolição daquele trabalho e a substituição de homens e mulhe-

---

* V. Karl Marx, in *Capital*, vol. II, caps. XVI-III e XX-IV. *(NT)*

res por máquinas sempre que o acharem penoso. Diz Oscar Wilde no seu belo ensaio «A Alma Humana sob o Socialismo»:

> Todo o trabalho não-intelectual, todo o trabalho monótono e aborrecido e todo o trabalho que lida com coisas terríveis e implica um condicionalismo desagradável, deve ser feito por máquinas. As máquinas devem trabalhar para nós nas minas de carvão e fazer todo o trabalho sanitário, o trabalho dos fogueiros nos navios a vapor, limpar as ruas, levar mensagens em dias de chuva e fazer tudo o que for enfadonho e angustiante[1].

Porém, esta solução sempre foi irrealista, pois uma grande quantidade de trabalho duro se requer naquelas ocupações humanas em que a automação nunca esteve em perspectiva. Mesmo onde esteve e ainda está em perspectiva a invenção e instalação das máquinas necessárias, é um processo muito mais lento do que alguma vez pensámos que fosse. E as máquinas com frequência tanto substituem pessoas que estão a fazer um trabalho de que gostam como aquelas que executam um trabalho «enfadonho e angustiante». A tecnologia não é moralmente discernente nos seus efeitos.

Se pusermos a automação de lado, o argumento igualitário mais frequente é o de que aquele trabalho deveria ser compartilhado ou rotativamente distribuído (como os cargos políticos) pelos cidadãos. Todos deveriam fazê-lo, salvo, evidentemente, os condenados que, neste caso, teriam de ser excluídos para ficar assente que aquele trabalho não envolve qualquer estigma. Este é mais um exemplo da igualdade simples. Creio que começou com o trabalho arriscado da guerra. Uma vez que mobilizamos jovens para a guerra, há quem afirme que deveríamos mobilizar os homens e mulheres em geral para todas as tarefas necessárias e insusceptíveis de atrair voluntários. Um exército de cidadãos substituiria o exército de reserva do proletariado. Esta proposta é sedutora e pretendo dar-lhe o seu devido valor. Não pode, porém, ser defendida em toda a extensão da dureza e nem mesmo em toda a extensão do perigo. Daí eu ter de pensar em distribuições mais complexas. Os bens negativos devem ser repartidos, não só entre os indivíduos, mas também entre as esferas distributivas. Podemos compartilhar alguns deles do mesmo modo que compartilhamos os custos do Estado Social; outros podem ser comprados e vendidos se as condições do mercado forem mais ou menos igualitárias; e outros requerem debate político e processo democrático de decisão. Todas estas formas têm, contudo, uma coisa em comum: a distribuição vai ao arrepio do bem (negativo). Salvo em caso de punição, simplesmente não é possível ajustar a distribuição ao significado social do bem por não existir raça, sexo, casta ou classe concebível de indivíduos que possa ser cabalmente caracterizada como sendo a dos executantes do trabalho duro na sociedade. Ninguém preenche os necessários requisitos — não há aqui a companhia de Pascal * — e, assim, todos nós, de diferentes maneiras e em diferentes ocasiões, temos de estar disponíveis.

---

* Blaise Pascal, filósofo jansenista francês (1623-1662). *(NT)*

O trabalho arriscado

A vida militar é um tipo especial de trabalho duro. De facto, em muitas sociedades nem chega de modo algum a ser concebida como trabalho duro. É a ocupação normal dos jovens e a sua função social, para a qual são mais ritualmente iniciados do que propriamente recrutados, encontrando aí as compensações da camaradagem, do entusiasmo e da glória. Neste caso, seria tão estranho falar em mobilizados como em voluntários, pois nenhuma destas categorias é relevante. Algumas vezes, legiões formadas por uma geração inteira partem para a guerra e fazem o que se espera que façam e o que os seus membros (a maior parte deles, em todo o caso) quer fazer. Outras vezes, combater é um privilégio especial da elite e, em comparação, tudo o mais é trabalho duro e mais ou menos aviltante. Os jovens são enérgicos, combativos e ansiosos por se exibirem; o combate é para eles uma forma de se divertirem e só os ricos se podem dar ao luxo de passarem o tempo a divertir-se. John Ruskin escreveu um relato romântico da «guerra consensual» que é travada por jovens aristocratas do mesmo modo que jogam futebol. Só que o risco é maior, a excitação atinge maior intensidade e o prélio tem mais «beleza»[2].

Podemos tentar um romantismo mais terra a terra: os jovens vão para a tropa do mesmo modo que o escritor socialista francês Fourier imaginou que as crianças seriam lixeiros. Em ambos os casos a paixão está ligada à função social. As crianças gostam de brincar com o lixo, pensava Fourier, de maneira que são mais propensas do que quaisquer outras pessoas a recolhê-lo e transportá-lo. E sugeriu então que se organizasse a sua comunidade utópica por forma a explorar aquela propensão[3]. Desconfio, porém, que, ao pôr isto em prática, teria encontrado mais dificuldades do que as que previa. É que dificilmente se poderá apresentar como descrição exacta do trabalho dos lixeiros, o dizer-se que *brincam* com o lixo. Do mesmo modo, a descrição da guerra como actividade natural dos jovens ou desporto de aristocratas ajusta-se unicamente a um pequeno número de guerras ou a certas espécies de batalhas que ocorrem na guerra e não se ajusta de maneira alguma à guerra moderna. Na maior parte das vezes, os soldados têm poucas oportunidades de brincar e os seus oficiais não ficariam contentes com o seu espírito folgazão. O que os soldados fazem é, no mais estrito dos sentidos, trabalho duro. Na verdade, podemos tomar o combate de trincheiras na Primeira Guerra Mundial ou a luta na selva na Segunda, como o primeiro arquétipo da dureza.

Todavia, mesmo quando se compreende a sua verdadeira natureza, a vida militar não é uma actividade radicalmente abjecta. Os soldados rasos são geralmente recrutados nas classes inferiores ou entre os párias ou os estrangeiros, sendo frequentemente olhados com desprezo pelos cidadãos comuns. Porém, o valor perceptível do seu trabalho está sujeito a súbita inflação, havendo sempre a possibilidade de um dia aparecerem como os salvadores do país que defendem. A vida militar é socialmente necessária, pelo menos às vezes, e quando o é, essa necessidade é visível e dramática. Nesses períodos, é também perigosa e é-o de uma maneira que marca especialmente a nossa imaginação. O perigo não é natural e sim humano; o militar vive num mundo em que há outras pessoas — os seus inimigos e nossos, também — que tentam matá-lo. E tem de tentar matá-los. Corre o risco de matar e de ser morto. É por esta razão, penso eu, que esta é a primeira forma de trabalho duro que aos cidadãos é exigido — ou que estes exigem uns aos outros — que compartilhem. A mobilização tem ainda outros fins, sendo o principal o de fornecer a enorme quantidade de tropas necessária à guerra moderna. Todavia, a sua finalidade moral é a de universalizar ou distribuir ao acaso os riscos que a guerra traz a determinada geração de jovens.

Porém, quando os riscos são doutro género, aquela finalidade parece menos premente. Vejamos o caso das minas de carvão. «A percentagem de acidentes é tão elevada», escreveu George Orwell, em *The Road to Wigan Pier*, «... que as mortes e ferimentos são aceites como inevitáveis como o seriam numa pequena guerra.»[4] Não é, todavia, fácil imaginar que este género de trabalho possa ser repartido. O ofício de mineiro pode não ser um trabalho altamente especializado, mas é seguramente muito difícil e é mais bem desempenhado por quem o tiver feito durante muito tempo. Requer algo mais do que um «treino rudimentar». «No máximo», escreveu Orwell, «eu poderia ser um sofrível varredor de ruas, ou... um trabalhador rural de décima ordem. Não haveria, porém, esforço ou treino que fizessem de mim um mineiro de carvão; o trabalho liquidar-me-ia em poucas semanas»[5]. E também não faz muito sentido quebrar a solidariedade dos mineiros. O trabalho nos poços gera uma comunidade unida por fortes laços na qual os trabalhadores temporários não são bem-vindos. Essa comunidade constitui a grande força dos mineiros. Uma funda consciência de posição e de clã e gerações de lutas de classe deram-lhes resistência. Os mineiros constituem, provavelmente, a menos instável das modernas populações industriais. Um exército de mineiros recrutados, mesmo que fosse possível, não seria alternativa sedutora à vida social que estes trabalhadores forjaram para si próprios.

Há, porém, uma razão mais funda para que o recrutamento de cidadãos comuns para trabalhar nas minas nunca tenha sido reclamado por qualquer movimento político ou se tenha tornado assunto de discussão pública. Os riscos que os mineiros correm não são impostos por um inimigo público e não implicam o especial pavor de matar e ser morto. Em certa medida, na verdade, aqueles riscos são impostos por proprietários negligentes ou exploradores e constituem, portanto, uma questão política. Contudo, a solução óbvia é a nacionalização das minas ou a regulamentação do seu funcionamento, parecendo não haver necessidade de recrutar mineiros. Faz sentido tentar solução semelhante para os riscos impostos pela natureza. Na antiga Atenas, os homens que trabalhavam nas minas de prata eram escravos do Estado e estavam permanentemente ao serviço da cidade. Actualmente, os mineiros são cidadãos livres; poderemos, porém, considerá-los — embora as minas sejam propriedade privada — como cidadãos ao serviço da nação. E nesse caso, poderemos tratá-los como se tivessem sido recrutados, não compartilhando os seus riscos, mas compartilhando os custos da solução: estudo da segurança das minas, assistência médica destinada a atender às suas necessidades imediatas, reforma antecipada, pensões decentes, etc. O mesmo argumento se aplica certamente a outras actividades perigosas sempre que sejam socialmente necessárias — portanto, não ao alpinismo, mas aos trabalhos de construção de pontes, edifícios altos, equipamentos de pesquisa de petróleo no alto mar, etc. Em todos estes casos, as estatísticas de mortos e feridos podem assemelhar-se às de uma guerra; a experiência quotidiana é, porém, diferente e é-o também a concepção que temos do respectivo trabalho.

O trabalho extenuante

O recrutamento em tempo de paz levanta ainda outras questões. Há sempre um certo risco de guerra, diferente para cada leva de recrutados e dependente da situação política existente na altura em que atingem a maioridade. Todavia, na maior parte dos casos o que é compartilhado é o fardo do serviço: o tempo gasto, o treino difícil, a disciplina rígida. É evidentemente possível pagar a quem presta o serviço militar, alistar voluntários, abrir possibilidades de promoção e encorajar os soldados a encarar o exército mais como uma carreira do que como a interrupção de uma carreira. Adiante me ocuparei desta alternativa. Quero, porém, chamar aqui a atenção para um importante argumento político contra ela, segundo o qual os cidadãos-soldados são menos susceptíveis do que os profissionais ou os mercenários, de se tornarem instrumentos de opressão interna. Este argumento aplica-se, todavia, só à carreira militar (e não ao trabalho da polícia), ao passo que o que é mais interessante quanto ao recrutamento em tempo de paz é o facto de convidar à assimilação da carreira militar a muitas outras formas de dureza. Se o exército é formado por indivíduos recrutados, porque não hão-de as estradas ser construídas, a cana-de-açúcar cortada e as alfaces apanhadas, por indivíduos igualmente recrutados?

Entre os teóricos políticos, foi Rousseau quem deu a resposta mais fortemente positiva a esta pergunta, valendo-se de um argumento moral essencial à sua teoria encarada como um todo. Os homens (e também as mulheres, acrescentaríamos nós) devem compartilhar o trabalho socialmente necessário, tal como compartilham a política e a guerra, se querem alguma vez vir a ser cidadãos de uma comunidade autogovernada. Uma vez que se exigem a participação política e o serviço militar, também se exigirá a *corvée* ou prestação de trabalho, caso contrário, a sociedade dividir-se-á em senhores e servos, ficando ambos os grupos apanhados na armadilha da hierarquia e da dependência. Apercebemo-nos de que a república entrou em decadência, afirmava Rousseau, quando os cidadãos «preferem antes servir com o seu dinheiro do que com as suas pessoas».

> Quando é preciso partir para a guerra, pagam e ficam em casa; quando é preciso reunir em assembleia, nomeiam delegados e ficam em casa... Num país verdadeiramente livre os cidadãos fazem tudo com as suas próprias mãos e nada por meio de dinheiro... Estou longe de perfilhar a opinião comum; para mim o trabalho forçado não é tão contrário à liberdade como os impostos[6].

A opinião comum é a de que os homens e mulheres só são livres quando escolhem o seu trabalho. Os impostos constituem o preço dessa escolha e a conversão da prestação de trabalho em impostos é considerada em toda a parte como uma vitória para os homens comuns. A opinião de Rousseau é, na verdade, radical, mas é abalada por uma vaga imprecisão. Nunca nos diz que porção do trabalho comunitário deve ser repartida pelos cidadãos. A que empregos se aplicará a *corvée*? Podemos pensar que se estenderá de modo a incluir todo o tipo de trabalho duro. Os cidadãos teriam então de ser organizados em algo de parecido com o exército industrial de Trotsky; haveria pouco ensejo para escolhas individuais e a estrutura de comando daquele exército reproduziria em novas formas os velhos modelos de hierarquia e dependência. Rousseau tinha quase com certeza em mente algo mais modesto; provavelmente, estaria a pensar nos tipos de trabalho aos quais se aplicava historicamente a *corvée* como, por exemplo, a construção das estradas reais. Tratava-se, pois, de um gravame parcial que deixava tempo mais do que suficiente para os pequenos agricultores e artesãos, que habitavam a república ideal de Rousseau, prosseguirem nos seus negócios; podemos imaginar que se tratava de um gravame simbólico (embora o trabalho a compartilhar fosse trabalho efectivo).

Se isto estiver certo, então a escolha dos símbolos é muito importante e temos de ser claros quanto à sua finalidade. A construção de estradas era uma boa escolha para Rousseau por ser a típica forma de trabalho forçado sob o Antigo Regime; os nobres estavam em princípio isentos, a burguesia estava isenta na prática e aquele trabalho era imposto aos súbditos mais pobres e mais débeis do rei pelo que era tido como o mais aviltante dos trabalhos. Se os cidadãos formassem um corpo que o tomasse sobre si, libertariam os pobres não só do trabalho físico, mas também do respectivo estigma, ou seja, do desprezo aristocrático e da imitação burguesa do desprezo aristocrático. Não quer isto dizer que o trabalho nas estradas deixasse de ser um bem negativo para a maioria das pessoas que o fizesse, quer se tratasse de recrutados ou de voluntários. Rude, extenuante e opressivo, sugere o segundo arquétipo da dureza. Mas neste caso, mesmo uma obrigação a tempo inteiro deixaria de implicar o desrespeito dos concidadãos. E então as outras implicações poderiam ser também gradualmente eliminadas, pois os cidadãos estariam dispostos a pagar pelas estradas de que necessitassem e os trabalhadores estariam dispostos a pedir melhor paga. Tudo isto poderia acontecer, mas, na verdade, temos provas de uma transformação muito mais radical de atitude para com o trabalho físico que realmente aconteceu e também numa comunidade semelhante à rosseauniana.

O kibbutz *israelita*

Desde a sua origem que o sionismo pressupôs a criação de uma classe trabalhadora judaica e uma ou outra forma de ideologia marxista, exaltando o poder dos trabalhadores, constituiu sempre uma tendência significativa daquele movimento. Existiu, porém, igualmente desde a origem, uma outra tendência, mais original do ponto de vista filosófico e político e que exaltava, não o poder dos trabalhadores, mas antes a dignidade do trabalho e que visava criar, não uma classe e sim uma comunidade. O *kibbutz*, ou herdade colectiva, é um produto desta última tendência e representa uma experiência na reapreciação de valores: a dignificação do trabalho através da sua partilha. O credo dos primitivos colonos era «uma religião do trabalho», na qual se comungava através do trabalho no campo. E o trabalho mais duro era o mais exaltante, tanto espiritual como socialmente[7].

As primeiras herdades colectivas foram fundadas nos princípios deste século. Pelos anos 50, altura em que Melford Spiro publicou o seu estudo clássico *Kibbutz: Aposta na Utopia*, a reapreciação de valores tinha sido tão bem sucedida que deixara de ser necessário exigir aos membros que compartilhassem o trabalho físico do colectivo. Todos os que podiam, queriam trabalhar; as mãos calejadas constituíam um distintivo honroso. Só nas ocupações com horário inconveniente (leiteiro, guarda-nocturno) é que os membros tinham de se revezar. Por outro lado, os professores do ensino secundário tinham de ser recrutados, pois era muito menos honroso ensinar do que trabalhar no campo, o que era surpreendente, atenta a cultura dos judeus europeus[8]. (Menos surpreendente era o facto de o trabalho na cozinha levantar também problemas, assunto este que referirei mais adiante.)

Penso que era essencial ao êxito do *kibbutz* que cada herdade colectiva fosse igualmente uma comunidade política. Não era só o trabalho que era compartilhado e sim, também, as decisões que lhe diziam respeito. Daí que os trabalhadores fossem livres naquele sentido extremamente importante que Rousseau designa por «liberdade moral»: os fardos que suportavam eram auto-impostos. Quem quer que os não aceitasse podia ir-se embora; quem quer que os recusasse podia ser expulso. Todavia, os membros sabiam sempre que o esquema do seu dia de trabalho e a distribuição de tarefas ao longo do tempo eram objecto de decisão comunitária, decisão esta na qual tinham tido e teriam um voto significativo. Era por esta razão que a partilha podia ser total. No caso de uma *corvée* republicana, numa comunidade maior e numa economia mais complexa e diferenciada, em que os trabalhadores só pudessem participar indirectamente no processo decisório, seria mais adequada uma partilha parcial. Mas há outro contraste revelado pela experiência do *kibbutz* e que é o que se manifesta entre a estreita integração do trabalho e da política, possível numa comunidade residencial e a integração mais parcial, possível em vários contextos laborais. O controlo operário ou a autogestão fornecem, como veremos, uma alternativa à *corvée*. A reorganização política do trabalho pode por vezes substituir a sua partilha, embora seja característica essencial do *kibbutz* e uma explicação da sua natureza moral que ali ambas andem juntas.

O *kibbutz* funda-se num esforço radical para converter um bem negativo num positivo. Considerei esse esforço um êxito e, de um modo geral, é-o. Há, porém, uma área em que não teve sucesso. «Certos trabalhos são considerados tão desagradáveis», afirmou Spiro «que são executados em sistema rotativo permanente... o exemplo mais digno de nota é o trabalho na cozinha (comunitária) e na sala de jantar, cozinhar, lavar loiça e servir à mesa»[9]. No *kibbutz* estudado por Spiro, as mulheres eram destacadas por turnos de um ano e os homens por dois ou três meses, para trabalhar na cozinha. Ora, a diferenciação sexual no trabalho não deve constituir problema se for livremente determinada (quer pelos indivíduos, quer por uma assembleia em que homens e mulheres tenham igual voto) e se as diferentes ocupações forem igualmente respeitadas. Neste caso, porém, não se aplicava a segunda condição. É plausível dizer-se que, no que respeita à alimentação, a cozinha é tão importante como o campo. Todavia, os membros do *kibbutz* desprezavam de um modo geral a «graciosidade» burguesa no acto de comer; sentiam um mal-estar rousseauniano relativamente a qualquer coisa que lhes cheirasse a luxo. Daí que Spiro dissesse «faziam-se muito poucos esforços para melhorar a preparação dos alimentos disponíveis» [10]. (Os géneros alimentícios eram racionados em Israel no princípio dos anos 50.) O trabalho na cozinha podia ter sido mais respeitado se os seus produtos fossem mais individualizados e altamente apreciados e, assim, poder-se-ia esperar uma melhoria da sua posição relativa à medida que as arestas agudas da ideologia do *kibbutz* se vão limando. Porém, as limpezas e lavagens que se seguem às refeições podem ser desagradáveis por mais agradáveis que estas últimas tenham sido. E outras espécies de limpeza poderão ser igualmente desagradáveis. Talvez aqui seja a ideologia do *kibbutz* que se levanta contra um bem negativo que não pode ser transformado. A maldição de Adão não o seria de modo algum se não fosse por alguma dureza irredutível que sempre existe no duro trabalho que temos de fazer. E parece que, mesmo no *kibbutz*, aquela maldição é suportada mais por uns do que por outros.

O trabalho sujo

Em princípio, um trabalho intrinsecamente aviltante é coisa que não existe; o aviltamento é um fenómeno cultural. Todavia, na prática é provavelmente verdade que um conjunto de actividades, tendo a ver com porcaria, desperdícios e lixo, tenha sido desprezado e evitado em quase todas as sociedades humanas. (As crianças de Fourier ainda não aprenderam os costumes dos mais velhos.) A lista exacta varia conforme o tempo e o lugar, mas o cenário é mais ou menos o mesmo. Por exemplo, na Índia inclui a matança das vacas e curtimento do coiro, ocupações estas que têm uma posição bastante diferente nas culturas ocidentais. Mas, por outro lado, as ocupações características dos intocáveis indianos revelam o que podemos conceber como o terceiro arquétipo do trabalho duro: são lixeiros e varredores, transportando os desperdícios e despejos nocturnos. É indubitável que os intocáveis são particularmente vis, mas é difícil acreditar que o trabalho que fazem alguma vez será atraente ou largamente apreciado. Bernard Shaw tinha toda a razão ao dizer que «se todos os homens do lixo fossem duques, ninguém teria nada contra o lixo» [11], mas não é fácil imaginar como criar um tão ditoso sistema. Se todos os homens do lixo fossem duques, haveriam de descobrir um novo grupo, com outro nome, para lhes apanhar o lixo. Daí que a pergunta «numa sociedade de iguais, quem fará o trabalho sujo?» tenha especial força. E a resposta necessária é a de que, pelo menos em certo sentido parcial e simbólico, todos teremos de o fazer. E, assim, acabarão os duques, ainda que não os homens do lixo. Era aqui que Gandhi queria chegar quando exigiu aos seus seguidores — e a si próprio também — que limpassem as latrinas do seu *ashram** [12]. Esta foi uma maneira simbólica de banir a intocabilidade da sociedade

* Residência de uma comunidade religiosa hindu e do seu guru. *(NT)*

hindu, mas trouxe também uma importante conclusão prática: as pessoas devem limpar a porcaria que fazem. De outro modo, os homens e mulheres que o fazem não só para si mas também para todos os outros, nunca serão iguais aos outros membros da comunidade política.

O que é necessário, pois, é uma espécie de *corvée* doméstica, não só nas casas de família — embora nestas seja particularmente importante —, mas também nas unidades colectivas, nas fábricas, nos escritórios e nas escolas. Em todos estes sítios, dificilmente se poderia fazer melhor do que seguir a lição de Walt Whitman (o poema é fraco, mas o raciocínio está certo):

> Que todos os homens tenham o cuidado de realmente
> Fazer alguma coisa e todas as mulheres também,
> . . . .
> Imaginar um pouco — algo de engenhoso — para
> Facilitar as lavagens, os cozinhados, as limpezas
> E não considerar uma desonra o dar uma ajuda
> Nessas tarefas também[13].

Haveria provavelmente menos porcaria para limpar se todos soubessem, antes de a fazerem, que não poderiam deixar a sua limpeza a outrem. Porém, algumas pessoas — por exemplo, os doentes num hospital — não podem evitar que seja outrem a fazê-la e certos tipos de limpeza organizam-se melhor em larga escala. Este género de trabalho podia fazer parte de um programa de serviço nacional. Efectivamente, a guerra e o lixo parecem ser as finalidades ideais de um serviço nacional: a primeira devido aos riscos especiais que envolve e o segundo devido à desonra. Talvez este trabalho devesse ser feito pelos jovens, não porque gostassem de o fazer, mas porque não deixa de ter valor educativo. Talvez a cada cidadão devesse ser permitido escolher, no decurso da sua vida, quando chegaria a sua vez. Todavia, é incontestavelmente apropriado que, por exemplo, a limpeza das ruas da cidade ou dos parques nacionais seja trabalho (a tempo parcial) dos cidadãos.

Não é, porém, um objectivo adequado de política social que todo o trabalho sujo que deve ser feito seja repartido por todos os cidadãos. Isto exigiria um enorme controlo do Estado sobre a vida de todos nós e interferiria radicalmente com outros tipos de trabalho, alguns deles igualmente necessários, alguns outros meramente úteis. Defendi uma partilha parcial e simbólica; o propósito é o de romper o elo existente entre o trabalho sujo e o vilipêndio. Em certo sentido, esta ruptura já se consumou, pelo menos substancialmente, através de um longo processo de transformação cultural iniciado já na era moderna com o ataque à hierarquia feudal. Aos olhos de Deus — assim o ensinavam os pregadores puritanos — todas as profissões humanas e todas as ocupações úteis são iguais[14]. Hoje somos propensos a classificar os empregos como mais ou menos desejáveis e não como mais ou menos respeitáveis. A maioria das pessoas contestaria que um trabalho socialmente útil seja ou possa ser aviltante. E, apesar de tudo, continuamos a impor aos nossos concidadãos que trabalham duramente padrões de comportamento e práticas de distanciamento que os colocam numa espécie de espaço fechado: atitudes respeitosas, ordens peremptórias, recusa de aceitação. Quando um homem do lixo se sente estigmatizado pelo trabalho que faz, diz-nos um sociólogo contemporâneo, esse estigma transparece no seu olhar. Entra «em conluio connosco para evitar contaminar-nos com a sua humilde pessoa». Vira a cara para outro lado e nós fazemos o mesmo. «Os nossos olhares não se cruzam. Torna-se uma não-pessoa.»[15] Uma forma de quebrar esse conluio, e talvez a melhor de todas, é garantir que todos os cidadãos tenham um conhecimento prático do dia de trabalho daqueles seus concidadãos que mais duramente trabalham. Quando isto se conseguir, será possível considerar outros mecanismos, incluindo os de mercado, para organizar o trabalho duro na sociedade.

Enquanto houver um exército de reserva, uma classe de homens e mulheres aviltados e marcados pela pobreza e pela fraca consciência que têm do seu próprio valor, o mercado nunca será eficaz. Nestas condições, o trabalho mais duro será também o mais mal pago, mesmo que ninguém queira fazê-lo. Tendo, porém, em atenção um certo nível de provisão comunitária e de auto-avaliação, aquele trabalho não será feito, a menos que seja na verdade muito bem pago (ou a menos que as condições de trabalho sejam excelentes). Os cidadãos descobrirão que, se quiserem contratar os seus concidadãos como homens do lixo e varredores, o preço será alto, muito mais alto na verdade, do que o de um trabalho mais prestigioso ou agradável. Esta é a consequência directa do facto de estarem a contratar *concidadãos*. Já se tem dito algumas vezes que em condições de autêntica concidadania, ninguém quereria ser homem do lixo ou varredor. Nesse caso, o trabalho teria de ser partilhado. Esta afirmação é, contudo, provavelmente falsa. «Estamos tão habituados», disse Shaw, «a ver o trabalho sujo feito por pessoas sujas e mal pagas que fomos levados a pensar que é infamante fazê-lo e que, se não existisse uma classe suja e infame, não seria feito por ninguém.»[16] Se se oferecessem dinheiro e lazer bastantes, insistia acertadamente Shaw, as pessoas apresentar-se-iam.

A sua preferência ia para as retribuições sob a forma de lazer ou «liberdade» que, segundo afirmava, constituirá sempre o mais forte incentivo e a melhor compensação para aquele trabalho que traz pouco prazer intrínseco consigo.

> Numa galeria de pintura está sentada a uma mesa uma senhora muito bem vestida que não tem nada que fazer senão dizer a quem pergunta, qual é o preço deste ou daquele quadro, e tomar nota de qualquer pedido que seja feito. Conversa frequente e prazenteiramente com jornalistas e artistas e quando está aborrecida, pode ler um romance...
>
> Contudo, a galeria tem de ser esfregada e limpa do pó todos os dias e as janelas têm de ser limpas. É evidente que o trabalho da dita senhora é muito mais suave que o da mulher-a-dias. Para equilibrar a situação, ou cada uma delas vai à vez sentar-se à secretária e fazer a limpeza, por turnos, em dias ou semanas alternadas, ou então, como uma mulher da limpeza de primeira categoria é capaz de ser uma mulher de negócios muito má e uma muito atraente mulher de negócios é capaz de ser uma mulher da limpeza muito má, há que deixar a mulher-a-dias ir para casa e ficar com o resto do dia livre, mais cedo do que a senhora sentada à secretária[17].

O contraste entre a mulher-a-dias de «primeira categoria» e a mulher de negócios «muito atraente» reúne primorosamente os preconceitos de classe e de sexo. Se pusermos de lado esses preconceitos, aquela troca periódica de funções imagina-se com menos dificuldade. A senhora, ao fim e ao cabo, em casa sempre terá de cooperar na esfrega e na limpeza (a menos que tenha, como Shaw provavelmente esperava que tivesse, também mulher-a-dias). E o que fará a mulher-a-dias do seu tempo livre? Talvez se ponha a pintar quadros ou a ler livros de arte. Porém, nesse caso, embora a troca seja fácil, poderá muito bem ser contestada pela mulher-a-dias. Um dos atractivos da proposta de Shaw é o de instituir o trabalho duro como oportunidade para aqueles que querem salvaguardar o seu tempo. Assim, irão limpar ou esfregar casas ou apanhar lixo a bem do seu lazer e fugirão, se puderem, de qualquer ocupação mais absorvente, competitiva e consumidora de tempo. Em condições justas, o mercado proporcionará uma espécie de refúgio contra as suas próprias pressões. O preço desse refúgio será de um certo número de horas diárias de trabalho duro o que, pelo menos para algumas pessoas, será um preço que valerá a pena pagar.

A principal alternativa à proposta de Shaw é a reorganização do trabalho de modo a modificar, não as suas exigências físicas (pois presumo que não serão modificáveis), e sim a sua natureza moral. A história da recolha do lixo na cidade de S. Francisco fornece um belo exemplo deste género de transformação e nela me deterei por breves momentos, não só pelo interesse que tem, mas também por ser útil à minha anterior exposição sobre os cargos públicos e às considerações que ainda estão para vir sobre a honra e o poder.

Os varredores de S. Francisco

Durante os últimos sessenta anos, cerca de metade do lixo da cidade de S. Francisco tem sido recolhida e transportada pela «Sunset Scavenger Company», uma cooperativa propriedade dos próprios trabalhadores, os homens que conduzem os camiões e transportam os recipientes. Em 1978, o sociólogo Stewart Perry publicou um ensaio sobre a «Sunset» que constitui uma magnífica peça de etnografia urbana e uma valiosa reflexão sobre «o trabalho sujo e o orgulho de ser proprietário»; será a minha única fonte nos parágrafos que se vão seguir. A cooperativa é democraticamente gerida e os seus directores são eleitos de entre os trabalhadores e não ganham mais do que estes. Apesar de obrigados pelo Serviço da Receita Pública Interna* nos anos 30 a elaborar estatutos nos quais são referidos como «accionistas», os seus membros insistiram em que eram e permaneceriam fiéis ao programa dos primitivos fundadores «cujo propósito fora o de criar e manter uma cooperativa... em que todos os membros fossem trabalhadores efectivamente empe-

* «Internal Revenue Service», serviço do Ministério das Finanças dos Estados Unidos que recolhe a receita pública interna, incluindo o imposto sobre o rendimento e os impostos especiais sobre o fabrico ou venda de certas mercadorias e sobre o exercício de certas actividades, e que vela pelo cumprimento das leis sobre a receita pública. *(NT)*

nhados no trabalho em comum e em que cada membro executasse a sua quota-parte de trabalho e tivesse o direito de esperar que todos os outros membros trabalhassem e fizessem tudo o que pudessem para aumentar os proventos colectivos»[18]. E, na verdade, os proventos aumentaram (mais do que os dos trabalhadores manuais em geral), a companhia cresceu e os seus directores eleitos demonstraram ser possuidores de notável talento empresarial. Perry afirma que a cooperativa fornece um serviço de qualidade acima da média aos cidadãos de S. Francisco e, o que é mais importante, oferece condições de trabalho acima da média aos seus membros. Não quer isto dizer que o trabalho seja fisicamente mais suave; o que acontece é que a cooperação o tornou mais aprazível e mesmo uma fonte de orgulho*.

Em certo sentido, o trabalho é na verdade mais fácil: a percentagem de acidentes entre os trabalhadores da «Sunset» é significativamente mais baixa do que na média da indústria. A recolha de lixo é uma actividade perigosa. Actualmente, nos Estados Unidos, nenhuma outra ocupação representa maior risco de acidente (embora os mineiros de carvão estejam sujeitos a acidentes mais graves). A explicação desta estatística não é clara. A recolha de lixo é um trabalho extenuante, mas não mais que muitos outros trabalhos que nos aparecem com melhores resultados no capítulo da segurança. Segundo Perry, poderá haver uma relação entre a segurança e a auto-avaliação. «Os "acidentes ocultos" do sistema de prestígio podem estar relacionados com os acidentes aparentes que os especialistas em saúde pública e segurança documentam.»[20] O primeiro «acidente» na recolha de lixo é a interiorização do desrespeito à qual outros acidentes se seguem. As pessoas que não dão valor a si mesmas, não cuidam de si convenientemente. Se esta opinião estiver certa, os melhores resultados da «Sunset» podem estar relacionados com o processo partilhado de decisão e o sentido de propriedade.

A qualidade de membro da «Sunset Scavenger Company» é distribuída por votação dos membros efectivos e, além disso, pela compra de acções (de uma maneira geral, não tem sido difícil obter por empréstimo o dinheiro necessário e as acções têm aumentado regularmente de valor). Os fundadores da companhia eram italo-americanos, tal como a maioria dos actuais membros; cerca de metade é constituída por parentes recíprocos, tendo um razoável número de filhos sucedido aos pais no negócio. O êxito da cooperativa poderá ficar, de certo modo, a dever-se à facilidade de relacionamento dos membros entre si. De qualquer maneira e diga-se o que se disser a respeito do seu trabalho, fizeram da qualidade de membro uma coisa boa. Todavia, não distribuem o bem que criaram de acordo com o princípio da «justa igualdade de oportunidades». Na cidade de Nova Iorque, por acção de um

---

* O livro de Perry é, portanto, um argumento contra o pessimismo de Oscar Wilde. «Varrer uma praça lamacenta», escreveu Wilde, «é um trabalho repugnante. Parece-me impossível varrê-la com dignidade mental, moral ou física. Varrê-la alegremente seria pavoroso.»[19] O trabalho de Perry mostra que Wilde subestima a possibilidade da existência de dignidade, senão mesmo de alegria. Tudo depende da posição do trabalhador face ao seu trabalho, aos seus companheiros e aos seus concidadãos. Não vou, porém, esquecer que Wilde tem razão num ponto: é também importante o que o trabalhador faz: não há maneira de converter os actos de varrer ou recolher lixo numa ocupação aliciante ou intelectualmente estimulante.

poderoso sindicato, a recolha de lixo é também uma ocupação largamente pretendida e foi convertida em cargo público. Aos candidatos é exigido um concurso público para poderem desempenhar as respectivas funções[21]. Seria interessante saber algo sobre a auto-avaliação dos que passam no concurso e são admitidos como empregados públicos. Ganham provavelmente mais do que os membros da cooperativa «Sunset», mas não têm a mesma segurança; não são donos dos seus empregos. E não compartilham riscos e oportunidades; não gerem a sua companhia. Os de Nova Iorque denominam-se a si próprios «empregados de depósito» enquanto os de S. Francisco se denominam «varredores»; quem sentirá mais orgulho? Se a vantagem for, como penso que é, dos membros da «Sunset», estará portanto intimamente ligada à natureza desta: uma companhia de companheiros que escolhem os seus co-associados. Ali não há outro processo de uma pessoa se candidatar a um lugar que não seja o de recorrer aos membros efectivos da companhia. É evidente que os membros procurarão homens capazes de fazer o trabalho que é necessário, mas procurarão também, presumivelmente, bons companheiros.

Não quero, porém, subestimar o valor da sindicalização, pois pode ser outra forma de autogestão e outro meio de fazer funcionar o mercado. É indubitável que os sindicatos têm sido eficientes na obtenção de melhores salários e melhores condições de trabalho para os seus membros; algumas vezes, chegaram mesmo a conseguir quebrar a ligação existente entre as diferenças de rendimento e a hierarquia de posições (os homens do lixo de Nova Iorque são disso um óptimo exemplo). Talvez a regra geral seja a de que, onde quer que o trabalho não possa ser sindicalizado ou gerido em cooperativa, deverá ser compartilhado pelos cidadãos, não simbólica e parcialmente e sim em geral. Na verdade, quando o trabalho sindical ou cooperativo for aberto a toda a gente (não havendo exército de reserva), o outro trabalho muito simplesmente não será feito, a menos que as pessoas o façam para si mesmas. Isto é manifestamente o que acontece no caso da cozinha e da limpeza domésticas, área em que os empregos são cada vez mais preenchidos por novos imigrantes e não por cidadãos. «Muito poucas mulheres negras jovens e fortes fazem trabalho doméstico (actualmente)», disse a Studs Terkel uma mulher negra já muito velha e que fora criada toda a vida. «Estou contente com isso. É por isso que quero que os meus filhos vão para a escola. Essa senhora disse-me: "Todos vocês estão a fazer assim." "Estou contente", disse eu. Já não andamos mais de joelhos.»[22] Este tipo de trabalho depende largamente da sua (vil) natureza moral. Mude-se essa natureza e o trabalho pode muito bem tornar-se irrealizável, não só do ponto de vista do trabalhador, mas também do do patrão. «Se os empregados domésticos forem tratados como seres humanos», disse Shaw, «não vale a pena tê-los.»[23]

Isto não é exacto relativamente aos homens do lixo ou aos mineiros de carvão, embora a exigência de tratamento humano torne evidentemente todo o tipo de trabalho sujo e perigoso mais caro do que antes. É uma questão interessante, a de saber se é exacto relativamente aos militares. É possível, como já disse, recrutar soldados no mercado de trabalho; na falta de um exército de reserva, o estímulo deverá igualar ou ultrapassar o de outros tipos de trabalho duro. Porém, atenta a disciplina necessária à eficiência militar, a sindicalização é difícil e a autogestão impossível. E pode muito bem ser esse o melhor argumento a favor de um serviço obrigatório mesmo em tempo de paz. O recrutamento é uma forma de compartilhar a disciplina e, o que é talvez mais importante, de fazer o controlo político apoiar-se no seu rigor. Alguns homens e mulheres apreciam esse rigor, mas duvido que muitos deles se disponham a defender a Pátria. E enquanto a vida militar é uma carreira atraente para aqueles que esperam vir a ser oficiais, não o é — ou, numa comunidade de cidadãos, não o deveria ser — para os que se ficam pelos postos mais baixos. O ofício de soldado tem muito mais prestígio do que a recolha de lixo, mas em comparação com um soldado raso, os varredores de S. Francisco e os trabalhadores da limpeza de Nova Iorque surgem como homens livres aos meus olhos.

O que é mais interessante na experiência da companhia «Sunset» (como no *kibbutz* israelita) é o modo como o trabalho duro está relacionado com outras actividades, nomeadamente com as assembleias de «accionistas», os debates sobre as medidas a tomar e a eleição dos directores e dos novos membros. A companhia também passou a dedicar-se a aterros sanitários e a operações de salvamento, proporcionando novos e diversificados empregos (incluindo funções directivas) aos seus membros, apesar de todos eles, façam agora o que fizerem, terem passado anos a conduzir camiões e a transportar recipientes. Na maior parte da actividade económica, a divisão do trabalho desenvolveu-se de maneiras muito diferentes, separando continuamente, mais do que integrando, as ocupações mais duras. Isto é particularmente verdadeiro na área dos serviços humanos, nos cuidados que prestamos aos doentes e velhos. Muito desse trabalho ainda é feito em casa onde está ligado a uma série de outros trabalhos e as suas dificuldades são atenuadas pelas relações que mantém. Porém, cada vez mais toma a forma de trabalho institucional e nas grandes instituições onde se prestam esses cuidados — hospitais, clínicas psiquiátricas, lares de terceira idade —, o trabalho mais duro, o trabalho sujo, os serviços e a vigilância mais íntimos e pessoais são deixados para os empregados inferiores. Os médicos e os enfermeiros, defendendo as suas posições na hierarquia social, atiram com eles para cima dos ombros dos auxiliares, contínuos e serventes que fazem pelos estranhos, dia após dia, aquilo que só concebemos fazer em situações de emergência por aqueles a quem amamos.

Talvez os auxiliares, contínuos e serventes obtenham a gratidão dos doentes ou das famílias dos doentes. Não é minha intenção subestimar esta recompensa, mas a gratidão constitui as mais das vezes, e de forma mais visível, a recompensa dos médicos e enfermeiros, dos curadores mais do que dos vigilantes dos doentes. É bem conhecido o ressentimento dos segundos. W. H. Auden pensava obviamente nos doentes e não no pessoal hospitalar, quando escreveu:

> ... só os hospitais nos recordam
> a igualdade entre os homens[24].

Os auxiliares e serventes têm de lidar durante horas e horas com situações que os seus superiores só vêem de tempos a tempos e que o público em geral de todo em todo não vê nem quer ver. Têm com frequência de cuidar de homens e mulheres a quem a sociedade deixou de ligar importância (e a sociedade, quando o faz, afasta-se). Mal pagos, sobrecarregados com trabalho e situados no fundo da escala social, são, apesar de tudo, os últimos consoladores da Humanidade, embora me pareça que, a menos que tenham vocação para o seu trabalho, a consolação que dão é igual à que recebem. E algumas vezes são culpados daquelas pequenas maldades que facilitam um pouco o seu trabalho e que os seus superiores, segundo crêem firmemente, não deixariam de cometer no seu lugar.

«Há aqui toda uma série de problemas», escreveu Everett Hughes, «que não podem ser resolvidos por uma mudança milagrosa na selecção social de quem vem para este serviço.»[25] De facto, se cuidar de doentes fosse uma actividade compartilhada — se jovens de ambos os sexos e de diferentes estratos sociais desempenhassem por turnos as funções de auxiliares e serventes — a vida interna dos hospitais, clínicas psiquiátricas e lares de terceira idade mudaria certamente para melhor. Talvez este género de coisas se organize melhor a nível local do que nacional, de modo a estabelecer uma ligação entre aqueles cuidados e a boa vizinhança; poderá mesmo ser possível, com um pouco de imaginação, reduzir um tanto a impessoalidade rígida do cenário institucional. Contudo, esses esforços serão, na melhor das hipóteses, complementares. A maior parte do trabalho terá de ser feita por pessoas que o escolheram como carreira e essa escolha não será fácil de motivar numa sociedade de cidadãos iguais entre si. Já temos de recrutar estrangeiros para fazer uma grande quantidade do trabalho duro e sujo das nossas instituições de assistência. Se quisermos evitar esse tipo de recrutamento (e a opressão que normalmente implica), mais uma vez, deveremos modificar o trabalho. «Tenho a noção», diz Hughes, «de que... "o trabalho sujo" pode ser mais facilmente suportado quando é boa a função de que faz parte, quando essa função é altamente gratificante para o ego da pessoa. Um enfermeiro pode fazer certas coisas com mais gentileza do que alguém a quem não é permitido intitular-se enfermeiro, sendo apelidado de "subprofissional" ou de "não profissional".»[26] Isto é totalmente verdade. O serviço nacional seria eficaz, porque, pelo menos durante algum tempo, o papel de vizinho ou de cidadão garantiria o trabalho necessário. Porém, num período mais longo, o trabalho só poderá ser garantido por um elevado sentido das obrigações institucionais ou profissionais.

Este elevado sentido é improvável se não ocorrerem mudanças de grande alcance nas nossas instituições e profissões; depende, pois, do resultado de uma longa e demorada luta política, do equilíbrio entre as forças sociais, da organização dos interesses, etc. Podemos, porém, reflectir sobre ele em termos mais susceptíveis de discussão filosófica. O que é necessário é aquilo a que os chineses chamam «a rectificação dos nomes». Em certo sentido os nomes são dados históricos e culturais; noutro, estão sujeitos ao jogo do poder político e social. O processo pelo qual os detentores de cargos e os profissionais se agarram ao título e ao prestígio conferidos por um determinado lugar enquanto se libertam dos seus deveres menos agradáveis, é um exemplo — e talvez o exemplo crucial — de um jogo de poder. Contudo, a menos que se seja um nominalista radical, isso continua a não resolver a questão dos nomes. «A quem se dará o nome de "enfermeiro" quando as tarefas do enfermeiro forem remodeladas? Ao professor e director? Ao consolador de cabeceira? Ou àqueles que prestam serviços mais humildes?»[27] É evidente que deveremos dar aquele nome, e tudo o que lhe anda associado, à pessoa que pratica a «enfermagem», que (segundo o dicionário) «servem e cuidam» dos doentes. Não pretendo tomar qualquer posição a respeito da essência da enfermagem nem encetar uma discussão puramente linguística. Mais uma vez, me reporto às concepções comuns e estas são sempre objecto de discussão. Todavia, parece acertado dizer que há uma série de actividades valiosas que incluem os «serviços humildes» e que são valiosas, pelo menos em parte, por incluírem esses serviços. A dureza do trabalho anda ligada à glória e nunca deveríamos ter muita pressa em permitir a sua separação ainda que em nome da eficiência ou do avanço tecnológico.

Não há solução fácil, nem elegante nem inteiramente satisfatória, para o problema do trabalho duro. Os bens positivos têm talvez um destino adequado, mas os negativos não. «Para evitar encarar este facto», disse Shaw, «podemos alegar que algumas pessoas têm gostos tão esquisitos que é quase impossível mencionar uma ocupação que não tenha quem goste imenso dela... O provérbio que diz que Deus nunca criou um trabalho e sim um homem ou uma mulher para o fazerem, é verdadeiro até certo ponto.»[28] Todavia, essa alegação não nos leva muito longe. A verdade é que o trabalho duro não é aliciante para a maior parte dos homens e mulheres que se encontram a fazê-lo. Enquanto cresciam, iam sonhando vir a fazer coisa diferente. E à medida que envelhecem, o trabalho torna-se cada vez mais difícil. Por isso um homem do lixo com cinquenta anos disse a Studs Terkel: «As ruas são cada vez mais compridas e os recipientes maiores. Estou a ficar velho.»[29]

Poderemos compartilhar (e modificar parcialmente) o trabalho duro através de uma forma qualquer de serviço nacional; poderemos remunerá-lo com dinheiro ou com lazer; poderemos torná-lo mais vantajoso, aliando-o a outros tipos de actividade (política, directiva e profissional por sua natureza). Poderemos recrutar, revezar, cooperar e compensar; poderemos reorganizar o trabalho e rectificar os seus nomes. Poderemos fazer tudo isto que não aboliremos o trabalho duro nem a classe dos que trabalham duramente. A primeira espécie de abolicionismo é, como já demonstrei, impossível e a segunda não faria mais do que acrescentar a coerção à dureza. As medidas que propus são, na melhor das hipóteses, parciais e incompletas. Têm um objectivo adequado a um bem negativo: uma distribuição do trabalho duro que não corrompa as esferas distributivas às quais se sobrepõe, levando a pobreza para a esfera do dinheiro, o aviltamento para a esfera da honra, a fraqueza e a resignação para a esfera do poder. Banir o predomínio negativo; é este o propósito da negociação colectiva, da gestão cooperativa, do conflito profissional e da rectificação dos nomes: a política do trabalho duro. Os resultados desta política são imprecisos, mas seguramente diferentes de época para época e de lugar para lugar, condicionados por hierarquias previamente estabelecidas e por concepções sociais. Serão, porém, também condicionados pela solidariedade, pela competência e pela energia dos próprios trabalhadores.

CAPÍTULO VII

O TEMPO LIVRE

O significado do lazer

Ao contrário do dinheiro, dos cargos públicos, da educação e do poder político, o tempo livre não é um bem perigoso. Não se converte facilmente noutros bens nem pode ser usado para dominar outras distribuições. Os aristocratas, os oligarcas e os seus imitadores capitalistas gozam incontestavelmente de muitas horas de tempo livre, mas esse gozo é largamente destinado, como Thorstein Veblen afirmava em fins do século XIX, à ostentação mais do que à aquisição, de riqueza e poder. Daí que me refira apenas resumidamente a essa gente e aos seus prazeres; as formas convencionais da ociosidade das classes superiores ocupam só uma pequena parte do meu tema.

O relato que Veblen faz do «lazer honorífico» mostra, na verdade, que pode constituir uma actividade fatigante e febril (embora nunca seja trabalho duro). É que não basta passar o tempo sem fazer nada; é preciso acumular «provas úteis de um inútil esbanjamento de tempo»[1]. O que é essencial é, nada fazer de útil e, simultaneamente, fazer saber ao mundo que nada de útil se faz. A azáfama de uma multidão de criados ajuda muito. O problema é, porém, que a actividade permissível dos aristocratas e oligarcas nada produz de material. Daí que as «provas úteis» tomem a forma de finura na conversação, maneiras delicadas, viagens ao estrangeiro, prodigalidade no divertimento e «dotes quase-eruditos e quase-artísticos». Penso que é um erro partir do princípio de que a cultura elevada depende deste tipo de coisas, muito embora os homens e mulheres ociosos façam frequentemente da arte e da literatura um passatempo e patrocinem artistas e escritores. «Todo o progresso intelectual deriva do lazer», escreveu Samuel Johnson[2], mas não era este o tipo de lazer que tinha em mente (nem a sua vida é a prova desta afirmação). Em qualquer caso, a ociosidade das classes superiores não será possível em condições de igualdade complexa. A necessária concentração de bens sociais não é susceptível de ocorrer, os criados dificilmente se encontrarão ou não se afadigarão convenientemente e a inutilidade terá um valor social mais baixo. Apesar disso, pelo menos às vezes, é uma boa coisa ser ocioso e deixar correr o tempo sem fazer nada; a liberdade de o fazer — sob a forma concreta de férias, feriados, fins-de-semana, tempo livre após o trabalho — é uma questão essencial da justiça distributiva.

Para a maior parte das pessoas o lazer é apenas o oposto do trabalho e a ociosidade é a sua essência. A raiz etimológica da palavra grega *schole* assim como da hebraica *shabbat* é o verbo «cessar» ou «parar»[3]. Presumivelmente, o que pára é o trabalho e o resultado é o silêncio, o sossego, o repouso (e também o prazer, o divertimento, a festa). Há, porém, um conceito alternativo de lazer que requer pelo menos uma rápida descrição. Tempo livre não é só tempo «vago»; é também tempo à nossa disposição. A encantadora frase «as nossas horas doces» nem sempre quer dizer que não se tenha nada que fazer e sim que não se tem nada que se deva fazer. Poderíamos, pois, dizer que o oposto do lazer não é simplesmente o trabalho e sim o trabalho obrigatório, o trabalho por imposição da natureza ou do mercado ou, mais importante ainda, do capataz ou do patrão. Há, portanto, uma maneira livre de trabalhar (ao ritmo de cada um) e géneros de trabalho compatíveis com uma vida de lazer. «É que lazer não significa ociosidade», escreveu T. R. Marshall num ensaio sobre o profissionalismo. «Significa liberdade de escolhermos as nossas actividades de acordo com as nossas próprias preferências e os nossos próprios padrões de qualidade.»[4] Os profissionais já em tempos reivindicaram energicamente esta liberdade; fez deles cavalheiros, pois embora ganhassem a vida a trabalhar, faziam-no de uma maneira livre. Não é difícil imaginar um cenário em que esta mesma liberdade produzisse, não cavalheirismo, mas antes cidadania. Vejamos, por exemplo, o artesão grego cujo objectivo na vida, segundo se diz, era o de «conservar intacta a sua liberdade pessoal e de acção, trabalhar quando tinha disposição e quando os seus deveres de cidadão lhe permitiam conciliar o trabalho com todas as outras ocupações que preenchiam (os seus dias), participar no governo, tomar assento nos tribunais e tomar parte nos jogos e festivais»[5]. Este quadro é, evidentemente, ideal, mas é importante notar que esse ideal é o de um homem que trabalha, cujo tempo é inteiramente livre e que não precisa de «férias pagas» para gozar momentos de lazer.

Aristóteles afirmava que o filósofo era o único a poder dizer que vivia uma vida de lazer, pois a filosofia era a única actividade humana levada a cabo sem o constrangimento de um objectivo a atingir[6]. Todas as outras ocupações, incluindo a política, estavam amarradas a um objectivo e, em última análise, não eram livres, ao passo que a filosofia constituía em si mesma um objectivo. O artesão era um escravo, não só do mercado onde vendia os seus produtos, mas também destes últimos. Creio que os livros presentemente atribuídos a Aristóteles, pelo contrário, não eram, de modo nenhum, produtos e sim simples subprodutos da contemplação filosófica. Não foram escritos para ganhar dinheiro, posição ou mesmo a fama eterna. De um ponto de vista ideal, a filosofia não tem solução ou pelo menos não é cultivada tendo em vista uma solução. Vislumbra-se aqui a origem (ou talvez seja apenas um reflexo) do desdém aristocrático pelo trabalho produtivo. É, porém, uma restrição simultaneamente desnecessária e egoísta do significado do lazer, fazer da não-produtividade a sua característica essencial. Pensar que a meditação filosófica não mancha o conceito de lazer, ao contrário da mesa, da jarra ou da estátua do artesão, é uma ideia susceptível de atrair apenas os filósofos. De um ponto de vista moral, parece ser mais importante que a actividade humana seja dirigida pelos próprios do que não tenha objectivo externo ou resultado material. E se nos concentrarmos na autodirecção, uma grande variedade de actividades com fins determinados pode conter-se no âmbito de uma vida de lazer. Uma delas é, seguramente, o trabalho intelectual, não porque seja infrutífero — nunca poderemos estar certos disso — e sim porque os intelectuais são normalmente capazes de planear, segundo as suas próprias especificações, o trabalho que fazem. Mas há outros tipos de trabalho que podem igualmente ser planeados (projectados, calendarizados e organizados) pelos próprios trabalhadores, individual ou colectivamente; neste caso, não se poderá descrever o trabalho como «actividade livre» e o tempo como «tempo livre».

Os seres humanos precisam também de uma «interrupção do descanso», disse outrora Marx, ao criticar a descrição feita por Adam Smith do descanso como sendo a condição humana ideal, comparável à liberdade e à felicidade. «É evidente que a medida do trabalho parece ser externamente determinada pelo objectivo a atingir e pelos obstáculos que se lhe deparam», continuou. «Porém, Smith não concebe que esta vitória sobre os obstáculos seja, ela própria, um acto de liberdade.» Marx queria dizer que pode algumas vezes ser um acto de liberdade o que acontecerá sempre que «os objectivos externos, deixando de aparecer simplesmente como necessidades naturais, se transformam em objectivos que os indivíduos escolhem por si» [7]. Em parte, o que está aqui em causa é o controlo do trabalho e a distribuição de poder no respectivo local e na economia em geral, questão esta a que voltarei em capítulo posterior. Contudo, Marx queria também referir-se indirectamente a uma grande transformação no modo pelo qual a Humanidade se relaciona com a natureza, numa fuga ao reino da necessidade, uma transcendência à velha distinção entre trabalho e divertimento. Então ninguém precisará de falar, como tenho vindo a fazer, em trabalho executado em ritmo de lazer ou integrado numa vida de lazer pois o trabalho será simplesmente lazer e o lazer será trabalho: uma actividade livre e produtiva, «a vida da espécie humana».

Para Marx, o grande defeito da civilização burguesa é o facto de a maior parte dos homens e mulheres só terem este tipo de actividade, se é que a têm mesmo, em raros e espaçados momentos, como passatempo e não como trabalho. Na sociedade comunista, pelo contrário, o trabalho será para todos um passatempo e as ocupações, distracções. Porém, esta visão, apesar de maravilhosa, não constitui assunto adequado para a teoria da justiça. Se alguma vez se realizar, a justiça já não será problemática. A nossa preocupação reporta-se à distribuição do tempo livre numa época anterior à transformação, à evasão e à transcendência, ou seja, aqui e agora, quando o ritmo de trabalho e descanso ainda é essencial ao bem-estar humano e quando algumas pessoas não terão de modo nenhum vida de espécie humana se não houver pausa nas suas ocupações habituais. Por mais que o trabalho seja organizado, por mais livre que seja — e estas questões são essenciais — os homens e mulheres continuarão a precisar do lazer no seu sentido mais restrito e convencional de «interrupção do trabalho».

As duas formas de descanso

Em tom mais severo, Marx escreveu que o trabalho continuará a ser sempre o reino da necessidade. O livre desenvolvimento das faculdades humanas situa-se para lá desse reino: «A sua condição primordial é a redução do dia de trabalho.»[8] E nós acrescentaríamos «e da semana, do ano e da vida de trabalho». Todas estas questões foram cruciais nas lutas distributivas e de classes do século passado. O capítulo escrito por Marx sobre o dia de trabalho no primeiro volume de *O Capital* é uma descrição brilhante dessas lutas. Porém, no que se refere à justiça, está impregnada de um característico dualismo. Por um lado, Marx insiste em que a justiça não resolve a questão da duração conveniente do dia de trabalho.

> O capitalista defende o seu direito de comprador, ao tentar alongar o mais possível o dia de trabalho... o trabalhador defende o seu direito de vendedor, ao querer reduzir o dia de trabalho a um de duração normal definida. Há, portanto, aqui uma antinomia de direito contra direito, ambos trazendo consigo a chancela da lei das trocas. Entre direitos iguais é a força que decide[9].

Por outro, Marx insiste também — e aqui com bastante mais emoção — que a força pode decidir erradamente.

> Na sua cega e irreprimível fúria, na sua fome de lobisomem pelo trabalho excedente, o capital não só ultrapassa os limites morais como também os meramente físicos... do dia de trabalho. Rouba o tempo necessário ao crescimento, ao desenvolvimento e à subsistência saudável do corpo[10].

Há seguramente limites mínimos, embora sejam assustadoramente pequenos: «as poucas horas de descanso sem as quais a força de trabalho se recusa totalmente a prestar de novo os seus serviços»[11]. Se se pretende um trabalho cuidadoso, criador ou altamente produtivo, os limites são mais severos; não bastarão algumas horas. Na verdade, a produtividade aumenta com o descanso, pelo menos até certo ponto, e os capitalistas racionais, precisamente por causa da sua «fome de lobisomem», deveriam descobrir esse ponto. Esta questão é, porém, de sensatez e eficiência e não de justiça. Os limites morais são muito mais difíceis de especificar, pois variam de cultura para cultura e dependem do que vulgarmente se entende por vida humana decente. Porém, todas as concepções de que temos registo histórico incluem tanto o descanso como o trabalho e Marx não teve qualquer dificuldade ao expor a hipocrisia dos apologistas ingleses do dia de trabalho de doze horas e da semana de trabalho de sete dias: «e isto num país de cristãos respeitadores do descanso dominical!» De facto, vista no âmbito da longa história do trabalho e do descanso, a Inglaterra dos anos 40 e 50 do século passado parece uma infernal aberração. Embora o ritmo e a periodicidade do trabalho fossem radicalmente diferentes, por exemplo, entre os camponeses, os artesãos e os operários industriais, e embora a duração dos dias específicos de trabalho apresente uma grande variação, o ano de trabalho parece ter tido uma configuração normativa, ou, pelo menos, uma configuração reiterada sob uma grande variedade de condições culturais. Os cálculos feitos, por exemplo, para a antiga Roma, a Europa medieval e a China rural de antes da revolução, revelam algo como uma proporção de dois para um de dias de trabalho para dias de descanso [12]. E é aproximadamente esta a prática seguida hoje em dia (se pensarmos na semana de cinco dias, nas férias de duas semanas e em entre quatro a sete feriados legais).

Os fins do descanso variam mais radicalmente. A descrição de Marx é típica dos românticos e liberais do século XIX: «tempo para a educação, para o desenvolvimento intelectual, para o desempenho de funções sociais, para o convívio social e para a livre evolução da... actividade física e mental» [13]. A política, que desempenhava um papel tão importante no tempo livre do artesão grego, nem sequer é mencionada, não o sendo igualmente as práticas religiosas. Também não faz aqui muito sentido aquilo que qualquer criança poderia ter explicado a Marx, ou seja, o valor de não fazer nada, de «passar» o tempo, a menos que a «livre evolução» inclua pensamentos casuais, alheamento e fantasia. Poderíamos aceitar a definição de lazer dada por Aristóteles e dizer que a inutilidade, a circunstância de não ter objectivos, é uma (mas apenas uma) das finalidades características do lazer.

Porém, por mais que se descrevam essas finalidades, elas não destacam este ou aquele grupo de homens e mulheres como tendo mais ou menos direito ao tempo livre. Não é processo de qualificação para o lazer. É, de facto, possível a qualificação para certos tipos de trabalho livre como no caso das profissões especializadas. Do mesmo modo, podem obter-se bolsas que permitem tempo livre para investigação ou escrita. A sociedade tem interesse em que, por exemplo, as aulas de filosofia sejam dadas por pessoas qualificadas, mas não lhe interessa saber quem pensa ou não, filosoficamente. A livre evolução dos corpos e das mentes é... livre. A qualidade de mandrião não é objecto de apreciação. Daí que o lazer, tal como é concebido em determinado tempo ou lugar, pareça ser próprio de todos os que vivem nesse tempo e habitam esse lugar. Não há qualquer regra de selecção ou exclusão. A velha associação da riqueza e do poder à ociosidade é só outra forma de tirania. Porque sou poderoso e exijo obediência, descansarei (e tu trabalharás). Seria mais apropriado dizer-se que a recompensa do poder é o seu exercício e que a justificação do poder é o seu exercício consciencioso e eficaz, sendo isto uma forma de trabalho que tem como uma das suas finalidades a de que os outros possam descansar. Citando Henrique V, de Shakespeare, no acto de repetir a habitual autodefesa dos reis:

> ... rude cérebro não imagina
> A vigilância que o rei exerce para manter a paz
> Cujas horas melhor aproveitam ao camponês [14].

E ninguém sabe quem é que, entre os camponeses, realmente faz «melhor».

Porém, o raciocínio desenvolvido até aqui, embora exclua os dias de trabalho tal como Marx os descreveu, não exige que todos tenham exactamente a mesma porção de tempo livre. Na verdade, uma considerável variação é não só possível como desejável, atentos os vários tipos de trabalho que as pessoas fazem. No seu *Guia da Mulher Inteligente*, Shaw afirma enfaticamente que a justiça exige «a igual distribuição de... lazer ou liberdade para toda a população» [15]. Isto constitui igualdade simples na esfera do lazer; a duração do dia de trabalho seria determinada pela soma das horas de trabalho a dividir por um grande número de pessoas. Mas a afirmação de igualdade sustentada por Shaw é imediatamente seguida por uma discussão maravilhosamente complexa sobre os diversos tipos de trabalho e trabalhadores. Já citei a sua afirmação segundo a qual as pessoas que varrem e limpam o lixo da sociedade deveriam ser compensadas com tempo livre adicional. E também não se mostra avesso a fazer a sua própria reivindicação: «No meu caso, apesar de... o trabalho de um escritor poder muito bem, em regra, ser dividido em períodos diários limitados, sou normalmente obrigado a escrever até à imobilização total e a ausentar-me seguidamente por várias semanas para recuperar.» [16] Isto parece bastante razoável, mas temos agora de nos debruçar mais atentamente sobre os modos pelos quais estes padrões se poderão harmonizar justamente.

Breve história das férias

Em 1960, uma média de um milhão e meio de americanos, ou seja, 2,4% da força de trabalho estava diariamente em férias [17]. É um número extraordinário e que, sem dúvida, nunca fora tão elevado até àquela altura. As férias têm, na verdade, uma história curta, muito curta até para os homens e mulheres comuns; nos anos 20 — relata Sebastian de Grazia — ainda só um pequeno número de trabalhadores assalariados podia gabar-se de ter férias pagas [18]. Este sistema é muito mais vulgar hoje em dia, constituindo um aspecto essencial de todos os contratos em que intervêm os sindicatos e o hábito de «se ausentar» — senão por várias, pelos menos por uma semana ou duas — começou também a extravasar para lá das barreiras de classe. Na verdade, as férias tornaram-se a regra pelo que somos levados a conceber os fins-de-semana como férias curtas e os anos que se seguem à reforma como férias compridas. E, todavia, a ideia é nova. O uso da palavra *férias* * no sentido de dias de descanso particulares data apenas dos anos 70 do século XIX e a expressão *fazer férias* **, do fim dos anos 90.

Tudo começou como imitação burguesa da saída dos aristocratas da corte e da cidade para os seus domínios no campo. Uma vez que poucos burgueses de ambos os sexos possuíam propriedades no campo, iam antes para estâncias marítimas ou de montanha. No começo, a ideia de repouso e prazer apresentava-se disfarçada por outra que tinha a ver com as propriedades salutares do ar puro e da água mineral ou salgada: assim, Bath e Brighton eram, no século XVIII, lugares onde se ia para comer, conversar, passear e às vezes, também, «para tratamento de águas». Porém, a fuga das cidades e vilas rapidamente se tornou popular por si mesma e a resposta empresarial foi lentamente multiplicando o número de locais e tornando cada vez mais baratos os divertimentos disponíveis. A invenção do caminho-de-ferro tornou aquela fuga possível aos trabalhadores do século XIX os quais, porém, não tinham senão tempo para uma «excursão»: ir até à beira-mar e voltar para casa no mesmo

* *Vacation*, no original. *(NT)*

** *Idem — To vacation.*

dia. A grande expansão do lazer popular só começou após a Primeira Guerra Mundial: mais tempo, mais sítios aonde ir, mais dinheiro, alojamento barato e os primeiros projectos de provisão comunitária, de praias e parques públicos, etc.

O que é importante em relação às férias é a sua natureza individualista (ou familiar), largamente realçada, como é evidente, pelo aparecimento do automóvel. Toda a gente planeia as suas férias, vai onde quer ir e faz o que quer fazer. Na verdade, é claro que o comportamento de cada um em relação às férias é altamente padronizado (especialmente pela classe social) e a evasão que representa é, geralmente, de uma para outra série de rotinas [19]. A experiência é, porém, claramente de liberdade: uma interrupção do trabalho, a viagem até um sítio novo e diferente e a possibilidade de prazer e excitação. O facto de as pessoas irem para férias aos magotes é, na verdade, um problema e, cada vez mais, um problema distributivo, relativamente ao qual, mais que o tempo, é o espaço o bem que escasseia. Todavia, compreender-se-á mal o valor das férias se não se frisar que são individualmente escolhidas e individualmente planeadas. Não há duas férias exactamente iguais.

São, porém, planeadas de acordo com a capacidade da bolsa individual (ou familiar). As férias são bens de consumo; as pessoas têm de as comprar, esquecendo o que pagam e gastando o dinheiro; as suas opções encontram-se limitadas pelo seu poder de compra. Não pretendo realçar demasiado este ponto, uma vez que também é verdade que as pessoas lutam pelas suas férias; organizam sindicatos, negoceiam com os patrões e fazem greve por causa dos períodos de descanso, da duração do dia de trabalho, da reforma antecipada, etc. Nenhuma história das férias ficaria completa sem uma descrição destas lutas que não são, porém, a principal característica das distribuições contemporâneas. Poderíamos, na verdade, conceber os períodos de descanso em termos directamente relacionados como os de trabalho de modo que as pessoas pudessem escolher, como Shaw sugere, trabalho duro e sujo e férias longas ou trabalho livre e férias mais curtas. Todavia, para a maior parte dos trabalhadores, neste preciso momento, o tempo é provavelmente menos importante na determinação do tipo e valor das férias do que o dinheiro que podem gastar.

Se os salários e ordenados fossem mais ou menos iguais, não pareceria de modo nenhum errado que as férias pudessem ser objecto de compra. O dinheiro é um veículo adequado ao planeamento individual pois impõe os tipos certos de escolha: entre o trabalho e a sua retribuição, por um lado, e o custo deste ou daquele tipo de actividade (ou inactividade) de lazer, por outro. Pode presumir-se que pessoas de idênticos recursos fariam opções distintas e o resultado seria uma distribuição complexa e altamente particularizada. Algumas, por exemplo, tirariam poucas ou nenhumas férias, preferindo ganhar mais dinheiro e rodear-se de coisas belas do que partir para um ambiente belo. Outras prefeririam muitos períodos curtos de férias e outras ainda, um longo período de trabalho e um longo repouso. Há aqui lugar para decisões tanto colectivas como individuais (por exemplo, em colónias sindicais ou cooperativas). Porém, as decisões definitivas devem surgir a nível individual, pois as férias são isso mesmo. Trazem consigo a marca da sua origem liberal e burguesa.

Em condições de igualdade complexa os salários e ordenados não serão iguais; serão apenas muito menos desiguais do que hoje. No mundo pequeno-burguês os homens e mulheres continuarão a arriscar o seu dinheiro — e o seu tempo também

— para acabarem por se encontrar com maior ou menor quantidade de um e de outro do que as outras pessoas. As comunas fabris funcionarão bem ou não tão bem e assim terão mais ou menos dinheiro ou tempo para distribuir pelos seus membros. E mesmo para alguém como Shaw, a duração exacta das suas «várias semanas» de descanso e as condições sob as quais as gastará, dependerá provavelmente tanto do êxito das suas peças como das exigências do seu génio. Por outro lado, assim que as férias se tornarem — como acontece presentemente nos Estados Unidos — um aspecto essencial da vida social e da cultura, será necessária uma determinada forma de provisão comunitária. É preciso, não só garantir que a distribuição não será radicalmente dominada pela riqueza e pelo poder, mas também garantir uma certa amplitude de escolha e apoiar a realidade do planeamento individual. Daí, por exemplo, a preservação da natureza e da vida selvagem sem a qual certos tipos de férias (largamente tidos como valiosos) deixam de ser possíveis. E daí também a utilização do dinheiro dos impostos em parques, praias, locais de campismo, etc., para garantir a existência de sítios aonde possam ir todos aqueles que querem «ausentar-se». Embora as opções que façam — para onde ir, como alojar-se, que equipamento levar consigo — não sejam identicamente limitadas para todos os indivíduos ou todas as famílias, uma certa amplitude de escolha deve estar universalmente disponível.

Tudo isto supõe a essencialidade das férias, sendo importante agora salientar que estas constituem um produto de uma época e de um lugar especiais. Não representam a única forma de lazer; foram literalmente desconhecidas no decurso da maior parte da história da Humanidade e a sua forma alternativa principal ainda subsiste mesmo nos Estados Unidos hoje em dia. Consiste esta última nos feriados públicos. Quando os antigos Romanos, ou os Cristãos medievais ou os camponeses chineses suspendiam o trabalho, não era para se ausentarem sozinhos ou com a família e sim para tomarem parte em comemorações comunitárias. Uma terça parte do ano, e às vezes mais, era preenchida com comemorações civis, festivais religiosos, dias santos, etc. Estes eram os seus dias feriados *, com origem em dias santos **, os quais estão para as nossas férias como a saúde pública está para a assistência privada ou o trânsito em massa para o automóvel particular. Eram proporcionados a toda a gente, do mesmo modo e ao mesmo tempo e eram gozados em conjunto. Ainda temos feriados desta espécie, embora estejam em declínio radical e ao reflectirmos sobre eles será bom que nos debrucemos sobre um dos seus restos mais importantes.

A ideia do descanso semanal

Segundo a descrição do Deuteronómio, o descanso semanal foi instituído em comemoração da fuga do Egipto. Os escravos trabalhavam sem cessar ou a mando dos seus senhores e, por isso, os israelitas achavam que o que melhor caracterizava um povo livre era o facto de os seus membros gozarem um dia fixo de descanso. Na

---

* *Holidays* no original. *(NT)*

** *Holy days* no original. *(NT)*

verdade, o mandamento divino, tal como vem referido no Deuteronómio, reporta-se principalmente aos escravos: «que o teu servo e a tua serva descansem tal como tu» (5:14). A opressão praticada pelos egípcios não se deveria repetir ainda que a escravatura não tivesse sido abolida. O descanso semanal é um bem colectivo. É, no dizer de Martin Buber, «propriedade comum de todos», ou seja, de todos quantos partilham de uma vida comum. «Mesmo ao escravo admitido na comunidade doméstica, mesmo ao *ger*, ao estranho (estrangeiro residente) admitido na comunidade nacional, deve ser permitido partilhar do divino descanso.» [20] Os animais domésticos estão também incluídos: «o teu boi, ... o teu burro, ... o teu gado», uma vez que é presumível que os animais possam descansar (embora não possam ter férias).

Max Weber afirmava que aos estranhos ou estrangeiros residentes era exigido que descansassem com o fim de se lhes recusar qualquer vantagem concorrencial [21]. Não há razão para se afirmar tal — as fontes não fornecem qualquer prova — para lá da convicção, nem sempre associada a Weber, de que os motivos económicos devem, em princípio, ser de primordial importância. É, porém, verdade que, mesmo numa economia pré-capitalista, seria difícil garantir descanso a todos sem ter de o impor, também, a todos. Os feriados públicos exigem coerção. A proibição total de todo e qualquer trabalho é, segundo penso, exclusiva do descanso semanal judaico, mas sem um certo sentido geral do dever e um certo mecanismo coercivo não existiriam quaisquer feriados. Foi por isso que, à medida que o dever e a coerção foram enfraquecendo, os feriados deixaram de ser acontecimentos públicos, passaram a estar ligados aos fins-de-semana e tornaram-se porções indiferenciadas das férias individuais. Poderá ver-se aqui um argumento a favor das «leis azuis» * que se podem justificar na mesma medida em que se justifica a tributação: ambas assumem a forma de um ónus sobre o tempo que se gasta a produzir algo ou a ganhar um salário, em benefício da provisão comunitária.

O descanso semanal é mais igualitário do que as férias, pois não se pode adquirir; é mais uma coisa que o dinheiro não pode comprar. É decretado para todos e gozado por todos **. Esta igualdade redunda em efeitos interessantes. Na medida em que a celebração passou a exigir certo tipo de comida e vestuário, as comunidades judaicas sentiram-se obrigadas a fornecê-los a todos os seus membros. Assim, Neemias, falando aos judeus que com ele tinham regressado da Babilónia a Jerusalém: «Este dia é santo para o Senhor, vosso Deus... Ide, comei os alimentos mais ricos, bebei os vinhos mais deliciosos e enviai porções aos que de nada se abasteceram.» (8:9-10) Não enviar aquelas porções seria oprimir os pobres, já que tal os excluiria de uma celebração comum; é um género de banimento que eles nada fizeram para merecer. E assim, uma vez que o descanso semanal era compartilhado, começou a afirmar-se que o trabalho de o preparar deveria ser igualmente compartilhado. Como poderiam as pessoas descansar sem terem primeiro trabalhado? «Mesmo que uma pessoa seja

---

* *Blue laws*, idem; todas e quaisquer leis puritanas que proíbem certas práticas tais como beber, trabalhar ao domingo, dançar, etc. *(NT)*

** Segundo o folclore judaico, mesmo aos maus no Inferno é permitido descansar ao sábado. Impõem-se, assim, limites ao castigo tal como ao trabalho, devido a concepções especiais do descanso «necessário». Poder-se-ia dizer que fazer sofrer alguém ao sábado representaria «castigo cruel e invulgar» [22].

de mui alta condição e como regra não vá ao mercado nem se ocupe de outros afazeres domésticos», escreveu Maimonides a pensar antes de mais nos rabis e nos sábios, «deverá, porém, realizar uma destas tarefas em preparação do sábado... Na verdade, quanto mais se faz nesta preparação, mais digno de louvor se é»[23]. Assim, o universalismo do sétimo dia foi alargado pelo menos ao sexto.

Poderá, porém, dizer-se que este é apenas mais um caso em que a igualdade e a perda de liberdade andam juntas. É evidente que o descanso semanal é impossível sem uma ordem geral para descansar, ou melhor, na falta dessa ordem, o que fica, em termos de voluntariedade, é algo menos do que o descanso semanal pleno. Por outro lado, a experiência histórica do descanso semanal não é uma experiência de falta de liberdade. O sentido esmagador que nos é transmitido pela literatura judaica, tanto secular como religiosa, é o de que aquele dia era ansiosamente esperado e alegremente bem acolhido, precisamente como um dia de liberdade, um dia de expansividade e lazer. Destinava-se, como escreveu Leo Baeck, «a dar à alma um amplo e grandioso espaço» e parece tê-lo conseguido[24], É claro que este sentido de amplidão perder-se-á naqueles homens e mulheres que não pertencem à comunidade dos crentes, mas estão, apesar disso, de uma maneira ou de outra, submetidos às suas regras. Porém, a sua experiência não é aqui determinante. Os feriados são para os membros e os membros são livres — a prova disso é evidente — nos limites da lei. Pelo menos são livres sempre que a lei for um ajuste, um contrato social, mesmo que esse ajuste não seja individualmente pactuado.

Será que as pessoas prefeririam férias privadas a feriados públicos? Não é fácil imaginar uma situação em que a escolha se apresentasse em termos tão nítidos e simples. Em qualquer comunidade em que os feriados sejam possíveis, os feriados existirão já. Farão parte da vida comum que produz a comunidade e moldarão e darão sentido às vidas individuais dos seus membros. A história da palavra *férias* revela quanto nos afastámos daquela vida comum. Na antiga Roma, os dias em que não havia festivais religiosos nem jogos públicos denominavam-se *dies vacantes*, ou seja, «dias vagos». Pelo contrário, os feriados eram cheios — cheios de obrigações, mas também de festividades, cheios de coisas para fazer, de folguedos e danças, de rituais e espectáculos. Esta época era suficientemente madura para produzir os bens sociais da solenidade e da pândega compartilhadas. Quem renunciaria a tais dias? Perdemos, porém, o sentido da plenitude e os dias por que ansiamos são dias vazios que preenchemos como nos agrada, sozinhos ou com a família. Sentimos, às vezes, medo do vazio, por exemplo, medo da reforma, concebida como uma sucessão de dias vazios.* Porém, a plenitude por que anseiam muitos reformados, e a única que

* Ou medo do desemprego: na nossa cultura, pelo menos, os desempregados são insusceptíveis de conceber o seu tempo como pleno ou livre. Poderão tirar umas curtas férias logo após serem despedidos, mas depois disso o seu lazer constituirá um fardo; o desemprego produz tempo morto[25]. Concebemos as férias como algo conseguido através de um trabalho útil: um «merecido» descanso. Daí que o desemprego ameace, não apenas o nosso bem-estar material, mas também a consciência que temos de nós próprios como membros respeitáveis de uma sociedade na qual se estabeleceu determinado padrão de trabalho e descanso. Um forte sentido de cidadania poderia tornar o desemprego menos ameaçador: os cidadãos sem trabalho poderiam «trabalhar» num movimento político destinado a reformar a economia ou o Estado Social. Voltarei a estes temas nos capítulos 11 e 12.

conhecem, é a plenitude do trabalho, não a do descanso. Creio que as férias necessitam de ser definidas por contraste com o trabalho; este constitui uma parte fundamental da satisfação que aquelas proporcionam. Acontecerá o mesmo com os feriados? Esta era a opinião do príncipe Hal, em *Henrique IV, I Parte,* de Shakespeare:

> Se o ano inteiro fosse de divertidos feriados
> O divertimento seria tão enfadonho como o trabalho;
> Porém, por serem tão raros, são bem-vindos[26].

A opinião de Hal é, sem dúvida, a de toda a gente e parece condizer com a nossa experiência. Porém, segundo os antigos rabis, o descanso semanal é um antegozo da eternidade. O reino messiânico, que há-de vir, como diz a velha frase, no tempo destinado, é um tempo de descanso (mas não de férias) sem fim[27].

Quero, todavia, chamar a atenção para o facto de cada uma das grandes revoluções ter implicado um ataque aos feriados tradicionais, aos dias de descanso semanal, aos dias santos e aos festivais, ataque este desencadeado, em parte, a bem do aumento de produtividade e, em parte, a bem de uma tentativa generalizada de abolição dos estilos tradicionais de vida e das hierarquias eclesiásticas. Os comunistas chineses constituem o exemplo mais recente: «Tem havido muitos festivais religiosos», escrevia um deles em 1958. «Por causa das superstições e dos festivais, a produção tem sido interrompida mais de 100 dias por ano e em certas regiões, 138... A classe reaccionária utilizou (tem vindo a utilizar) estes maus costumes e rituais para escravizar o povo.»[28] É concebível que haja nisto alguma razão, mas a escravização não é óbvia e a abolição dos festivais tem sido vivamente contestada. Talvez com alguma consciência dos motivos dessa contestação, os comunistas têm tentado substituir os velhos feriados por outros novos — o Primeiro de Maio, o Dia do Exército Vermelho, etc. — e promover novas cerimónias e celebrações. Para eles, como antes deles para os revolucionários franceses, a opção não é entre lazer público e privado e sim entre dois tipos diferentes de lazer público. Contudo, essa opção pode muito bem ser errada. Não se podem tirar feriados de uma cartola ideológica. Em muitas aldeias, segundo contam dois estudantes da nova China, «os três feriados principais (revolucionários) implicam pouco mais do que dispensa do trabalho»[29]. Portanto, apesar de todo o seu ardor colectivista, a China pode ainda ser inexoravelmente levada à distribuição do tempo livre adoptada em primeiro lugar pela burguesia europeia. Todavia, se ali ou noutro sítio qualquer se desenvolverem efectivamente novas comunidades, então novas espécies de celebração pública se desenvolverão juntamente com elas. A ajuda dos burocratas de vanguarda não será necessária. Os membros encontrarão o seu próprio caminho para exprimir os seus sentimentos de camaradagem e praticar a política e a cultura que compartilham entre si.

Feriados e férias são duas maneiras diferentes de distribuir o tempo livre. Cada uma delas tem a sua lógica interna ou, mais precisamente, as férias têm uma lógica única, ao passo que cada um dos feriados tem uma sub-lógica especial que se pode extrair da sua história e dos seus rituais. Pode imaginar-se uma mescla de feriados e férias, algo como o que conhecemos no século passado. E embora essa mescla pareça instável, consente, enquanto durar, algumas opções em termos de medidas a tomar. Seria, porém, disparatado afirmar que essas opções são cerceadas pela teoria da justiça. O Pacto Internacional das Nações Unidas sobre os Direitos Económicos, Sociais e Culturais inclui na sua (muito extensa) lista de direitos «férias periódicas pagas»[30]. Não se destina, porém, isto a definir direitos humanos e, simplesmente, a advogar um conjunto especial de esquemas sociais que não é necessariamente o melhor ou o melhor para todas as sociedades e culturas. Os direitos que requerem protecção são de outra espécie completamente diferente: não ser privado daquelas formas de descanso essenciais ao tempo e lugar de cada um, gozar férias (embora não as mesmas) se estas forem essenciais e tomar parte nos festivais que dão forma a uma vida comum onde quer que esta exista. O tempo livre não tem uma estrutura justa ou moralmente obrigatória, única. O que é moralmente obrigatório é que a sua estrutura, seja ela qual for, não venha a ser distorcida por aquilo a que Marx chamava «os esbulhos» do capital, ou pelo malogro da provisão comunitária quando a provisão é reclamada, ou pela exclusão dos escravos, estrangeiros e párias. Uma vez libertado destas distorções, o tempo livre será experimentado e gozado pelos membros de uma sociedade livre de todas aquelas diferentes formas que, individual ou colectivamente, forem capazes de inventar.

CAPÍTULO VIII

A EDUCAÇÃO

A importância das escolas

Todas as sociedades humanas educam as suas crianças, os seus novos e futuros membros. A educação exprime o que é talvez o nosso mais profundo anseio: durar, continuar, permanecer em face do tempo. É um programa de sobrevivência social. Portanto, é sempre relativa à sociedade à qual se destina. O objectivo da educação, segundo Aristóteles, é o de reproduzir em cada geração o «modelo de carácter» que defenderá a constituição: um carácter específico para uma constituição específica [1]. Porém, aqui surgem dificuldades. Os membros da sociedade, segundo Aristóteles, são insusceptíveis de acordar no que é realmente a constituição (no sentido lato que lhe é dado por Aristóteles), ou no que se vai tornar, ou no que deveria ser. E também não são susceptíveis de acordar em qual o modelo de carácter que melhor a defenderá ou em como esse modelo seria melhor criado. Na verdade, a constituição exigirá provavelmente mais do que um modelo de carácter; as escolas não só terão de preparar os seus alunos como também de os classificar e esta questão é certamente controversa.

A educação não é, pois, meramente relativa, ou melhor, a sua relatividade não nos diz tudo o que precisamos de saber tanto acerca da sua função normativa como dos seus reais efeitos. Se fosse verdade que as escolas servissem sempre para reproduzir a sociedade tal como ela é — as hierarquias estabelecidas, as ideologias predominantes, a força de trabalho existente — e nada mais fizessem, não faria sentido falar-se sobre uma distribuição justa dos bens educacionais. A distribuição assemelhar-se-ia aqui à distribuição em qualquer outro sector; não haveria esfera independente nem lógica interna. Algo de parecido com isto pode ser verdadeiro quando não há escolas, ou seja, quando os pais educam os próprios filhos ou os instruem nos seus futuros ofícios. Então a reprodução social é directa e imediata, o processo de classificação é levado a cabo no seio da família sem necessidade de intervenção comunitária e não há conjunto de conhecimentos ou disciplinas intelectuais distintos das crónicas familiares e segredos do ofício, em termos dos quais a constituição possa ser interpretada, avaliada e discutida. Porém, as escolas, os professores e as ideias criam e preenchem um espaço intermédio. Fornecem um contexto — não o único, mas de longe o mais importante — para o desenvolvimento da compreensão crítica e para a produção e reprodução de críticos sociais. Esta é uma realidade da vida em todas as sociedades complexas; mesmo os professores marxistas aceitam (e os políticos conservadores preocupam-se com) a autonomia relativa das escolas[2]. Porém, a crítica social é o resultado dessa autonomia e não ajuda a explicá-la. O mais importante é que as escolas, os professores e as ideias constituem um novo conjunto de bens sociais, concebidos independentemente dos outros bens e exigindo, por sua vez, um conjunto independente de processos distributivos.

Os lugares de professor, o destino dos alunos, a autoridade nas escolas, as classes e promoções e os diferentes tipos e níveis de conhecimento, todos têm de ser distribuídos e os padrões distributivos não podem limitar-se a reproduzir os padrões económicos e a ordem política, pois os bens em causa são de natureza diferente. É claro que a educação favorece sempre um determinado modo de vida adulto e o apelo feito pela escola à sociedade, por uma concepção de justiça educativa a uma concepção de justiça social, é sempre legítimo. Mas ao fazer este apelo, devemos também atender à natureza especial da escola, à relação professor-aluno e, em geral, à disciplina intelectual. A autonomia relativa é função do que for o processo educativo e dos bens sociais que este implica, logo que deixa de ser directo e imediato.

Desejaria salientar aqui o emprego do verbo «ser»: do que *for* o processo educativo. A justiça tem a ver, não só com os efeitos, mas também com a experiência da educação. As escolas preenchem um espaço intermédio entre a família e a sociedade e preenchem também um tempo intermédio entre a infância e a idade adulta. Estes são, sem dúvida, um espaço e um tempo para aprendizagem e preparação, ensaios, cerimónias de iniciação, sessões de entrega de diplomas, etc.; ambos constituem, contudo, também um aqui-e-agora que tem a sua importância própria. A educação distribui aos indivíduos, não apenas o seu futuro, mas também o seu presente. Sempre que houver espaço e tempo bastantes para essas distribuições, o processo educativo assumirá uma estrutura normativa característica. Não é meu propósito descrever algo de parecido com a sua «essência»; o que pretendo simplesmente é referir a concepção mais comum de como deveria ser. Encontramos esta concepção em muitas e variadas sociedades e é com ela apenas que me vou preocupar. O mundo adulto é representado e a sua sabedoria, as suas tradições e os seus ritos são interpretados por um corpo de professores que se confrontam com os seus alunos numa comunidade mais ou menos fechada, aquilo a que John Dewey chamava um «ambiente social especial»[3]. Aos alunos é concedida moratória parcial relativamente às exigências da sociedade e da economia. Os professores são também protegidos de formas imediatas de pressão externa. Ensinam as verdades que conhecem e as mesmas verdades a todos os alunos que têm na sua frente e respondem o melhor que sabem a perguntas, sem olhar ao estrato social desses mesmos alunos.

Tanto quanto sei, na prática as coisas não funcionam sempre, ou sequer habitualmente, assim. É muito fácil fornecer uma lista de intromissões tirânicas na comunidade educativa e descrever a precariedade da liberdade académica, a dependência dos professores relativamente aos patrocinadores e às autoridades, os privilégios de que correntemente beneficiam os alunos da classe social superior, e todas as esperanças, preconceitos e hábitos de deferência e autoridade que tanto alunos como professores levam consigo para a sala de aula. Vou, porém, presumir que o modelo é real, uma vez que as questões distributivas mais difíceis e interessantes só se colocam a partir dessa presunção. Que crianças são admitidas nas comunidades fechadas? Quem vai para a escola? E para que género de escola? (Qual é a força da exclusão?) Para estudar o quê? Durante quanto tempo? Na companhia de que outros estudantes?

Não vou alargar-me a respeito da distribuição dos lugares de professor. A docência é normalmente concebida como um cargo público e, por isso, é necessário procurar pessoas qualificadas e dar a todos os cidadãos igual oportunidade de se qualificarem. E é um cargo especial; exige qualificações especiais cuja natureza exacta deve ser discutida pelas assembleias municipais, conselhos directivos e comissões de selecção. Gostaria, porém, de acentuar que a minha presunção genérica de que as escolas constituem um ambiente especial e possuem uma certa estrutura normativa, depõe contra a prática de confiar a educação às pessoas mais velhas da comunidade em geral ou a de alternar cidadãos comuns nas faculdades[4]. É que estas práticas debilitam a natureza mediática do processo educativo e tendem a reproduzir a «transmissão» mais directa das reminiscências, tradições e artes populares. Em sentido estrito, a existência de escolas está ligada à existência de disciplinas intelectuais e, portanto, de um corpo de homens e mulheres qualificados nessas disciplinas.

A «Casa dos Rapazes» azteca

Consideremos por momentos — trata-se de um exemplo exótico, mas não atípico — o sistema educativo dos índios aztecas. No antigo México, havia dois tipos de escolas. Uma delas denominava-se simplesmente «casa dos rapazes» e era frequentada pela maioria das crianças do sexo masculino. Ensinava «manejo de armas, artes e ofícios, história e tradição e práticas religiosas comuns» e parece ter sido dirigida por cidadãos comuns, escolhidos entre os mais experientes guerreiros que «recebiam em instalações especiais instrução ministrada de maneira mais simples pelos anciãos do clã»[5]. Um tipo de educação muito diferente era proporcionada às crianças da elite (e a algumas crianças escolhidas nas famílias plebeias), uma educação mais austera, mais rigorosa e mais intelectual também. Em escolas especiais junto de mosteiros e templos, «ensinava-se todo o saber do tempo e do país: a ler e escrever em caracteres pictográficos, adivinhação, cronologia, poesia e retórica». Aqui, os professores eram oriundos da classe sacerdotal, «escolhidos sem olhar à família de onde provinham e sim apenas à sua moral, aos seus hábitos, ao seu conhecimento da doutrina e à pureza das suas vidas»[6]. Não sabemos como se seleccionavam as crianças; pelo menos em princípio, exigiam-se provavelmente idênticas qualidades, uma vez que era daquelas escolas que saíam os sacerdotes. Embora uma educação elitista exigisse sacrifícios e autodisciplina, parece provável que os lugares na escola eram avidamente procurados, sobretudo por caloiros ambiciosos. Em qualquer caso, aceito a existência de escolas deste segundo tipo; sem elas as questões distributivas dificilmente se colocariam.

Poder-se-ia dizer que a «casa dos rapazes» era também uma instituição intermédia. As raparigas aztecas, excepto as educadas para sacerdotisas, passavam a maior parte do tempo em casa a aprender lavores femininos com as mulheres mais velhas da família. Porém, estes são dois exemplos da mesma realidade: reprodução social na sua forma directa. As raparigas podiam, daqui em diante, ficar em casa, enquanto os rapazes se juntavam para lutar contra cidades e tribos vizinhas em guerras infindáveis. A selecção de algumas mulheres velhas para ensinar os costumes tradicionais numa «casa das raparigas» também não teria constituído um processo educativo autónomo. Para tal, serão necessários professores educados e examinados no «conhecimento doutrinário». Vamos admitir que esses professores existam. Quem deveriam ensinar?

O ensino básico: autonomia e igualdade

O conjunto das crianças pode dividir-se, para fins educativos, de várias maneiras. A divisão mais simples e vulgar e da qual os programas educativos, na sua maior parte e já bem na época moderna, não são mais do que variantes, assume a seguinte forma: educação mediata para uma minoria e educação directa para a maioria. Este é o modo pelo qual os homens e as mulheres nos seus papéis convencionais — governantes e governados, sacerdotes e leigos, classes altas e classes baixas — têm sido distinguidos. E, segundo creio, assim se têm também reproduzido, embora seja importante dizer uma vez mais que a educação mediata é sempre susceptível de fabricar cépticos e aventureiros paralelamente aos seus produtos mais clássicos. Em qualquer caso, as escolas têm sido, na sua maioria, instituições de elite, influenciadas pelo nascimento e pelo sangue ou pela riqueza, o sexo ou a posição hierárquica e influenciando, por sua vez, os cargos religiosos e políticos. Esta circunstância tem, porém, pouco a ver com a sua natureza interna e, na verdade, não existe um meio fácil de impor as necessárias distinções a partir do interior da comunidade educativa. Digamos que há aqui um corpo de doutrina que tem a ver com o governo. A quem deverá ser ensinado? Os governantes estabelecidos reivindicam essa doutrina para eles e os seus filhos. Porém, a menos que as crianças se dividam naturalmente em governantes e governados, parece que, do ponto de vista dos professores, aquela doutrina deverá ser ensinada a todos os que aparecerem e sejam capazes de a aprender. «Se no Estado houvesse uma classe», disse Aristóteles, «que superasse todas as outras tal como se crê que os deuses e os heróis superam os homens», então os professores poderiam certamente dar atenção só a essa classe. «Porém, essa hipótese é de difícil aceitação e na vida real não temos nada que se pareça com o abismo que separa os reis dos súbditos e que o escritor Scylax descreve como existente na Índia.» [7] Assim, salvo na Índia de Scylax, nenhuma criança pode com razão ser excluída da comunidade fechada em que a doutrina do governo é ensinada. O mesmo se pode dizer relativamente a outras doutrinas e não é preciso ser filósofo para o perceber.

Hillel no telhado

Um velho conto popular judaico descreve este grande doutor do Talmude como um jovem pobre que queria estudar numa das academias de Jerusalém. O dinheiro que ganhava a rachar lenha mal chegava para o seu sustento quanto mais para pagar as propinas de admissão às aulas. Numa fria noite de Inverno, não tendo consigo qualquer quantia em dinheiro, Hillel subiu ao telhado da escola e pôs-se à escuta junto a uma clarabóia. Extenuado, adormeceu e rapidamente ficou coberto de neve. Na manhã seguinte, os doutores, ao reunirem-se, viram aquela figura adormecida, tapando a luz. Quando se aperceberam do que ele tinha feito, logo o admitiram na academia, dispensando-o das propinas. Não teve qualquer importância o facto de se encontrar mal vestido e sem dinheiro e de ser um imigrante chegado havia pouco da Babilónia, cuja família era desconhecida. Era por demais evidente que se estava perante um estudante[8].

O valor desta história depende de uma série de presunções sobre o modo como a instrução deveria ser distribuída. Não é uma série completa e não se poderá basear um sistema educativo neste género de sabedoria popular. Temos, porém, aqui uma concepção da comunidade de professores e alunos em que não há lugar para distinções sociais. Se os professores virem um provável estudante, admitem-no. Este é, pelo menos, o modo como actuam os professores lendários e, portanto, ideais; não fazem nenhuma das perguntas convencionais sobre riqueza e posição social. É quase certa a existência de lendas e biografias reais, semelhantes à história de Hillel, noutras culturas. Muitos funcionários chineses, por exemplo, começaram as suas carreiras como humildes moços de lavoura admitidos por um mestre-escola de aldeia[9]. É assim que se espera que os professores se comportem? Não conheço a resposta no caso da China, mas creio que, mesmo hoje, ainda nos sentimos inclinados a aceitar a moral da história de Hillel. «A satisfação das necessidades educativas sem olhar à irrelevante trivialidade da classe e do rendimento», escreveu R. H. Tawney, «faz parte da honra do professor.»[10] Quando as escolas são fechadas é porque delas se apoderou uma elite social e não por serem escolas.

Mas é só o Estado democrático (ou a igreja ou a sinagoga) que insiste nas escolas *abertas* onde os futuros cidadãos podem ser preparados para a vida política (ou religiosa). Aqui, a distribuição é determinada por aquilo a que a escola se destina e não apenas por aquilo que é, pelo significado social da guerra ou do trabalho ou do culto (ou da cidadania que normalmente inclui estes). Não quero com isto dizer que a democracia exija escolas democráticas. Atenas passou suficientemente bem sem elas. Contudo, se há um conjunto de conhecimentos que os cidadãos devem apreender (ou julgam que devem apreender) de modo a desempenharem o seu papel, terão então de ir para a escola e terão todos de o fazer. Aristóteles, contestando as práticas da sua própria cidade, dizia: «o sistema de educação num estado deve... ser único e igual para todos e a provisão desse sistema deve ser objecto de actuação pública»[11]. Esta é uma forma de igualdade simples na esfera da educação e embora a simplicidade depressa se perca — já que nenhum sistema educativo pode alguma vez ser «igual para todos» — não deixa, todavia, de determinar a política da escola democrática. A igualdade simples dos estudantes está relacionada com a igualdade simples dos cidadãos: uma pessoa / um voto, uma criança / um lugar no sistema educativo. Pode pensar-se na qualidade educativa como uma forma de provisão de previdência no âmbito da qual todas as crianças, concebidas como futuros cidadãos, têm a mesma necessidade de conhecimento, sendo o ideal da qualidade de membro mais bem servido se a todas forem ensinadas as mesmas coisas. Não se pode permitir que a sua educação seja deixada na dependência da posição social ou da capacidade económica dos pais. (Falta saber se deverá depender das convicções morais e políticas dos pais, pois os cidadãos democratas podem muito bem questionar o que os seus filhos precisam de aprender; voltarei mais tarde a este assunto.)

A igualdade simples está ligada à necessidade: todos os futuros cidadãos necessitam de uma educação. Vista a partir da escola, é evidente que a necessidade não é, de modo nenhum, o único critério para distribuição do conhecimento. O interesse e a capacidade são pelo menos igualmente importantes — como o demonstra a história de Hillel. De facto, a relação professor-aluno parece assentar acima de tudo nestes dois últimos factores. Os professores procuram os alunos e os alunos procuram os professores que compartilham os seus interesses e trabalham então em conjunto até os alunos terem aprendido o que queriam saber ou até terem ido tão longe quanto puderam. Todavia, a necessidade democrática não é de modo nenhum uma imposição política feita às escolas. Os defensores da democracia afirmam acertadamente que todas as crianças têm interesse no governo do Estado e capacidade para o entender. Satisfazem os requisitos essenciais. É, contudo, também verdade que as crianças não têm o mesmo grau de interesse nem a mesma capacidade de entendimento. Daí que, mal entram na escola, dificilmente possam evitar começar a diferenciar-se.

O modo como uma escola responde a estas diferenças depende muito dos seus objectivos e do seu programa. Se os professores estiverem empenhados nas disciplinas fundamentais necessárias à política democrática, tentarão fomentar um conhecimento partilhado pelos alunos e elevá-los a algo de semelhante a um mesmo nível. O objectivo não é o de reprimir as diferenças, mas antes o de as adiar de modo a que as crianças aprendam primeiro a ser cidadãos e só depois a ser trabalhadores, gerentes, comerciantes e profissionais especializados. Todos estudam as matérias que os cidadãos precisam de saber. O ensino deixa de ser um monopólio de poucos e já não determina automaticamente posições e cargos [12]. É que não há um acesso privilegiado à cidadania, nem qualquer meio de receber mais dela ou de a obter mais depressa pelo facto de se ter melhores resultados na escola. O ensino não garante nada e é trocado por muito pouco, mas fornece a moeda corrente da vida política e social. Não será esta uma descrição plausível, pelo menos da educação básica? Ensinar crianças a ler é, no fim de contas, um assunto igualitário, embora ensinar crítica literária (por exemplo) o não seja. O objectivo do professor de leitura não é o de proporcionar igualdade de oportunidades e sim o de conseguir resultados iguais. Tal como o teórico democrático, ele presume que todos os seus alunos têm interesse em e são capazes de aprender. Não tenta fazer com que seja possível aos alunos ler de modo igual; tenta ocupá-los na leitura e *ensiná-los a ler.* Talvez eles devessem ter oportunidades iguais de vir a ser críticos literários, de ocupar cátedras, de publicar artigos e de atacar os livros de outrem, mas o que simplesmente deverão é ler; serão leitores (embora a leitura não lhes confira quaisquer privilégios). Aqui, o empenhamento democrático da comunidade em geral é mais adaptado e favorecido do que reflectido pela prática democrática da escola, desde que as crianças para lá entram.

O exemplo japonês

A adaptação será tanto mais provável no condicionalismo actual quanto mais autónoma for uma escola no seio da comunidade em geral. É que a pressão no sentido de desenvolver o tema das diferenças naturais já existentes entre os estudantes, e de procurar, encontrar e assinalar os futuros líderes do país, provém quase totalmente do exterior. Num excelente ensaio sobre a evolução da qualidade do ensino no Japão nos anos que se seguiram à Segunda Guerra Mundial, William Cummings afirmou que as escolas só podem fornecer uma educação genuinamente comum se forem defendidas de ingerências institucionais ou governamentais. Pelo contrário, se o forem, são susceptíveis de produzir efeitos igualitários mesmo numa sociedade capitalista [13]. Se presumirmos, como tenho vindo a fazer, a existência de comunidades educativas mais ou menos fechadas, teremos um certo tipo de igualdade em cada grupo de alunos perante um professor. Junte-se a isto o facto de todas as crianças irem para a escola, de haver um programa comum e de a comunidade educativa ser solidamente fechada e teremos então uma esfera da educação susceptível de ser um espaço altamente igualitário.

Contudo, só para os alunos; estes não são iguais aos professores, pois, na verdade, a autoridade dos segundos é essencial à igualdade dos primeiros. Os professores são os guardiães do carácter fechado da comunidade. No caso japonês, diz Cummings, a condição essencial da qualidade do ensino tem sido o relativo poder do sindicato dos professores [14]. Sem dúvida que é importante a circunstância de se tratar de um sindicato socialista. Acontece, porém, que várias espécies de escolas têm sido criadas por socialistas ou por pessoas que se intitulam socialistas. O que contribuiu para a igualdade no Japão foi o facto de o sindicato ser levado pela sua ideologia a resistir às pressões (contrárias à igualdade) das autoridades governamentais, por sua vez pressionadas pela elite dos empresários. As escolas foram moldadas, menos pela teoria socialista do que pelos resultados naturais daquela resistência, ou seja, pela prática quotidiana da autonomia. Temos aqui professores independentes, um conjunto de conhecimentos e estudantes que querem aprender. O que resulta daí? Vou citar e comentar algumas das conclusões de Cummings.

1. «As escolas encontram-se organicamente estruturadas com um mínimo de diferenças internas... No nível básico não há professores especializados nem se pratica a especialização quanto aos alunos.» [15] Com isto não se faz mais do que pôr em prática o princípio de Aristóteles para as escolas democráticas: «A aprendizagem com vista a um objectivo comum deve igualmente ser comum.» [16] As diferenças internas nos graus inferiores revelam uma escola fraca (ou professores inseguros da sua vocação), rendendo-se à tirania da raça ou da classe social.

2. Os professores «procuram educar os alunos na sua totalidade (levando-os a atingir um nível comum) criando uma situação positiva na qual (todos eles) recebem prémios... ajustando o ritmo da classe aos níveis de aprendizagem dos alunos e confiando-lhes a tarefa de se ensinarem uns aos outros» [17]. Não se pode dizer que as crianças mais inteligentes se atrasem por motivo de tal procedimento. O ensino ministrado pelos próprios alunos é uma forma de reconhecimento e também uma experiência de aprendizagem, tanto para o «professor» como para o aluno, expe-

riência essa de excelente valor para a política democrática. *Aprende e depois ensina* é a prática de uma escola sólida, capaz de atrair os alunos ao seu principal empreendimento. O efeito é o de «minimizar a incidência dos que obtêm resultados excepcionalmente baixos».

3. «O... programa é exigente e está ajustado ao nível de aprendizagem dos alunos acima da média.» [18] Estamos perante outro sinal de uma escola sólida com professores ambiciosos. Diz-se frequentemente que a decisão de educar toda a gente conduz necessariamente a um abaixamento dos padrões. Isto só será, porém, verdade se a escola for fraca e incapaz de resistir às pressões de uma sociedade hierarquizada. Incluo nessas pressões, não só a necessidade que os empresários têm de trabalhadores minimamente instruídos e felizes, mas também a apatia e a indiferença de muitos pais presos nos níveis inferiores da hierarquia e a arrogância de muitos outros, instalados nos níveis mais altos. Estes grupos são também socialmente reprodutivos e a educação democrática é susceptível de ter êxito unicamente na medida em que puxa as crianças desses grupos para o seu espaço fechado. Nesse caso, poderá ser um aspecto importante do caso japonês o facto de «os alunos passarem muito mais horas na escola do que os seus colegas da maior parte das outras sociedades avançadas».

4. «A igualdade relativa dos resultados cognitivos modera a propensão das crianças para terem precedência umas sobre as outras... Em vez disso, as crianças são induzidas a trabalhar em conjunto para dominarem o programa.» [19] Esta indução pode ser intensificada pelo facto de todos os alunos — e os professores também — colaborarem na limpeza e na reparação da escola. Não há praticamente pessoal de manutenção nas escolas japonesas; a comunidade educativa basta-se a si mesma e compreende unicamente professores e alunos. «A manutenção da escola é da responsabilidade de todos.» [20] A aprendizagem partilhada e o trabalho partilhado sugerem ambos mais a existência de um universo de cidadãos do que uma divisão de trabalho e, desse modo, desencorajam as comparações a que a divisão de trabalho, pelo menos nas suas formas convencionais, dá continuamente origem.

Omiti vários aspectos intrincados da análise de Cummings que não interessam directamente a esta questão. O meu propósito foi o de revelar os efeitos do ensino normativo em condições democráticas. Estes efeitos podem ser resumidos de forma bem simples. A todos são ministrados os conhecimentos básicos necessários a uma cidadania activa e a maior parte dos estudantes adquire-os. A experiência dessa aquisição é, em si mesma, democrática, produzindo as suas recompensas em termos de reciprocidade e camaradagem assim como de êxito individual. Claro que é possível juntar crianças nas escolas com o único propósito de ali não as educar ou de não lhes ministrar mais do que a simples alfabetização. Nesse caso, a educação, por deficiência das escolas, não é efectivamente mediatizada, sendo ministrada em casa, ou na rua, ou então através da televisão, do cinema ou da indústria musical, não exercendo as escolas (literalmente) mais do que uma acção de custódia até as crianças terem idade suficiente para trabalhar. Este género de escolas pode à vontade ter muros para meter dentro as crianças, que não os tem para deixar do lado de fora a sociedade e a economia. São edifícios ocos e não centros de aprendizagem autónoma e, assim, torna-se necessária uma alternativa para preparar, não os cidadãos e sim os gestores e os profissionais da geração seguinte, reproduzindo, deste modo, sob uma forma nova a velha distinção entre educação directa e educação mediatizada e educação directa e mantendo a estrutura elementar de uma sociedade de classes. Porém, a distribuição dos bens educativos nas escolas autónomas contribuirá para a igualdade.

As escolas especializadas

A educação democrática começa pela igualdade simples: um trabalho comum para um fim comum. A educação é distribuída igualmente por todas as crianças ou, mais precisamente, todas as crianças são ajudadas a dominar o mesmo conjunto de conhecimentos. Isto não significa que todas sejam tratadas exactamente da mesma maneira. Os louvores são, por exemplo, copiosamente distribuídos nas escolas japonesas, mas não o são igualmente por todas as crianças. Algumas desempenham regularmente as funções de professores-alunos; outras são sempre alunos. As atrasadas e apáticas recebem provavelmente uma parcela desproporcionada da atenção do professor. O que as mantém juntas é a solidez da escola e a essência do programa.

Porém, a igualdade simples revela-se totalmente inadequada logo que aquela essência é assimilada e o objectivo comum atingido. A partir daí, a educação deve amoldar-se aos interesses e capacidades dos estudantes individualmente considerados. E as próprias escolas devem ser mais receptivas às exigências especiais do universo quotidiano. Bernard Shaw opinou que a partir daí as escolas fossem pura e simplesmente postas de lado, justamente por já não poderem fixar objectivos comuns a todos os alunos. Identifica o ensino com a igualdade simples.

> Logo que uma criança tiver aprendido o seu credo e catecismo social e souber ler, escrever, contar e usar as mãos, em resumo, logo que se tornar qualificada para singrar nas urbes modernas e executar um trabalho normal e útil, é preferível que lhe seja permitido descobrir por si mesma o que é melhor para si em termos de obtenção de uma cultura mais elevada. Se estivermos perante um Newton ou um Shakespeare, aprenderá cálculo ou dramaturgia sem que qualquer destes lhe tenha que ser enfiado pelas goelas abaixo; tudo o que é necessário é que tenha acesso a livros, professores e teatros. Se a sua mente não pretende elevar-se a um plano cultural superior, deverá ser deixada em paz pois sabe o que lhe convém[21].

Esta é a versão de Shaw da «descolarização». Ao contrário da versão defendida por Ivan Illich nos anos 70, baseia-se na existência prévia de vários anos de trabalho escolar e, portanto, não é disparatada[22]. Shaw tem provavelmente razão quando afirma que aos jovens de ambos os sexos deveria ser permitido resolverem os seus próprios problemas e singrarem na vida sem diplomas oficiais. Chegámos ao ponto de sobrestimar a importância, não do ensino em si, mas do ensino indefinidamente alargado. O efeito é o de roubar à economia o seu único proletariado legítimo, o proletariado dos jovens, e tornar as promoções mais difíceis do que o que é necessário para os autênticos proletários.

Não é, porém, de modo nenhum evidente quanto tempo é exactamente preciso para cada um aprender o seu «catecismo social» ou qual a soma de conhecimentos que se exige para singrar nas urbes modernas. É óbvio que é algo mais do que o conhecimento das ruas, caso contrário o ensino escolar seria desnecessário desde o começo. Nem seria satisfatório de um ponto de vista democrático que, enquanto algumas crianças saíssem rapidamente para a rua, os pais das outras comprassem educação suplementar que lhes desse acesso a lugares privilegiados na cidade. Por esta razão, cada ampliação do período de escolaridade obrigatória tem sido uma vitória da igualdade. A uma dada altura, porém, isto deve deixar de ser verdade, pois não é possível que um rumo único de vida seja igualmente apropriado para todas as crianças. No que respeita ao rumo constituído pela escola, é mais plausível a afirmação oposta: nunca haverá uma comunidade política de cidadãos iguais se o trabalho escolar for o único caminho conducente à responsabilidade adulta. Para algumas crianças, para lá de uma certa idade a escola é uma espécie de cárcere (e, contudo, nada fizeram que merecesse prisão!), suportado por causa dos requisitos legais a que obedecem os diplomas. É evidente que estas crianças deveriam ser libertadas e, a seguir, ajudadas na aprendizagem do ofício que querem exercer no emprego. A igualdade em termos de cidadania requer um ensino comum, sendo a sua duração exacta matéria para debate político; não requer, porém, uma carreira educativa uniforme.

E quanto aos jovens de ambos os sexos que pretendem continuar na escola para obterem, digamos, uma educação geral e liberal? Poderíamos muito simplesmente satisfazê-los, mantendo as matrículas abertas para além do limite da escolaridade obrigatória. Acabariam então as classificações, não se autorizariam reprovações e só se avaliariam as pessoas, se necessário, no termo do processo. Os alunos estudariam tudo quanto estivessem interessados em aprender e continuariam a estudar até esgotarem o interesse nesta ou naquela matéria (ou no estudo em si). Passariam então a fazer qualquer outra coisa. Os interesses são, porém, potencialmente infinitos e de acordo com certa concepção da vida humana, dever-se-á estudar enquanto se respirar. Há poucas probabilidades de a comunidade política poder dispor do dinheiro necessário a uma educação deste tipo e nenhum motivo para supor que aqueles que deixaram de estudar sejam moralmente obrigados a sustentar os que continuam. Os monges medievais e os doutores do Talmude eram, na verdade, sustentados pelo trabalho dos homens e mulheres comuns e isso pode muito bem ter sido bom. Esse sustento não é, porém, moralmente exigível numa sociedade como a nossa, nem mesmo se as oportunidades de vir a ser monge ou doutor do equivalente actual estiverem ao alcance de todos.

Mas se a comunidade tomar a seu cargo a educação geral de alguns dos seus cidadãos — como sucede actualmente com os estudantes universitários — então terá de o fazer relativamente a todos quantos estiverem interessados, não só nas universidades, mas também, segundo Tawney, «em plena rotina da sua vida de trabalho». Tawney, que dedicou muitos anos à Associação de Educação dos Trabalhadores, tem toda a razão ao insistir em que uma educação superior deste género não devia estar disponível unicamente como «uma carreira de frequência contínua da escola dos cinco aos dezoito»[23]. Pode imaginar-se uma grande variedade de escolas e cursos, satisfazendo estudantes de diversas idades e histórias escolares, geridas a nível local e nacional, adstritas a sindicatos, associações profissionais, fábricas, museus, lares de terceira idade, etc. Neste cenário, a escola converte-se em géneros menos formais de ensino e aprendizagem. A «comunidade fechada» perde a sua realidade física e torna-se uma metáfora do distanciamento crítico. Porém, na medida em que distribuirmos lugares na escola (o «instituto da dura crítica» sempre teve matrículas livres), não creio que devamos abandonar a ideia da natureza fechada ou abdicar de mais distanciamento do que aquele de que tivermos que abdicar. A única extensão do ensino básico adequada a uma democracia é aquela que oferece reais oportunidades e real liberdade intelectual, não apenas para alguns estudantes convencionalmente agrupados, mas também para todos os outros.

Não vou especificar um determinado nível de apoio a esta oferta. Mais uma vez, há aqui espaço para o debate democrático. Também não estamos perante o caso, como afirmaram alguns radicais, de a própria democracia ser impossível sem um programa público de educação continuada[24]. A democracia só está em perigo quando um tal programa é organizado por forma não democrática e não quando não é de todo organizado. Acontece com os cidadãos comuns o mesmo que com os monges e os doutores: é bom que possam estudar indefinidamente sem um objectivo profissional a bem daquilo a que Tawney chama «um comportamento na vida, razoável e humano», mas o único ponto crítico para a teoria da justiça é que este género de estudo não seja o privilégio exclusivo de alguns, escolhidos pelas autoridades públicas através de um sistema de exames. Para estudar o «comportamento humano na vida» não são precisas qualificações.

O caso é, porém, diferente no que respeita à aprendizagem especializada ou profissional. Aqui, o interesse não pode constituir o único critério distributivo nem o podem constituir o interesse em conjunto com a capacidade: há muitas pessoas interessadas e capazes. Talvez que no melhor dos mundos possíveis pudéssemos educar todas essas pessoas enquanto fossem educáveis. Poderá dizer-se que é este o único padrão inerente ao conceito de educação, como se os homens e mulheres capazes fossem recipientes vazios que devessem ser cheios até à borda. Isto é, porém, um conceito de educação que se abstrai de todo e qualquer conjunto de conhecimentos em especial e de todo e qualquer sistema de prática profissional. O ensino especializado não é ministrado ininterruptamente até os alunos aprenderem tudo o que possam eventualmente aprender; interrompe-se quando já aprenderam alguma coisa, quando já estão familiarizados com o estado dos conhecimentos em determinado campo. Compreensivelmente, procuraremos antecipadamente obter algumas garantias de que podem aprender até àquele nível e bem. E se tivermos só uma quantia limitada para despender ou se houver só um número limitado de lugares que requeiram aquela aprendizagem em especial, procuraremos compreensivelmente obter algumas garantias de que podem aprender até ao dito nível particularmente bem.

Educar cidadãos é matéria de provisão comunitária, é uma espécie de previdência. Penso que normalmente concebemos uma educação mais especializada como uma espécie de cargo. Os estudantes têm de se qualificar para tal. E qualificam-se, presumivelmente, através de uma certa exibição de interesse e capacidade; porém, estes dois aspectos não produzem mais do que um direito a uma educação especializada, pois as especializações necessárias constituem matéria de decisão comunitária, o mesmo acontecendo com o número de lugares disponíveis nas escolas especializadas. Os estudantes têm o mesmo direito que os cidadãos em geral têm no que toca ao exercício de cargos: igualdade de tratamento na atribuição dos lugares disponíveis. E têm um direito adicional: na medida em que são preparados para o exercício de cargos nas escolas públicas, deverão, tanto quanto possível, sê-lo de modo igual.

A educação de um cavalheiro, escreveu John Milton, deve preparar as crianças que a recebem «para desempenhar justa, hábil e generosamente todos os cargos, tanto privados como públicos, na paz e na guerra»[25]. Num Estado democrático moderno, os cidadãos tomam as prerrogativas e obrigações que cabem aos cavalheiros, mas a sua educação só os prepara para ser eleitores e soldados ou (talvez) presidentes e generais e não para aconselhar os presidentes sobre os perigos da tecnologia nuclear, nem os generais quanto aos riscos deste ou daquele plano estratégico, nem para receitar remédios, projectar edifícios, ensinar a geração seguinte, etc. Estas funções especializadas requerem uma educação subsequente. A comunidade política quer assegurar-se de que os seus líderes — e também os seus membros comuns — beneficiam do melhor aconselhamento e serviço possível. E a classe docente tem idêntico interesse relativamente aos estudantes mais aptos. Daí a necessidade de um processo de selecção orientado para a descoberta, no conjunto dos futuros cidadãos, de um subconjunto de futuros «peritos». A forma-padrão deste processo não é difícil de descobrir: o exame universal para o funcionalismo que descrevi no capítulo 5 ser simplesmente introduzido nas escolas. Contudo, isto causa profundas tensões na estrutura da educação democrática.

Quanto mais bem sucedido for o ensino básico, mais apto será o conjunto dos futuros cidadãos, mais intensa a competição pelos lugares mais avançados no sistema educativo e mais profunda a frustração das crianças que não conseguirem qualificar-se[26]. As elites estabelecidas serão então susceptíveis de exigir que as selecções se façam cada vez mais cedo, de maneira a que o trabalho escolar dos não seleccionados se converta numa aprendizagem de passividade e resignação. Os professores das escolas sólidas resistirão a esta exigência e o mesmo farão as crianças, ou melhor, os pais das crianças resistirão, na medida em que forem politicamente atentos e capazes. Na verdade, a igualdade de tratamento parece requerer essa resistência, pois as crianças aprendem a ritmos diferentes e despertam intelectualmente em diferentes idades. Qualquer processo de selecção do género de-uma-vez-para-sempre será indubitavelmente injusto para alguns estudantes e sê-lo-á também para os jovens que deixaram de estudar e foram trabalhar. Deverão existir, portanto, processos de reavaliação e, o que é mais importante, tanto para a deslocação horizontal como para a progressão vertical nas escolas especializadas.

Se existir, porém, um número limitado de lugares, estes processos não farão mais do que multiplicar a quantidade de candidatos finalmente frustrados. Não há maneira de evitar isto, mas só será moralmente pernicioso se a competição for mais pela posição social, pelo poder e pela riqueza convencionalmente ligados à posição profissional do que pelas vagas escolares e oportunidades educativas. Todavia, as escolas não devem ter nada a ver com esta trindade de vantagens. Nenhum aspecto do processo educativo exige a ligação do ensino superior à posição hierárquica. E também não há qualquer razão para supor que os estudantes mais aptos desistiriam da sua educação no caso de se romper esta ligação e de aos futuros detentores de cargos virem a ser pagos, digamos, «salários de operários». Alguns alunos darão indubitavelmente melhores engenheiros, cirurgiões, físicos nucleares, etc., do que os seus colegas. Compete às escolas especializadas descobrir estes alunos, dar-lhes uma certa consciência daquilo que podem fazer e lançá-los para diante. A educação especializada é necessariamente um monopólio dos talentosos ou, pelo menos, daqueles estudantes mais capazes num dado momento de pôr os seus talentos em acção. Porém, este monopólio é legítimo. As escolas não podem deixar de estabelecer diferenças entre os alunos, promovendo uns e recusando outros; todavia, as diferenças que descobrem e impõem deverão ser inerentes ao trabalho e não à posição ocupada por este. Deverão ter a ver com o êxito e não com as recompensas económicas e políticas deste; deverão voltar-se para dentro, sendo motivo de aplauso e orgulho nas escolas e depois na profissão, mas sendo incerto o seu efeito no mundo exterior. A propósito desta incerteza: é que o êxito pode ainda trazer consigo, com um pouco de sorte, não riqueza e poder, mas sim autoridade e prestígio. Estou a descrever, não escolas para santos e sim apenas centros de aprendizagem bastante mais afastados do que actualmente, dessa coisa que é o «safar-se bem».

O ensino no tempo de George Orwell

Aqui chegados, poderá ser útil debruçarmo-nos sobre um exemplo negativo, e na vasta literatura existente sobre as escolas e o ensino não há exemplo mais integralmente negativo do que o relato de Orwell sobre a escola preparatória inglesa que frequentou nos anos 10. Suscitaram-se algumas dúvidas quanto à exactidão desse relato, mas no tocante aos aspectos que aqui mais nos interessam, creio que podemos tê-lo como verdadeiro[27]. A sua «Crossgates» destinava-se a preparar os alunos para a admissão a escolas como Harrow e Eton * onde se formavam os altos funcionários

* Harrow e Eton são duas das famosas escolas privadas (*public schools*) britânicas que, pese embora à sua denominação e ao contrário do que se passa nos EUA, onde as escolas públicas são mantidas à custa do erário público e se destinam à educação gratuita das crianças das várias comunidades ou circunscrições, vivem de subvenções e das elevadas propinas pagas pelos alunos. Enquanto o sistema das escolas públicas norte-americanas inclui estabelecimentos tanto de ensino primário como secundário, o sistema britânico (cujos alunos são principalmente internos) destina-se sobretudo a preparar os alunos para as universidades ou para o funcionalismo público. *(NT)*

ingleses e os profissionais mais destacados. Uma escola preparatória, não é, por definição, um centro autónomo de aprendizagem, mas a dependência de Crossgates era dupla, pelo facto de ser uma empresa não só educativa, mas também comercial e, ainda por cima, bastante precária. Assim, os proprietários e os professores subordinavam o seu trabalho, por um lado, às exigências de Harrow e Eton e, por outro, aos preconceitos e ambições dos pais dos alunos. A primeira destas forças externas determinava os programas. «O trabalho», escreveu Orwell, «consistia em aprender exactamente aquelas coisas que dariam ao examinador a impressão de que se sabia mais do que na realidade se sabia e, tanto quanto possível, evitar sobrecarregar o cérebro com qualquer outra coisa. As matérias que careciam de valor-para-exame... eram quase completamente negligenciadas.» A segunda influenciava a administração da escola e a natureza das relações sociais no seu interior. «Todos os rapazes muito ricos eram favorecidos de maneira mais ou menos disfarçada... Duvido que o Sims (o director) alguma vez tenha castigado corporalmente um rapaz cujo pai tivesse um rendimento superior a duas mil libras anuais.» [28] Assim era copiado o sistema de classes, ingenuamente pelos rapazes e premeditadamente pelos professores.

Estas forças externas (as escolas privadas de elite e os pais pagantes) nem sempre trabalharam para o mesmo fim. Crossgates tinha de ministrar uma preparação académica séria e para atrair alunos tinha de apresentar bons resultados dessa preparação. Daí que precisasse, não só de rapazes ricos, mas também inteligentes. Porém, como os pais mais dispostos a pagar não eram necessariamente os que geravam as crianças mais susceptíveis de obter bons resultados nos exames, os proprietários da Crossgates investiam dinheiro num pequeno número de alunos que nada pagavam ou beneficiavam de redução de propinas com vista a tirar daí proveito em termos de prestígio académico. Orwell foi um desses alunos. «Se eu tivesse "falhado", como às vezes acontece com os rapazes prometedores, penso que (o Sims) me teria rapidamente posto a andar. Na realidade, quando chegou a altura, consegui-lhe duas bolsas de estudo do que evidentemente não deixou de se servir largamente nos seus prospectos.» [29] Assim, no ambiente profundamente anti-intelectual da escola preparatória, havia alguns intelectuais em potência, inquietos, intermitentemente gratos e mal-humorados e ocasionalmente rebeldes. Tolerados pelo seu cérebro, estavam sujeitos a mil e uma pequenas humilhações destinadas a ensinar-lhes o que os outros rapazes aceitavam sem discussão: que ninguém era efectivamente considerado se não fosse rico e que a maior virtude consistia, não em ganhar dinheiro, mas simplesmente em tê-lo. Orwell foi chamado a qualificar-se para um progresso educativo e em seguida para um cargo burocrático ou profissional, mas apenas num sistema em que as mais altas qualificações eram hereditárias. Embora os pais abastados comprassem efectivamente benefícios para os filhos, estes eram ensinados no sentido de exigir tais benefícios como sendo-lhes devidos por direito. E não lhes ensinavam muito mais. Crossgates, segundo a descrição de Orwell, é um exemplo acabado da tirania do dinheiro e da classe sobre a instrução.

Em minha opinião, toda a escola preparatória que for concebida como um risco comercial, será um instrumento de tirania e, na verdade, de tiranias deste género. É que o mercado nunca pode funcionar em regime fechado; é (e deve ser) um lugar em que o dinheiro é importante. Daí, uma vez mais, a importância de um ensino preparatório comum para todas as crianças, ministrado em escolas sólidas e independentes. Como se poderá, porém, impedir os pais de gastarem o seu dinheiro num pouco de preparação extra? Mesmo que todos os pais tivessem o mesmo rendimento, alguns estariam mais dispostos do que outros a empregar os seus haveres na educação dos filhos. Ou então, se fossem suficientemente instruídos, poderiam dar, eles próprios, lições aos filhos: profissionais e detentores de cargos transmitindo o seu instinto de sobrevivência e progresso, os usos e costumes da sua classe.

Salvo separando os filhos dos pais, não há maneira de evitar este género de situação. Pode, todavia, desempenhar um papel maior ou menor na vida social em geral. O apoio dos pais a escolas como Crossgates, por exemplo, variará com o grau de desnível da hierarquia social e com o número de pontos de acesso a uma preparação especializada e a posições oficiais. Foi dito a Orwell que, ou ele obtinha bons resultados nos exames ou acabaria como «um simples paquete a ganhar quarenta libras por ano»[30]. A sua sorte tinha de se decidir, sem hipótese de adiamento, aos doze anos. Se esta descrição for exacta, Crossgates parecerá quase uma instituição sensata — opressiva, mas não irracional. Suponhamos, porém, que o quadro era diferente. Suponhamos, porém, que o sorriso escarninho como que um dizia e o arrepio com que o outro ouvia, a terrível frase «paquete a ganhar quarenta libras por ano» eram ambas inadequadas. Suponhamos que os cargos estavam organizados de modo diferente do que em 1910, de maneira que os «rapazes» podiam deslocar-se neles vertical ou horizontalmente. Suponhamos que as escolas públicas constituíam uma das formas (mas não a única) de encontrar ocupações interessantes e prestigiosas. Crossgates poderia então começar a surgir como tão pouco atraente para os pais como era para muitas crianças. A escola preparatória seria menos decisiva, os exames menos assustadores e o espaço e o tempo para a aprendizagem seriam grandemente beneficiados. Mesmo as escolas especializadas exigem alguma libertação da pressão social para poderem fazer o seu trabalho, daí uma sociedade organizada de modo a conceder essa liberdade. As escolas nunca podem ser totalmente livres, mas se tiverem de o ser, terá de haver restrições noutras esferas distributivas, restrições essas mais ou menos do tipo das que já descrevi quando me referi àquilo que o dinheiro pode comprar e à extensão e importância dos cargos.

Coeducação e separação

O ensino básico é de natureza coerciva. Pelo menos nos níveis inferiores, as escolas são instituições que as crianças são obrigadas a frequentar.

> O colegial lamuriento, com a sua sacola
> E o seu reluzente rosto matinal, rastejando como um caracol
> Relutantemente para a escola

é uma figura vulgar em muitas e variadas culturas[31]. Na época de Shakespeare, a vontade que obrigava o relutante moço a ir para a escola era a vontade paterna; o Estado não impunha a frequência escolar. A educação das crianças dependia da fortuna, das ambições e da cultura dos pais. Esta dependência parece-nos injusta, em primeiro lugar, porque a comunidade no seu todo está interessada na educação e, em segundo lugar, porque se presume que as próprias crianças nela têm interesse, embora possam não ter ainda consciência disso. Ambos estes interesses estão virados para o futuro, para aquilo que as crianças virão a ser e para o trabalho que virão a fazer e não, ou não apenas, para o que são os pais, que posição têm na sociedade ou quais são os seus haveres. A provisão comunitária é a que melhor satisfaz estes interesses, pois é também virada para o futuro, tendo por objecto o aumento da competência dos indivíduos e a integração dos (futuros) cidadãos. Esta provisão é, porém, especial, sendo os seus destinatários recrutados e não alistados. Abula-se o recrutamento e as crianças serão forçadas a viver, não dos seus próprios recursos — como os defensores da «descolarização» gostam de afirmar — e sim dos recursos dos pais.

Por serem recrutadas, as crianças de escola são como os soldados e os presos e não como os cidadãos comuns que decidem por eles o que irão fazer e com quem se irão associar. Não devemos, porém, dar grande importância nem às semelhanças nem às diferenças[32]. Os presos às vezes «emendam-se» e o treino ministrado aos soldados às vezes é útil na vida civil; estaríamos, contudo, a mentir a nós próprios se pretendêssemos ser a educação a principal finalidade das cadeias ou da tropa. Estas instituições estão adaptadas aos objectivos da comunidade e não aos dos indivíduos que para elas são arrastados. Os soldados cumprem o seu dever para com o país; os presos «cumprem tempo». As crianças de escola, porém, num sentido relevante, servem-se a si próprias. A distribuição de lugares nas cadeias e, algumas vezes, de lugares no exército, é uma distribuição de males sociais, sofrimento e riscos. A ideia de que os lugares na escola são bens sociais não é, da parte dos adultos, apenas uma presunção. Ao dizerem isso, estão a falar da sua própria experiência e a prever a opinião que as crianças terão um dia. E, evidentemente, também se recordam de que as crianças depois das aulas têm uma liberdade que eles, adultos, só podem invejar e nunca reviver.

Todavia, a frequência da escola é obrigatória e devido a essa obrigatoriedade não se trata só de distribuir lugares pelas crianças; estas são distribuídas pelos lugares disponíveis. As escolas públicas não têm uma existência *a priori*; têm que ser instituídas e os alunos inscritos por uma decisão política. Aqui é, pois, necessário um princípio de coeducação. Quem vai à escola com quem? Esta questão é distributiva em dois sentidos. Em primeiro lugar, é distributiva porque o conteúdo do programa varia com o tipo de destinatários. Se as crianças forem agrupadas como futuros cidadãos, aprenderão a história e as leis do seu país. Se forem agrupadas como correligionários desta ou daquela religião, aprenderão ritos e liturgia. Se forem agrupados como futuros trabalhadores, receberão uma educação «técnica»; se como futuros profissionais especializados, uma educação «académica». Se se juntarem os alunos inteligentes, serão ensinados a um determinado nível; os estúpidos sê-lo-ão a outro. Estes exemplos poderiam ser indefinidamente multiplicados para corresponderem à actual série de diferenças humanas e distinções sociais. Mesmo se presumirmos, como tenho vindo a fazer, que as crianças são agrupadas como cidadãos e recebem uma educação comum, continua a ser verdade que não podem estudar todas em conjunto, tendo de ser separadas por escolas e classes. E o modo como isto é feito continua a ser uma questão distributiva pois — e agora em segundo lugar — as crianças constituem os recursos umas das outras: companheiras e rivais, desafiando-se umas às outras, ajudando-se umas às outras e construindo aquelas que podem muito bem vir a ser as grandes amizades das suas vidas adultas. O conteúdo do programa é provavelmente menos importante que o ambiente humano em que é ensinado. Não é pois surpresa nenhuma que a coeducação e a separação sejam os temas mais vivamente discutidos na esfera da educação. Os pais preocupam-se muito mais com os colegas dos filhos do que com os livros escolares. Têm razão em fazê-lo e não apenas no sentido cínico de que «é mais importante quem conheces do que o que sabes». Uma vez que muito do que sabemos aprendemos com os nossos pares, quem e o quê andam sempre juntos.

O acaso é o mais óbvio dos princípios coeducativos. Se juntássemos as crianças sem olhar aos cargos e riqueza nem às filiações políticas ou religiosas dos pais e se, além disso, as juntássemos em colégios internos, privadas do contacto diário com esses mesmos pais, poderíamos criar comunidades educativas inteiramente autónomas. Os professores encarariam os alunos como se não fossem mais do que isso, sem passado e com um futuro à sua frente, fosse qual fosse o futuro tornado possível pelo seu saber. Esta espécie de coeducação tem sido às vezes defendida por grupos esquerdistas em nome da igualdade (simples) e poderia muito bem alcançar esse objectivo. Evidentemente que as oportunidades de qualificação para uma aprendizagem especializada seriam distribuídas de modo mais uniforme do que em qualquer sistema alternativo. Porém, o agrupamento casual representaria uma vitória, não só para a escola como também para o Estado. A criança que não é mais do que um estudante, não existe; teria de ser criada o que só se poderia conseguir, segundo creio, numa sociedade despótica. Em qualquer caso, a educação é mais adequadamente descrita como o ensino de pessoas individualizadas, com identidades, aspirações e vidas próprias. Esta individualização é simbolizada pela família e defendida pelos pais. As escolas autónomas são instituições mediáticas; existe tensão entre elas e os pais (e não só). Abula-se o ensino obrigatório e a tensão extinguir-se-á; as crianças tornar-se-ão meros súbditos das suas famílias e da hierarquia social em que as famílias se inserem. Abula-se a família e igualmente se extinguirá a tensão; as crianças tornar-se-ão meros súbditos do Estado.

O problema distributivo crucial na esfera da educação consiste em converter as crianças em alunos comuns sem destruir o que há nelas de incomum, as suas particularidades tanto sociais como genéticas. Há, em minha opinião, atento certo condicionalismo social, uma solução preferível para este problema, uma forma de igualdade complexa que se adapta melhor, por um lado, ao modelo normativo da escola e, por outro, às exigências da política democrática. Não há, porém, uma solução única. A natureza de uma instituição mediática só pode ser determinada com referência às forças sociais que mediatiza. Terá sempre de se estabelecer um equilíbrio que será diferente conforme as épocas e os lugares.

Utilizarei na discussão de algumas das possibilidades exemplos dos actuais Estados Unidos que constituem uma sociedade consideravelmente mais heterogénea do que quer a Inglaterra de Orwell quer o Japão posterior à Segunda Guerra

Mundial. Aqui, mais claramente do que em qualquer outro lugar, as exigências do ensino básico e da igualdade de tratamento defrontam-se com o pluralismo étnico, religioso e racial e os problemas da coeducação e da separação assumem formas particularmente agudas. Quero, porém, salientar antecipadamente que estes problemas também assumem formas mais gerais. Os autores marxistas afirmaram por vezes que o advento do comunismo poria fim a todas as diferenças motivadas pela raça e pela religião. Talvez sim. Contudo, mesmo os pais comunistas não partilham uma filosofia da educação única (partilhem embora o que quer que seja noutros campos). Não estarão de acordo sobre quais os tipos de escola melhores para a comunidade em geral ou para os seus filhos e, por isso, continuará em aberto a questão de saber se as crianças cujos pais têm diferentes filosofias educativas, devem frequentar as mesmas escolas. Na verdade, esta questão põe-se actualmente, embora obscurecida por diferenças menos cerebrais.

Se nos posicionarmos no interior da escola, que princípios coeducativos nos parecerão mais apropriados? Que razões teremos para formar este grupo de crianças em especial? Salvo no tocante a uma incapacidade literal de aprender, não há razões de exclusão que tenham a ver com a escola como tal. As razões para a inclusão são correlativas às matérias escolares. As escolas especializadas congregam alunos qualificados, com interesses e capacidades especiais. No caso do ensino básico, a razão para congregar os alunos é a necessidade (presume-se o interesse e a capacidade). Aqui, o que é fundamental é a necessidade que têm todas as crianças de crescer nesta comunidade democrática e de tomarem os seus lugares como cidadãos competentes. Daí que as escolas devessem visar a um modelo de coeducação que previsse o modelo de associação dos adultos de ambos os sexos em democracia. Este é o princípio que melhor se adequa ao objectivo fundamental das escolas, sendo, porém, um princípio muito geral. Exclui o acaso, já que estamos certos de que os adultos não se associarão (por definição e seja qual for a comunidade) ao acaso, sem olhar aos seus interesses, cargos, relações de parentesco, etc. Contudo, para além disso, há uma série de padrões coeducativos e formas institucionais que se afiguram pelo menos compatíveis com a educação de cidadãos democráticos.

Escolas privadas e títulos de educação

Nem o ensino obrigatório nem a existência de um programa comum exigem que todas as crianças frequentem escolas da mesma espécie ou que todas as escolas mantenham idêntica relação com a comunidade política. É característico do liberalismo americano que aos empresários educativos, aos pais com a mesma mentalidade destes e às organizações religiosas seja permitido patrocinar escolas privadas. Aqui, o princípio coeducativo descrever-se-á provavelmente melhor como sendo constituído pelo interesse dos pais e pela ideologia, embora estes devam ser entendidos como incluindo o interesse na posição social e a ideologia de classe. A reivindicação é a de que os pais devem poder obter o que querem — e exactamente o que querem — para os seus filhos. Isto não elimina necessariamente o papel mediático da escola, pois o Estado pode autorizar escolas privadas e, todavia, impor exigências programáticas comuns. E os pais nem sempre querem para os filhos exactamente o que lhes podem dar. Possivelmente têm ambições do ponto de vista social, intelectual ou mesmo religioso: desejam ardentemente que os filhos se tornem mais proeminentes, mais sofisticados ou mais devotos do que eles. E os professores em muitas escolas privadas têm (o que os professores de Orwell claramente não tinham) uma consciência sólida em termos de identidade institucional e missão intelectual. Em qualquer caso, é ou não verdade que os adultos se associam exactamente deste modo, na base da sua classe social ou das suas aspirações de classe ou da sua filiação religiosa (ou das suas ideias sobre como educar os filhos)?

As escolas privadas são, porém, demasiado caras e, por isso, os pais não podem, de modo igual, associar os filhos como lhes apraz. Esta desigualdade afigura-se errada, sobretudo se essa associação for tida como proveitosa; porque haveria de ser negado às crianças esse proveito só por causa da contingência do seu nascimento? Com apoio público, o presumível proveito poderá ser muito mais amplamente distribuído. Este impulso é dado pelo «plano dos títulos», uma proposta no sentido de o dinheiro dos impostos disponível para fins educativos ser entregue aos pais sob a forma de títulos que se possam utilizar no mercado livre [33]. Para absorver estes títulos, criar-se-ia todo o género de escolas, atendendo toda a gama de interesses e ideologias dos pais. Algumas escolas atenderiam ainda os interesses de classe, exigindo o pagamento de lições para além das cobertas pelo título e, assim, garantindo aos pais abastados que os seus filhos teriam de se juntar, única ou principalmente, com os da sua igualha. Vamos, porém, deixar de lado este aspecto (há um remédio legislativo fácil). O que é mais importante é que o remédio dos títulos garanta que as crianças vão para a escola com outras cujos pais sejam, pelo menos, muito semelhantes aos seus.

O plano dos títulos é uma reforma pluralista, revelando embora um pluralismo especial. É que, embora possa muito bem fortalecer organizações tradicionais como a Igreja Católica, a realidade a que se destina especificamente é a organização dos pais com idêntica mentalidade. Aponta para — e ajudará a criá-la — uma sociedade em que não haja qualquer base geográfica sólida nem lealdade consuetudinária e sim, antes, uma grande e variável diversidade de grupos ideológicos, ou melhor, de grupos de consumidores congregados pelo mercado. Os cidadãos serão altamente móveis e desenraizados, deslocando-se facilmente de um grupo para outro. Essas deslocações dependerão unicamente da sua vontade e, assim, evitarão as infindáveis discussões e compromissos da política democrática cujos participantes se encontram mais ou menos permanentemente ligados uns aos outros. Os cidadãos possuidores de títulos poderão, para usar as palavras de Albert Hirschman, optar sempre por «sair» em vez de «votar» [34].

Duvido que possa existir entre aqueles cidadãos uma comunhão suficiente de ideias e sentimentos para manter o plano dos títulos que é, no fundo, mais uma forma de provisão comunitária. Mesmo um Estado Social mínimo requer relações mais fundas e sólidas. Em qualquer caso, a experiência real que as crianças teriam em escolas livremente escolhidas pelos pais dificilmente faz prever desenraizamento e mobilidade fácil. Para a maioria das crianças, a escolha dos pais significa, quase pela certa, menos diversidade, menos tensão e menos oportunidade de mudança pessoal do que teriam em escolas às quais fossem politicamente destinados. As suas escolas parecer-se-iam mais com as suas casas. Talvez este sistema prenuncie as suas próprias escolhas futuras, mas dificilmente prenunciará toda a série dos seus contactos, relações de trabalho e alianças políticas numa sociedade democrática. A escolha dos pais pode cruzar uma série de fronteiras étnicas e raciais de uma maneira às vezes impraticável para as escolhas políticas. Mas mesmo isso é incerto, uma vez que as características étnicas e a raça constituiriam sem dúvida, como constituem actualmente, dois dos princípios em torno dos quais se organizam as escolas privadas. E ainda que estes princípios fossem aceitáveis, conquanto não fossem os únicos, numa sociedade pluralista terá de se salientar que para determinadas crianças seriam os únicos.

O plano dos títulos presume activismo da parte dos pais, não na comunidade em geral, mas no estrito interesse dos filhos. Penso, porém, que o seu maior perigo reside no facto de que iria expor muitas crianças a uma combinação de desumanidade empresarial e indiferença dos pais. Mesmo os pais interessados andam, afinal, frequentemente ocupados com outras coisas. E, nesse caso, as crianças só podem ser defendidas por agentes do Estado, inspectores governamentais, obrigando ao cumprimento de uma lei geral. Na verdade, os agentes do Estado podem ainda ter de fazer mesmo que os pais sejam activos e empenhados. É que a comunidade tem interesse na educação das crianças e têm-no igualmente as crianças as quais não são convenientemente representadas nem pelos pais nem pelos empresários. Esse interesse deve, porém, ser publicamente debatido, devendo ser-lhe conferida uma forma específica. Essa é a função das assembleias democráticas, dos partidos, dos movimentos, das associações, etc. E é o modelo de coeducação necessário a esse trabalho que o ensino básico deve prever. As escolas privadas não o fazem. A provisão comunitária de bens educativos terá então de tomar uma forma mais pública, caso contrário não contribuirá para a aprendizagem dos cidadãos. Não creio que haja necessidade de um ataque frontal à escolha dos pais, desde que o seu principal efeito seja o de promover a diversidade ideológica à margem de um sistema predominantemente público. Em princípio, os bens educativos não deveriam estar à venda, mas essa venda é tolerável se não trouxer consigo (como traz ainda, por exemplo, actualmente na Grã-Bretanha) enormes benefícios sociais. Aqui, como noutras áreas da provisão comunitária, quanto mais forte for o sistema público, mais sossegados poderemos estar quanto ao uso do dinheiro paralelamente a ele. E também não há grande motivo para nos preocuparmos com aquelas escolas privadas que ministram educação especializada, desde que haja bolsas de estudo em grande quantidade e alternativas aos cargos públicos e privados. Faria muito sentido um plano de títulos para o ensino especializado e o estágio profissional. Porém, isto não serviria para agrupar as crianças de acordo com a preferência dos pais; permitir-lhes-ia sim seguir as suas próprias preferências.

Separação por graus de aptidão

A abertura das carreiras aos talentos é um princípio caro ao liberalismo americano e tem-se afirmado frequentemente que as escolas deveriam regular-se pelas exigências das carreiras. Às crianças que progridem rapidamente deveria ser permitido fazerem-no, ao passo que o trabalho dos alunos mais lentos deveria ser ajustado ao ritmo da sua capacidade de aprender. Ambos os grupos ficarão mais contentes, de modo que aquela afirmação é válida; e dentro de cada grupo as crianças acharão os seus autênticos e futuros amigos e mesmo os seus possíveis futuros cônjuges. Mais tarde, continuarão a conviver com pessoas de inteligência mais ou menos semelhante. Os pais que julgam os seus filhos particularmente inteligentes tendem a apoiar este tipo de separação, em parte para que os filhos estabeleçam os contactos «certos», em parte para que não se aborreçam na escola e em parte na crença de que a inteligência apoiada se torna até melhor. Todavia, precisamente por esta razão, surge frequentemente uma contra-exigência no sentido de as crianças inteligentes serem distribuídas pela escola de modo a estimular e apoiar as outras. Com isto, parece estar-se a usar os alunos inteligentes como um recurso para os menos inteligentes, considerando os primeiros mais como meios do que como fins, quase tanto como se consideram os jovens robustos ao serem recrutados para defender os cidadãos comuns. Essa consideração parece, porém, errada no caso dos alunos cuja educação se espera que sirva os seus próprios interesses e também os da comunidade. Porém, saber se a distribuição dos alunos inteligentes é o mesmo que estar a usá-los, depende daquilo que se tomar como ponto de partida natural do seu recrutamento. Se esse ponto de partida for o lugar habitual de residência e brincadeiras, por exemplo, poderá então a separação dos estudantes inteligentes ser eventualmente criticada, pois, nesse caso, aparece como um empobrecimento intencional da experiência educativa dos outros.

No auge da Guerra Fria, logo após o envio pela União Soviética do seu primeiro foguetão para o espaço, a separação por graus de aptidão * foi defendida como uma espécie de defesa nacional: o recrutamento antecipado em grandes quantidades, de cientistas e técnicos, dos homens e mulheres treinados de que precisávamos ou pensávamos que precisávamos. Contudo, se a comunidade que se quer defender é uma democracia, nenhuma forma de recrutamento pode preceder o «recrutamento» dos cidadãos. É óbvio que os cidadãos necessitam actualmente do ensino da ciência moderna; sem isso, dificilmente estarão preparados para «todos os cargos, tanto privados como públicos na paz e na guerra». E presumivelmente este ensino estimulará alguns deles a prosseguir nesta ou naquela especialização científica; se forem precisas muitas destas pessoas, poder-se-ão oferecer estímulos adicionais. Não há, porém, necessidade de escolher cedo os especialistas e de lhes dar os nomes apropriados, por assim dizer, antes de os outros terem tido a oportunidade de ser estimulados. Fazê-lo é simplesmente reconhecer a derrota quando o «recrutamento» dos cidadãos ainda mal começou, e encontrará resistências, como o prova o exemplo japonês, nas escolas mais sólidas, especialmente ao nível primário.

E também não é verdade que a separação por graus de aptidão prenuncie, embora possa ajudar a formar, os padrões de convivência dos cidadãos adultos.

---

* *Track system* ou *tracking system*, sistema praticado, pelo menos nalgumas escolas dos EUA, pelo qual os alunos são separados em grupos ou classes diferentes de acordo com a pontuação obtida em testes ou com a aptidão escolar relativa, para evitar que os mais dotados se vejam inibidos pelos de inteligência mais lenta. *(NT)*

O mundo dos adultos não é segregado pela inteligência. Todos os tipos de relações de trabalho, para cima e para baixo na escala hierárquica social, exigem a mistura, e o que é mais importante, a política democrática exige-a também. Não é concebível organizar uma sociedade democrática sem juntar pessoas de todos os graus e espécies de talento ou falta dele, não só nas cidades e vilas, mas também nos partidos e movimentos (para não falar nos serviços públicos e nas forças armadas). O facto de as pessoas tenderem a casar-se ao seu nível intelectual tem um interesse marginal, pois a educação pública numa sociedade democrática só acidentalmente constitui um treino para o casamento ou para a vida privada em geral. Se não houvesse vida pública ou se a política democrática se mostrasse radicalmente desvalorizada, então a separação por graus de talento seria mais facilmente defensável.

Toleram-se, porém, usos mais limitados da separação mesmo entre os futuros cidadãos. Há razões educativas para separar crianças que têm dificuldades especiais, por exemplo, em matemática ou numa segunda língua. Não há, contudo, razões educativas nem sociais para fazer tais distinções de modo igual, criando um sistema de duas classes na escola ou criando tipos de escolas radicalmente diferentes para diferentes tipos de alunos. Quando isto se faz e, especialmente, quando se faz na primeira fase do processo educativo, não é a convivência entre os cidadãos que se está a prenunciar e sim o sistema de classes na sua forma actual. As crianças são agrupadas sobretudo na base da sua socialização pré-escolar e ambiente doméstico. É a negação da escola fechada. Presentemente, nos Estados Unidos, esta negação é susceptível de produzir uma hierarquia não só de classes sociais, mas também de grupos raciais. Há uma dupla desigualdade e esta duplicação, como temos razões para crer, é especialmente perigosa para a política democrática.

Integração e transportes escolares

Não é, porém, a agrupar crianças na base do seu lugar de residência e brincadeiras que evitaremos a separação racial, pois actualmente, nos Estados Unidos, crianças de diferentes raças raramente vivem e brincam juntas. E também não recebem uma educação comum. Estes factos não resultam principalmente de diferenças nos montantes gastos com o seu ensino, ou na qualidade deste, ou no conteúdo dos programas; a sua origem reside nas características sociais e nas perspectivas futuras das próprias crianças. Nas escolas dos guetos e dos bairros degradados, as crianças são preparadas e preparam-se umas às outras para a vida nos guetos e nos bairros degradados. A natureza fechada nunca será suficientemente forte para os defender de si próprios e do ambiente próximo. Encontram-se rotulados e são ensinados a rotularem-se uns aos outros, de acordo com a sua localização social. Afirma-se frequentemente que a única maneira de mudar tudo isto é deslocar a localização, separando as escolas das comunidades de moradores. Isto pode fazer-se, tirando as crianças dos guetos e bairros degradados das suas escolas locais ou pondo lá outras crianças. De uma maneira ou de outra, o que se muda é o modelo de coeducação.

O objectivo é a integração de futuros cidadãos, mas não é fácil dizer exactamente quais são os novos modelos que aquele objectivo requer. A lógica impele-nos para um sistema público em que a composição social de todas as escolas seja exactamente a mesma, não um agrupamento casual e sim proporcional. Crianças de diferentes tipos seriam misturadas na mesma proporção em todas as escolas de uma dada área, proporção essa que variaria de área para área de acordo com a natureza global da população. Como identificaremos, porém, as áreas apropriadas? E como separaremos as crianças? Só por raças ou por religiões, grupos étnicos ou classes sociais? Parece que a proporção correcta exigiria áreas que incorporassem um leque de grupos o mais amplo possível e, seguidamente, a separação dos respectivos membros o mais circunstanciada possível. Todavia, os juízes federais que decidiram estas questões nos anos 70 concentraram a sua atenção unicamente em unidades políticas constituídas (cidades e vilas) e na integração racial. «Em Boston», declarou o juiz William Garrity numa decisão sobre um vasto sistema de transportes em autocarro intercidades, «a população das escolas públicas é sensivelmente dois terços branca e um terço negra; de um ponto de vista ideal, todas as escolas deveriam ter a mesma proporção»[35]. Há indubitavelmente boas razões para se ficar por aqui, mas vale a pena salientar que o princípio do agrupamento proporcional exigiria um sistema muito mais complexo.

Por outro lado, não há qualquer tipo de agrupamento proporcional que se antecipe à escolha dos cidadãos democráticos. Veja-se, por exemplo, o que dizem muitos activistas negros do movimento pelos direitos civis ou próximos deste. Mesmo numa comunidade política isenta de qualquer laivo de racismo, insistem, os negros americanos, na sua maioria, prefeririam viver juntos, organizando as suas próprias comunidades de moradores e controlando as instituições locais. A única maneira de prevenir este modelo consiste em estabelecer já o controlo local. Se as escolas fossem dirigidas por profissionais negros e apoiadas por pais negros, os guetos deixariam de ser locais de desânimo e derrotismo[36]. O que a igualdade exige, deste ponto de vista, é que o agrupamento de crianças negras com outras crianças negras leve consigo o mesmo reforço mútuo que o agrupamento de crianças brancas com outras crianças brancas. Optar pela proporcionalidade é aceitar que um tal reforço é impossível e (uma vez mais) antes de qualquer tentativa séria de o pôr a funcionar.

Este argumento é poderoso, mas na América actual defronta-se com uma grande dificuldade. A separação residencial dos negros americanos é muito diferente da de outros grupos: é muito mais cabal e muito menos voluntária. Faz prever mais o separatismo do que o pluralismo. Não é este o modelo que poderíamos esperar encontrar entre cidadãos democráticos. Neste condicionalismo, o controlo local é susceptível de derrotar os objectivos da mediatização educativa. Admitindo uma vitória política dos activistas locais, o ensino tornar-se-á um meio de pôr em prática uma versão sólida de identidade de grupo, de modo muito semelhante ao que ocorre nas escolas públicas de um novo estado-nação[37]. As crianças serão educadas com vista mais a uma cidadania ideológica do que real. Não há qualquer justificação para que uma comunidade pague uma educação desta espécie. Porém, até que ponto nos poderemos afastar dela, continuando a respeitar os agrupamentos que os negros formem mesmo numa comunidade plenamente democrática? E — o que é igualmente importante — até que ponto nos poderemos afastar dela, continuando a respeitar os agrupamentos já formados por outras pessoas? Não sei exactamente como traçar a fronteira, mas inclino-me a pensar que a estrita proporcionalidade a traça mal.

Estou a pensar numa sociedade pluralista e aí, enquanto os adultos forem livres de se agrupar, criarão diversas comunidades e culturas no interior da comunidade política em geral. Fá-lo-ão, indubitavelmente, num país de imigrantes, mas fá-lo-ão igualmente em qualquer outro lugar. E, nesse caso, a educação das crianças terá de ser dependente do grupo, pelo menos no sentido de que a peculiaridade do grupo, representada concretamente pela família, é um dos pólos mediatizados pelas escolas. O outro polo é, porém, a comunidade em geral, representada concretamente pelo Estado e dependendo da cooperação e mútuo envolvimento de todos os grupos. Assim as escolas, respeitando embora o pluralismo, devem trabalhar para juntar as crianças por meio de processos que mantenham abertas possibilidades de cooperação. Isto é tanto mais importante quanto o modelo pluralista é involuntário e distorcido. Não é preciso que todas as escolas sejam idênticas na sua composição social; o que é preciso é que crianças de vários tipos se encontrem nelas umas com as outras.

Esta necessidade exige algumas vezes aquilo a que se chama (a que chamam os que se lhe opõem) «autocarro forçado», como se a educação pública devesse, por uma qualquer razão, passar sem o transporte público. Aquela expressão, em qualquer caso, é injusta, uma vez que todas as tarefas escolares são obrigatórias por natureza. Assim e quanto a isso, o próprio ensino o é: leitura forçada e aritmética forçada. Pode, contudo, ser verdade que os programas de transporte destinados a satisfazer os requisitos da estrita proporcionalidade representem uma espécie evidente de coerção, uma ruptura mais directa do que o desejável do padrão de vida quotidiano. A experiência americana revela, além disso, que as escolas integradas por agruparem crianças que vivem completamente separadas são insusceptíveis de se tornar escolas integradas. Mesmo as escolas sólidas podem falhar quando obrigadas a lidar com conflitos sociais surgidos no seu exterior (e continuamente fomentados a partir desse mesmo exterior). Por outro lado, é evidente que as autoridades públicas impuseram uma separação racial mesmo quando os sistemas existentes pediam, ou pelo menos permitiam, modelos diferentes de agrupamento. Este tipo de imposição tem de ser reparado e a reparação passa pelo autocarro. Seria insensato excluí-lo. Seria também de esperar um ataque mais directo às distribuições despóticas nas esferas da habitação e do emprego e que nenhum sistema educativo pode reparar.

As escolas das comunidades de moradores

Como já tive ocasião de dizer, em princípio, as comunidades de moradores não têm política de admissões. Quer sejam originalmente criadas por indivíduos ou famílias que se agrupam quer o sejam por decisão administrativa, localização de estradas, especulação imobiliária, desenvolvimento industrial, metropolitano e linhas de autocarro, etc., elas surgirão na devida altura, impedindo o uso da força, para englobarem uma população heterogénea — «não uma selecção e antes uma amostra da vida no seu todo» ou pelo menos da vida nacional no seu todo. Uma escola de comunidade de moradores não serve, pois (ou não serve durante muito tempo), um grupo de pessoas que se escolheram umas às outras como vizinhos. Porém, na medida em que diferentes grupos acabam por considerar a escola como sua, a existência desta poderá servir para fortalecer o sentimento da comunidade. Este foi um dos objectivos da escola pública desde o seu começo: cada escola deveria ser um pequeno cadinho e a boa vizinhança foi o primeiro dos seus efeitos a caminho, por assim dizer, da cidadania. Partiu-se do princípio de que as circunscrições escolares, geograficamente projectadas, seriam socialmente mistas e que as crianças reunidas na sala de aula proviriam de sectores sociais e étnicos muito diferentes. Devido a acordos preventivos, leis zonais e circunscrições escolares falseadas, isto nunca foi uma realidade consistente em qualquer cidade ou vila em especial e não tenho a certeza de que actualmente seja mais ou menos real do que o que costumava ser. Porém, no tocante à mistura racial a evidência é nítida: nas escolas das comunidades de moradores, as crianças negras estão separadas das brancas. Por este motivo, o princípio coeducativo das comunidades de moradores tem sido objecto de duras críticas.

E, contudo, é o princípio preferido. É que a política tem sempre uma base territorial e a comunidade de moradores (ou a vila, a cidade, a freguesia, o «extremo» da cidade, ou seja, a série contígua de comunidades de moradores) é historicamente a base mais directa e óbvia da política democrática. As pessoas são mais susceptíveis de estar bem informadas e interessadas e de ser activas e eficientes quando estão perto de casa, entre amigos e inimigos íntimos. A escola democrática deveria ser, portanto, fechada em relação à comunidade: um ambiente especial num mundo conhecido em que as crianças são agrupadas exactamente do mesmo modo por que um dia se agruparão como cidadãos. Neste cenário, a escola desempenha muito facilmente o seu papel mediático. Por um lado, as crianças frequentam as escolas que os seus pais são susceptíveis de compreender e apoiar. Por outro, as decisões políticas a respeito das escolas são tomadas por um grupo diversificado de pais e não-pais, dentro de limites traçados pelo Estado. E aquelas decisões são executadas por professores educados (na sua maioria) fora da comunidade e responsáveis tanto profissional como politicamente. Este sistema está destinado a causar conflitos e, de facto, a política escolar nos Estados Unidos tem sido provavelmente a mais animada e cativante das políticas. Poucos pais estão alguma vez inteiramente satisfeitos com os seus resultados e é quase certo as crianças encontrarem na escola um mundo diferente do que têm em casa. A escola é, simultaneamente, a «casa dos rapazes e raparigas» e um lugar com a sua característica disciplina intelectual.

Os pais tentam com frequência vencer essa disciplina e o corpo docente nem sempre tem a força necessária para a manter. A distribuição real do ensino é determinada de modo significativo pelas lutas políticas locais a respeito da extensão e da administração quotidiana da circunscrição escolar, a concessão de fundos, a procura de novos professores, o conteúdo exacto dos programas, etc. As escolas das comunidades de moradores nunca serão iguais em todas as comunidades. Daí que a igualdade simples do tipo uma criança / um lugar no sistema educativo represente apenas uma parte da história da justiça na educação. Penso, porém, que é justo que se diga que, se as comunidades de moradores forem abertas (se a identidade racial ou étnica não prevalecer sobre a qualidade de membro e o lugar) e se cada comunidade tiver a sua escola sólida, se terá feito justiça. As crianças são iguais no âmbito de um conjunto complexo de sistemas distributivos. Recebem uma educação comum, mesmo que haja uma certa variação nos programas (e no modo como os professores destacam ou omitem esta ou aquela parte do programa) de lugar para lugar. A coesão do corpo docente e o empenho cooperante ou crítico dos pais também variarão, mas estas variações são inerentes à natureza da escola democrática, constituindo aspectos inevitáveis da igualdade complexa.

O mesmo se poderá dizer dos modelos de agrupamento dos alunos. Algumas circunscrições escolares serão mais heterogéneas que outras e algumas relações no interior dos grupos mais tensas do que outras. Os conflitos fronteiriços endémicos numa sociedade pluralista terão de ser enfrentados em todas as escolas, umas vezes, porém, de uma forma moderada e outras de uma forma mais enérgica. São necessários um extraordinário zelo ideológico ou uma grande pedantice moral para teimar que devem ser enfrentados da forma mais enérgica em toda a parte e sempre. Poder-se-ia, na verdade, providenciar nesse sentido, mas só através de uma utilização radical do poder do Estado. No entanto, o Estado tem muito que fazer no que diz respeito à educação. Impõe a assiduidade escolar, estabelece o carácter geral dos programas e controla o processo de concessão de diplomas. Contudo, para as escolas terem alguma força interna, tem de haver limites à actuação do Estado, limites esses estabelecidos pelo rigor das matérias escolares, pelo profissionalismo dos professores, pelo princípio da igualdade de tratamento e ainda por um modelo de coeducação que antecipa a política democrática, mas não é dominado pelas autoridades constituídas ou pelas ideologias reinantes. Assim, como o êxito durante a Guerra Fria nunca constituiu razão para se fazer o que quer que fosse além de melhorar a qualidade e o poder de atracção das escolas especializadas, assim o objectivo de uma sociedade integrada nunca constituiu razão para se ultrapassarem as soluções requeridas para se pôr termo a uma segregação obstinada. Qualquer outra subordinação mais radical do ensino a fins políticos abalará a força da escola, o êxito da sua mediatização e, portanto, o valor do ensino como bem social. Em última análise, a submissão de alunos e professores ao despotismo da política será causa de menos — e não de mais — igualdade.

CAPÍTULO IX

PARENTESCO E AMOR

A distribuição do afecto

Pensa-se vulgarmente que os laços de parentesco e as relações sexuais constituem um domínio que fica fora do alcance da justiça distributiva. São analisados noutros termos ou então dizem-nos que não devemos analisá-los. As pessoas amam o melhor que podem e os seus sentimentos não podem ser redistribuídos. Talvez seja verdade, como Samuel Johnson uma vez afirmou, que «os casamentos, na sua generalidade, seriam igualmente felizes — e, frequentemente, ainda mais — se fossem todos feitos pelo Presidente da Câmara dos Lordes.» [1] Todavia, ninguém, com seriedade, propôs o alargamento dos poderes do Presidente da Câmara dos Lordes a este ponto nem mesmo a bem de uma maior felicidade (e se assim fosse, porque não de uma felicidade igual?). Seria, porém, um erro pensar que o parentesco e o amor constituem uma esfera diferente das outras, um recinto sagrado como o Vaticano na Itália republicana, ao abrigo da crítica filosófica. Na verdade, está intimamente ligada a outras esferas distributivas, sendo altamente vulnerável à interferência destas e influenciando-as ela própria profundamente. As suas fronteiras têm frequentemente de ser defendidas, se não contra o Presidente da Câmara dos Lordes, contra outras espécies de intromissão despótica, como, por exemplo, o aboletamento de militares em casas particulares, ou a procura de trabalhadores infantis para fábricas e minas, ou as «visitas» de assistentes sociais, funcionários pouco cumpridores, polícias e outros agentes do Estado moderno. E há outras esferas que têm de ser defendidas contra a sua intromissão, contra o nepotismo e o favoritismo que na nossa sociedade — embora de modo nenhum em todas as sociedades — são actos de amor bloqueados.

Na família e por meio da aliança de famílias, realizam-se importantes distribuições. Dotes, presentes, heranças, pensões de alimentos e ajuda mútua de muitos e variados tipos, todos estão sujeitos a regras de natureza convencional e que revelam concepções profundas, mas nunca permanentes. Mais importante do que isso, o próprio amor e também o casamento, a preocupação paternal e o respeito filial estão igualmente sujeitos e são igualmente reveladores. «Honra o teu pai e a tua mãe» é uma regra distributiva. Igualmente o é a máxima confuciana a respeito dos irmãos mais velhos [2]. E igualmente o são os muitos preceitos que os antropólogos revelaram e que ligam as crianças, por exemplo, aos tios maternos ou as esposas às sogras.

Também estas distribuições dependem de concepções culturais que mudam com o andar dos tempos. Se as pessoas amam e se casam livremente como é suposto fazerem, é devido ao significado que o amor e o casamento têm na nossa sociedade. E não somos inteiramente livres, apesar de uma série de lutas de libertação. O incesto continua proibido. «A permissividade sexual no mundo contemporâneo ocidental não acabou com esta restrição.»[3] A poligamia é igualmente proibida. O casamento homossexual continua a não ser legalmente reconhecido e é politicamente controverso. A miscigenação acarreta sanções sociais, embora já não legais. Em cada um destes (muito diferentes) casos, a «libertação» seria um acto redistributivo, constituindo um novo sistema de compromissos, obrigações, responsabilidades e alianças.

Através da maior parte da história da Humanidade, o amor e o casamento foram muito mais pormenorizadamente regulamentados do que hoje nos Estados Unidos. As regras do parentesco constituem um festim antropológico, maravilhosamente variado e muito bem temperado. Há cem maneiras de colocar e responder à questão distributiva básica «quem... quem?». Quem pode dormir com quem? Quem pode casar com quem? Quem vive com quem? Quem festeja com quem? Quem deve respeitar quem? Quem é responsável por quem? As respostas a estas questões constituem um complicado sistema de regras e o princípio segundo o qual os dirigentes ou príncipes que violarem estas regras são tiranos faz parte da mais antiga concepção do poder político[4]. O conceito mais profundo de tirania é provavelmente o seguinte: é o predomínio do poder sobre o parentesco. O casamento é raramente aquilo que John Selden lhe chamou: «nada mais que um contrato civil»[5]. Faz parte de um sistema mais amplo, preocupando-se os legisladores normalmente só com os seus aspectos marginais e as suas consequências, com vista à regulamentação moral e também espacial da vida «privada»: a casa, as refeições, as visitas, os deveres, as manifestações sentimentais e as transmissões de bens.

Em várias épocas e lugares, os efeitos do parentesco vão ainda mais longe, regulando também a política e determinando a condição legal e as oportunidades de vida dos indivíduos. Há, com efeito, uma concepção da história da Humanidade segundo a qual todas as esferas de relação e distribuição, todos os «grupos» de homens e mulheres criam a família, assim como o conjunto de todos os cargos e instituições públicas cria a casa real. Contudo, a oposição entre o parentesco e a política é muito antiga, talvez primordial. «Todas as sociedades», escreveu o antropólogo contemporâneo Meyer Fortes, «... compreendem dois sistemas básicos de relações sociais: o domínio familiar e o domínio jurídico-político, o parentesco e o Estado como sociedade organizada.»[6] Faz, pois, sentido dizer que as regras de parentesco não compreendem o universo social, mas traçam a primeira série de fronteiras no seu interior.

A família é uma esfera de relações especiais. Este filho é a menina dos olhos do pai; este é a alegria da mãe. Este irmão e esta irmã amam-se mais do que devem. Aquele tio estremece a sua sobrinha favorita. Há aqui um mundo de paixão e ciúme cujos habitantes buscam frequentemente monopolizar o afecto uns dos outros, embora todos eles façam simultaneamente uma reivindicação mínima — pelo menos face aos estranhos que podem muito bem não ter qualquer reivindicação a fazer. A fronteira entre os de dentro e os de fora encontra-se por vezes nitidamente traçada: dentro aplica-se «a regra do altruísmo prescritor»; fora, não[7]. Daí que a família seja uma fonte perene de desigualdade. Isto não é assim apenas pelas razões normalmente apresentadas, ou seja, porque a família funciona (de modo diferente nas diferentes sociedades) como uma unidade económica no interior da qual a riqueza é entesourada e transmitida, mas também porque funciona como uma unidade emocional no interior da qual o amor é entesourado e transmitido e, pelo menos no princípio, por razões internas. O favoritismo começa na família — tal como quando José foi escolhido entre os irmãos — e só mais tarde se estende à política e à religião, às escolas, ao mercado e aos locais de trabalho.

Os guardiães platónicos *

A proposta igualitária mais radical, e, assim, a via mais simples para a igualdade simples, é a abolição da família. Já considerei esta proposta na esfera da educação onde a escola oferece uma alternativa imediata. Porém, a escola, mesmo a cem por cento abrangente, abole apenas a relação especial que os pais mantêm com os filhos acima de uma certa idade e vale a pena considerar um abolicionismo mais radical **. Imaginemos uma sociedade como a dos guardiães platónicos cujos membros são todos como que filhos dos mesmos pais, irmãos e irmãs que nada sabem dos seus laços de sangue e que dão origem, por meio de uma espécie de incesto cívico, a uma nova geração de crianças das quais são só pais em geral e nunca em especial. O parentesco é universal, daí que efectivamente inexistente e assimilado à amizade política. É de esperar que a paixão e o ciúme abram caminho mesmo até aos corações de irmãos universais. Contudo, sem uma clara consciência do «meu» e do «teu», sem laços de exclusividade com pessoas ou coisas, afirma Platão, «é menos provável que a irrupção de uma paixão se transforme em séria desavença». O indivíduo, tal como o conhecemos (e como Platão o conhecia), que «(arrasta) para a sua casa particular tudo quanto consegue arranjar para si, casa essa onde (tem) a sua família, constituindo um centro de alegrias e tristezas exclusivas», terá deixado de existir. Em vez disso, os homens e mulheres sentirão o prazer e a dor como paixões comuns; os ciúmes da vida familiar serão substituídos por um igualitarismo tanto emocional como material: o regime do «sentimento comum».[10] É o triunfo da equanimidade sobre a intensidade das paixões.

---

* No seu diálogo *República*, Platão divide os cidadãos em três classes, correspondendo às três partes da alma: a dos artesãos, lavradores e mercadores; a dos guerreiros ou guardiães; e a dos magistrados. Os guardiães tinham a seu cargo a defesa da cidade. *(NT)*

** No pensamento igualitário, é vulgar um certo esforço no sentido do abolicionismo, mesmo entre aqueles autores a quem a ideia incomoda claramente. Por exemplo, John Rawls afirma que «o princípio da justa oportunidade não será executado senão imperfeitamente, pelo menos enquanto existir a instituição da família»[8]. Esta afirmação repete-se[9] mas não é seguida. Presumivelmente, Rawls não quer que a distribuição do amor e cuidados parentais seja inspirada no segundo princípio da justiça. Em que princípio deveria então ser inspirada?

E é também o triunfo da comunidade política sobre o parentesco; é que, como Lawrence escreveu no seu ensaio sobre a evolução da família contemporânea, «a distribuição de laços afectivos... é uma espécie de jogo negativo... A família altamente personalizada e fechada sobre si mesma foi conseguida em parte à custa... de um abandono da vida comunitária, rica e integrada, do passado» [11]. Idêntico abandono parece ter também ocorrido em tempos mais remotos. Talvez que a vida comunitária do passado seja a idade do ouro e o abolicionismo uma perene utopia. Em qualquer caso aquela proposta de abolição não se destina a conseguir algum equilíbrio entre o parentesco e a comunidade e sim a inverter radicalmente os resultados do «jogo». Evidentemente, Platão impõe o seu regime igualitário apenas aos guardiães. O seu propósito não é o de fazer nascer um *amour social* verdadeiramente universal nem o de igualar a vivência amorosa (embora atribua real valor à equanimidade); o que pretende é eliminar os efeitos do amor na política da cidade — «libertar os guardiães da tentação de sobrepor o interesse da família ao de toda a comunidade» [12]. Orwell descreve um propósito semelhante no seu romance *1984*: a Liga Anti-Sexual procura impedir todos os laços de parentesco entre os membros do partido de modo a prendê-los inequivocamente a este (e ao Grande Irmão). Os proletários, porém, são livres de casar com quem quiserem e de amar os seus filhos. Presumo que um regime democrático não poderia tolerar uma tal divisão; o parentesco teria de ser completamente abolido. Não foi por acaso, todavia, que os filósofos e romancistas que imaginaram essa abolição pensaram com frequência numa elite cujos membros podiam ser compensados com privilégios especiais pela perda de especiais afectos.

É que isso constitui uma perda susceptível de ser combatida pela maioria dos homens e mulheres. Aquilo que poderíamos conceber como a forma mais elevada da vida comunitária — a fraternidade universal — é, provavelmente, incompatível com todo e qualquer processo de decisão popular. Acontece o mesmo com a filosofia moral. Vários autores afirmaram que a forma mais elevada de vida ética é aquela em que «a regra do altruísmo prescritor» se aplica universalmente e em que não há obrigações especiais para os parentes (nem para os amigos) [13]. Confrontado com a escolha entre salvar o meu filho ou o de outra pessoa de um perigo terrível e iminente, adoptaria um processo decisório de acaso. É óbvio que seria muito mais simples se não fosse capaz de reconhecer os meus próprios filhos ou se os não tivesse. Porém, esta elevadíssima forma de vida ética só é entendida por alguns filósofos de espírito forte ou por monges, eremitas ou guardiães platónicos. Nós, os outros, temos de nos conformar com algo menos, que é provável que, na nossa opinião, seja algo melhor; traçamos a melhor fronteira possível entre a família e a comunidade e vivemos com as intensidades desiguais do amor. Isto quer dizer que nalgumas famílias haverá mais calor e intimidade do que noutras. Algumas crianças serão mais amadas do que outras. Alguns homens e mulheres entrarão nas esferas da educação, do dinheiro e da política com toda a autoconfiança que o afecto e o respeito parentais podem produzir, ao passo que outros avançarão hesitantes e cheios de falta de confiança em si mesmos. (Podemos, porém, tentar eliminar o favoritismo das escolas e as «alianças de família» do funcionalismo civil.)

Se pusermos de parte o parentesco universal, nenhum sistema de laços familiares parece ser teoricamente necessário ou mesmo preferível de um modo geral. Não há um conjunto único de ligações afectivas que seja mais justo do que todos os conjuntos alternativos. Concedem que seja assim, penso eu, aqueles autores que, todavia, buscam uma justiça altamente específica e unitária noutras esferas. Porém, a discussão é a mesma aqui e em toda a parte. Não sabemos, por exemplo, se a comunidade política deveria tornar o teatro acessível a todos os seus membros, enquanto não soubermos o que significa o teatro nesta ou naquela cultura. Não sabemos se a venda de armas deveria ser uma troca bloqueada, enquanto não soubermos como se usam as armas em determinadas ruas. E não sabemos qual o grau de afecto ou respeito devido aos maridos, enquanto não soubermos a resposta à pergunta com que Lucy Mair abre o seu ensaio antropológico sobre o casamento: «Para que servem os maridos?» [14]

Em cada cenário local, há evidentemente princípios objectivos, algumas vezes controvertidos, frequentemente violados, mas normalmente compreendidos. Os irmãos de José ressentiam-se com o favoritismo do pai, porque passava além dos limites — assim pensavam — do arbítrio patriarcal. Em tais casos, embora frequentemente com consequências desastrosas, deixamos a imposição dos princípios relevantes aos membros da família. Não queremos a intervenção das autoridades públicas com o fim de se certificarem de que toda a gente (ou ninguém) recebe um casaco multicor. Só quando as distribuições familiares prejudicam as expectativas baseadas na qualidade de membro e na previdência comunitária, é que se torna necessária aquela intervenção, como acontece nos casos de abandono dos filhos ou de espancamento da mulher. A distribuição dos haveres familiares encontra-se também legalmente regulada, mas esta regulação é susceptível de representar — como já afirmei ao falar das doações e heranças — a imposição externa de princípios originalmente contidos numa certa concepção dos laços familiares.

A família e a economia

No pensamento político do início da nossa época, a família é frequentemente descrita como um «pequeno Estado» onde as crianças aprendem as virtudes da obediência e se preparam para a cidadania (ou, mais frequentemente, para a sujeição) no Estado propriamente dito, na comunidade política como um todo[15]. Isto parece uma fórmula para a integração, mas a sua finalidade era ainda outra. Se a família era um pequeno Estado, então o pai era um pequeno rei e o reino que governava era um reino que o próprio rei não podia invadir. Os pequenos Estados delimitavam e englobavam o maior do qual faziam também parte. Do mesmo modo, podemos conceber a família como uma unidade económica, parcialmente integrada em, mas também fixando as fronteiras da esfera do dinheiro e das mercadorias. Tempo houve, evidentemente, em que a integração era total. A palavra grega de que deriva o nosso termo *economia* significa simplesmente «governo doméstico» e reporta-se a uma esfera única e distinta da esfera política. Porém, sempre que a economia assume um carácter independente, favorecendo os grupos, não já de parentes e sim de estranhos, sempre que o mercado vem substituir o lar doméstico auto-suficiente, a nossa concepção de parentesco fixa limites ao alcance das trocas, criando um espaço em cujo interior as regras do mercado se não aplicam. Poderemos compreender isto com muita clareza se analisarmos um período de mudança económica rápida como o dos primeiros tempos da Revolução Industrial.

Manchester, 1844

Engels teve muito que dizer a respeito das famílias trabalhadoras na sua descrição da vida nas fábricas de Manchester em 1844. Contou uma história, não só de miséria, mas também de catástrofe moral: homens, mulheres e crianças, trabalhando de sol a sol; crianças de tenra idade deixadas em casa, fechadas em minúsculos quartos sem aquecimento; insucesso total da socialização; colapso das estruturas do amor e da reciprocidade; perda do sentimento familiar em circunstâncias que não deixavam a este sentimento nem espaço nem a possibilidade de se concretizar [16]. Os historiadores actuais insinuam que Engels subestimou a vitalidade e a capacidade de resistência da família bem como a ajuda que era capaz de proporcionar aos seus membros em condições quase piores [17]. Estou, porém, menos interessado na exactidão do relato de Engels — e é suficientemente exacto — do que naquilo que revela sobre as intenções dos primeiros autores e organizadores socialistas. Encaravam o capitalismo como uma agressão à família, um rompimento despótico dos laços domésticos: «todos os laços familiares entre os proletários são destruídos e os seus filhos transformados em simples artigos de comércio e instrumentos de trabalho» [18]. E é contra este despotismo que se insurgem.

Manchester, tal como Engels a descreveu, é outro exemplo de cidade não dividida em zonas, com o dinheiro a triunfar por toda a parte. Assim, as crianças são vendidas às fábricas, as mulheres para a prostituição e a família é «dissolvida». Não existe o sentimento do lar, não há tempo para o arranjo da casa nem para as festas familiares, não há descanso nem privacidade. As relações familiares, afirmam Marx e Engels no *Manifesto*, encontram-se «reduzidas... a meras relações de dinheiro». O comunismo, prosseguem, trará consigo a abolição da família burguesa; porém, como a família burguesa já representava, na sua opinião, a abolição do parentesco e do amor — a escravização das crianças e a «comunidade das mulheres» — aquilo que efectivamente pretendiam assemelha-se nos seus efeitos prováveis a uma restauração. Ou melhor, afirmam que quando a produção estiver final e plenamente socializada, a família surgirá pela primeira vez como uma esfera independente, uma esfera de relações pessoais, baseada no amor sexual e totalmente livre da tirania do dinheiro e também, segundo pensam, da tirania que lhe anda intimamente ligada dos pais e dos maridos [19]*.

---

* Embora Engels jogue insistentemente com o sofrimento das crianças na sua dramática descrição da vida dos trabalhadores em Manchester, a sua ideia da família reconstituída — e a de Marx também — parece limitar-se aos adultos. As crianças ficarão ao cuidado da comunidade para que ambos os pais possam participar na produção social. Esta proposta faz sentido quando a comunidade é pequena e as relações estreitas como no *kibbutz* israelita. Porém, nas circunstâncias da sociedade de massas, tal é susceptível de redundar num grande prejuízo para o amor, prejuízo esse, aliás, sentido em primeiro

A reacção dos sindicalistas e dos reformadores às condições descritas por Engels foi muito simplesmente defensiva. Queriam «salvar» a família que existia e foi esse o propósito de uma grande parte da legislação fabril no século XIX. As leis sobre o trabalho infantil, a redução do dia de trabalho, as restrições ao trabalho das mulheres, todas se destinavam a proteger do mercado os laços familiares, a demarcar um certo espaço e a libertar um mínimo de tempo para a vida doméstica. Este esforço é apoiado por uma já muito antiga concepção da domesticidade. Aqueles espaço e tempo eram destinados em primeiro lugar às mães e aos filhos; o lar era concebido de modo a concentrar-se nestes dois, ao passo que os pais eram protectores mais distantes que se protegiam a si próprios com a única finalidade de proteger os que deles dependiam. Daí que «as mulheres fossem normalmente excluídas dos sindicatos e que os sindicalistas masculinos exigissem um salário apto a sustentar toda a família»[21]. A esfera doméstica era o lugar da mulher, com os filhos à sua volta, segura na sua função de os criar. O sentimentalismo vitoriano é uma criação tanto proletária como burguesa. A família sentimental foi a primeira forma assumida pela distribuição do parentesco e do amor, pelo menos no Ocidente, desde que a casa de família e a economia se separaram.

O casamento

Porém, o estabelecimento da esfera doméstica começou muito antes da revolução industrial e tem consequências que, a longo prazo, são muito diferentes das sugeridas pela palavra *domesticidade*. Estas são mais evidentes nas classes altas, tendo a sua origem num duplo processo de delimitação de fronteiras, não só entre a família e a vida económica, mas também entre a família e a política. As famílias aristocráticas e da alta burguesia do primeiro período da nossa época eram pequenas dinastias. Os seus casamentos eram negócios complexos de trocas e alianças, cuidadosamente planeados e laboriosamente combinados. Este género de coisas persiste no nosso tempo, embora as combinações hoje raramente sejam explícitas. Penso que o casamento terá sempre esta feição, enquanto as famílias estiverem em posições diferentes nos mundos social e político e enquanto houver negócios de família e redes de parentes solidamente implantadas. A igualdade simples eliminaria as trocas e alianças, eliminando as diferenças familiares. «Se a educação de todas as famílias tivesse o mesmo custo», escreveu Shaw, «todos teríamos os mesmos hábitos, maneiras, cultura e requintes e a filha do homem do lixo poderia casar com o filho do duque tão facilmente como o filho do corretor de bolsa casa presentemente com a filha do director de um banco»[22]. Todos os casamentos seriam de amor, sendo esta realmente a tendência, a intenção, por assim dizer, do sistema de parentesco tal como hoje o entendemos.

---

lugar pelos membros mais fracos. A família, sob uma grande variedade de processos — incluindo os processos burgueses convencionais, mas indo muito para além destes (porque não poderão os pais participar na *re*produção social?) — funciona de modo a prevenir aquele prejuízo[20].

Contudo, Shaw sobrestimou o poder do dinheiro. Deveria ter exigido, não só que nenhuma criança fosse educada numa família com mais dinheiro que as outras, mas também que nenhuma criança fosse educada numa família com mais influência política ou melhor posição social que as outras. Penso que nada disto é possível, a menos que se abula a própria família. Podem, todavia, obter-se efeitos algo parecidos se se separarem as esferas distributivas. Se a qualidade de membro de uma família e a influência política forem totalmente distintas, o nepotismo banido, a sucessão hereditária restringida, os títulos aristocráticos abolidos e assim por diante, haverá então muito menos razões para se considerar o casamento como uma troca ou uma aliança. Assim, os filhos e filhas poderão procurar (e fá-lo-ão) os parceiros que acharem física ou espiritualmente atraentes. Enquanto a família esteve integrada na vida económica e política, o amor romântico ficou de fora. O que os trovadores cantavam era, por assim dizer, uma distribuição marginal. A independência da família favoreceu a transferência do amor.

Ou pelo menos a do romance, pois o amor existia também obviamente na antiga família, embora frequentemente se falasse nele de um modo artificialmente depauperante. Actualmente, o amor romântico, com maior ou menor ênfase, é considerado como a única base satisfatória para o casamento e a vida conjugal. Isso quer dizer, porém, que os casamentos estão fora do poder dos pais e dos seus agentes (os casamenteiros, por exemplo), sendo deixados ao arbítrio dos filhos. O princípio distributivo do amor romântico é a liberdade de escolha. Não quero com isto dizer que a liberdade de escolha seja o único princípio distributivo na esfera do parentesco. Tal nunca poderia suceder, pois embora eu escolha o meu cônjuge, não escolho os seus parentes e os deveres subsequentes do casamento são sempre determinados culturalmente e não individualmente. Todavia, o amor romântico leva-nos a concentrar a atenção no par cujos membros se escolhem um ao outro. E isto tem a seguinte implicação fundamental: o homem e a mulher não são apenas livres e sim igualmente livres. O sentimento tem de ser recíproco, para dançar são precisos dois e por aí fora.

Daqui em diante, passamos a chamar tiranos aos pais que tentarem usar o seu poder económico ou político para contrariar a vontade dos filhos. Assim que os filhos atingem a maioridade, os pais não têm na verdade qualquer direito legal de os punir ou reprimir e, embora os filhos e filhas que façam «maus» casamentos possam ser deixados, como se costuma dizer, sem um tostão, esta ameaça já não faz parte do arsenal moral da família (em alguns países, tão-pouco faz parte do seu arsenal legal); nestas matérias, os pais possuem pouca autoridade legítima. Têm de jogar — se puderem — com os sentimentos dos filhos. A isto chama-se algumas vezes, quando funciona, «despotismo emocional». Esta expressão parece-me, porém, errada, ou melhor, é usada metaforicamente como a «servidão humana» de Somerset Maugham. É que o jogo com os sentimentos, a experiência da intensidade emocional, é inerente à esfera do parentesco e não intrusivo relativamente à mesma. A liberdade no amor reporta-se a uma escolha que é feita independentemente dos constrangimentos das trocas e das alianças e não dos constrangimentos do próprio amor.

O baile cívico

Se os filhos têm liberdade para amar e casar como lhes aprouver, tem de haver um espaço social, um conjunto de sistemas e práticas, no qual possam fazer as suas escolhas. Entre os teóricos políticos e sociais, foi Rousseau quem mais claramente reconheceu isto e com aquela extraordinária visão que tão frequentemente caracteriza a sua obra, descreveu o que se haveria de tornar um dos processos mais comuns, um tipo especial de festival público: «o baile para jovens casadoiros». Na sua «Carta a D'Alembert sobre o teatro», Rousseau desejava que não houvesse tantas «dúvidas de consciência» entre os genebrinos a respeito dos bailes. Pois que maneira melhor há do que este «agradável exercício» pelo qual os jovens de ambos os sexos podem «exibir os encantos e defeitos que possam ter, àquelas pessoas cujo interesse é conhecê-los bem antes de serem obrigadas a amá-los[23]?» Rousseau, evidentemente, pensava que as mães e os pais (e as avós e os avós!) compareceriam naqueles bailes como espectadores e não como participantes, o que conferiria uma certa «seriedade» ao acontecimento. Todavia, o evento que descreve desempenhou um papel importante na vida romântica dos jovens ao longo de vários séculos que nos precederam. É frequentemente organizado em termos de classe — os cotilhões dos clubes e os bailes de «debutantes» — mas também assume formas mais democráticas como os bailes de liceu que trazem até ao nosso tempo as intenções cuidadosamente manifestadas por Rousseau no sentido de «as inclinações dos jovens serem um pouco mais livres, a (sua) primeira escolha depender algo mais dos seus corações e a consonância de idades, temperamentos, gostos e caracteres ser algo mais atendida, dando-se menos importância à das posições sociais e fortunas». As relações sociais tornar-se-iam mais fáceis e «os casamentos, menos limitados pela posição social... atenuariam as excessivas desigualdades»[24].

As comparações implícitas na passagem que acabo de citar são com o sistema dos casamentos combinados, as trocas de filhos (e também de bens materiais) e as alianças de famílias. O baile cívico de Rousseau destina-se tanto a facilitar como a traduzir o novo sistema da livre escolha. Os pais estão presentes, acima de tudo para manifestarem a sua aquiescência, embora também, sem dúvida, para limitarem a liberdade com mais ou menos subtileza. O apoio por parte da cidade tem outra finalidade: confirma o afastamento (parcial) da família da vida política e económica e garante, ou pelo menos protege, a liberdade de escolha no amor. Os magistrados da cidade poderiam exactamente do mesmo modo patrocinar uma feira ou um mercado e garantir a liberdade das trocas. Contudo, a cidade não vem de modo algum suprir o poder perdido dos pais. Rousseau propôs efectivamente a eleição por um júri de uma «Rainha do Baile», mas nem os magistrados nem os cidadãos votam em quem deverá casar com quem.

A ideia do «encontro marcado»

É minha intenção deter-me um pouco nestes mecanismos de distribuição do amor e do casamento, pois desempenham um papel tão importante na vida de todos os dias e é tão raro figurarem nas discussões sobre a justiça distributiva. Actualmente, pensamos neles quase só em termos de liberdade, do direito que os indivíduos têm de agir como lhes apraz nos limites de um certo enquadramento moral e legal (que essencialmente fixa os direitos dos outros indivíduos). Assim, as antigas leis contra a cópula carnal e o sexo extraconjugal são entendidas simplesmente como violações da liberdade individual. Penso que assim serão, pelo menos para nós, e inclinamo-nos a crer que foram decretadas unicamente com tal propósito por legisladores de espírito mesquinho que se sentiam ofendidos pelos prazeres dos outros. Porém, aquelas leis — ou, antes, o sistema de restrições morais e legais do qual representam os restos destroçados — têm em mente objectivos mais amplos. São outras tantas tentativas de defender bens sociais: por exemplo, a «honra» de uma mulher e da sua família, ou o valor do matrimónio, ou da troca e aliança que o matrimónio encarna. E só se tornam despóticas quando o amor físico é publicamente concebido (e não tenho dúvidas de que o foi sempre em privado) como um bem em si mesmo. Ou então quando é concebido como um bem instrumental da liberdade de escolha no casamento, um «agradável exercício» pelo qual os jovens de ambos os sexos «se exibem... àquelas pessoas cujo interesse é conhecê-los bem antes de serem obrigadas a amá-los». Se não fosse instrumental do amor conjugal (pelo menos algumas vezes), penso que nos preocuparíamos mais do que nos preocupamos com as aventuras amorosas privadas em que os filhos são totalmente livres e a presença parental desaparece. A versão doméstica da aventura amorosa é o «encontro marcado» *, talvez a mais comum forma de namoro no Ocidente hoje em dia. A história do encontro marcado é bastante séria. Podemos encontrar-lhe algum sentido, por exemplo, ao lermos a breve descrição que se segue, do namoro na Espanha rural. «Ali os rapazes escolhem as moças no passeio dos domingos à noite em que circulam juntamente todas as pessoas solteiras da aldeia. O pretendente primeiro passeia com a moça escolhida no passeio público, em seguida acompanha-a até à esquina da rua dela e finalmente compromete-se, pedindo para entrar na sua casa.»[25] O passeio público é aqui uma espécie de mercado; os jovens, especialmente as raparigas, são os bens; o passeio conjunto é uma troca experimental. Este procedimento genérico tem-se mantido extraordinariamente estável ao longo dos tempos, embora nestes últimos anos se tenha também caracterizado por uma maior igualdade e uma maior intimidade na troca as quais são consequência da liberdade amorosa. Este processo ainda culmina muito frequentemente na visita à família, na apresentação aos pais, etc. Mas é óbvio que pode culminar de modo diverso, não no casamento e sim numa aventura e, nesse caso, a visita à família será provavelmente evitada; nesse caso, é efectivamente provável que a ligação entre o amor e o parentesco seja totalmente rompida.

Talvez devêssemos dizer que há uma esfera de aventuras amorosas privadas na qual os indivíduos são radicalmente livres e onde toda e qualquer obrigação

---

* *Date* no original, termo sobejamente conhecido e que, nos EUA, designa um encontro combinado entre um rapaz e uma rapariga, normalmente com conhecimento dos pais, para irem ao cinema, a um baile, etc., ou simplesmente passear (de automóvel normalmente). *(NT)*

derivada do parentesco é encarada como uma espécie de despotismo. Não há, com efeito, obrigações ou, pelo menos, não as há enquanto os tribunais não intervêm para impor uma espécie de parentesco artificial, por exemplo, exigindo o pagamento de alimentos a antigos amantes. A esfera das aventuras amorosas privadas é exactamente como o mercado no tocante às mercadorias, salvo que neste caso as mercadorias são donas de si mesmas; a dádiva de si mesmo e a troca voluntária das próprias individualidades constituem a transacção modelo. O amor, a afeição, a amizade, a generosidade, a solicitude e o respeito são, não só no início, mas também na continuidade e em todos os momentos, matéria de escolha pessoal. O mecanismo distributivo pelo qual estas escolhas são feitas será, não o baile cívico ou o passeio público, mas antes o bar para solteiros e o anúncio classificado. As distribuições daí resultantes serão obviamente muito desiguais, ainda que as oportunidades sejam mais ou menos iguais para todos e o que é mais importante é que serão também muito precárias. Com este pano de fundo, vemos que a família é uma espécie de Estado Social, garantindo a todos os seus membros um mínimo de amor, amizade, generosidade, etc., e tributando esses mesmos membros a bem daquela garantia. O amor de família é radicalmente incondicional ao passo que uma aventura amorosa privada é um (bom ou mau) negócio.

Os filhos constituem evidentemente uma ameaça à liberdade integral da aventura amorosa, a qual é, na verdade, mais adequadamente representada pela amizade do que pelo amor heterossexual. Qualquer pessoa comprometida numa aventura amorosa tem de descobrir um processo qualquer de libertar os pais dos filhos e os homens e mulheres em geral, da actuação parental. Daí que várias propostas tenham sido feitas, tendo em vista, na sua maior parte, esta ou aquela forma de institucionalização. É uma afirmação dura, mas verdadeira a de que a integridade das aventuras amorosas privadas exige a autorização de abandono. E nesse caso, se algumas crianças forem abandonadas a uma criação burocrática, porque não abandoná-las todas, em nome da igualdade? Poder-se-ia ir ainda mais longe e libertar as mulheres do parto e os pais da obrigação de cuidar dos filhos, por exemplo, clonando a geração seguinte ou comprando bebés nos países subdesenvolvidos[26]. Isto não é uma redistribuição e sim a abolição do amor parental, desconfiando eu que rapidamente produziria uma raça de homens e mulheres incapazes até mesmo do compromisso requerido por uma aventura amorosa. A força da família, mais uma vez, reside na garantia do amor. Esta garantia nem sempre é eficaz; contudo, para os filhos ninguém até hoje criou qualquer sucedâneo.

A esfera das aventuras amorosas privadas nunca poderá gozar de estabilidade. O mercado funciona no que se refere às mercadorias, porque os homens e mulheres que negoceiam em mercadorias mantêm ligações em qualquer outro lugar (a maior parte das vezes nas suas famílias). Aqui, porém, os homens e mulheres negoceiam-se a si próprios, encontrando-se radicalmente desprendidos e como que flutuando ao sabor das conveniências. É uma forma de vida que a maior parte das pessoas escolherá (se é que a escolha é possível) só por algum tempo. Do ponto de vista da sociedade no seu todo, as aventuras amorosas privadas são marginais e parasitárias relativamente ao casamento e à família. Salvo nas margens, a vida particular não é proveitosamente concebida em termos de aventura amorosa privada. Centra-se na família mesmo quando esse centro é tenso e conflituoso. Esta afirmação não significa de modo nenhum uma defesa da intervenção política nas aventuras amorosas privadas. «Porque amamos livremente, estando na nossa vontade amar ou não amar», essa intervenção está excluída por representar um exercício do poder fora da sua esfera[27]. Pretendo apenas reafirmar que os constrangimentos do parentesco, embora sejam frequentemente opressivos e estreitos, não são por isso injustos. Atenta a natureza da família, a liberdade no amor raramente pode ser mais do que uma aceitação livre de (um conjunto especial de) constrangimentos domésticos.

A questão feminina

A liberdade no amor muda radicalmente a posição da mulher, mas não põe fim — de certeza que não por qualquer modo automático — à sua opressão. É que essa opressão só em parte reside na família. Como uma pequena economia e um pequeno Estado e governada por um pai-rei, a família tem sido, desde há muito, um cenário de dominação de mulheres e filhas (e de filhos também). Não é difícil encontrar histórias de brutalidade física nem descrever práticas costumeiras e ritos religiosos que parecem destinados, acima de tudo, a quebrar a disposição de espírito das raparigas. Ao mesmo tempo, a família tem sido, desde há muito, o lugar da mulher; esta era decididamente necessária à existência daquela e, portanto, ao seu bem-estar e a determinado nível, na maior parte das culturas, teve de ser olhada como um membro importante. No seio do lar — mesmo que apenas ali — era com frequência senhora de considerável poder. A dominação realmente exercida sobre as mulheres tem menos a ver com o seu lugar na família do que com a sua exclusão de todos os restantes lugares. Foi-lhes negada a liberdade da cidadania e foram excluídas dos processos distributivos e dos bens sociais fora da esfera do parentesco e do amor.

O nepotismo é a forma de dominação familiar mais facilmente entendida, mas não é de modo nenhum a mais importante. A família não se limita a favorecer alguns dos seus membros; também desfavorece outros. Reproduz as estruturas do parentesco no mundo em geral e impõe o que normalmente apelidamos de «papel sexual» numa série de actividades relativamente às quais o sexo é totalmente irrelevante. Paralelamente ao nepotismo — uma manifestação de preferência baseada no parentesco numa área em que a preferência não tem lugar apropriado — existiu durante muito tempo algo como o seu oposto: uma espécie de misoginia política e económica — uma manifestação de constrangimento baseada no parentesco numa área em que o constrangimento não tem lugar apropriado. Era o que se passava com a negação às mulheres do direito de voto, ou ao exercício de um cargo, ou à propriedade, ou a intentar acções em tribunal, etc. Em cada caso, os argumentos utilizados — quando alguém se incomoda a argumentar — têm a ver com o lugar da mulher na família[28]. Assim, os padrões do parentesco são dominantes fora da sua esfera. E a libertação começa fora dela, através de uma sucessão de reivindicações no sentido de este ou aquele bem social passar a ser distribuído, pelos motivos que lhe são próprios e não por motivos familiares.

Consideremos apenas alguns exemplos. Na China do século XIX, uma das principais exigências dos rebeldes Taipingue* era a de que tanto homens como mulheres fossem admitidos aos exames para o funcionalismo[29]. Como podiam as mulheres ser excluídas de um sistema cuja única finalidade era a de descobrir indivíduos merecedores ou qualificados? Não duvido de que devem ter ocorrido profundas transformações culturais antes de ser sequer possível formular esta pergunta. Afinal, aqueles exames existiam havia muito tempo já. Porém, se não são eles, por si mesmos, a sugerir a pergunta, não deixam de fornecer o seu fundamento moral e também o fundamento moral da ampla resposta àquela. Se as mulheres devem ser admitidas aos exames, deve então ser-lhes permitido prepararem-se para eles; devem ser aceites nas escolas e libertas do concubinato, dos casamentos combinados, dos pés ligados, etc. A própria família deve ser reformada de modo a que o seu poder não mais alcance a esfera dos cargos.

O movimento sufragista feminino do Ocidente pode descrever-se de modo semelhante. As suas dirigentes jogavam com o significado da cidadania num sociedade democrática. Tinham obviamente muito a dizer sobre os valores especiais que as mulheres trariam consigo no desempenho do seu papel político, valores esses que eram fundamentalmente os da família, da maternidade, do carinho educativo e da simpatia[30]. Não foi, porém, este género de argumentação que tornou inatacáveis, em última análise, as suas reivindicações. Na verdade, os contra-argumentos dos anti-sufragistas podem até aproximar-se da verdade: que a participação em larga escala das mulheres na política introduzirá novas formas de conflito e novos cálculos de interesse no sistema de parentesco. Tenho a impressão de que, quando em 1927 e por virtude de uma preocupação com a sensibilidade dos camponeses (de ambos os sexos), Mao Tsé-tung tentou abrandar o ataque comunista à família tradicional, fê-lo para refrear algumas das suas camaradas que ansiavam por introduzir a luta de classes na esfera doméstica. «A abolição do sistema de clãs, das superstições (ou seja, do culto dos antepassados) e da desigualdade entre homens e mulheres», escreveu, «seguir-se-á, como consequência natural, à vitória na luta política e económica.» E formulou uma advertência contra intromissões «rudes e arbitrárias» no quotidiano da vida familiar[31]. É de presumir que as mulheres actuem na política como os homens, ou seja, que usem todo o poder a que possam fazer apelo, para fins pessoais, não só como membros do seu sexo (ou das suas famílias), mas também como membros de outros grupos e como indivíduos. É precisamente por esta razão que a democracia não fornece qualquer fundamento para a sua exclusão.

Finalmente, passa-se o mesmo com as exigências contemporâneas de «acção afirmativa» na esfera económica. Embora estas pareçam por vezes exigências de tratamento preferencial, o seu propósito mais fundo é simplesmente o de determinar o lugar da mulher no mercado livre. Assim como às forças do mercado não deveria

* O movimento Taipingue foi um movimento político e religioso ocorrido na China, de base predominantemente camponesa e que se manifestou a partir de 1851 contra a dinastia reinante, tendo sido vencido em 1864. *(NT)*

ser permitido romper os laços familiares, também a um certo conjunto de laços familiares não deveria ser permitido coarctar o jogo das forças do mercado. Também aqui existiu nas feministas uma certa noção de que as mulheres poderiam (ou deveriam) mudar as regras do jogo: reduzindo, por exemplo, as tensões da concorrência, ou transformando a disciplina de um emprego a tempo inteiro ou o empenhamento que até agora uma carreira implica. Mas o que é mais importante neste preciso momento é que o mercado, tal como realmente funciona e como nós entendemos esse funcionamento, não estabelece qualquer barreira interna à participação das mulheres. Centra-se na qualidade dos bens e na aptidão e energia das pessoas e não no parentesco ou no sexo, a menos que seja o sexo o que ali se vende; saber se o negócio do sexo será prejudicado pelo aumento da presença feminina no mercado ou simplesmente mais diversificado, é uma questão que continua em aberto. Em qualquer caso, os grupos no mercado são mistos como na praça pública.

É evidente que a família será um lugar diferente quando deixar de ser o lugar exclusivo da mulher e quando as estruturas do parentesco já se não reproduzirem noutras esferas distributivas. Regressada aos seus recursos próprios, pode muito bem revelar-se uma associação mais frágil do que os grupos de parentesco de outras sociedades mais antigas. Apesar disso, a esfera das relações pessoais, da vida doméstica, da reprodução e da criação dos filhos continua a ser, entre nós, o foco de distribuições extraordinariamente importantes. A «regra do altruísmo prescritor» não é uma regra a que a maioria das pessoas renuncie de bom grado; a partilha da riqueza familiar (com mulheres agora seguras do seu justo quinhão) é uma garantia crucial mesmo no Estado Social. A percentagem crescente de divórcios sugere, talvez, que os laços amorosos, sem o velho apoio do poder e do interesse, não produzirão estabilidade social. Estamos, porém, ainda tão no princípio da história da família independente — lugar tanto do homem como da mulher — que seria disparatado esboçar sequer a sua evolução actual. Nem tão-pouco é, como já referi, a livre escolha em matéria de amor a única base mesmo da família contemporânea. Por exemplo, o amor entre irmãos é também importante e embora todas as forças da vida moderna actuem no sentido de o enfraquecer, «de modo a que a solidariedade fraterna pareça... ter pouca probabilidade de durar para além da primeira infância... a evidência mostra que permanece, pela vida fora e para a maioria das pessoas, como uma força afectiva e moral dominante»[32]. E a criação e educação dos filhos põem em foco a família de um modo diferente: presentemente, os pais são mais susceptíveis de se orgulhar dos êxitos dos filhos do que estes da posição social daqueles (ou dos antepassados daqueles). Isto é também o resultado da separação entre a família e a política e a economia, do declínio das dinastias nacionais e locais e do triunfo da igualdade complexa. Protegemos actualmente os nossos filhos o melhor que podemos, preparando-os para a escola, os exames, o casamento e o trabalho. Não podemos, porém, determinar nem garantir as suas carreiras, destinando, por exemplo, as filhas à vida doméstica e à maternidade e os filhos à Igreja, à advocacia ou à agricultura. Eles seguem o seu próprio caminho, suportando o fardo desigual das esperanças parentais e a graça desigual do amor parental. Estas desigualdades não podem ser eliminadas; a família existe na verdade e continuará a existir, precisamente para que elas existam.

CAPÍTULO X

A GRAÇA DIVINA

A graça é o dom que se crê provir de um Deus misericordioso. Concede-a a quem Lhe apraz, aos que a merecem (como se tal fosse reconhecido por um júri de anjos) ou aos que torna merecedores dela por razões que só Ele sabe. Nada sabemos, porém, sobre este dom. Na medida em que homens e mulheres acreditem estar salvos ou sejam julgados pelos outros como estando salvos, são destinatários de um bem social cuja distribuição é mediada por uma organização eclesiástica ou por uma doutrina religiosa. Este bem não está disponível em todas as culturas e sociedades e talvez nem na sua maior parte. Tem, contudo, sido tão importante na história do Ocidente que tenho que me ocupar dele aqui. A graça foi um bem frequentemente disputado, não pelo facto de ser necessariamente raro e de, se eu o tiver, a probabilidade de outros o obterem ficar diminuída, mas por dois motivos diferentes: em primeiro lugar, crê-se por vezes que a sua disponibilidade depende de sistemas públicos específicos, e em segundo lugar, crê-se por vezes que a sua posse por algumas pessoas (e não por outras) se faz acompanhar de certas prerrogativas políticas. Ambas estas crenças são hoje normalmente contestadas; porém, em várias épocas no passado era necessária alguma coragem para as contestar e, por conseguinte para resistir à sua imposição coerciva.

O que torna essa contestação tão fácil hoje, em ambos os casos, é a opinião geralmente perfilhada de que a aspiração à graça (e, obviamente, a sua distribuição por um Deus omnipotente) é necessariamente livre. A versão extrema desta opinião é a descrição feita pelos protestantes da relação entre o indivíduo e o seu Deus — o adjectivo possessivo é aqui importante — como um assunto totalmente privado. «Cada um se representa a si mesmo no tocante à promessa divina», afirmou Lutero. «É a sua própria fé que se exige. Cada um deve responder por si.» [1] Mas mesmo que imaginemos a graça como dependente da prática social da comunhão, crê-se, apesar disso, que a comunhão deve ser livre e matéria de opção individual. Temos aqui talvez e na nossa cultura o exemplo mais claro de uma esfera autónoma. A graça não pode ser comprada nem herdada e também não pode ser imposta. Não se pode obter pela passagem num exame ou pela detenção de um cargo. Não é — embora já o tenha sido — objecto de provisão comunitária.

Não foi fácil alcançar esta autonomia. É claro que no Ocidente houve sempre governantes que afirmavam que a religião constituía uma esfera à parte e que, por isso, os sacerdotes não deviam imiscuir-se na política. Mas mesmo esses governantes consideravam frequentemente útil controlar, se podiam, o mecanismo através do qual eram distribuídas a comunhão e a garantia de salvação. E outros governantes, talvez mais piedosos (eles próprios destinatários da graça) ou mais dóceis nas mãos dos sacerdotes imiscuídos, insistiam em que era seu dever organizar o reino político de modo a tornar o dom de Deus disponível — talvez mesmo igualmente disponível — para todos os súbditos, Seus filhos. Uma vez que estes governantes eram homens e mulheres mortais, não podiam fazer mais; como eram portadores do gládio secular, podiam fazer o que quer que fosse com grande eficácia, regulando o ensino da doutrina religiosa e a administração dos sacramentos, exigindo a frequência da igreja, etc. Não contesto que fosse o seu dever fazer tais coisas (embora esperasse não ir tão longe como a queima dos hereges). Se era ou não o seu dever depende das concepções da graça e do poder político que partilhavam com os seus súbditos e não — saliente-se — das suas concepções pessoais.

Todavia, desde o princípio que a coerção política e a doutrina cristã andaram desconfortavelmente juntas. A graça pode alcançar-se por meio de boas acções livremente escolhidas ou pode acontecer unicamente por virtude da fé, mas nunca se apresentou como algo com que os príncipes tivessem muito a ver. Daí que os príncipes que se intrometiam na devoção dos seus súbditos fossem frequentemente chamados tiranos, pelo menos por aqueles que sofriam aquela intromissão. Protestantes de vários tipos, defendendo a tolerância religiosa nos séculos XVI e XVII, puderam servir-se de concepções latentes mas profundas do significado real da devoção, das boas acções, da fé e da salvação. Quando Locke, na sua *Carta sobre a Tolerância*, insistia em que «nenhum homem, ainda que queira, pode moldar a sua fé pelos ditames de outrem», estava simplesmente a fazer-se eco da afirmação de Santo Agostinho, citada, por sua vez, por Lutero, de que «ninguém pode nem deve ser obrigado a crer» [2].

A doutrina cristã inspirou-se naquela primeira regra distributiva que diz «Dai a César o que é de César e a Deus o que é de Deus» (Evangelho segundo São Mateus, 22, 21). Frequentemente desprezada pelo entusiasmo imperial ou de cruzada, esta regra foi regularmente reafirmada sempre que os servos de Deus ou de César o acharam conveniente. E, de uma forma ou de outra, sobreviveu para servir os objectivos dos primeiros adversários modernos da perseguição religiosa. Duas «prestações», duas jurisdições, duas esferas distributivas: numa, é o magistrado que preside, «atendendo a, defendendo e promovendo», segundo afirmava Locke, os interesses civis dos seus súbditos [3]; na outra, é o próprio Deus que preside, sendo o Seu poder invisível e deixando aos que buscam e adoram a possibilidade de promoverem os seus interesses espirituais o melhor que puderem e de proporcionarem a si mesmos ou uns aos outros o favor divino. Podem organizar-se com essa finalidade como melhor lhes aprouver e submeter-se — se assim lhes aprouver — a bispos, padres, presbíteros, ministros, etc. Porém, a jurisdição de todas essas autoridades fica confinada à Igreja assim como a jurisdição dos magistrados se confina à comunidade, «porque a Igreja... é uma coisa totalmente separada e distinta da comunidade. Em ambos os lados as fronteiras são fixas e imutáveis. Quem misturar estas duas sociedades... baralha o céu e a terra» [4].

O muro entre a Igreja e o Estado

Um século depois de ter sido escrita, a *Carta* de Locke encontrou expressão legal na primeira emenda à Constituição dos Estados Unidos: «O Congresso não fará qualquer lei relativa à instituição de uma religião ou à proibição do seu livre culto.» Esta frase simples impede qualquer tentativa de provisão comunitária na esfera da graça. O Estado fica liberto de qualquer preocupação no que respeita à cura de almas. Os cidadãos não podem ser tributados ou coagidos, nem para cura das suas almas nem para cura das de quem quer que seja. As autoridades públicas não podem sequer regular a actividade empresarial na esfera da graça; têm de observar sem comentários a contínua proliferação de seitas que oferecem a salvação a baixo custo ou, talvez de modo mais excitante, com um enorme dispêndio de dinheiro e energias. Os consumidores não podem ser defendidos da burla, porque a Primeira Emenda impede que o Estado reconheça a burla (aliás, a burla não é fácil de reconhecer na esfera da graça onde, como costuma dizer-se, as pessoas mais incríveis podem muito bem estar a executar a obra de Deus).

A tudo isto se chama liberdade religiosa, sendo, contudo, também igualitarismo religioso. A Primeira Emenda é uma norma de igualdade complexa. Não distribui igualmente a graça; na verdade, não a distribui de todo. Todavia, o muro que ergue tem consequências distributivas profundas. Determina no campo religioso o sacerdócio de todos os crentes, ou seja, deixa a todos os crentes o encargo da própria salvação. Podem reconhecer a hierarquia eclesiástica que quiserem, mas o reconhecimento ou a rejeição são da sua inteira responsabilidade; não lhes é legalmente imposto nem é legalmente obrigatório. E aquele muro produz, no campo político, a igualdade entre crentes e não-crentes, santos e pessoas mundanas, salvos e réprobos: todos são igualmente cidadãos, possuindo o mesmo conjunto de direitos constitucionais. A política não domina a graça nem a graça a política.

É minha intenção sublinhar a segunda destas proposições negativas. Os americanos são muito sensíveis à primeira. A complacência para com a objecção (religiosa) de consciência tem a sua origem naquela sensibilidade, revelando obviamente uma significativa indulgência da parte das autoridades políticas. Aqueles que acreditam que a salvação das suas almas imortais depende da fuga a qualquer tipo de participação na guerra são isentos do serviço militar. Embora o Estado não possa garantir a imortalidade, pelo menos abstém-se de a tirar. O Estado não nutre as almas, mas também não as mata. Porém, a segunda negação exclui um tipo de predomínio de que hoje já ninguém fala, pelo menos no Ocidente, pelo que pode muito bem acontecer que tenhamos já esquecido o seu significado histórico. É que para Locke, no século XVII, era ainda decisivamente importante contestar a pretensão de que «a soberania baseia-se na graça»[5]. Esta pretensão tinha sido enunciada havia muito pouco tempo e com considerável veemência no decurso da Revolução Puritana. Na verdade, o primeiro parlamento de Cromwell, «o parlamento dos santos», foi uma tentativa de lhe conferir efeitos políticos e Cromwell abriu a primeira sessão, afirmando precisamente o que Locke queria contestar: «Deus declara este dia como o dia do poder de Cristo; tendo, por meio de tanto sangue e tanto sofrimento como o que foi suportado por estas gentes, feito com que fosse este um dos seus grandes efeitos: o de chamar o Seu povo à autoridade suprema.»[6]

A comunidade puritana

Cromwell reconhecia a desigualdade deste «chamamento». Só os santos eram convidados a participar no exercício do poder. E não faria sentido sujeitar os santos a uma eleição democrática ou mesmo — o que teria sido mais provável na Inglaterra do século XVII — a uma eleição em que votassem apenas os proprietários do sexo masculino. Em nenhum dos casos «o Seu povo» teria obtido a maioria dos votos. Cromwell tinha esperança em que havia de chegar o dia em que as eleições fossem possíveis, ou seja, o dia em que o povo na sua totalidade fosse composto por eleitos de Deus. «Eu desejaria que todos estivessem aptos para ser chamados.» Todavia «quem sabe daqui a quanto tempo preparará Deus os homens para tal»[7]? Entretanto, era preciso procurar os sinais exteriores da luz interior. Daí que os membros do Parlamento fossem escolhidos por uma comissão de selecção e não por um eleitorado, sendo a Inglaterra governada pelos monopolistas da graça.

A ideia de Locke e a inserida na Constituição dos Estados Unidos é a de que os santos são livres de conservar o seu monopólio e de dirigir qualquer associação (igreja ou seita) que fundem. A graça é indubitavelmente um grande privilégio, mas não há qualquer processo de a distribuir àqueles que não acreditam na sua existência ou que têm sobre ela uma opinião radicalmente diferente da dos santos, ou que têm a mesma opinião, mas sustentada com muito menos fervor. Também não há qualquer processo de impor aos santos uma concepção mais igualitária do seu dom especial. Em todo o caso, o monopólio dos santos é suficientemente inofensivo desde que não atinja o poder político. Não têm direito a reivindicar a direcção do Estado, que não fundaram, e para cujo necessário labor a segurança divina não constitui qualificação. O objectivo do muro constitucional é o de conter e não o de redistribuir a graça.

E, todavia, o Estado poderia ser concebido de modo diferente, não como um domínio político e antes como um domínio religioso; os interesses civis poderiam ser concebidos também como interesses de Deus. O muro entre a Igreja e o Estado é afinal uma construção humana; poderia ser demolido ou, como no Islão, não ter sequer chegado a ser erguido. Então o governo dos santos teria um aspecto muito diferente; quem mais — além do Seu povo — poderia dirigir um domínio para o qual o próprio Deus legislara? E, além disso, pode acontecer que só os santos sejam capazes de estabelecer aquelas combinações sociais do dia-a-dia que colocam a vida boa, e portanto a vida eterna, ao alcance do resto da população. É que estas combinações talvez tenham de se inspirar nas Sagradas Escrituras e é a luz interior que ilumina o mundo. Este argumento é realmente forte, aceitando-se que haja uma adesão suficientemente espalhada à doutrina religiosa que lhe está subjacente. Mas se um número suficiente de pessoas tiver aderido à ideia do governo dos santos, então estes não terão qualquer dificuldade em ganhar eleições.

Em qualquer caso, a força deste argumento diminui assim que aquela adesão enfraquece. Os puritanos da Nova Inglaterra constituem um bom exemplo disso. Todo o seu sistema educativo estava empenhado na tarefa da conversão religiosa. O seu objectivo principal era o de reproduzir na segunda geração a «experiência de graça» que os seus fundadores tinham conhecido. No princípio, não houve qualquer dúvida de que isso seria possível. «Deus traçou de tal modo a linha da eleição», escreveu Increase Mather, «que na sua maior parte corre através dos flancos dos pais devotos.»[8] Os professores pouco mais tinham que fazer do que vivificar o espírito latente. Porém, o dom do vigor espiritual não se transmite facilmente, nem pelos flancos nem pela escola: aparentemente, nem a natureza nem a educação podem garantir essa herança. Aos olhos dos mais velhos — e também aos seus próprios olhos — a segunda geração de puritanos americanos, como muitas outras segundas gerações, revelou-se deficiente em matéria de graça. Daí o acordo expresso na Convenção do Compromisso de 1662 que permitiu que os filhos dos santos, mesmo que não tivessem experimentado a graça, mantivessem uma ligação frouxa com a Igreja no interesse dos netos. Porém, isto foi só para diferir o problema óbvio. Considere-se, escreveu um académico moderno, «a ironia da situação em que um povo * eleito não consegue encontrar pessoas * eleitas em número suficiente para prolongar a sua existência»[9]. O secularismo introduz-se sorrateiramente na comunidade puritana sob a forma de desmotivação religiosa. É que a qualidade de membro da comunidade transmite-se, na verdade, pelos flancos tanto dos pais devotos como dos *não-devotos*. E, assim, a comunidade em breve compreendia, não só santos e pessoas mundanas — com o primeiro grupo a governar o segundo —, mas também pessoas mundanas que eram filhos e filhas de santos e santos que eram filhos e filhas de pessoas mundanas. O predomínio da graça não pôde sobreviver a este totalmente previsível, mas totalmente inesperado resultado.

Em alternativa, o secularismo introduz-se sorrateiramente na comunidade puritana sob a forma de dissidência religiosa quando os santos discordam entre si quanto às providências quotidianas necessárias à vida eterna ou quando se recusam mutuamente a santidade. Claro que é sempre possível reprimir as dissidências, exilar os dissidentes ou mesmo, como na Europa da Inquisição, torturá-los e matá-los a bem da sua própria (e de todos os outros) salvação. Mas aqui também surgem problemas que julgo serem comuns a todas as religiões que pregam a salvação e que já identifiquei no que se refere ao cristianismo. O conceito de graça parece ser altamente resistente às distribuições coercivas. A afirmação de Locke de que «os homens não podem ser obrigados a salvar-se»[10], pode representar a pretensão de um dissidente ou mesmo de um céptico, mas baseia-se numa concepção da salvação compartilhada por muitos crentes. Se isto é assim, então a discordância e a dissidência religiosas estabelecerão limites ao uso da força, limites esses que assumirão eventualmente a forma de uma separação radical: o muro entre a Igreja e o Estado. E, nesse caso, os esforços que se façam para abrir brechas no muro e para impor as providências ou o comportamento que supostamente conduzem à salvação, serão justamente considerados despóticos.

---

* Trocadilho entre *people* (povo) e *people* (pessoas). *(NT)*

CAPÍTULO XI

A CONSIDERAÇÃO SOCIAL

A luta pela consideração social

Uma sociologia dos títulos

Numa sociedade hierarquizada como a da Europa feudal, um título é o nome de uma posição social ligado ao nome de uma pessoa. Designar uma pessoa pelo título é colocá-la na hierarquia social e, conforme o respectivo lugar, distingui-la ou rebaixá-la. Os títulos proliferam normalmente nas posições superiores onde assinalam nítidas distinções e revelam a intensidade e a importância da luta pela consideração social. As posições inferiores recebem títulos mais humildes e os homens e mulheres da classe mais baixa não têm quaisquer títulos e são chamados pelos seus primeiros nomes ou por qualquer designação depreciativa («escravo», «rapaz», «rapariga», etc.). Há uma forma adequada de dirigir a palavra a cada uma e a todas as pessoas, forma essa que estabelece simultaneamente o grau de consideração social a que cada uma tem direito e lhe concede apenas esse grau [1]. Frequentemente, o uso do título deve ser acompanhado por gestos convencionais tais como genuflexões, vénias ou desbarretamentos os quais representam um prolongamento do título, a sua mímica, por assim dizer, servindo aquela dupla finalidade. Do mesmo modo, as pessoas podem vestir os seus títulos — veludo ou bombazina, calções ou calças grosseiras* — de maneira que o acto de se vestir é uma espécie de consideração reflexa e andar na rua uma exigência de respeito ou uma admissão de inferioridade. Se conhecermos os títulos de toda a gente, conheceremos a ordem social e saberemos a quem nos devemos submeter e quem se nos deve submeter; estamos preparados para todos os encontros. A grande vantagem de uma sociedade hierarquizada é a de que este género de conhecimento é fácil de obter e se encontra amplamente difundido. Os títulos integram uma consideração social instantânea. Na medida em que há títulos para todos, todos são considerados; não há homens invisíveis. Isto é o que Tocqueville quer dizer quando afirma que nas sociedades aristocráticas «ninguém pode esperar ou recear não ser visto. Ninguém tem uma posição social tão baixa que não tenha um nível próprio e ninguém pode, pela sua

---

* *Sans-culottes* no original. *(NT)*

obscuridade, evitar louvores ou censuras»[2]. Tocqueville, porém, descreve obviamente mal a posição dos escravos em todas as aristocracias esclavagistas*; provavelmente não tem razão, ao referir-se a servos e criados que, em qualquer caso, não têm um nível próprio muito amplo e pode muito bem não a ter relativamente aos próprios aristocratas. Afirma que há um padrão para cada posição social, incluindo a mais baixa, e por maioria de razão, pois, para a mais alta, e que os homens e mulheres que deixem de viver segundo aquele padrão podem deixar de ver os seus títulos respeitados. Ora isto é precisamente o que os aristocratas de ambos os sexos não podem fazer. Pode dizer-se do topo da hierarquia o que Lord Melbourne dizia, com admiração, da Mui Nobre Ordem da Jarreteira: «Não há qualquer raio de mérito em possuí-la.» O louvor e a censura são irrelevantes; não há nada a testar nem a provar.

É claro que os aristocratas e os cavalheiros podem portar-se mal e fazem-no frequentemente, sendo os seus inferiores susceptíveis de reparar nisso e de o comentar entre eles. Não podem, porém, comentá-lo mais amplamente nem podem mimar os seus comentários em público. Salvo em épocas de rebelião ou revolução, não têm outra alternativa que não seja honrar, respeitar e tratar com deferência tanto os maus como os bons aristocratas tal como lhes é convencionalmente devido. A frase «O senhor não é um cavalheiro» não é susceptível de ser dita por um servo ao seu senhor nem por um criado ao seu amo. Numa sociedade hierarquizada pode louvar-se ou censurar os iguais e os inferiores, mas o reconhecimento da superioridade deve ser incondicional.

A posição domina, pois, a consideração social. Se os títulos forem hereditários, o sangue dominará a posição social; se forem transaccionáveis, será o dinheiro que domina; e se a sua concessão estiver nas mãos dos governantes, o poder político será dominante. Em nenhum destes casos se distribuem livremente louvores e censuras. (Na verdade, em nenhum deles se distribuem livremente o amor e o ódio, nem as preferências e as antipatias são livremente expressas o que pode muito bem ser mais importante; porém, o que aqui me interessa é algo diverso: é mais o respeito do que o amor, mais o desprezo do que o ódio, mais o modo como avaliamos as pessoas e o modo por que são avaliadas na sociedade como um todo.) É concebível que o predomínio da posição social e do sangue, embora não da riqueza e do poder, possa ser tão forte que seja impossível pensar sequer numa consideração social livre. Porém, no

* O único objectivo da escravidão, como afirmou Orlando Patterson, é o de rebaixar e aviltar o escravo, negando-lhe um lugar na sociedade, um «nível próprio». Aos olhos dos senhores os escravos são vis, irresponsáveis, desavergonhados e infantis. Podem ser chicoteados ou amimados, mas não podem, no sentido próprio do termo, ser louvados ou censurados. O seu valor é o preço que obtêm no leilão, sendo-lhes recusado qualquer outro ou qualquer consideração de valor. Não participam, porém, nesta recusa. «Não há qualquer prova nos longos e tristes anais da escravatura», diz Patterson, «que nos leve a concluir que alguma vez algum grupo de escravos tenha interiorizado a concepção de aviltamento perfilhada pelos seus senhores.» Escravos e senhores não habitam um mundo de significados compartilhados. Os dois grupos estão simplesmente em guerra um com o outro, como afirmava Hegel, e a moral da sua confrontação é melhor compreendida através da teoria das guerras justas e injustas do que através da teoria da justiça distributiva[3].

mundo judaico-cristão esta ideia foi sempre possível porque Deus proporciona um modelo, julgando os homens e mulheres sem olhar à sua posição mundana e inspirando um certo cepticismo social:

> Quando Adão cavava e Eva fiava
> Quem era então o cavalheiro?

Esta pergunta era, porém, subversiva. Era mais frequente a doutrina religiosa ratificar e as instituições religiosas reproduzirem rapidamente a hierarquia existente, confirmando ambas as verdades fundamentais da ordem hierárquica. A consideração social não depende de juízos independentes e sim de preconceitos sociais representados por designações como as de «infanção», «escudeiro», «senhor», «dom» (e «reverendo bispo»). Não vamos, porém, falar da realidade subjacente a estas designações.

Contudo, embora a luta pela consideração social seja sempre limitada pelos preconceitos, não é inteiramente determinada por eles. Aqueles que se encontram nos confins de determinada categoria social, sensíveis às desconsiderações, insistem duplamente no seu título; para eles, o título tem um valor independente, defendendo-o como se o tivessem merecido. E dentro de cada categoria elaboram-se conceitos de honra específicos. Estes parecerão frequentemente arbitrários e mesmo excêntricos aos estranhos, mas são eles que determinam os padrões pelos quais os homens e mulheres portadores do mesmo título se distinguem uns dos outros. Essas distinções são tanto mais acesamente disputadas quanto menos substância parecem ter. Hobbes entendia as disputas dos aristocratas seus contemporâneos, e mais particularmente o duelo, como um dos arquétipos da guerra de todos contra todos. Os homens arriscavam as suas vidas pela honra, embora as questões pelas quais combatiam fossem objectivamente de pequena importância: «ninharias como uma palavra, um sorriso, uma opinião diferente e qualquer outro sinal de desconsideração»[4].

Esses combates só se travavam entre iguais dentro de cada categoria e não entre estas. Quando as categorias inferiores desafiam as superiores não estamos perante um duelo e sim uma revolução. Podem imaginar-se vários tipos de revoluções, mas referir-me-ei aqui apenas às revoluções democráticas da época moderna que representam um ataque a todo o sistema de preconceitos sociais, culminando na substituição da hierarquia de títulos por um título único. O título que acaba por vencer, embora não o primeiro a ser escolhido, provém do escalão mais baixo da aristocracia ou da nobreza. Na língua inglesa, o título usual é o de «*master*» abreviado para «*Mr.*» que, no século XVII, se tornou «o título cerimonioso habitualmente anteposto ao nome de qualquer homem abaixo do nível de cavaleiro e acima de um determinado nível social humilde mas indefinido... Tal como relativamente a outros títulos de cortesia, o limite inferior do seu emprego tem vindo a baixar continuamente»[5]. Nos Estados Unidos, embora ainda não na Grã-Bretanha, não há limite superior para esse emprego. Mesmo na Grã-Bretanha, o título universal tem sido adoptado por homens poderosos: «O Sr. Pitt, tal como o Sr. Pym», escreveu Emerson, «pensava que o título de *Mister* era bom em comparação com qualquer rei europeu»[6]. Durante o primeiro Congresso, apresentaram-se propostas no sentido de ser dado ao presidente americano um título mais elevado proveniente do passado aristocrático, mas acabou por se decidir que a designação do seu cargo era suficiente; quando alguém se lhe dirige directamente, fá-lo usando a expressão «Sr. Presidente» * [7]. Na Europa, o resultado foi o mesmo: *monsieur, Herr, signor, señor*, todos correspondem ao inglês *master/Mr.* Em todos os casos, um título de distinção, embora não da mais alta, tornou-se no título comum. As alternativas revolucionárias — «irmão», «cidadão», «camarada» — representam a recusa desta generalização; referir-me-ei novamente a elas mais adiante.

Questão de real importância é o facto de não haver para as mulheres qualquer título comparável ao de *Mr.* para os homens. Mesmo após a revolução democrática, continuaram a ser chamadas por designações (como *Miss* ou *Mrs.*) que se reportam ao seu lugar na família e não na sociedade em geral. As mulheres eram «classificadas» conforme o lugar da sua família e não se esperava que seguissem o seu próprio caminho. A invenção de *Ms.* é uma solução desesperada: uma abreviatura para a qual não existe a palavra correspondente. Em parte, a conclusão a que quero chegar aplica-se tanto às mulheres como aos homens, mas só em parte. A ausência de um título universal revela a permanente exclusão das mulheres — ou de muitas mulheres — do universo social, da esfera da consideração social tal como se encontra presentemente constituída.

Numa sociedade de senhores** as carreiras estão abertas aos talentos e a consideração social a quem puder granjeá-la. Parafraseando Hobbes, a igualdade dos títulos produz uma esperança igual e, portanto, uma competição generalizada. A luta pela honra que grassava entre os aristocratas e que desempenhou um papel tão importante no primeiro período da literatura moderna é hoje travada pelo homem comum. Não é, porém, a honra aristocrática que o homem comum procura. À medida que a luta alastra, assim também o bem social em disputa se diversifica infinitamente, multiplicando-se os seus nomes. *Honra, respeito, estima, louvor, prestígio, posição, reputação, dignidade, categoria, atenção, admiração, valor, distinção, deferência, homenagem, apreciação, glória, fama, celebridade*: estas palavras foram-se acumulando ao longo dos tempos, tendo sido originalmente usadas em diferentes cenários sociais e com diferentes objectivos. Podemos, porém, apreender facilmente o seu elemento comum. Trata-se dos nomes dados a uma consideração social favorável, hoje largamente desprovidos de qualquer especificidade em termos de classe. Os seus *antónimos* significam, ou uma consideração desfavorável (*desonra*) ou uma não-consideração (*desatenção*). Tocqueville pensava que a não-consideração era impossível no antigo regime e também desnecessária: menosprezava-se uma pessoa, dando-lhe a saber (que se sabia) qual era o seu lugar. No novo regime, ninguém tem um lugar fixo; menospreza-se uma pessoa, negando que ela esteja *ali*, que tenha qualquer lugar. Recusa-se o reconhecimento da sua personalidade ou a sua existência moral ou política. Não é difícil concluir que isto pode muito bem ser pior do que ser «colocado» na mais baixa das categorias. Ser intocável não é (talvez) tão horroroso como ser invisível. Em algumas partes da Índia, ainda não há muitos anos, «um intocável tinha de gritar um

---

* *Mr. President* no original. *(NT)*

** *Misters* no original; a referência é, portanto, aqui ao título colocado antes do nome ou do cargo. *(NT)*

aviso, ao entrar numa rua, para que as pessoas mais veneráveis pudessem fugir da sua sombra pestilenta» [8]. Mal posso imaginar como seria gritar aquele aviso, mas ao menos a pessoa que grita tem uma enorme presença e pode retirar alguma satisfação da fuga assustada dos outros. O homem invisível não tem este género de satisfação. Por outro lado, logo que se desembaraça do seu estatuto de estrangeiro ou de pária, entra na sociedade, não nesta ou naquela categoria inferior, passando antes a competir em pé de igualdade com os outros, pela honra e pela reputação. E anuncia essa entrada, dizendo: «Tratem-me por senhor.» *

Reivindica o título comum e entra na luta comum. Uma vez que não tem categoria fixa, pois ninguém sabe a qual pertence, terá de criar o seu próprio valor e só poderá fazê-lo granjeando a consideração dos seus semelhantes. Cada um destes tenta fazer o mesmo. Daí que a concorrência não tenha fronteiras sociais salvo a nacional, não tendo igualmente qualquer limite temporal. Prossegue ininterruptamente e os participantes depressa aprendem que a honra de ontem é de pouca utilidade no mercado de hoje. Não podem dormir nem descansar à sombra dos louros; têm de estar atentos a todas as desconsiderações. «Todo o homem espera que o seu companheiro lhe dê o mesmo valor que ele próprio se atribui», escreveu Hobbes, «e, a qualquer sinal de desprezo ou desvalorização, tenta naturalmente e até onde a sua ousadia lho permite... extorquir uma melhor avaliação aos que o desprezam.»[9] Falar, porém, apenas em extorsão é demasiado simplista. Assim como são várias as formas de consideração, também o são os métodos por que se pode granjear. Os concorrentes especulam no mercado, intrigam contra os rivais que lhes estão perto e regateiam pequenos lucros: admiro-te se me admirares. Exercem poder, gastam dinheiro, ostentam bens, dão presentes, espalham mexericos, e encenam proezas, tudo pela consideração social. E tendo feito tudo isto, voltam a fazê-lo, lendo os seus ganhos e perdas diários nos olhos dos outros como os corretores de bolsa nos jornais da manhã.

Porém, por mais complexa que seja a luta, a «extorsão» de Hobbes assimila um dos seus aspectos essenciais. A consideração tem de ser obtida de pessoas que, preocupadas com as suas próprias reivindicações, são concessores relutantes. Penso, na verdade, que a maioria de nós quer — e até precisa de — tanto dar como receber consideração; precisamos de heróis, homens e mulheres a quem possamos admirar sem transacções nem restrições [10]. Somos, porém, prudentes na busca dessas pessoas entre os nossos amigos e vizinhos. Tal descoberta é difícil, porque põe em causa o nosso próprio valor e obriga-nos a sofrer comparações indesejáveis. Numa sociedade democrática, a consideração social é mais fácil à distância. A consideração súbita e temporária também é fácil: é o que acontece com as celebridades-por-um-dia criadas pelos meios de comunicação social de massas. A nossa excitação com a ascensão dessas figuras é aumentada pela previsão da sua queda. Afinal, quem são elas senão homens e mulheres como nós, talvez apenas com um pouco mais de sorte? Não têm um lugar permanente e fica em aberto a questão de saber se amanhã nos lembraremos delas. Os meios de comunicação dão a entender que a consideração social é um bem

---

* *Mister* no original. *(NT)*

que existe em abundância; as atribuições são instáveis, mas em princípio ilimitadas. Todavia, na prática, trata-se de um bem raro. As nossas comparações diárias têm como efeito transformar os ganhos de uns em perdas de outros, mesmo quando mais nada se perdeu além da posição relativa. Na esfera da consideração social a posição relativa é muito importante.

Há certamente épocas em que se suspira pela comodidade de um lugar fixo. Uma sociedade de senhores é um mundo de esperança, esforço e infinita ansiedade. A imagem de uma corrida, concebida em primeiro lugar por Hobbes no século XVII, tem sido desde então uma característica fundamental da nossa consciência social. Esta corrida é democrática e participativa; não há espectadores e todos têm de correr. E todos os nossos sentimentos, a respeito de nós próprios e dos outros, são função do modo como corremos:

> Vê-los atrás é glória
> Vê-los à frente é humilhação
> Ter fôlego, esperança
> Estar cansado, desespero
> Tentar ultrapassar o da frente, emulação
> Perder terreno devido a pequenos obstáculos,
> pusilanimidade
> Cair subitamente é causa de pranto
> Ver outro cair é causa de riso
> Ser continuamente ultrapassado é tormento
> Ultrapassar continuamente o que vai à frente
> é alegria
> E abandonar a corrida é morrer [11].

Porque corremos? «Não há outro objectivo nem outros lauréis», escreveu Hobbes, «além de chegar em primeiro lugar» [12]. Porém, esta pretensão exige muito da experiência da velha aristocracia. Pascal foi mais presciente num dos seus *Pensamentos*: «A nossa presunção é tal que desejaríamos ser conhecidos no mundo inteiro e mesmo pelos que nascerem quando já cá não estivermos; somos tão vaidosos que a boa opinião de cinco ou seis pessoas à nossa volta, delicia-nos e satisfaz-nos» [13]. Propendemos a ser vistos, considerados e admirados por um subgrupo qualquer. Se as vitórias locais não fossem possíveis, ficaríamos desesperados muito antes de chegarmos ao fim. Por outro lado, a satisfação referida por Pascal não dura muito. A nossa presunção atenua-se, modera-se e renasce. Há muito poucas pessoas que tenham realmente esperança na glória eterna, mas praticamente todos querem um pouco mais de consideração do que a que têm. O descontentamento não é permanente mas é cíclico. E as nossas inquietações alimentam-se tanto dos nossos êxitos como dos nossos fracassos.

Embora nos tratem pelo mesmo título, não nos concedem o mesmo grau de consideração. A corrida hobbesiana é mais variável e incerta do que a hierarquia, mas num dado momento os corredores encontram-se ordenados do primeiro ao último, ganhando ou perdendo na sociedade em geral e no seu próprio subgrupo. E também não é fácil reclamar dos prejuízos mesmo que pareçam injustos ou imerecidos. A riqueza e as mercadorias podem sempre ser redistribuídas, recebidas pelo Estado e repartidas novamente segundo um qualquer princípio abstracto. A consideração social é, todavia, um bem infinitamente mais complexo. Em certo profundo sentido, depende inteiramente dos actos individuais de respeito e desrespeito, atenção e desatenção. Há evidentemente uma coisa chamada consideração pública e outra chamada desonra pública; mais adiante, direi algo a respeito de ambas. «O rei», de acordo com uma máxima legal, «é a fonte da honra.» Pode pensar-se no bom nome do rei ou na legitimidade do Estado como um capital de consideração social do qual se vão distribuindo porções aos indivíduos. Porém, este tipo de coisas não tem grande importância enquanto não for confirmado e reiterado pelos homens e mulheres comuns. Enquanto o dinheiro só precisa de ser aceite, a consideração tem de ser reiterada para ter algum valor. Daí o rei proceder bem ao distinguir apenas aqueles que são largamente considerados como dignos de distinção.

A igualdade simples não é possível relativamente à consideração social; uma tal ideia seria uma piada de mau gosto. Na sociedade do futuro, disse em tempos Andy Warhol, «todos serão mundialmente famosos por quinze minutos». De facto, é evidente que no futuro — tal como no passado — algumas pessoas serão mais famosas do que outras e algumas não serão de todo famosas. Pode garantir-se a visibilidade de toda a gente (digamos, para as autoridades públicas), mas não se pode garantir a sua visibilidade por igual (para os concidadãos). Como questão de princípio, pode insistir-se em que todos os homens desde Adão e Eva são cavalheiros, mas não se pode proporcionar a todos a mesma reputação de maneiras finas (no sentido de «descontraídas mas delicadas»). A posição social relativa dependerá ainda dos recursos de que os indivíduos possam dispor na luta actualmente em curso pela consideração. Assim como não se pode redistribuir a fama, também se não podem redistribuir aqueles recursos, pois eles não são mais do que qualidades, aptidões e talentos pessoais valorizados numa determinada época e em determinado lugar e com os quais determinados homens e mulheres conseguem atrair a admiração dos seus semelhantes. Não há, porém, modo de estabelecer antecipadamente que qualidades, aptidões e talentos serão valorizados ou quem os possuirá. E mesmo que se pudesse de algum modo identificar e recolher tais coisas, distribuindo-as depois em partes iguais, imediatamente deixariam de atrair admiração.

Se na luta pela consideração social não pode haver igualdade de resultados, pode, porém, haver — tenho vindo a escrever como se houvesse — igualdade de oportunidades. É esta a promessa da sociedade de senhores. Terá sido, porém, conseguida nalguma sociedade real? Um sociólogo contemporâneo adverte-nos contra a confusão entre a posição social dos indivíduos e as suas «qualidades de reputação». A posição social, afirma Frank Parkin, é função do lugar, da profissão e do cargo e não da consideração especial de êxitos especiais [14]. Abolir os títulos não é abolir as classes. O conceito de honra é mais controverso do que sob o antigo regime, mas as distribuições continuam padronizadas, encontrando-se agora dominadas mais pela ocupação do que pelo sangue ou pela categoria. Daí, por um lado, a insolência do cargo e, por outro, o aviltamento dos homens e mulheres que fazem o trabalho duro e sujo da sociedade. Na corrida hobbesiana, muitos dos corredores vão no seu devido lugar, incapazes de romper os constrangimentos do padrão geral. E esse padrão não pode ser proveitosamente descrito como produto da sua própria avaliação, como uma espécie de estenografia social da consideração dos indivíduos. Essa estenografia existe na verdade, mas derivada da ideologia dominante, ela própria uma função do cargo e do poder, de tal modo que os detentores de cargos exigem respeito da mesma maneira que exigem altos vencimentos, sem terem de provar o seu valor aos colegas ou aos clientes.

Mas a referida ideologia dominante não é outra senão a corrida hobbesiana, concebida agora como luta pelos postos de trabalho e pelos proventos mais do que pelo prestígio e pela honra. Ou melhor, a afirmação é a de que ambas as lutas constituem realmente uma só: uma competição generalizada pelos bens sociais na qual o mérito, a ambição, a sorte ou o que quer que seja, acabam por vencer. Respeitamos as pessoas de acordo com os seus triunfos, porque as qualidades necessárias para triunfar na competição generalizada são mais ou menos as mesmas que somos susceptíveis de admirar em qualquer caso. E se houver qualidades admiráveis que não entrem no jogo da competição generalizada, somos nesse caso livres de as admirar à parte, por assim dizer, episódica e localmente, no âmbito deste ou daquele subgrupo. Assim, respeitamos a gentileza de um vizinho sem deixarmos que esse respeito interfira na nossa mais precisa avaliação da posição social.

A posição social (posição na corrida) domina a consideração. Isto é muito diferente do domínio da posição hierárquica, mas ainda não é a livre avaliação de uma pessoa por outra. A livre avaliação exigiria a desagregação dos bens sociais e a autonomia relativa da honra. A honra está de tal modo intimamente ligada a outras espécies de bens que não é fácil dizer o que poderia significar, neste caso, a autonomia. Acompanha, por exemplo, o triunfo na obtenção de um cargo ou a obtenção de uma alta classificação na carreira médica ou o êxito na abertura de um novo negócio. Estes tipos de êxito imporão provavelmente sempre respeito. Contudo, não imporão sempre precisamente o mesmo grau de respeito que hoje, em que cada um deles, é visto como um passo essencial na via que conduz à riqueza e ao poder. Que respeito imporiam se actuassem de modo independente? De facto, não sabemos que aspecto teria o universo social se a honra de cada um dependesse inteiramente da consideração livremente acordada ou livremente negada por cada um dos outros *. Ocorreriam, sem dúvida, amplas mudanças culturais. Mas mesmo

---

* De momento (e no futuro previsível), escreveu Thomas Nagel, «não há forma de divorciar a posição profissional da consideração social nem da retribuição económica, pelo menos não sem um enorme aumento do controlo social» [15]. Não se trata, porém, aqui de divórcio, ou melhor, o divórcio e o controlo social aumentado são exigidos pela igualdade simples, mas não pela complexa. O êxito na obtenção de determinada posição profissional confere evidentemente direito a exigir um *certo* grau de consideração social e mesmo de retribuição económica. Estamos preparados para reconhecer a aptidão e o talento e (tanto individual como colectivamente) a pagar pelos serviços prestados. Queremos, porém, poder reconhecer uma larga gama de aptidões e talentos sem pagar mais do que o preço do mercado ou, no caso de serviços recrutados, o justo salário. Devemos banir unicamente a conversão ilegítima da posição profissional em consideração e riqueza e, nesse caso, também as técnicas de conversão: acesso restrito, mistificação intelectual, etc., o que exigirá algo consideravelmente inferior a «um enorme aumento do controlo social».

na nossa sociedade, não é difícil imaginar avaliações muito diferentes das que hoje existem: digamos, um outro respeito pelo trabalho socialmente útil, ou pelo esforço físico, ou pelo préstimo no exercício do cargo, mais do que pela sua mera detenção[16]. A livre avaliação desencadearia, segundo penso, um sistema de consideração muito mais descentralizado, de modo que a ordem geral presumida por Hobbes perderia importância ou deixaria mesmo de ser perceptível. Recordemos o lamento de John Stuart Mill: «Eles manifestam as suas preferências em grupo» (v. p. 7). É verdade que sim, mas apesar disso podemo-nos aperceber da existência de várias espécies de grupos com padrões diferentes, ou pelo menos rudimentarmente diferentes, de preferência e rejeição. Estas diferenças são suprimidas no interesse da competição generalizada. Porém, se esta fosse abolida, se a riqueza não implicasse o cargo — ou o cargo, o poder — a consideração social seria então também livre.

Estaríamos, assim, perante a igualdade complexa na esfera da consideração social e daí resultaria evidentemente uma distribuição da honra e da desonra muito diferente da que hoje predomina. Porém, os indivíduos de ambos os sexos continuariam a ser honrados de modo diferente e não estou certo de que a competição fosse menos intensa do que no mundo descrito por Hobbes. Havendo mais vencedores (e uma maior variedade de possíveis vitórias) continuaria a haver, inevitavelmente, alguns vencidos. Nem a igualdade complexa garante que a consideração social fosse distribuída pelos indivíduos que em certo sentido objectivo dela fossem merecedores. É claro que há padrões objectivos, pelo menos para algumas formas de consideração. Há romancistas que merecem, digamos, uma atenção crítica e outros que a não merecem. E os críticos libertos dos constrangimentos da hierarquia social e do mercado seriam mais susceptíveis de prestar atenção aos verdadeiros romancistas. Porém, de um modo mais geral, a consideração iria para aqueles indivíduos julgados dignos dela por um certo número dos seus semelhantes e esse juízo seria livre. Honraríamos, respeitaríamos, consideraríamos e apreciaríamos livremente aqueles homens e mulheres que nos parecessem merecedores disso e algumas vezes apreciá-los-íamos exactamente como os amamos sem olharmos de todo ao seu merecimento objectivo. Parafraseando Marx, se uma pessoa não é capaz, ao apresentar-se como merecedora, de se tornar numa pessoa apreciada, então o seu mérito é impotente, constituindo uma desgraça. Tais desgraças deixariam de ser monopólio de uma classe, casta ou grupo profissional em particular. Todavia, não concebo qualquer forma plausível de seguro social contra a sua incidência generalizada.

Contudo, talvez um respeito mínimo seja, de facto, característica comum da sociedade de senhores. Poderemos distinguir com proveito aquilo a que chamamos *consideração social simples* das formas mais complexas de *consideração como isto ou aquilo*. A consideração simples é hoje uma exigência moral: temos de reconhecer que todas as pessoas com quem nos relacionamos são, pelo menos em potência, destinatários de honra e admiração, concorrentes ou mesmo ameaças. A frase «Trate-me por senhor» aposta numa reivindicação, não de um determinado grau de honra, mas sim da possibilidade de honra. Eis aqui alguém que não conhecemos e que nos surge pela frente sem sinais distintivos de nascimento e categoria. Apesar disso, não podemos pô-lo fora do jogo. É pelo menos digno da nossa apreciação e somos vulneráveis à sua. Estes factos da nossa vida social fazem-nos rodear de certas cautelas as formas actuais da cortesia, o que não deixa de ser algo excitante. A prontidão com que os americanos deixam cair o «senhor» e usam os primeiros nomes, deriva do desejo de reduzir o nível de excitação e de descobrir uma maneira qualquer de se descontraírem um pouco. Julgamos aquela prontidão desonesta sempre que sabemos que nenhum dos lados pretende realmente descontrair-se. Esta intenção negativa representa um respeito mínimo e elementar. «Consideram-se a si próprios», escreveu Hegel, «ao considerarem-se mutuamente» [17]. Isto, porém, pode constituir matéria de grande tensão.

O reconhecimento público e o merecimento individual

Tenho vindo a escrever sobre a esfera da consideração social como se se tratasse de um sistema de livre iniciativa. As honras, tal como as mercadorias, circulam entre os indivíduos através de trocas, extorsões e presentes; a oferta responde à procura de modo desajeitado e inadequado. Não há Estado Social, nem redistribuição de riqueza, nem um mínimo garantido (para além do mero reconhecimento de que cada indivíduo é um concorrente). E este parece o melhor sistema possível. As mais das vezes, o fluxo da consideração é distorcido pelo predomínio de outros bens e pelo poder monopolizador das velhas famílias, castas e classes. Se nos libertarmos destas distorções, deparar-se-nos-á uma versão aligeirada da corrida hobbesiana. Na melhor das hipóteses, seremos empresários na esfera da consideração social, uns prósperos e os outros indigentes.

Tudo isto é verdade, mas só parcialmente. É que paralelamente às distribuições individuais, há uma variedade de distribuições colectivas, recompensas, prémios, medalhas, menções honrosas e coroas de louros. As honras públicas são, como já disse, susceptíveis de ser ineficazes a menos que se submetam aos padrões dos particulares. É, porém, importante assinalar aqui que os indivíduos estabelecem padrões mais exigentes para a consideração que lhes é concedida do que para aquela que concedem. O padrão essencial do reconhecimento público é o merecimento. Não o merecimento concebido segundo um critério acidental e provinciano, não o merecimento dos amigos e inimigos pessoais: o reconhecimento público só é aceite e reiterado pelos particulares se for concebido como sujeito a um critério objectivo. Daí o ser distribuído por júris, cujos membros emitem, não uma opinião, e sim um veredicto, ou seja, um «discurso verdadeiro» sobre as qualidades dos destinatários. E nos júris o julgamento não é livre; encontra-se limitado pela prova e pelas normas. O que se pede é um julgamento integral. Quando a Igreja designa os seus santos e o Estado os seus heróis, fazem-se perguntas que devem ser respondidas com sim ou não. Aquele milagre ocorreu ou não, aquele acto de coragem foi ou não praticado.

A finalidade do reconhecimento público é a de achar, não os pobres merecedores, mas simplesmente os merecedores, sejam eles pobres ou não. Porém, a busca revelará indubitavelmente a existência de homens e mulheres cujos actos heróicos, êxito invulgar ou serviço público foram, por uma razão qualquer, negligenciados pelos seus semelhantes. Daí que, em certo sentido, seja uma distribuição compensatória, não por equilibrar a balança do reconhecimento, mas por compreender o desequilíbrio. Os seus agentes estão (idealmente) mais firmemente ligados aos padrões que perfilham do que os particulares. O reconhecimento público é efectivamente distribuído por motivos públicos; porém, os motivos públicos, ao contrário dos privados, só intervêm quando seleccionamos as qualidades dignas de reconhecimento e não quando seleccionamos as pessoas. Se as autoridades públicas seleccionassem sistematicamente aqueles homens e mulheres a quem fosse politicamente conveniente manifestar reconhecimento, estariam a desvalorizar as honras que distribuíssem. Daí o fenómeno da distribuição mista em que alguns indivíduos merecedores são acrescentados à lista de honras a fim de disfarçar a indicação dos distinguidos por motivos políticos; a maior parte das vezes, o disfarce é ineficaz.

Não são só as autoridades públicas que distribuem o reconhecimento público, mas também associações privadas, fundações e comissões. Todas as espécies de êxito são ou podem ser reconhecidas; as que são úteis ao Estado, as que são socialmente úteis e as que são simplesmente memoráveis, superiores, notáveis ou excitantes. Enquanto a selecção estiver sujeita a um critério objectivo, enquanto não for questão de arbítrio ou capricho individual, poderemos adequadamente encará-la como uma forma de reconhecimento público. O padrão é o merecimento e o que é recompensado é o mérito: esta ou aquela actuação, realização, boa acção, trabalho bem-feito ou bela obra atribuída a um indivíduo ou a um grupo de indivíduos*.

O merecimento tem pouca influência na distribuição dos bens sociais. Mesmo nos casos dos cargos públicos e da educação, o seu papel é indirecto e muito reduzido. No tocante à qualidade de membro, à previdência, à riqueza, ao trabalho duro, ao lazer, ao amor de família e ao poder político, a sua influência é nula (e relativamente à graça divina, não sabemos que influência tem). A desqualificação do merecimento não resulta, porém, do facto de o adjectivo *merecedor* não caracterizar com precisão os indivíduos de ambos os sexos, pois efectivamente realiza essa caracterização precisa. Os defensores da igualdade têm-se frequentemente sentido compelidos a negar a realidade do merecimento[18]. Aqueles a quem chamamos merecedores — afirmam — são simplesmente pessoas com sorte. Tendo nascido com certas aptidões, educados por pais amantes, exigentes ou estimulantes, encontram-se mais tarde a viver, por mero acaso, num tempo e lugar

* Mas será que as pessoas merecem as recompensas que recebem, não devido a um qualquer êxito e sim à sua condição pessoal? A vencedora de um concurso de beleza está a ser *distinguida*? Os organizadores dos actuais concursos de beleza parecem ter uma vaga e embaraçada consciência de que a vencedora não será distinguida se for escolhida unicamente pelos seus dotes físicos e, por isso, introduziram uma variedade de critérios baseados no «talento». A distinção é (para nós) o reconhecimento de determinada acção; ora a exibição da beleza física ou, aliás, o anúncio da nobreza de sangue e nascimento não constituem acção na verdadeira acepção do termo. Cada um precisa de utilizar os seus dotes de determinada maneira socialmente valorizada. Não é, porém, obviamente difícil imaginar sociedades baseadas em conceitos diferentes de distinção.

em que essas suas especiais aptidões, tão cuidadosamente estimuladas, são também apreciadas. É que não podem, por isso, reclamar qualquer crédito; no melhor sentido, não são responsáveis pelos seus êxitos. Mesmo o esforço que fizeram e a penosa aprendizagem a que se submeteram, não provam a existência de qualquer mérito pessoal, pois a capacidade de esforço ou de sacrifício é, como todas as suas outras capacidades, apenas um dom arbitrário da natureza ou da educação. Este argumento é, porém, estranho, pois embora o seu objectivo seja o de nos deixar perante pessoas com iguais direitos, é difícil admitir que nos deixe perante *pessoas* no sentido integral do termo. Como poderemos conceber estes homens e mulheres se opinarmos no sentido de que as suas capacidades e êxitos são acessórios acidentais, como se fossem chapéus e casacos que por acaso trouxessem vestidos? Que ideia farão, efectivamente, de si mesmos? As formas reflexas da consideração social, a autoconfiança e o amor-próprio, o que de mais importante possuímos e a que me referirei só no fim do presente capítulo, devem aparecer desprovidas de sentido àqueles cujas qualidades não são, na sua totalidade, mais do que fruto de uma lotaria.

O impulso determinante encontra-se aqui intimamente ligado ao impulso que leva os filósofos contemporâneos a ignorar o significado concreto dos bens sociais. Pessoas abstraídas das suas qualidades e bens abstraídos do seu significado, entregam-se, evidentemente, a distribuições que se regulam por princípios abstractos. Parece, porém, duvidoso que tais distribuições possam fazer justiça às pessoas como são, procurando bens como os concebem. Não encaramos as pessoas como espaços moral e psicologicamente em branco, portadores neutros de qualidades acidentais. As coisas não se passam como se tivéssemos de um lado X e do outro as qualidades de X, de modo a podermos reagir separadamente relativamente àquele e a estas. A questão posta pela justiça é precisamente a de distribuir bens a uma multidão de Xs de modo a ter em conta os seus eus concretos e globais. Quer dizer, a justiça começa pelas pessoas. E mais do que isto, começa pelas pessoas-no-mundo-social com bens no pensamento e também nas mãos. O reconhecimento público é um desses bens e não é preciso pensarmos nele longa ou profundamente para concluirmos que não pode literalmente existir como bem a menos que existam homens e mulheres merecedores. Este é o único ponto em que o merecimento tem de ser tido em conta para que, de todo em todo, haja distribuição ou qualquer valor no que for distribuído.

Pode, é claro, distribuir-se distinções públicas por motivos utilitários, de modo a estimular actuações política ou socialmente úteis. Tais motivos desempenharão sempre um papel no processo das distinções, mas não vejo o que poderão valer sozinhos. Como poderemos saber a quem distinguir se não nos empenharmos em atender ao merecimento pessoal? Qualquer um servirá enquanto aquele estímulo se revelar eficaz. Efectivamente, as autoridades poderão muito bem achar melhor inventar uma actuação e «imaginar» o autor adequado de modo a certificarem-se de que estão a estimular precisamente quem querem. Esta possibilidade (que reflecte um velho argumento contra a explicação utilitária da punição) revela que há boas razões para não abandonar o conceito comum do merecimento individual. De outro modo, o reconhecimento só será utilizado despoticamente. Porque tenho poder, distinguirei desta ou daquela maneira. Não interessa quem vou escolher, porque na verdade ninguém merece ser distinguido. E não interessa a ocasião, pois não aceito a existência de qualquer relação (intrínseca) entre o reconhecimento e uma série especial de actuações. Este género de coisas não funciona se o déspota não ficar no poder o tempo suficiente para modificar o conceito comum de actuação meritória. Mas esse é precisamente o seu objectivo.

Os stakhanovistas estalinianos

Stakhanov não foi inventado, embora o pudesse muito bem ter sido. Era um mineiro de carvão dotado de força e energia invulgares que produzia mais carvão do que a quota oficialmente exigida. Evidentemente que numa sociedade socialista, num Estado proletário, esta proeza era honrosa. Com igual evidência, a força e a energia de Stakhanov eram, segundo uma expressão contemporânea, «arbitrárias do ponto de vista moral», não havendo razão para o distinguir dos restantes trabalhadores, menos bem dotados, que também trabalhavam duramente. (Nem haveria qualquer razão, atento este ponto de vista sobre a arbitrariedade, para distinguir os que trabalhavam duramente dos que se limitavam a trabalhar.) Porém, ao escolher Stakhanov, não apenas para ser distinguido e sim para figurar como símbolo vivo da honra socialista, Estaline estaria presumivelmente a aprovar a ideia de merecimento. Stakhanov merecia ser distinguido por ter feito o que fez e o que fez era honroso. Na verdade, é quase certo que o próprio Estaline não acreditava na primeira destas asserções e os colegas de Stakhanov não acreditavam na segunda.

A ideia de merecimento implica determinada concepção da autonomia humana. Antes de um indivíduo poder actuar honrosamente, tem de ser responsável pela sua actuação; tem de ser um agente moral, devendo a actuação ser mesmo sua. Houve filósofos e psicólogos soviéticos nos anos 30 que perfilhavam essa opinião sobre a actuação humana; todavia, quando Estaline anunciou finalmente, no período que se seguiu imediatamente à Segunda Guerra Mundial, qual era a sua posição nesta matéria, a orientação que manifestou era muito diferente. Adoptou nessa altura um pavlovismo* radical, segundo o qual «o homem é um mecanismo reactivo cujo comportamento, incluindo a actividade mental superior, pode ser exaustivamente entendido através do conhecimento das leis do condicionamento e... controlado através da aplicação daquele conhecimento» [19]. Esta é só uma das teorias psicológicas em que plausivelmente se funda a negação do merecimento individual, devendo, porém, dizer-se que essa fundamentação funciona muito bem. Estaline provavelmente perfilhava esse ponto de vista nos anos 30 quando foi lançada a experiência stakhanovista. Porém, se a actividade energética de Stakhanov (pondo agora de lado a sua força física) é produto do seu condicionamento, em que sentido merece então ser distinguido por ela? Estaline escolheu-o unicamente por razões utilitárias: o

* Pavlov (Ivan Petrovich), fisiologista russo (1849-1936), Prémio Nobel em 1904. *(NT)*

objectivo do stakhanovismo foi o de condicionar os restantes trabalhadores, levando-os a actuar de igual modo para que as quotas pudessem ser aumentadas, as linhas de montagem aceleradas, etc. O prémio stakhanovista não era um reconhecimento e sim um incentivo, um aguilhão, uma destas propostas que facilmente se converte em ameaça. Penso que isto é o que pode acontecer a um prémio na ausência de uma teoria do merecimento.

É claro que os outros trabalhadores recalcitraram. O proveito que Estaline tinha em mente não era o seu. As suas objecções foram, porém, mais longe do que isso. Pensassem eles o que pensassem de Stakhanov, manifestamente não pensavam que os seus sucessores, os stakhanovistas de meados dos anos 30, merecessem ser distinguidos. Os conquistadores de prémios tinham (presumivelmente) trabalhado duramente, mas tinham também violado normas da classe e quebrado a sua solidariedade. Segundo a opinião geral, não passavam de oportunistas e renegados, o equivalente proletário do Pai Tomás*; eram censurados, votados ao ostracismo e hostilizados no trabalho[20]. A distinção concedida por Estaline era motivo de desonra individual e comunitária. É indubitável que esta desonra se destinava em parte a actuar como um desincentivo, mas julgo que os trabalhadores também teriam dito que agiam assim em resposta ao carácter desonroso da actividade stakhanovista e dos seus praticantes. Ou seja, teriam dito que acreditavam que se devia dar às pessoas o que (realmente) mereciam.

É, porém, difícil saber se isso é possível. Mesmo que recusemos a interrogação de Hamlet, «Quem escaparia ao azorrague?» e admitamos que haja pessoas que merecem o reconhecimento público, fica por saber se há maneira de descobrir as pessoas certas. Será que os júris podem emitir veredictos que não sejam meras opiniões? Será que os prémios não são arbitrários ainda que acordemos em que as boas actuações o não são? É importante não levantar demasiado a craveira. Não somos deuses e nunca saberemos o suficiente para nos pronunciarmos com toda a verdade sobre as qualidades e actuações de outros seres humanos. O que conta, porém, é a aspiração. Aspiramos a veredictos e não opiniões e planeamos determinados sistemas a bem dessa aspiração. Daí (novamente) o júri, um conjunto de mulheres e homens que juraram procurar a verdade. Algumas vezes, a verdade está fora do seu alcance e acabam por escolher entre aproximações que concorrem entre si. Outras vezes, cometem erros e, outras ainda, os seus membros são corruptos ou parciais. Umas vezes, o desacordo é demasiado profundo e não conseguem chegar a um veredicto; outras, os seus membros limitam-se a negociar um acordo. Porém, as críticas que normalmente fazemos aos júris servem com efeito para confirmar o seu objectivo. É que o que dizemos é que deveriam ter feito melhor ou que nós poderíamos ter feito melhor e não que não há nada para fazer. Pelo menos, em princípio, é possível dizer a verdade.

---

* *Uncle Tom*, negro considerado pelos outros negros como subserviente para com os brancos ou procurando cair-lhes nas boas graças. Esta designação inspira-se na personagem principal do romance de Harriet Beecher Stowe, *Uncle Tom's Cabin*, traduzido em português por *A Cabana do Pai Tomás*. *(NT)*

O Prémio Nobel da Literatura

Consideremos agora uma das mais respeitadas e controversas formas de reconhecimento público. Alfred Nobel instituiu por testamento, em 1896, um prémio para o êxito literário, mas as suas cláusulas eram sucintas e de modo nenhum inteiramente claras. O prémio deveria ser dado «a quem tiver produzido no campo da literatura a mais notável obra de tendências idealistas»[21]. Os sucessivos júris têm sido obrigados a decidir como caracterizar «o campo da literatura» para efeitos do prémio e como interpretar a palavra «idealismo» com referência a esse campo. E, assim, têm tido que escolher entre a extraordinária variedade de candidatos, escrevendo em diferentes géneros, em diferentes línguas e no âmbito de diferentes tradições literárias. Como poderiam os júris chegar sequer perto de um veredicto? «É absolutamente impossível», escreveu Carl David af Wirsén, o principal membro do primeiro júri, «decidir se um poeta dramático, épico ou lírico... um autor de baladas ou um homem de ideias deve considerar-se como o maior de todos. É como decidir sobre o mérito relativo do ulmeiro, da tília, do carvalho, da rosa, do lírio ou da violeta»[22]. E, contudo, as actas das reuniões do júri mostram que Wirsén tinha ideias muito precisas sobre quem deveria ganhar o prémio. E os críticos dos sucessivos júris — e tem havido muitos críticos — nunca insistiram na ideia da impossibilidade. Se, por um lado, parece disparatado tentar sequer classificar todos os escritores do mundo, parece, por outro, quase natural distinguir um muito pequeno número de escritores preeminentes. E, então, críticos e leitores parecem cair prontamente em discussões sobre quem é o melhor de todos.

Penso que nunca poderá haver uma resposta simples a esta questão. Porém, decorrido algum tempo, pode muito bem surgir uma série de respostas que mais ou menos esgotem o assunto. E o objectivo dos sucessivos júris foi o de promover essa série. A circunstância de Tolstoi, Ibsen, Strindberg, Hardy, Valéry, Rilke e Joyce nunca terem recebido o prémio revela que não foram totalmente bem sucedidos. Todavia, os críticos não têm grande dificuldade em apontar as omissões que constituem malogro do júri. É claro que temos a vantagem de só posteriormente nos pronunciarmos e é importante recordar que o prémio é e deve ser um reconhecimento imediato de um autor que os seus contemporâneos julguem preeminente e não uma tentativa de registar os juízos da história. E, contudo, Tolstoi, Ibsen, Strindberg, Hardy, Valéry, Rilke e Joyce foram julgados preeminentes por muitos dos seus contemporâneos... Talvez os membros do júri se sintam às vezes constrangidos por factores políticos; talvez pensem que os prémios devem atender a uma certa distribuição geográfica. Acabam, assim, por resvalar para o trabalho de uma comissão de selecção, procurando um candidato para preencher uma vaga. E, nessa altura, a crítica usual é a de que deveriam proceder mais como um júri. Em qualquer caso, é possível proceder como um júri e a história do Prémio Nobel e das controvérsias que rodearam determinados prémios revela claramente que todos nós acreditamos haver escritores que merecem ser distinguidos.

Não é, porém, necessário (excepto no caso do testamento de Alfred Nobel) que visemos unicamente os êxitos «mais notáveis»; podemos simplesmente visar todos os êxitos que se fazem notar. Esta é a forma mais usual de reconhecimento público nas sociedades modernas em que a lista de honras é sempre publicada e a respectiva chamada sempre feita com um pedido tácito de desculpas a todos os que, por inadvertência, tenham sido excluídos e merecessem ter sido incluídos. Há talvez uma certa tensão entre a lista alargada e o prémio principal. No seu *Governo da Polónia*, Rousseau explorou esta tensão para daí extrair uma conclusão democrática. Descreveu a Junta de Censores que «iria elaborar listas completas e precisas de pessoas de todas as categorias que se tivessem conduzido de modo a merecer distinção ou recompensa» e prosseguiu, dizendo que essa Junta

> deveria atender muito mais aos autores do que às acções isoladas. As verdadeiramente boas acções são praticadas com pouca ostentação. Um comportamento constante no dia-a-dia, as virtudes praticadas por um homem na sua vida privada e doméstica, o cumprimento rigoroso dos deveres inerentes à (sua) posição... são estas as coisas por que um homem merece ser distinguido, mais do que pelos feitos espectaculares praticados ocasionalmente os quais, aliás, serão sempre recompensados pela admiração pública. Os filósofos sensacionalistas têm uma especial ternura pelos feitos ruidosos[23].

Este último ponto é provavelmente verdadeiro, embora não veja motivo para que nos esforcemos por evitar aderir à admiração manifestada pelo público em geral por este ou aquele «feito espectacular». Rousseau tem, contudo, razão em insistir na importância do reconhecimento das virtudes do homem comum, especialmente num regime democrático. Os prémios stakhanovistas de Estaline representam uma paródia imoral do que é necessário fazer-se, paródia essa, porém, em que a necessidade continua à vista. Esta é muito vulgarmente satisfeita nos exércitos contemporâneos onde a mais alta distinção por actos heróicos não impede distinções menores por actos menos importantes. Por outro lado, a necessidade não é de todo satisfeita naquelas ocupações cujo prestígio social é baixo: «o heroísmo por vezes inacreditável patenteado pelos mineiros e pelos pescadores», como afirmou Simone Weil, «mal tem eco entre os próprios mineiros e pescadores»[24]. O reconhecimento público tem aqui obviamente um carácter compensatório e também pedagógico: convida os cidadãos comuns a superar os seus preconceitos e a reconhecer o merecimento onde estiver, mesmo no seu próprio seio.

Os triunfos: romanos e outros

Esta espécie de distribuição não é politicamente neutra. Se é certo que a democracia parece exigi-la, os outros regimes só a toleram com algum risco. Nas monarquias e oligarquias, o merecimento é um princípio subversivo e isto é assim mesmo quando estão em causa apenas «feitos espectaculares». Trata-se de uma afirmação já velha em teoria política, mas que é digna de menção pois ajuda a compreender por que razão a autonomia das esferas distributivas é sempre relativa. A referência-padrão é o triunfo romano, «a mais alta honra», afirmou Jean Bodin, «a que podia aspirar um cidadão romano... O triunfador fazia a sua entrada mais glorificado do que um rei no seu reino.» Coberto de púrpura e ouro, coroado de louros, conduzindo uma quadriga à frente do seu exército e trazendo atrás de si os prisioneiros acorrentados, o comandante vitorioso seguia até ao Capitólio, «arrebatando os corações de todos, em parte de inconcebível alegria e em parte de espanto e admiração». O triunfo só é adequado a um Estado popular (com uma forte consciência das virtudes do cidadão). Um rei, pelo contrário, tem de ter ciúmes da honra; é uma fonte avara, um monopolista da glória. Não pode consentir que ninguém senão ele arrebate os corações do seu povo. «E por conseguinte», prossegue Bodin, «nunca vemos os monarcas, e muito menos os tiranos, conceder triunfos e entradas honrosas aos seus súbditos, quaisquer que tenham sido as vitórias conseguidas sobre o inimigo... a honra da vitória é sempre devida ao príncipe ainda que tenha estado ausente do campo de batalha.»[25] Francis Bacon chega à mesma conclusão nos seus *Ensaios*: «É que a honra (do triunfo) talvez não seja adequada às monarquias, salvo à pessoa do próprio monarca ou dos seus filhos.»[26]

Segundo Bodin, esta conclusão aplica-se até mais justamente aos tiranos. Foi por isso que governantes como Estaline e Mao sempre reivindicaram para si próprios a honra dos grandes êxitos, não só na guerra, mas também na ciência, na linguística, na medicina, na poesia, na agricultura, etc. E era por isso que o pobre Stakhanov não podia ser distinguido por algo que os seus colegas achassem honroso para que «o doce e sedutor engodo da honra» não o levasse a procurar um papel representativo ou de chefia. Os tiranos concedem distinções por razões de manipulação ou de capricho, para diminuir o valor da mercê. Exigem, porém, ser distinguidos pelo seu suposto merecimento. É evidente que em tempos recuados se honravam os reis por motivo do nascimento ou do sangue ou pela sua realeza, coisas por si mesmas dignas de honra. Nem Bodin nem Bacon expuseram a reivindicação nestes termos; as suas afirmações são apelos à prudência política. Para eles tal como para nós, a honra cabe a quem a merece. A honra do rei é, pois, uma mentira política. Embora Bodin e Bacon nunca o pudessem ter dito, todos os reis são usurpadores e tiranos. «É que... a honra que é a única recompensa da virtude, é tirada — ou pelo menos muito cerceada — aos que a merecem.»[27] O reconhecimento dos homens e mulheres merecedores — e de todos os homens e mulheres merecedores — só é possível em democracia. E o reconhecimento, ao que parece, opera maravilhas. As democracias têm mais heróis e mais cidadãos empreendedores e prontos a sacrificar-se pelo bem comum do que qualquer outro regime, todos eles seduzidos, no dizer de Bodin, pelo doce engodo da honra. Ao mesmo tempo, porém, a honra não deve ser tão largamente distribuída que acabe por se desvalorizar. Os filósofos do igualitarismo defendem geralmente a ideia de que numa comunidade democrática os cidadãos devem ser igualmente respeitados[28]. Mais adiante tentarei descobrir um sentido que possa justificar esta asserção; porém, nos termos da exposição que tenho vindo a fazer, faria mais sentido negá-la. A lei é imparcial. Quando os cidadãos dirigem petições ao governo, têm o direito a receber deste igual atenção; igual consideração, quando há cargos disponíveis; e igual cuidado, quando se distribui a previdência. Mas quando é o respeito que está em causa, não têm direito a qualquer «consideração atenciosa», atenção especial ou eminência ritual enquanto se não descobrir que a merecem.

Essa descoberta é, obviamente, diferente das «descobertas» do mercado e da corrida hobbesiana, uma vez que, em princípio, está livre de toda a espécie de regateio e extorsão. O reconhecimento público não é um presente ou um suborno e sim uma afirmação verdadeira de distinção e valor. Porém, os valores incluídos nessa afirmação têm de ser compreensíveis para os participantes normais no mercado e na corrida e as distinções por aquela aprovadas devem ser as que estes estão dispostos a fazer. O reconhecimento público não pode pois ser igualitário, tal como o reconhecimento privado o não pode ser, não, pelo menos, no sentido simples da palavra. Mesmo quando homens e mulheres habitualmente ignorados são reconhecidos e honrados — digamos, por uma junta de censores rousseauniana — é devido a qualquer êxito ou notícia de êxito que, se amplamente divulgado, lhes traria a admiração dos seus concidadãos. O reconhecimento de que a honra pode ser merecida por aqueles que convencionalmente não são honráveis é um aspecto fundamental da igualdade complexa, mas não reduz nem anula a singularidade da honra.

A punição

O mesmo acontece com a punição, o exemplo mais importante da desonra pública. Todos os cidadãos são considerados inocentes até se provar que são culpados, mas esta máxima não apela ao respeito universal e sim à ausência universal de desrespeito. A lei não deixa de ter em conta as pessoas. Não tem (ou não devia ter) opiniões preconcebidas relativamente aos indivíduos por serem bem-nascidos e portadores de um título nobiliárquico, ou por terem uma porção de dinheiro, ou por perfilharem este ou aquele conjunto de opiniões políticas. A punição requer um julgamento específico, o veredicto de um júri; isto mostra que punimos as pessoas só quando merecem ser punidas. A punição, tal como a honra, é uma selecção. De facto, a punição parece-se mais com um primeiro prémio do que com uma lista de honras na medida em que punimos os indivíduos por actos isolados (e com especial severidade por «feitos espectaculares») e não por uma má vida. Talvez fosse possível conceber algo de semelhante à honra rousseauniana, uma espécie de reconhecimento público da maldade não-criminosa, mas nada disto desempenha qualquer papel — ou tanto quanto sei, alguma vez desempenhou qualquer papel — na instituição da punição.

A punição é um estigma poderoso, pois desonra a sua vítima. Segundo o relato bíblico, Deus assinalou Caim para o proteger, mas o sinal estigmatizava-o como assassino e, portanto, era um castigo; embora todos nós pudéssemos estar gratos pela protecção divina, ninguém quer ser portador do sinal de Caim. Não há forma de punir que não marque e estigmatize os que são punidos. Isto é tão verdadeiro para as punições utilitárias como para as retributivas. Qualquer que seja o objectivo da punição e tenha a justificação que tiver, o efeito distributivo é o mesmo. Se o nosso objectivo ao punir é o de dissuadir outras pessoas de cometerem crimes, não o podemos fazer sem seleccionar determinado criminoso; a dissuasão exige um exemplo e os exemplos devem ser específicos. Se o nosso objectivo é o de condenar certas formas de acção, não podemos fazê-lo sem condenar um agente. A indicação tem de ser concreta para ser entendida. Se o nosso objectivo é o de regenerar o homem ou a mulher que infringiu a lei, não o podemos fazer sem nomear esse homem ou essa mulher em especial como alguém que precisa de ser regenerado. Nos primeiros dois casos (embora não no terceiro), poderíamos escolher alguém ao acaso, forjar as provas e acusar falsamente essa pessoa de um qualquer crime que quiséssemos combater ou condenar. Se os indivíduos não fossem responsáveis pela sua personalidade e a sua conduta, seria indiferente escolher este ou aquele. Não estaria, porém, em causa a justa distribuição, pois os irresponsáveis não são sujeitos adequados de justiça. E nem uma punição deste tipo — desde que entendida por todos tal como seria — seria desonrosa em qualquer acepção da palavra. Contudo, sendo a punição desonrosa como é, o certo é, pois, que há homens e mulheres que merecem e outros que não merecem ser punidos. E o que é então criticamente importante é que se descubram as pessoas certas e que o sinal de Caim seja posto em *Caim*. Mais uma vez, se dirá que não somos deuses e nunca poderemos efectivamente ter certezas, mas devemos conceber instituições distributivas que nos aproximem delas o mais possível.

Há uma espécie de ansiedade moral que acompanha a prática da punição e, provavelmente, tem tanto a ver com a desonra como com a coerção e o sofrimento que a punição implica. Coerção e sofrimento constituem também um dos aspectos do serviço militar onde não produzem a mesma ansiedade nem nos levam a procurar homens e mulheres merecedores. Contudo, o serviço militar não é desonroso, não sendo, ou não devendo ser, uma punição. Tentamos distribuí-lo com justiça; fazemo-lo, porém, e podemos fazê-lo, sem nos preocuparmos de todo com o merecimento. O recrutamento não se baseia numa série de veredictos. Do mesmo modo, a punição não se baseia na designação genérica de um grupo etário e não escolhemos os presos por sorteio nem isentamos os asmáticos ou os portadores de varizes. Recrutamos os fisicamente aptos, aqueles homens e mulheres julgados capazes de suportar os rigores da guerra. Só punimos, porém, os que o merecem: não aqueles que se apresentam como mais aptos a sofrer o estigma da punição nem uns tantos escolhidos ao acaso e sim os que devem sofrê-lo. Aspiramos a uma extraordinária e difícil precisão.

E decidimos quem são as pessoas certas através do mecanismo do julgamento que é um inquérito público sobre a verdade de determinada conduta. Organizado embora de maneira diferente nas diversas culturas, o julgamento é uma instituição muito antiga; encontra-se quase por toda a parte e sempre assinalado como um procedimento especial cuja finalidade não é uma opinião comum ou uma decisão política e sim um juízo, uma comprovação, um veredicto. Salvo no País das Maravilhas de Alice, a punição segue-se ao veredicto e é impossível sem este. Poder-se-á mesmo dizer que o veredicto é a punição, pois veicula o estigma que os subsequentes coerção e sofrimento simbolizam e impõem. Sem o veredicto a coerção e o sofrimento não passam de malevolência e, presumindo que esta é conhecida, não trazem qualquer estigma consigo. Do mesmo modo, se o julgamento for uma fraude, as suas vítimas são mais susceptíveis de ser honradas do que desonradas pela «punição».

Se distribuíssemos de outro modo a punição, ela nunca o seria. Compreenderemos isto melhor se considerarmos dois mecanismos diferentes que designarei por «eleição» e «procura». Poderíamos escolher por meio do voto as pessoas que punimos como faziam os antigos atenienses ao escolherem os cidadãos objecto de ostracismo, ou poderíamos procurar os candidatos mais qualificados, como os actuais defensores da prisão preventiva querem que façamos. Ambos estes sistemas são eminentemente práticos, mas na medida em que distribuem desonra, fazem-no, penso eu, despoticamente.

O ostracismo em Atenas

Na Antiguidade, o exílio era uma forma de punição e era frequentemente aplicado nos casos de crimes muito graves. Tinha como consequência a perda da qualidade política de membro e os direitos civis e não havia autor grego ou romano que perfilhasse a opinião de Hobbes segundo a qual «uma simples mudança de ares não é castigo» [29]. Esta opinião pertence a outra época em que a consciência do lugar e da comunidade tinham já perdido acuidade. Porém, o exílio, pelo menos em Atenas, só constituía punição quando se seguia a um julgamento e a um veredicto. O ostracismo era algo de muito diferente e era-o, precisamente, porque aí o cidadão exilado não era julgado e sim escolhido pelos seus pares. Nos primeiros tempos do regime democrático, este procedimento destinava-se a permitir aos cidadãos livrarem-se de indivíduos poderosos ou ambiciosos que poderiam propender para a tirania ou cujas rivalidades ameaçassem a paz na cidade. Daí que o ostracismo fosse uma espécie de derrota política, um dos riscos da política democrática. Não significava que os indivíduos escolhidos merecessem o exílio; só que era melhor para a cidade, na opinião dos cidadãos, que fossem exilados. Não havia acusação nem defesa. A lei ia ao ponto de excluir as nomeações e o debate, talvez com o propósito consciente de evitar algo que se parecesse com um julgamento. Os cidadãos limitavam-se a escrever num caco ou numa telha* (os arqueólogos contemporâneos têm encontrado milhares) o nome de quem queriam votar ao ostracismo e a pessoa que recebesse uma pluralidade** de votos era banida por dez anos sem apelo. Deste procedimento resulta, como afirma Finley, que o ostracismo era um «exílio honroso... sem perda da propriedade e sem desonra social» [30].

Porém, quando a prática do ostracismo foi abandonada em fins do século V, continua Finley, «o exílio normal com base em "acusação criminal" continuou a ser possível» [31]. Quer dizer, era possível utilizar o sistema do júri para infligir a mesma espécie de derrota política a um adversário ou a um rival. É que o júri ateniense era uma assembleia com milhares de membros e o processo criminal era facilmente politizado. Todavia, quando se condenavam os adversários e rivais em vez dos criminosos, enviando-se os mesmos para o que já não podia ser chamado um «exílio

* Ou numa casca de ostra; daí o nome de «ostracismo». *(NT)*
** Em Atenas, eram necessários pelo menos dez mil votos. *(NT)*

honorário», a condenação era um puro acto despótico. Puno-te, porque tenho poder político e disponho do número suficiente de votos. A distinção entre o ostracismo e a punição traça uma bela fronteira entre a opinião popular e o veredicto de um júri, entre a derrota política e o merecimento criminal e ensina-nos uma bela lição. A desonra social, para ser distribuída com justiça, deve seguir-se a um veredicto, deve ser função do merecimento.

A prisão preventiva *

Assim como os atenienses votavam os cidadãos perigosos ao ostracismo, assim também nos sentimos por vezes inclinados a prendê-los. Se houvesse uma forma de «detenção honorária», poderia constituir um sistema interessante. Contudo, não existe presentemente essa forma e os defensores da prisão preventiva ainda não conseguiram descrever o que quer que fosse, tão diferente da prisão ordinária como o ostracismo o era do exílio ordinário. E as perspectivas não são prometedoras, pois o que têm em mente é um perigo criminal e não político, não se vendo facilmente como se poderia prender honrosamente homens e mulheres designados como potenciais criminosos[32].

A ideia subjacente à prisão preventiva é a de que deveríamos preencher os lugares nas cadeias após uma busca de candidatos qualificados — homens e mulheres susceptíveis de praticar más acções — tal como preenchemos cargos após uma busca de homens e mulheres susceptíveis de agir bem. O que se pretende é, não um juízo e sim um prognóstico; logo, matéria não para um júri e antes para uma comissão de selecção. É possível que a comissão tenha de possuir conhecimentos periciais (o que um júri não tem) ou, pelo menos, tenha de consultar peritos. Se o seu prognóstico for exacto, será então possível deter pessoas antes de ser necessário prendê-las e, deste modo, a segurança da vida quotidiana aumentará grandemente. É claro que um prognóstico não é a mesma coisa que um veredicto; embora se possa afirmar que, atentas as fantasias dos júris e a suposta competência das comissões de selecção, o primeiro é tão susceptível de ser um «discurso verdadeiro» como o segundo. Porém, isto passa por cima da diferença crucial entre os dois. Se se actuar com base num prognóstico, torna-se impossível vir a saber se o discurso era verdadeiro. A incidência do crime pode muito bem diminuir bruscamente após a instituição de um programa de prisão preventiva; na verdade, é óbvio que diminuirá se se detiver um número suficiente de pessoas. Nunca se ficará, porém, a saber se aquela pessoa, agora encarcerada, iria ou não cometer qualquer crime.

Toleramos esta incerteza no caso dos cargos por não termos outra alternativa. Não há forma de saber se determinado candidato excluído teria desempenhado melhor o cargo do que um outro que foi admitido. A conduta requerida pelos cargos,

---

* Trata-se aqui — como se vê pela leitura do texto que se segue — da prisão de criminosos potenciais e não da normal prisão de suspeitos da autoria de crimes realmente ocorridos. *(NT)*

ao contrário da pressuposta pela punição, só surge após a distribuição. Um certo grau de consideração é, sem dúvida, inerente ao cargo mesmo antes de qualquer desempenho, mas já tentei sugerir que, em circunstâncias de igualdade complexa, só se conceda a mais alta distinção aos detentores de cargos que os desempenhem bem. No circunstancialismo actual, a punição representa uma distinção negativa e não um cargo negativo. É consequência de uma acção e não de uma qualificação; punimos indivíduos que se comportaram mal. Este ponto de vista sobre a punição é defensável com referência ao valor da liberdade: mesmo aqueles homens e mulheres de quem se pode dizer que provavelmente cometerão crimes, têm o direito de optar por os cometer realmente ou não [33]. Julgo, porém, que faz mais sentido colocar a questão de modo algo diferente. Se valorizássemos menos a liberdade, teríamos concebido uma forma de detenção honorária, assim como a quarentena dos portadores de doenças contagiosas para a qual os indivíduos se poderiam qualificar (embora seja de presumir que prefeririam não o fazer). É por não termos feito isso — ou não optámos por o fazer ou não fomos capazes de o fazer — que a prisão preventiva é injusta. Os homens e mulheres detidos são punidos por razões que nada têm a ver com a nossa comum concepção da punição e de como deve ser distribuída. A prisão preventiva é, pois, um acto despótico.

Auto-admiração e amor-próprio

A honra e a desonra são particularmente importantes por tomarem tão prontamente a forma reflexa. Há, na verdade, uma velha afirmação segundo a qual as concepções do eu não passam de juízos sociais interiorizados. Não há autoconhecimento sem a ajuda dos outros. Vemo-nos num espelho formado pelos seus olhos. Admiramo-nos a nós próprios quando somos admirados pelos que nos rodeiam. Sim, mas há que acrescentar o seguinte: não só nessa ocasião e nem sempre mesmo nessa ocasião. O ciclo da consideração é problemático. Vejamos o caso de alguém que seja pretensioso e enfatuado: admira-se a si próprio mais do que os outros o admiram. Vejamos o caso de alguém com um profundo complexo de inferioridade: julga-se inferior, mas os outros não o julgam assim. Talvez em tempos alguém tenha posto o primeiro nos píncaros da Lua ou humilhado o segundo. Em todo o caso, estamos perante interrupções do ciclo que nos deveriam alertar para as dificuldades da forma reflexa. O que distribuímos uns aos outros é admiração e não auto-admiração, respeito e não amor-próprio, insucesso e não consciência do insucesso, sendo indirecta e incerta a relação entre o primeiro e o segundo termos de cada um destes pares.

A auto-admiração pode muito bem ser de grau extremamente elevado nas sociedades hierarquizadas, salvo no nível mais baixo da hierarquia. Os membros de todos os outros níveis, olhando, como diz Rousseau, «mais para baixo do que para cima», sentem mais satisfação com a deferência de que são alvo do que aversão pela deferência que dispensam. Neste sentido, nas sociedades hierarquizadas repete-se muitas vezes, nos sucessivos níveis, aquela alegria que Tertuliano afirmava que os santos sentiriam ao observarem os sofrimentos dos condenados. E esta alegria é, não apenas sensitiva, mas também mental, uma elevada auto-admiração que tem a ver com a elevação social (ou espiritual) que os santos pensam ter alcançado. Deixariam de ser felizes, como Rousseau afirma a respeito dos ricos e dos poderosos, a partir do momento em que as pessoas abaixo deles «deixassem de ser desgraçadas»[34]. Mas a desgraça dos que estão em baixo não se reflecte, nem sempre nem necessariamente, num menor sentimento de auto-admiração. Os níveis inferiores imitam os superiores e procuram obter certas vantagens comparativas. Assim, os varredores indianos, segundo um antropólogo contemporâneo, aceitam o seu lugar no sistema hierárquico, mas também «associam o seu trabalho... a uma dureza que admiram tanto nos homens como nas mulheres e a beber e comer substâncias "picantes", carne e bebidas alcoólicas fortes. Ligada a isto está a sua convicção de serem fogosos e sexualmente muito potentes»[35]. Pode chamar-se a isto compensação, se assim se quiser, como que a dizer que o seu valor é apenas subjectivo; não deixa, porém, de ter valor. Do seu nível os varredores olham para baixo, para a pálida abstinência das castas «superiores».

Não quero com isto dizer que os varredores não tivessem maior auto-admiração se a hierarquia fosse abolida. Presumo que sim. Contudo, poderia acontecer que a quantidade total de auto-admiração — caso pudesse ser medida — seria menor (isto não é um argumento a favor da hierarquia). Na sociedade de senhores devemos esperar encontrar uma espécie mais uniforme de auto-admiração, mais ampla, mas também mais nervosamente mantida de modo a que homens e mulheres se aproveitem de todas as oportunidades de se distinguir dos outros. «No estado da nossa sociedade, é impossível», escrevia Thackeray nos anos 40 do século passado, «não ser às vezes snobe.»[36] O snobismo é a vaidade daqueles que já não sabem ao certo qual é o seu lugar e é pois um vício particularmente democrático. Diz-se de um snobe que «ele se arma em importante» e «se dá ares». Age como se fosse um aristocrata e reivindica um título que não tem. É difícil descobrir como se pode evitar este género de coisas mesmo que, à medida que a memória da aristocracia se vai desvanecendo, comece a tomar formas bastante diferentes (embora surpreendentemente, ainda não muito diferentes) das descritas por Thackeray. Se eliminarmos a categoria social como base do snobismo, então as pessoas passarão a ser snobes com base na riqueza, nos cargos, na instrução e na cultura. Se não for uma coisa, será outra, pois os homens e as mulheres avaliam-se — tal como são avaliados — por comparação com os outros. «A visão do contraste», escreveu Norbert Elias, «aumenta a alegria de viver»[37]. A auto-admiração é um conceito de relação. Num circunstancialismo de igualdade complexa o modelo de relações tornar-se-á frouxo e libertar-se-á da dominação da categoria social e da riqueza, a alegria especial da aristocracia será abolida e o snobismo, nesta ou naquela base, estará ao alcance de todos. A auto-admiração, porém, continuará a ser um conceito de relação.

O caso é, porém, diferente no que toca ao amor-próprio. Esta diferença revela-se nitidamente na linguagem que usamos, mas os filósofos contemporâneos com frequência não lhe dão atenção nas suas obras. Segundo o dicionário, a auto-admiração é «a apreciação ou opinião favorável de si mesmo», ao passo que o amor-próprio é «o respeito adequado pela própria dignidade ou pela própria posição»[38]. Ao contrário da primeira, o segundo é um conceito normativo e dependente das nossas concepções morais das pessoas e das posições. A mesma diferença não se verifica nas formas não reflexas e simples da admiração e do respeito. Estes dois termos pertencem ambos ao universo das comparações interpessoais, ao passo que o amor-próprio pertence a um outro universo. O conceito de honra, como o de «bom nome», parece pertencer a ambos os universos. Eu respeito-me, não em relação aos outros e sim a determinado padrão; ao mesmo tempo, os outros podem ajuizar, pelo mesmo padrão, se tenho o direito de me respeitar a mim próprio.

Vejamos um exemplo retirado da minha exposição sobre a instrução. «A satisfação das necessidades educativas», escreveu R. H. Tawney, «sem olhar à irrelevante trivialidade da classe e do rendimento, faz parte da honra do professor» (v. p. 217). Apela-se aqui a uma certa concepção compartilhada do professor, a um código profissional (implícito). Presume-se que cada professor concebe a sua honra nos termos deste código; não deve respeitar-se a si mesmo se a sua conduta se não pautar por aqueles termos. Mas se se pautar, deve respeitar-se. As frases seguintes têm idêntico sentido:

> Nenhum médico que se respeite trataria os doentes deste modo.
>
> Nenhum sindicalista que se respeite concordaria com um contrato deste género.

O que está em causa é a dignidade da posição e a integridade da pessoa que a ocupa. Esta não deve rebaixar-se para obter proveito pessoal, nem subestimar-se, nem sofrer esta ou aquela afronta. E o que se considera rebaixamento, subestimação e capacidade de sofrimento depende do significado social da função e do trabalho. Nenhuma descrição real de amor-próprio terá carácter universal.

É, porém, inteiramente possível que todos os professores, médicos e sindicalistas recusem rebaixar-se, subestimar-se, etc., exprimindo em todos os seus actos um respeito adequado pelas suas pessoas e posições. A regra do respeito adequado pode, evidentemente, ser discutível e a discussão pode gerar um comportamento competitivo. Contudo, a prática do amor-próprio não é competitiva. Desde que conheçamos a regra, regular-nos-emos por ela e a minha consciência (ou a consciência dos outros) de a ter satisfeito, embora possa aguilhoar a consciência de alguém e tornar-se incómoda para esse alguém, não impedirá o seu êxito nem este diminuirá o meu. Penso que se pode ser demasiado escrupuloso com estas avaliações. O amor-próprio favorece o pedantismo assim como a auto-admiração favorece o snobismo. Porém, os valores que o pedante exagera — ao contrário dos que o snobe exagera — podem ser compartilhados. O amor-próprio é um bem que todos podemos ter e que ainda vale muito a pena ter.

Numa sociedade hierarquizada há regras e medidas diferentes para cada categoria. Uma pessoa da alta burguesia pode ter-se em grande conta devido às suas vastas propriedades ou à sua relação íntima com um grande senhor: isto é auto-admiração, a qual diminui imediatamente se alguém ainda com mais propriedades, ou mantendo uma relação com um senhor mais importante, se instala na vizinhança. Ou então pode ter-se em grande conta por viver de acordo com certo padrão social elevado: isto é amor-próprio e embora possa perder-se, não penso que possa diminuir. Ambas estas formas reflexas são complicadas, mas a auto-admiração prende-se mais com a posição hierárquica (mesmo quando nas posições inferiores se cultiva secretamente uma contra-hierarquia). Os aristocratas e os membros da alta burguesia comprazem-se mais do que os artesãos, os servos ou os criados, na auto-admiração. Ou pelo menos, em qualquer caso, é essa a ideia geral. Porém, e, uma vez mais, o caso do amor-próprio é diferente, pois este pode ser tão fortemente sentido pelas categorias inferiores como pelas superiores, embora sejam diversos os padrões por que se regulam. Mas não necessariamente diversos. O filósofo escravo Epicteto regulava-se pela sua concepção de humanidade e tinha o seu amor-próprio. O universalismo religioso proporciona idênticas avaliações que atraem indubitavelmente mais os escravos do que os senhores, mas se aplicam igualmente a ambos. Contudo, o que mais me interessa aqui focar é o modo como as hierarquias criam modelos diferentes de amor-próprio adequados às diversas categorias: o aristocrata altivo, o artesão honesto, o criado fiel, etc. Estes tipos são convencionais e servem para manter a hierarquia. Apesar disso, não deveríamos ter muita pressa em denegrir estas autoconcepções mesmo que esperemos substituí-las. É que elas desempenharam um importante papel na vida moral da Humanidade, um papel mais importante — ao longo de uma grande parte da história da Humanidade — do que as suas alternativas filosóficas ou religiosas.

Assim, o amor-próprio está ao alcance de quem quer que possua alguma compreensão da sua «adequada» dignidade e alguma capacidade para a exprimir. Os padrões são diferentes conforme as posições sociais e variam de categoria para categoria dentro da mesma hierarquia, tal como variam entre as ocupações na sociedade de senhores. Porém, nesta última há também uma posição social comum que é designada (para os homens) pelo título de «senhor.» Qual é aí o padrão adequado? Tocqueville era de opinião que esta pergunta equivalia à «O que significa ser uma pessoa que se respeita (ou que é respeitável)?»

> Os ditames da honra serão... sempre menos numerosos num povo não dividido em castas do que em qualquer outro. Se alguma vez chegar a haver nações em que seja difícil descobrir vestígios de distinções de classe, a honra limitar-se-á então a alguns preceitos os quais se aproximarão cada vez mais das leis morais aceites pela Humanidade em geral[39].

Penso, porém, que esta opinião passa depressa de mais da classe e da nação para a «Humanidade em geral». Temos efectivamente alguma noção do que poderá significar ser uma pessoa que se respeita, um «homem», um *Mensch*, um ser humano. Todavia, esta noção carece de objectividade e especificidade. Em si mesma, é demasiado vaga, tal como a moral em geral quando abstrai dos papéis, relações e práticas sociais. É por este motivo que o título de «senhor» é utilizável em termos de definição competitiva e acabou por representar pouco mais do que uma posição mínima na competição geral. Os revolucionários que contestavam a velha ordem não se tratavam por «senhor». E a sua mais imediata exigência não era a de uma humanidade igual e sim a de uma igual qualidade de membro. Teriam compreendido a afirmação de Simone Weil segundo a qual «a honra tem a ver com o ser humano considerado, não apenas como tal, e sim do ponto de vista do seu meio social»[40]. Preferiam antes os títulos de «irmão», «cidadão» e «camarada». Estas palavras eram usadas, evidentemente, para descrever pessoas que se respeitavam, mas, ao mesmo tempo, conferiam um significado mais específico à descrição.

Imaginemos agora — para tomar o exemplo mais simples — uma sociedade de cidadãos, uma comunidade política. Penso que o amor-próprio dos cidadãos é incompatível com as espécies de amor-próprio predominantes numa hierarquia de posições sociais. O criado que se respeita, que sabe qual é o seu lugar e se pauta pelas respectivas normas (e se mantém firme na sua dignidade quando o amo se porta mal), pode muito bem ser uma figura simpática, mas não é susceptível de se tornar num bom cidadão. Pertencem a mundos sociais diferentes. No mundo dos senhores e criados, a cidadania é inimaginável; no mundo dos cidadãos, o serviço pessoal é aviltante. A revolução democrática, mais do que redistribuir o amor-próprio, reformula o respectivo conceito, ligando-o, como afirma Tocqueville, a um único conjunto de normas. É claro que permanece a possibilidade de se ser um professor, um médico ou um sindicalista que se respeitem, bem como um varredor, um lavador de pratos ou um servente de hospital que igualmente se respeitem, representando estas ocupações provavelmente a experiência mais directa de amor-próprio. Contudo, esta experiência aparece-nos agora ligada à consciência que cada um tem da própria aptidão para regular e controlar o trabalho (e a vida) que compartilha com outrem. Daí que:

> Nenhum cidadão que se respeite suportaria um tal tratamento às mãos das autoridades públicas (ou de funcionários privados, patrões, inspectores e capatazes).

A cidadania democrática é uma posição radicalmente desligada de qualquer tipo de hierarquia. Há uma norma adequada de consideração relativamente a todo o conjunto de cidadãos. Os homens e mulheres que aspiram a uma versão mais diligente da cidadania e nos dizem que deveríamos renunciar a todos os prazeres privados e, no dizer de Rousseau, «correr para as assembleias públicas»[41], são mais pedantes que snobes. Tentam estreitar os padrões pelos quais se regulam os cidadãos, a si próprios e uns aos outros. São, porém, os padrões mínimos inerentes à prática democrática que estabelecem as regras do amor-próprio. E ao difundirem-se na sociedade civil, estes padrões tornam possível uma espécie de amor-próprio independente de qualquer posição social em particular que tenha a ver com a posição em geral de cada um na comunidade e com a consciência de si próprio, não apenas como pessoa, mas antes como pessoa actuante neste ou naquele sector, como membro pleno e igual aos outros e como participante activo[42].

A experiência da cidadania exige o reconhecimento prévio de que todos são cidadãos como forma pública de simples consideração. É provavelmente este o sentido da expressão «respeito igual». Pode conferir-se a esta expressão um conteúdo positivo: todos os cidadãos têm os mesmos direitos legais e políticos, os votos de todos são contados do mesmo modo, a minha palavra em tribunal tem o mesmo peso que a tua. Nada disto constitui, porém, condição necessária do amor-próprio, pois na maior parte das democracias persistem desigualdades concretas nos tribunais e na arena política o que não impede os cidadãos dessas democracias de se respeitarem. O que é preciso é que o conceito de cidadania seja partilhado em determinado grupo de pessoas que reconheçam os títulos umas das outras e providenciem pela existência de um certo espaço social em que esses títulos possam exprimir-se. Do mesmo modo, o conceito de exercício da medicina como profissão e do sindicalismo como empenhamento deve ser partilhado num grupo de pessoas antes que se possa falar em médicos ou sindicalistas que se respeitam. Ou, mais enfaticamente, «para que a necessidade de respeito seja satisfeita na vida profissional, cada profissão tem (deve ter) uma associação efectivamente capaz de conservar viva a memória integral... da nobreza, do heroísmo, da probidade, da generosidade e do génio aplicados no exercício daquela»[43]. O amor-próprio não pode ser uma idiossincrasia; não é uma questão de vontade. Em sentido concreto, é função da qualidade de membro, embora sempre uma função complexa e dependente da existência de um respeito igual entre os membros. Uma vez mais, embora aqui com a característica de uma actividade mais cooperante do que competitiva, «consideram-se a si próprios ao considerarem-se mutuamente».

O amor-próprio requer, pois, uma certa conexão substancial ao grupo de membros, ao movimento que defende as ideias de honra profissional, solidariedade de classe ou direitos de cidadania, ou à comunidade em geral em que estas ideias se encontram mais ou menos bem implantadas. É por isso que a expulsão daquele movimento ou o exílio da comunidade podem constituir um tão grave castigo. Atacam tanto a forma externa como a reflexa da consideração. O desemprego prolongado e a pobreza são igualmente ameaçadores, pois representam uma espécie de exílio económico, uma punição que temos relutância em afirmar que é merecida por alguém. O Estado Social é uma tentativa de evitar essa punição, de recolher os exilados económicos e de garantir uma efectiva qualidade de membro[44]. Mas mesmo quando o faz da melhor maneira possível, satisfazendo as necessidades sem aviltar as pessoas, não garante o amor-próprio; apenas ajuda a torná-lo possível. Este é, talvez, o objectivo mais fundo da justiça distributiva. Quando todos os bens sociais, da qualidade de membro ao poder político, forem distribuídos por razões justas, ter-se-ão criado da melhor forma possível as bases do amor-próprio. Continuará, porém, a haver homens e mulheres a sofrer de falta deste último.

Para gozarmos de auto-admiração, é provavelmente necessário convencermo-nos (mesmo que isto signifique que tenhamos de nos enganar a nós próprios) de que a merecemos e não podemos fazê-lo sem um pouco de ajuda da parte dos nossos amigos. Somos, porém, juízes em causa própria; escolhemos os membros do júri da forma mais favorável possível e falsificamos o veredicto sempre que podemos. No tocante a este género de coisas ninguém se sente culpado; estes julgamentos são bem humanos. Todavia, o amor-próprio aproxima-nos mais da realidade; parece-se mais com o sistema da consideração e da desonra pública do que com a corrida hobbesiana. Aqui, a consciência é o tribunal e a consciência é um conhecimento compartilhado e uma aceitação interiorizada de padrões comunitários. Os padrões não são tão elevados como isso; exige-se-nos que sejamos irmãos e cidadãos, mas não santos e heróis. Não podemos, porém, ignorar os padrões nem escamotear o veredicto. Ou nos mostramos à altura ou não. Mostrarmo-nos à altura não é uma questão de ter êxito nesta ou naquela empresa e obviamente não de êxito relativo ou de reputação de êxito. É antes um modo de estar na comunidade, de levantar bem alto a cabeça (o que é muito diferente de montar um cavalo alto*).

Para gozarmos de amor-próprio, temos de acreditar ser capazes de nos comportarmos à altura e temos de aceitar ser responsáveis pelos actos que constituem ou não esse comportamento. Daí que o amor-próprio dependa de um valor mais alto a que chamarei «domínio de si mesmo», domínio, não do próprio corpo, e sim dos próprios carácter, qualidades e actos. A cidadania é uma forma de domínio de si mesmo. Consideramo-nos e somos considerados responsáveis pelos nossos concidadãos. Desta recíproca consideração deriva a possibilidade do amor-próprio e também do reconhecimento público. Estes, todavia, nem sempre andam juntos. Mesmo que me julgue injustamente desconsiderado, posso conservar o amor-próprio. E posso também conservar o amor-próprio se aceitar honrosamente a desconsideração, «confessando» os meus próprios actos. O que é acima de tudo desonroso é assumir a irresponsabilidade e negar o domínio de mim mesmo. Não quer dizer que o cidadão que se respeita nunca deixe de cumprir os deveres de cidadania, mas antes que reconhece os seus desaires, se se sabe capaz de aqueles deveres e continua empenhado em fazê-lo. A auto-admiração é uma questão que tem a ver com aquilo a que Pascal chamava qualidades «emprestadas»; vivemos da opinião dos outros[45]. O amor-próprio é uma questão que tem a ver com as nossas próprias qualidades, que tem a ver, portanto, com o conhecimento e não com a opinião, com a identidade e não com a posição relativa. É este o significado mais profundo da fala de Marco António:

> ... Se eu perder a honra,
> Perder-me-ei a mim próprio.

O cidadão que se respeita é uma pessoa autónoma. Não quero dizer autónoma no mundo, pois não sei o que isso implicaria. É autónomo na sua comunidade, um agente livre e responsável e um membro participante. Penso nele como o sujeito ideal da teoria da justiça. *Aqui* é a sua casa e sabe qual é o seu lugar; «reina na sua (sociedade) e não noutro lugar qualquer» e não «pretende ter poder sobre o mundo inteiro». É precisamente o contrário do tirano, que usa a sua origem nobre, ou a sua riqueza, ou o cargo, ou mesmo a sua celebridade, para reclamar outros bens que não ganhou e a que não tem direito. Platão definiu o tirano, em termos psicológicos, como uma pessoa dominada por uma paixão[47]. Em termos da economia moral que tenho vindo a expor, o tirano é uma pessoa que se aproveita de um bem dominante com o fim de dominar os homens e mulheres que o rodeiam. Não se satisfaz com o domínio de si mesmo e antes prefere, por meio de dinheiro ou de poder, dominar os outros. «Sou feio, mas posso comprar para mim as mais lindas mulheres. Por

---

* *Riding a high horse* no original: expressão idiomática que significa «tomar ares arrogantes» ou «encher-se de importância». *(NT)*

consequência, não sou feio pois os efeitos da fealdade... são anulados pelo dinheiro... Sou um homem execrável, infame, sem escrúpulos e estúpido, mas o dinheiro é respeitado e, portanto, quem o tiver será igualmente respeitado.»[48] Não quero com isto dizer que um homem execrável que se respeite nunca procure aquele respeito, embora uma tal ideia possa estar na origem de uma certa orgulhosa misantropia. De um modo mais geral, o cidadão que se respeita não busca aquilo que não pode obter com honra.

Mas o que certamente buscará é consideração da parte dos outros participantes na corrida hobbesiana (ele não é um marginal) e reconhecimento público da parte dos seus concidadãos. É bom ter estas coisas, trata-se de bens sociais e o amor-próprio não supre a sua falta. Assim como se não pode abolir a relatividade do movimento, também se não pode abolir a relatividade do valor. Penso, porém, que o amor-próprio leva as pessoas a quererem só a consideração livremente dispensada pelos seus pares e os veredictos honestos destes. Neste sentido, é uma forma de confirmação do significado moral da igualdade complexa. E poderemos presumir também que a experiência da igualdade complexa produzirá — embora nunca o possa garantir — o amor-próprio.

CAPÍTULO XII

O PODER POLÍTICO

Soberania e governo limitado

Começarei pela soberania, autoridade política, processo decisório competente: a base conceptual do Estado moderno. A soberania não esgota de modo algum o tema do poder, mas concentra a nossa atenção na forma mais expressiva e perigosa que o poder pode assumir. É que não estamos apenas perante um de entre os vários bens procurados pelos indivíduos de ambos os sexos; como *poder do Estado* constitui também o meio pelo qual as várias procuras, incluindo a do próprio poder, são reguladas. Representa a actuação essencial da justiça distributiva; protege as fronteiras que delimitam as áreas no interior das quais os bens sociais são distribuídos e utilizados. Daí que se exija que o poder seja simultaneamente defendido e restringido: mobilizado, dividido, contido e contrabalançado. O poder político protege-nos do despotismo... e, ele próprio, se torna despótico. E é por ambas estas razões que o poder é tão desejado e por ele se luta de forma tão continuada.

Muitas destas lutas não têm carácter oficial, constituindo escaramuças de guerrilha do dia-a-dia pelas quais defendemos (nós, os cidadãos comuns), ou nos esforçamos afanosamente por rever, as fronteiras das várias esferas distributivas. Esforçamo-nos por impedir invasões ilegítimas; fazemos acusações, organizamos protestos e chegamos às vezes a intentar o que nos regimes democráticos institucionalizados se pode chamar «prisão pelo cidadão» *. Todavia, em todas estas ocasiões, o nosso derradeiro apelo, antes de recorrer à revolução, dirige-se ao poder do Estado. Os nossos dirigentes políticos, os agentes da soberania, têm muita coisa a fazer (ou a desfazer). No exercício da sua competência oficial, estão e têm de estar activos em todos os sectores. Abolem títulos hereditários, distinguem heróis e pagam a acusação — mas também a defesa — dos criminosos. Vigiam o muro que há entre a Igreja e o Estado. Regulamentam a autoridade dos pais, ministram o matrimónio civil e fixam as pensões de alimentos em caso de separação ou divórcio. Definem a competência das escolas e exigem a frequência das crianças. Declaram e extinguem os feriados públicos. Decidem o modo de recrutamento do exército.

---

* *Citizen's arrest* no original: prisão levada a cabo por um cidadão cuja autoridade deriva da cidadania. *(NT)*

Garantem justiça no serviço público e nos exames profissionais. Bloqueiam as trocas ilegítimas, redistribuem a riqueza, facilitam a organização de sindicatos. Fixam os objectivos e a natureza da provisão comunitária. Aceitam e rejeitam candidatos à posição de membro. E, finalmente, limitam o seu próprio poder em todas actividades a que se dedicam, sujeitando-se aos limites constitucionais.

Ou assim deveriam proceder. Aparentemente, agem no nosso interesse e até mesmo em nosso nome (com o nosso consentimento). Contudo, na maior parte dos países e na maior parte do tempo, os dirigentes políticos actuam de facto como agentes dos maridos e pais, das famílias aristocráticas, dos possuidores de licenciaturas ou dos capitalistas. O poder do Estado é colonizado pela riqueza, pelo talento, pelo sangue ou pelo sexo e uma vez colonizado, raramente é limitado. Por outro lado, o poder do Estado é imperialista em si mesmo; os seus agentes são déspotas por direito próprio. Não fiscalizam as esferas de distribuição, mas invadem-nas; não defendem os propósitos sociais, mas desprezam-nos. Esta é a mais evidente das formas de despotismo e a primeira de que me vou ocupar. As conotações imediatas da palavra *déspota* são políticas; o seu sentido pejorativo deriva de séculos de opressão praticada por chefes e reis e, mais recentemente, por generais e ditadores. Ao longo da maior parte da história da Humanidade, a esfera da política tem-se baseado no modelo absolutista em que o poder é monopolizado por uma única pessoa cujas energias são, na sua totalidade, aplicadas em torná-lo dominante não só dentro dos limites, mas também para além deles, em todas as esferas distributivas.

Bloqueios ao exercício do poder

É precisamente por esta razão que se tem empregado uma grande soma de energia intelectual e política na tentativa de limitar a convertibilidade do poder, de restringir o seu uso e de definir as trocas bloqueadas da esfera política. Assim como há, pelo menos em princípio, coisas que o dinheiro não pode comprar, também há coisas que os representantes da soberania, as autoridades públicas, não podem fazer. Ou melhor, ao fazerem-nas, estarão, não a exercer o poder político na verdadeira acepção da frase e sim a utilizar simplesmente a força; estarão a actuar indisfarçavelmente sem autoridade. A força é o poder utilizado com violação do seu significado social. O facto de ser tão vulgar esta forma de o usar não deve fazer-nos esquecer o seu carácter despótico. Thomas Hobbes, o grande defensor filosófico do poder soberano, afirmava que o despotismo não é mais do que aversão à soberania[1]. Esta afirmação não é inexacta se tivermos em conta que esta «aversão» não é idiossincrásica e sim comum aos homens e mulheres que criam e vivem numa determinada cultura política; deriva de uma concepção comum do que é, e para que serve, a soberania. Esta concepção é sempre complexa, matizada e controversa em muitos aspectos. Pode, porém, ser apresentada em forma de lista, tal como a lista das trocas bloqueadas. Actualmente, nos Estados Unidos, essa lista tem aproximadamente a forma seguinte:

1. A soberania não abrange a escravização; as autoridades públicas não podem capturar as pessoas dos seus súbditos (que são também seus concidadãos), obrigá-

-los a trabalhar, encarcerá-los ou matá-los, excepto segundo processos consentidos pelos próprios súbditos ou pelos seus representantes e por razões assentes nas concepções comuns de justiça criminal, serviço militar, etc.

2. Os direitos feudais de tutela e casamento que se arrogaram durante algum tempo os reis absolutos, situam-se fora da competência legal e moral do Estado. As suas autoridades não podem superintender nos casamentos dos seus súbditos, nem interferir nas suas relações pessoais ou familiares, nem regular a educação doméstica dos seus filhos[2]; aquelas autoridades também não podem passar busca, nem apreender os bens pessoais dos súbditos, nem aboletar tropas nas suas casas, excepto segundo processos, etc.

3. As autoridades públicas não podem violar as concepções comuns de culpa e inocência, corromper o sistema de justiça criminal, converter a punição num meio de repressão política ou empregar penas cruéis e desusadas (do mesmo modo, estão adstritas às concepções comuns de sanidade e insanidade mentais, sendo obrigadas a respeitar o sentido e os objectivos da terapia psiquiátrica).

4. As autoridades públicas não podem vender o poder político nem leiloar decisões; também não podem usar o seu poder para promover os interesses dos seus familiares nem para distribuir cargos públicos a parentes ou «compadres».

5. Todos os súbditos/cidadãos são iguais perante a lei e, por isso, as autoridades públicas não podem utilizar processos discriminatórios contra grupos raciais, étnicos ou religiosos e nem mesmo processos aviltantes ou humilhantes para as pessoas (excepto em resultado de um julgamento criminal); também não podem impedir a quem quer que seja o acesso a quaisquer bens objecto de provisão comunitária.

6. A propriedade privada está livre de tributação ou expropriação arbitrária e as autoridades públicas não podem interferir na livre troca nem nas doações no âmbito da esfera do dinheiro e das mercadorias, desde que esta esfera se encontre convenientemente delimitada.

7. As autoridades públicas não podem controlar a vida religiosa dos seus súbditos, nem tentar por qualquer meio regular a distribuição da graça divina nem, nessa matéria, dos favores e apoios eclesiásticos ou congregacionais.

8. Embora possam legislar sobre os programas escolares, as autoridades públicas não podem interferir no ensino efectivo desses programas nem limitar a liberdade académica dos professores.

9. As autoridades públicas não podem regular nem censurar as discussões que decorrem, não só na esfera política como em todas as esferas, acerca do significado dos bens sociais e dos limites distributivos adequados. Daí que tenham de garantir as liberdades de expressão, de imprensa e de reunião, ou seja, as normais liberdades civis.

Estes limites constituem as fronteiras do Estado e de todas as outras esferas perante o poder soberano. Habitualmente, concebemos os ditos limites em termos de liberdade, o que não é errado, mas eles têm também fortes efeitos igualitários. É que a arrogância das autoridades é, não só uma ameaça à liberdade, mas também uma afronta à igualdade: põe em causa a posição social e menospreza as decisões dos pais, dos membros da Igreja, dos professores e estudantes, dos trabalhadores, profissionais e detentores de cargos, dos compradores e vendedores e dos cidadãos em geral. Opera a subordinação de todos os grupos de homens e mulheres ao único grupo que detém ou exerce o poder do Estado. O governo limitado é, pois, tal como a troca bloqueada, uma das vias essenciais para a igualdade complexa.

Sabedoria / Poder

O governo limitado nada nos diz, porém, a respeito de quem governa. Não resolve a questão da distribuição do poder no âmbito da esfera política. Pelo menos em princípio, os limites serão respeitados por um rei hereditário, um déspota benevolente, uma aristocracia agrária, uma comissão executiva capitalista, um regime de burocratas ou uma vanguarda revolucionária. Há, na verdade, um argumento sensato a favor da democracia e é o de que os vários grupos de homens e mulheres são mais susceptíveis de serem respeitados se todos os membros de todos os grupos compartilharem o poder político. Este argumento é forte; a sua base real está intimamente ligada à nossa comum concepção do que é e para que serve o poder. Não é, porém, o único argumento que faz ou pretende fazer essa ligação. Na longa história do pensamento político, as opiniões mais correntes sobre o poder têm sido antidemocráticas por natureza. É minha intenção analisar cuidadosamente essas opiniões. É que não há outro bem social cujas posse e utilização sejam mais importantes do que as deste. O poder não é o tipo de coisa que se possa apertar nos braços ou contemplar em casa como o avarento faz ao dinheiro ou os homens e mulheres comuns aos seus objectos preferidos. O poder só pode ser gozado se for exercido e quando é exercido todos somos dirigidos, policiados, manipulados, ajudados e ofendidos. Quem deverá então possuir e exercer o poder do Estado?

Só há duas respostas a estas pergunta as quais são inerentes à esfera política: primeiro, o poder deve ser possuído por aqueles que melhor sabem como usá-lo; segundo, deve ser possuído, ou pelo menos controlado, por aqueles que mais directamente lhe sentem os efeitos. Os bem-nascidos e os ricos exprimem pretensões extrínsecas que se não coadunam com o significado social do poder. É por isso que ambos estes grupos são susceptíveis de deitar a mão, se puderem, a esta ou aquela versão do argumento retirado da sabedoria, pretendendo possuir, por exemplo, uma especial compreensão dos interesses efectivos e a longo prazo da comunidade política, compreensão essa fora do alcance de famílias novas-ricas ou de homens e mulheres sem «interesses» no país. O argumento da sagração divina é igualmente extrínseco, salvo talvez naquelas comunidades de crentes em que toda a autoridade é concebida como dádiva de Deus. Mesmo nesses lugares, é vulgar dizer-se que quando Deus escolhe os seus representantes na Terra, inspira-lhes também a sabedoria necessária para governarem os seus semelhantes: assim, os reis por direito divino pretendiam possuir um conhecimento sem-par dos «mistérios do Estado» e os santos puritanos confundiam sistematicamente a luz interior com a sabedoria política. Todos os argumentos a favor da exclusividade do mando, todos os argumentos antidemocráticos, se forem sérios, baseiam-se na sabedoria especial.

O poder é, pois, assimilado aos cargos e somos induzidos a procurar pessoas qualificadas, a escolher os governantes políticos por meio de cooptação em vez de eleição, confiando nas comissões de selecção e não nos partidos, campanhas e debates públicos. Há, porém, uma primeira assimilação que capta melhor a essência do argumento da sabedoria especial: a descrição feita por Platão da política como uma *tekhne*, uma arte ou um ofício semelhante às especializações correntes na vida social embora infinitamente mais difícil[3]. Assim como compramos os sapatos a um artífice especializado no seu fabrico, também deveríamos receber as leis de um artífice especializado em governar. Também aqui há «mistérios do Estado», referindo-se o termo *mistério* aos conhecimentos secretos (ou, pelo menos, não facilmente disponíveis) que subjazem a uma profissão ou um ofício, como na expressão «arte e mistério», uma fórmula vulgar dos contratos de aprendizagem. Estes mistérios são conhecidos mais pela prática e pela educação do que pela inspiração. Na política, como no fabrico de sapatos, na medicina, na navegação, etc., somos impelidos a dirigir o nosso olhar para os poucos que conhecem os mistérios e não para a multidão de ignorantes.

Vejamos o caso do piloto ou do timoneiro ao leme de um navio, dirigindo a sua rota (a palavra *governador* provém da tradução para o latim da palavra grega que designa o «timoneiro»). Quem escolheríamos para desempenhar essa função? Platão imagina assim um navio democrático:

> Os marinheiros brigam uns com os outros pelo controlo do leme; cada um pensa que devia ser ele a guiar o navio, embora nunca tenha aprendido a arte de navegar e não possa indicar qualquer mestre sob cuja orientação tenha feito a sua aprendizagem e o que é mais, todos afirmam ser a navegação uma arte que de modo nenhum pode ser ensinada e estão dispostos a fazer em pedaços quem disser o contrário.

Eis um navio perigoso para nele se viajar e por duas razões: devido à luta física pelo seu controlo cujo fim não é óbvio nem certo e devido à provável incompetência de cada vencedor (temporário). O que os marinheiros não percebem é «que um navegador autêntico só pode tornar-se apto a comandar um navio depois de estudar as estações do ano, o céu, as estrelas e os ventos e tudo quanto faz parte do seu ofício»[4]. Passa-se o mesmo com a nave do Estado. Os cidadãos democratas brigam pelo controlo do governo, colocando-se, assim, em risco quando devem entregá-lo a quem possui os conhecimentos especiais que «fazem parte» do exercício do poder. Assim que percebermos o que é e para que serve o leme, poderemos facilmente passar à definição do piloto ideal, e assim que percebermos o que é e para que serve o poder político, poderemos facilmente passar (como em *A República*) à definição do governante ideal.

Na verdade, porém, quanto mais profundamente analisamos o significado do poder, mais nos sentimos inclinados a rejeitar a analogia de Platão. É que só nos confiamos ao timoneiro depois de termos decidido para onde queremos ir e essa decisão, mais do que o estabelecimento de determinada rota, é a que melhor ilumina o exercício do poder. «A verdadeira analogia», como Renford Bambrough escreveu numa célebre análise do raciocínio de Platão, «é entre a escolha de uma política por um político e a escolha de um destino pelo proprietário ou os passageiros de um navio»[5]. O piloto não escolhe o porto; a sua *tekhne* é simplesmente irrelevante para a decisão que os passageiros têm de fazer e que tem a ver com os seus objectivos individuais ou colectivos e não com «as estações do ano, o céu, as estrelas e os ventos». É claro que numa emergência deixar-se-ão guiar pelo provérbio «para fugir à tempestade qualquer porto serve» e, nesse caso, pela opinião do piloto sobre qual será o local mais acessível. Mas mesmo nesse caso, se a escolha for problemática e os riscos de difícil avaliação, pode muito bem a decisão ser deixada aos passageiros. E uma vez amainada a tempestade, quererão sem dúvida sair do seu refúgio forçado para o destino escolhido.

Os destinos e os riscos constituem o objecto da política e o poder não é mais do que a capacidade de resolver essas questões, não só em relação a si próprio, mas também em relação aos outros. A sabedoria é evidentemente essencial a essa solução, mas não é nem pode ser determinante. A história da filosofia, a *tekhne* platónica, é a história das discussões sobre os destinos desejáveis e dos riscos moral e materialmente aceitáveis. Estas discussões ocorrem, por assim dizer, diante dos cidadãos e só estes as podem decidir com autoridade. No que toca às medidas a tomar, o que os políticos e os pilotos têm de saber é o que o povo e os passageiros querem. E o que lhes confere o poder de agir com base nesse conhecimento é a autorização do povo ou dos passageiros. (Passa-se o mesmo com os sapateiros: não podem consertar-me os sapatos só porque sabem como fazê-lo, sem o meu consentimento.) A qualificação essencial para o exercício do poder político não consiste numa especial compreensão dos objectivos humanos e sim numa relação especial com um determinado conjunto de seres humanos.

Quando Platão defendia a distribuição do poder aos filósofos, afirmava estar a explicar o significado do poder, ou melhor, do exercício do poder, da governação, por analogia com o fabrico de sapatos, o exercício da medicina, a arte de navegar, etc. Não estava manifestamente, porém, a explicar o significado normal, a concepção política dos seus concidadãos atenienses. É que estes, ou a maior parte destes, como membros praticantes de uma democracia, acreditaram certamente no que Péricles afirmou na sua oração fúnebre e no que Protágoras afirmou no diálogo socrático que tem o seu nome: que governar implicava a escolha dos objectivos, «uma decisão conjunta no campo da excelência cívica» e que a sabedoria necessária para tal era amplamente compartilhada[6]. «Os nossos cidadãos comuns, apesar de ocupados com os trabalhos da indústria, não deixam de ser bons juízes em matéria de negócios públicos.»[7] Mais propriamente, não há nem pode haver melhores juízes pois o exercício condigno do poder não é mais do que o governo da cidade de acordo com a consciência cívica ou pública dos cidadãos. É claro que para tarefas especiais é necessário descobrir pessoas especiais. Assim, os atenienses elegiam os generais e os médicos públicos — em vez de os tirarem à sorte — tal como comparavam preços antes de se decidirem por um sapateiro ou por contratar um navegador. Mas todas aquelas pessoas são agentes e não dirigentes dos cidadãos.

Péricles e Protágoras enunciam, assim, a concepção democrática do poder, a qual se centra vulgarmente naquilo a que chamei — aqui anacronicamente, ao falar dos atenienses — «soberania»: poder estatal, poder cívico, mando colectivo. Nesta acepção, o poder é constituído pela capacidade que os cidadãos têm de tomar decisões, pela conjugação das suas vontades. Produz leis e adopta políticas que não são mais do que manifestações de poder. Porém, a eficácia destas manifestações é uma questão que continua em aberto e tem vindo a ser cada vez mais afirmado nestes últimos tempos que a sabedoria produz um tipo de poder que a soberania não controla. Renasce, assim, sob nova forma a afirmação de Platão (e a maior parte das vezes com uma intenção diferente). Platão afirmava que as pessoas versadas nas artes e nos mistérios tinham o direito de exercer o poder; os homens e mulheres sensatos submeter-se-iam à sua autoridade. Hoje, pretende-se que os conhecimentos técnicos constituem em si mesmos um poder acima de e contra a soberania ao qual todos efectivamente nos submetemos, mesmo apesar de sermos cidadãos democratas e fazermos supostamente parte da «autoridade constituída» do Estado. Naquilo a que Michel Foucault chama «os alicerces da lei», a filosofia acabou por vencer, ou melhor, a ciência e as ciências sociais acabaram por vencer e estamos a ser governados por especialistas em estratégia militar, medicina, psiquiatria, pedagogia, criminologia, etc.[8]

Ao justificarem-se, esses especialistas utilizam argumentos platónicos, mas pretendem dirigir o Estado (não são na verdade filósofos platónicos); contentam-se com dirigir o exército, os hospitais, os manicómios, as escolas e as prisões. No que respeita a estas instituições parece existirem objectivos (ou pelo menos um conjunto mínimo de objectivos). Assim, os especialistas do nosso tempo são como os pilotos de navios cujo destino já tenha sido estabelecido; até surgir uma emergência são eles quem manda. Porém, os exércitos, hospitais, prisões, etc., possuem esta característica especial: os seus membros ou internados estão, embora por diferentes razões, impedidos de tomar parte plena no processo decisório mesmo (ou especialmente) em casos de emergência. As decisões que lhes dizem respeito são tomadas pela generalidade dos cidadãos que não se assemelham a passageiros, nem sequer a possíveis passageiros e não são susceptíveis de dedicar muito tempo a essa empresa. Daí que o poder dos especialistas seja particularmente grande e muito semelhante ao dos filósofos-reis de Platão que estão para os seus súbditos como os professores para os alunos ou, segundo outra analogia platónica, como os pastores para o rebanho.

A distribuição do poder no exército, nos hospitais, nas prisões e nas escolas (Foucault menciona também as fábricas, mas nestas as afirmações de poder baseiam-se fundamentalmente na propriedade e não na sabedoria; referir-me-ei separadamente a cada uma delas) é, na verdade, diferente do que se exige num Estado democrático. A sabedoria tem um papel distintivo a desempenhar; buscamos e descobrimos pessoas qualificadas mais por meio de uma pesquisa do que de uma eleição. No decurso da pesquisa, atendemos à educação e à experiência, os equivalentes institucionais do conhecimento pelo timoneiro das estações, do céu, das estrelas e dos ventos. E é, sem dúvida, verdade que os homens e mulheres educados e experientes estão parcialmente protegidos das críticas dos leigos. Quanto mais inacessíveis e misteriosos forem os seus conhecimentos, como já referi no capítulo 5, mais eficaz será essa protecção o que constitui um poderoso argumento a favor da educação democrática cuja finalidade não é, contudo, a de converter todos os cidadãos em especialistas, mas sim a de traçar os limites da especialização. Embora os conhecimentos especializados favoreçam o poder, não favorecem o poder ilimitado. Também aqui há formas de exercício do poder que estão bloqueadas e que derivam das razões que temos para instituir o exército, os hospitais, as prisões e as escolas e da nossa comum consciência das actividade que cabe aos seus funcionários.

O consenso sobre o destino, que deixa ao timoneiro a direcção do navio, também traça limites ao que ele pode fazer: terá finalmente de conduzir o navio a um determinado lugar. Do mesmo modo, a nossa concepção da finalidade de uma prisão (e do significado da punição e da função social dos juízes, directores e guardas prisionais) traça limites ao exercício do poder dentro dos seus muros. Tenho a certeza de que estes limites são frequentemente violados. Mesmo na melhor das hipóteses, uma prisão é um sítio desumano; a rotina diária é cruel e o director e os guardas propendem com frequência a intensificar essa crueldade. Por vezes, ao fazê-lo, estão a manifestar o seu medo; outras vezes — porque os mesmos muros que encerram os reclusos, libertam o director e os guardas — estão a manifestar a arrogância do cargo de uma forma particularmente violenta. Podemos, porém, reconhecer as violações. Com base numa descrição real das condições prisionais, podemos dizer se o director excedeu ou não os seus poderes. E quando os reclusos afirmarem que o fez, apelarão para o soberano e para a lei e, em última análise, para a consciência cívica dos cidadãos. Os conhecimentos especiais do director em matéria de criminologia não constituirão defesa contra esse apelo.

O mesmo se passa com os hospitais e as escolas. Os doentes e as crianças são particularmente vulneráveis ao exercício do poder por um profissional competente que afirma, não sem razão, estar a agir a seu favor, no seu interesse, para o seu bem (futuro), etc. E esta ou aquela teoria médica ou técnica pedagógica pode muito bem exigir uma disciplina dura e penosa, um regime aparentemente bizarro, um controlo apertado sobre as pessoas. Aqui, porém, os limites são também traçados pela nossa firme convicção de que a terapia é o *tratamento* de uma pessoa (não é o mesmo do que, por exemplo, reparar uma máquina) e de que a educação é a preparação de um *cidadão*. As leis que exigem o consentimento dos doentes ou que põem os arquivos da escola à disposição dos alunos são outros tantos esforços para pôr em prática aquelas convicções. Impõem aos homens e mulheres profissionais uma concepção cuidadosa das suas ocupações. Deste modo, a ciência e as ciências sociais criam um tipo de poder útil e mesmo necessário num determinado cenário institucional; este poder encontra-se, porém, sempre limitado pela soberania, ela mesma criada e informada por um amplo conhecimento dos significados sociais. Os médicos e os professores (e os directores prisionais e até mesmo os generais) estão submetidos à «disciplina» dos cidadãos.

Ou melhor, assim (mais uma vez) deveria ser. Um Estado honesto, cujos cidadãos e autoridades estão empenhados na igualdade complexa, actuará no sentido de manter a integridade das suas várias estruturas institucionais para garantir que as suas prisões são locais de reclusão criminal e não de prisão preventiva* ou experimentação científica, que as suas escolas não são prisões e que os seus manicómios acolhem (e tratam) os doentes mentais e não os dissidentes políticos. Pelo contrário, um Estado despótico multiplicará o despotismo em todas as suas instituições. Distribuirá provavelmente o poder pelas pessoas erradas e permitirá ou favorecerá mesmo, mais provavelmente ainda, a utilização do poder fora dos respectivos limites. Em determinado momento das nossas vidas, todos conheceremos a sujeição a profissionais eruditos; somos todos leigos relativamente aos conhecimentos alheios. Isto não é assim apenas ou principalmente devido a debilidade política, pois mesmo os cidadãos abastados são, numa sociedade capitalista, estudantes, doentes, militares, loucos e (embora menos frequentemente do que as outras pessoas) reclusos; daí não resulta também uma perda de poder com carácter permanente. Na maior parte dos casos, aquela experiência tem uma duração fixa e um termo final conhecido: licenciatura, restabelecimento, etc. E estamos protegidos pela autonomia das várias estruturas institucionais em que ocorre. A imitação através dessas estruturas — como na «continuidade carcerária» referida por Foucault e na qual todas as instituições disciplinares se assemelham a prisões — ofusca os princípios em que se baseiam a liberdade e a igualdade. O mesmo acontece com a coordenação das autoridades públicas do topo até à base. Tanto a imitação como a coordenação fazem com que o governo despótico se reflicta na vida quotidiana de maneira particularmente intensa[9]. Porém, o saber especial não é despótico em si mesmo.

Propriedade / Poder

A propriedade é correctamente entendida como um poder de certa espécie sobre coisas. Tal como o poder político, consiste na capacidade de definir destinos e riscos, ou seja, alienar coisas ou trocá-las (dentro de certos limites) e também conservá-las, usá-las ou abusar delas, decidindo livremente sobre o preço do seu desgaste. A propriedade, porém, pode também trazer consigo várias formas e graus de poder sobre as pessoas. O caso extremo é constituído pela escravatura que excede largamente as formas habituais da administração política. Contudo, aquilo de que me vou aqui ocupar é, não a posse real e sim apenas o controlo das pessoas por meio da posse das coisas; esta espécie de poder é muito parecida com a exercida pelo Estado sobre os seus súbditos e pelas instituições disciplinares sobre os indivíduos nelas internados. A propriedade tem igualmente efeitos que ficam bem pouco aquém da sujeição. As pessoas relacionam-se umas com as outras e também com as instituições de todas aquelas maneiras que reflectem a momentânea desigualdade das suas posições económicas. Eu tenho, por exemplo, determinado livro e você gostaria de o ter; sou livre de decidir se lho vendo, empresto ou dou ou se o

---

* V. nota da p. 269. *(NT)*

guardo para mim. Organizamos uma comuna fabril e chegamos à conclusão de que a aptidão de Fulano não aconselha a sua admissão como membro. Você reúne os seus apoiantes e vence-me na disputa de um lugar de director de um hospital. A empresa deles eliminou a nossa num renhido concurso para um contrato com o município. Estes são exemplos de curtos recontros. Não vejo maneira de os evitar, excepto por meio de um sistema político que sistematicamente substitua os recontros entre os indivíduos por aquilo a que Engels uma vez chamou «a administração das coisas», uma reacção dura àquilo que é afinal constituído por acontecimentos normais nas esferas do dinheiro e dos cargos. Mas o que a soberania implica, e a propriedade algumas vezes consegue (fora da sua esfera), é um controlo permanente sobre os destinos e riscos das pessoas; ora isto já é mais grave.

Não é fácil perceber exactamente quando é que a livre utilização da propriedade se converte em exercício do poder. Há aqui questões de difícil resolução e grande controvérsia política e académica [10]. Os dois exemplos que seguem, muito parecidos com os que surgem na literatura, esclarecerão alguns dos problemas levantados.

1. Perseguidos pelo insucesso comercial, resolvemos fechar ou transferir a fábrica da nossa cooperativa, causando com isso um prejuízo considerável aos comerciantes locais. Será que estamos a exercer poder sobre estes? Não com carácter prolongado, penso eu, muito embora a nossa decisão possa muito bem ter sérias consequências para as suas vidas. É certo que não controlamos a sua reacção às novas condições por nós criadas (nem essas novas condições são inteiramente da nossa autoria: não decidimos ser mal sucedidos no mercado). Todavia, atenta a nossa adesão à política democrática, poderá dizer-se que deveríamos ter convocado os comerciantes para intervirem no nosso processo decisório. Esta convocação é sugerida pela máxima medieval, muito do agrado dos democratas modernos e segundo a qual *o que afecta todos, por todos deve ser decidido*. Porém, assim que se começa a convocar toda a gente afectada ou lesada por determinada decisão e não apenas aqueles cuja actividade diária é regida por ela, torna-se difícil saber onde parar. É evidente que os comerciantes das várias cidades para onde a fábrica poderá ser transferida devem também ser convocados. E todas as pessoas afectadas pelo bem-estar de todos os comerciantes e assim por diante. Assim o poder começa a ser retirado às associações e comunidades locais para passar a residir cada vez mais na única associação que inclui todas as pessoas afectadas, ou seja, o Estado (e por fim, se continuarmos a desenvolver a lógica da «afectação», o Estado global). Porém, a única coisa que este raciocínio revela é que o facto de determinada situação afectar outras pessoas não pode constituir base suficiente para a distribuição do direito a ser convocado. Tal não significa exercício do poder em sentido político relevante.

Pelo contrário, a decisão do Estado no sentido de transferir as repartições locais de um dos seus ministérios deve, caso seja contestada, ser discutida por processos políticos. Aquelas são repartições públicas, pagas com os dinheiros públicos e que fornecem serviços públicos. Daí que a decisão constitua nitidamente exercício do poder sobre homens e mulheres tributados para se conseguirem os fundos necessários e que dependem daqueles serviços. Uma empresa privada, individual ou colectiva, é diferente. As suas relações com os clientes são mais do que curtos recontros. Se tentássemos controlar estas relações, insistindo, por exemplo, em que todas as decisões de instalação ou transferência deveriam ser discutidas politicamente, a esfera do dinheiro e das mercadorias seria efectivamente eliminada, juntamente com as concomitantes liberdades. Todas essas tentativas estão para lá dos justos limites em que se move o governo (limitado). Mas, e se a nossa fábrica for a única na cidade ou de longe a maior? Nesse caso, a nossa decisão de a fechar ou transferir pode muito bem ter efeitos devastadores e em qualquer democracia autêntica as autoridades políticas sentir-se-ão pressionadas para intervir. Poderão tentar alterar as condições do mercado (por exemplo, subsidiando a fábrica) ou poderão comprar-no-la ou poderão ainda tentar um meio qualquer de atrair novas indústrias à cidade[11]. Todavia, estas opções constituem uma questão mais de prudência política do que de justiça distributiva.

2. A maneira como dirigimos a fábrica causa a poluição do ar sobre uma grande parte da cidade em que nos situamos, pondo assim em perigo a saúde dos seus habitantes. Dia após dia, criamos um risco para os nossos concidadãos e decidimos, por motivos técnicos e comerciais, qual o grau desse risco. Contudo, criar um risco, ou pelo menos um risco deste tipo, é precisamente exercer o poder no sentido político do termo. Aqui, as autoridades vão ter de intervir, defendendo a saúde dos seus eleitores ou insistindo no direito de determinar, no interesse desses mesmos eleitores, o grau de risco aceitável[12]. Todavia, mesmo neste caso, as autoridades não interferirão de modo continuado no processo decisório da empresa. Limitar-se-ão simplesmente a estabelecer ou restabelecer os limites dentro dos quais as decisões são tomadas. Se nós (os membros da comuna fabril) pudéssemos impedi-las de o fazerem — por exemplo, ameaçando transferir a fábrica —, conservando, assim, a possibilidade ilimitada de causar poluição, haveria razão para sermos apelidados de déspotas. Estaríamos a exercer o poder com violação da concepção comum (democrática) do poder e do modo como deve ser distribuído. Haveria alguma diferença se, em vez de estarmos a procurar manter as nossas margens de lucro, estivéssemos apenas a lutar para manter a fábrica em funcionamento? Não tenho a certeza; provavelmente, num caso ou noutro, seríamos obrigados a informar as autoridades locais da nossa situação financeira e a aceitar o seu parecer sobre quais os riscos aceitáveis[13].

Estes casos são difíceis, o segundo mais do que o primeiro; não vou tentar aqui resolvê-los pormenorizadamente. Numa sociedade democrática, os limites da esfera do dinheiro e das mercadorias são susceptíveis de ser traçados aproximadamente pelo meio dos dois de modo a incluir o primeiro, mas não o segundo. Simplifiquei, porém, radicalmente a descrição daqueles casos, ao imaginar uma fábrica possuída por uma cooperativa; preciso agora de me referir, muito mais extensamente, ao exemplo mais vulgar de propriedade privada. Aqui, os trabalhadores da fábrica já não são agentes económicos autorizados a tomar uma série de decisões; só os proprietários o são e os trabalhadores, tal como os outros habitantes da cidade, encontram-se ameaçados pelo insucesso da fábrica e pela poluição que causa. Não são, porém, apenas «afectados» mais ou menos gravemente. Ao contrário dos outros habitantes da cidade, eles fazem parte da empresa que produz tais efeitos e estão sujeitos às suas normas. A «propriedade» é como que um «governo privado» e os trabalhadores são os seus súbditos *. Tenho, pois, de voltar a referir-me, tal como na anterior discussão do problema da fixação dos salários, à natureza da actividade económica.

O cenário clássico do governo privado era o sistema feudal em que a propriedade da terra se encontrava organizada de modo a conferir ao proprietário o direito de exercer um poder disciplinar (judicial e policial) directo sobre os homens e mulheres que habitavam a terra e que, aliás, estavam proibidos de a deixar. Estas pessoas não eram escravos, mas também não eram rendeiros. O termo que melhor lhes cabe é o de «súbditos»; o seu senhorio era também o seu senhor, que os tributava e até recrutava para o seu exército privado. Foram necessários muitos anos de resistência local, engrandecimento do poder real e actividade revolucionária até que se traçasse uma fronteira nítida entre os domínios e o reino, entre a propriedade e o Estado. Só em 1789 é que se aboliu a estrutura formal dos direitos feudais e o poder disciplinar dos senhores foi efectivamente socializado. A tributação, o julgamento e o recrutamento são conceitos que desapareceram da actual concepção de propriedade. O Estado emancipou-se, no dizer de Marx, da economia [16]. As implicações da propriedade foram redefinidas de modo a excluir certos tipos de processo decisório que, pensava-se, só pela comunidade política como um todo poderiam ser autorizados. Esta redefinição estabeleceu uma das divisões cruciais de acordo com a qual a vida social se acha hoje organizada. De um lado, temos aquelas actividades chamadas «políticas» que implicam o controlo de destinos e riscos; do outro, as chamadas actividades «económicas», implicando trocas de dinheiro e mercadorias. Mas embora esta divisão determine a nossa concepção de ambas as esferas, não determina por si mesma o conteúdo daquelas. Na verdade, o governo privado subsiste na economia pós-feudal. A propriedade capitalista ainda gera poder político, se não no mercado (onde as trocas bloqueadas estabelecem limites pelo menos ao uso legítimo da propriedade) pelo menos nas fábricas onde o trabalho requer uma certa disciplina. Quem disciplina quem? É uma característica essencial da economia capitalista que os possuidores disciplinem os não-possuidores.

Este sistema justifica-se — dizem-nos normalmente — pelos riscos inerentes à propriedade e pelo zelo empresarial, a inventiva e o investimento de capital com os quais as empresas económicas são criadas, mantidas e expandidas. Enquanto a propriedade feudal se baseava na força das armas e se mantinha e expandia pelo poder da espada (embora também fosse transaccionada e herdada), a propriedade capitalista baseia-se em formas de actuação que são intrinsecamente não-coercivas

* Há uma extensa literatura sobre governos privados, muita da qual é obra de cientistas políticos contemporâneos, investigando (e bem) novos campos [14]. Penso, porém, que as palavras decisivas foram escritas por R. H. Tawney em 1912: «O que eu quero que todos percebam claramente é o seguinte, ou seja, que a pessoa que emprega outras pessoas, governa em conformidade com o número de empregados. Possui jurisdição sobre eles. Ocupa o que se pode realmente chamar um cargo público. Tem poder, não de vida ou de morte... mas de horas extraordinárias ou desemprego, barrigas cheias ou vazias, saúde ou doença. A questão de saber *quem* tem tal poder, quem é qualificado para o usar e como controla o Estado e o respectivo privilégio... esta é a questão que efectivamente interessa hoje ao homem comum.» [15]

e apolíticas. A fábrica moderna distingue-se do senhorio feudal pelo facto de os homens e mulheres virem voluntariamente trabalhar nas fábricas, atraídos pelos salários, condições de trabalho, perspectivas de futuro, etc., que o patrão lhes oferece, ao passo que os que trabalham no domínio feudal são servos e prisioneiros dos seus nobres senhores. Tudo isto é razoavelmente verdadeiro, pelo menos às vezes, mas não distingue satisfatoriamente os direitos derivados da propriedade do poder político. É que tudo quanto acabo de dizer a respeito de empresas e fábricas também se poderá dizer de cidades e vilas se não mesmo e sempre dos Estados. Também estes e aquelas são gerados pela energia empresarial, o espírito empreendedor e a assunção de riscos e também recrutam e seguram os cidadãos ao oferecerem-lhes um sítio aprazível para viver. Apesar disso, deveríamos ficar apreensivos no caso de vir a ser reivindicada a propriedade de cidades ou vilas, não sendo igualmente a propriedade aceitável como fundamento do poder político naquelas. Se pensarmos profundamente na razão porque é assim, creio que teremos de concluir que não é igualmente aceitável em empresas ou fábricas. Precisamos de ouvir a história de um empresário capitalista que é também um fundador político e que tenta basear o seu poder na propriedade.

O exemplo de Pullman, em Illinois

George Pullman foi um dos mais bem sucedidos empresários na América de fins do século XIX. Os seus vagões-cama, -restaurante e -salão tornaram as viagens de comboio muito mais cómodas do que até aí e apenas ligeiramente mais caras; sobre esta diferença fundou Pullman uma empresa e uma fortuna. Quando resolveu construir uma nova série de fábricas e uma cidade em torno delas, afirmou que se tratava apenas de mais um empreendimento arriscado. Mas as suas expectativas eram manifestamente mais largas: sonhava com uma comunidade sem agitação política ou económica, constituída por trabalhadores felizes e uma fábrica sem greves [17]. Faz, pois, obviamente parte da grande tradição dos fundadores políticos, ainda que, ao contrário de Sólon em Atenas, não tivesse convertido os seus planos em lei e partido em seguida para o Egipto, tendo antes ficado para dirigir a cidade que tinha projectado. Que mais poderia fazer uma vez que era dono da cidade?

Pullman, em Illinois, foi construída em pouco mais de quatro mil acres * de terra, ao longo do Lago Calumet, mesmo a sul de Chicago, adquirida (em setenta e cinco transacções individuais) pelo preço de oitocentos mil dólares. Foi fundada em 1880 e estava praticamente concluída, de acordo com um único projecto unificado, passados dois anos. Pullman (o proprietário) não se limitou a construir fábricas e dormitórios como tinha sido feito em Lowell, Massachusetts, uns cinquenta anos antes. Construiu residências particulares, filas de casas e prédios de apartamentos para qualquer coisa como sete a oito mil pessoas, lojas e escritórios (numa arcada

* Acre: medida agrária usada em diversos países e de extensão variável com a localidade; nos EUA, corresponde a 4047 metros quadrados. *(NT)*

pormenorizadamente concebida e executada), escolas, estábulos, espaços de recreio, um mercado, um hotel, uma biblioteca, um teatro e até mesmo uma igreja; uma cidade-modelo, uma comunidade planificada, em suma. E toda ela lhe pertencia.

> Um estranho que chegue a Pullman instala-se num hotel gerido por um empregado do Sr. Pullman, vai a um teatro em que todos os espectadores estão ao serviço do Sr. Pullman, bebe água e consome gás fornecidos por uma fábrica do Sr. Pullman, toma de aluguer um equipamento ao gerente da cocheira do Sr. Pullman, visita uma escola onde os filhos dos empregados do Sr. Pullman têm aulas ministradas por outros empregados, recebe uma conta debitada pelo banco do Sr. Pullman, não pode fazer qualquer compra a outrem que não um inquilino do Sr. Pullman, e à noite é guardado por um corpo de bombeiros que, a começar no comandante, está ao serviço do Sr. Pullman [18].

Esta descrição foi retirada de um artigo do *New York Sun* (a cidade-modelo suscitava grande interesse) e é totalmente exacta, excepto no que se refere à escola. De facto, as escolas de Pullman eram, pelo menos nominalmente, dirigidas pelo conselho escolar eleito da freguesia de Hyde Park. A cidade estava também sob a jurisdição política do condado de Cook e do Estado de Illinois. Não havia, porém, uma administração municipal. Tendo-lhe sido perguntado por um jornalista como «governava» o povo de Pullman, Pullman respondeu: «Governamo-los do mesmo modo que se governa uma casa, um armazém ou uma oficina. É tudo tão simples.» [19] O governo era, na sua opinião, um direito derivado da propriedade e a despeito do emprego da primeira pessoa do plural, tratava-se de um direito individual e exercido individualmente. Pullman era um autocrata na sua cidade. Tinha uma consciência firme do modo como os seus habitantes deveriam viver e nunca duvidava do seu direito de conferir exequibilidade prática a essa consciência. Gostaria de salientar que a sua preocupação incidia sobre a aparência e o comportamento das pessoas e não com as suas convicções. «A ninguém era exigido que perfilhasse este ou aquele ideal antes de vir (para Pullman).» Porém, uma vez ali, era-lhes exigido que vivessem de certa maneira. Os recém-chegados podiam ser vistos «preguiçosamente sentados nos degraus da entrada da sua casa, o marido a fumar cachimbo, a mulher, com um aspecto desmazelado, a coser roupa e os filhos meio nus a brincarem à sua volta». Em breve lhes seria feito sentir que tal género de coisas era inaceitável. E se não se corrigissem, «os inspectores da empresa ameaçá-los-iam com multas» [20].

Pullman recusava-se a vender quer a terra, quer as casas, de modo a conservar «a harmonia do projecto urbano» e também, presumivelmente, o seu controlo sobre os habitantes. Todos quantos viviam em Pullman (Illinois) eram inquilinos de Pullman (George). A restauração das casa estava sujeita a um apertado controlo; os arrendamentos eram rescindíveis mediante um pré-aviso de dez dias. Pullman chegava mesmo a recusar autorização aos católicos e aos luteranos suecos para construírem as suas igrejas, não porque se opusesse aos respectivos cultos (era-lhes permitido arrendar salas), mas porque a sua concepção da cidade requeria uma igreja sumptuosa cuja renda só os presbiterianos poderiam pagar. Por motivos algo diferentes, embora com igual zelo no tocante à ordem, as bebidas alcoólicas só se podiam vender no único hotel da cidade, num bar bastante luxuoso em que os vulgares trabalhadores não eram susceptíveis de se sentir à vontade.

Já salientei a autocracia de Pullman; posso agora salientar também a sua beneficência. A habitação que fornecia era consideravelmente melhor do que aquela de que, em geral, dispunham os trabalhadores americanos dos anos 80 do século passado; as rendas não eram exorbitantes (as suas margens de lucro eram, na verdade, bastante baixas); os edifícios eram objecto de obras de conservação regulares, etc. Contudo, a questão essencial era a de que todas as decisões, beneficentes ou não, dependiam de um homem, simultaneamente governador e proprietário, que não tinha sido escolhido pelas pessoas que governava. Richard Ely, que visitou a cidade em 1885 e escreveu sobre ela um artigo para o *Harper's Monthly*, classificou-a como um exemplo de «feudalismo... não americano, filantrópico e benevolente»[21]. Esta descrição não é, porém, lá muito exacta, pois os homens e mulheres que habitavam Pullman tinham plena liberdade de entrar e sair. Tinham também a liberdade de viver fora da cidade e vir trabalhar nas suas fábricas, embora quando vinham tempos difíceis, os inquilinos de Pullman fossem aparentemente os últimos a ser despedidos. Estes inquilinos definem-se melhor como vassalos de uma empresa capitalista que ampliou simplesmente a sua actividade, da fabricação à propriedade imobiliária e reproduziu na cidade a disciplina da fábrica. Que mal há nisso?

Para mim, a questão é retórica, mas vale talvez a pena descobrir a resposta. Os habitantes de Pullman eram trabalhadores-hóspedes e essa situação não é compatível com a política democrática. George Pullman assalariou uma população de metecos numa comunidade política em que o amor-próprio estava intimamente ligado à cidadania e em que as decisões sobre destinos e riscos, mesmo (ou especialmente) os de carácter local, eram supostamente compartilhadas. Era, pois, mais um ditador do que um senhor feudal; governava pela força. A importunação dos habitantes da cidade pelos seus inspectores era incomodativa e despótica e dificilmente poderá ter sido sentida de outro modo.

Ely afirmava que o domínio de Pullman sobre a cidade fazia com que os seus habitantes de certo modo deixassem de ser cidadãos americanos: «Sentimo-nos em contacto com um povo dependente e servil.» Aparentemente, Ely não tomou conhecimento da grande greve de 1894 nem da coragem e disciplina dos grevistas[22]. Escreveu o seu artigo nos primeiros tempos da história da cidade; talvez as pessoas tivessem precisado de tempo para se instalarem e para aprenderem a confiar umas nas outras antes de ousarem desafiar o poder de Pullman. Mas quando entraram em greve, fizeram-no contra aquele poder, tanto na fábrica como na cidade. Efectivamente, os capatazes de Pullman eram ainda mais despóticos do que os seus representantes e inspectores. Parece estranho analisar a reprodução da disciplina na cidade-modelo e condenar só uma das metades. E, contudo, foi este o entendimento convencional na época. Quando o Supremo Tribunal do Illinois determinou, em 1898, que a Companhia Pullman (Pullman falecera um ano antes) se despojasse de toda a propriedade não afectada a fins industriais, baseou-se em que a propriedade de uma cidade — embora não de uma empresa — «era incompatível com a doutrina e o espírito das nossas instituições»[23]. A cidade devia ser governada democraticamente, não tanto por a propriedade tornar servis os habitantes, mas por os obrigar a lutar por direitos que já tinham como cidadãos americanos.

É verdade que a luta pelos direitos na fábrica era nova, quanto mais não fosse, porque as fábricas eram instituições mais recentes que as cidades e vilas. Não quero, porém, deixar de afirmar que, no tocante ao poder político, a distribuição democrática não pode ficar à porta da fábrica. Os princípios básicos são os mesmos para ambas as instituições. Esta identidade constitui a base moral do movimento operário, não do «sindicalismo organizado» que tem uma base diferente, e sim de todas as exigências de progresso para uma democracia industrial. Não resulta destas exigências que as fábricas não possam ser objecto de propriedade; os opositores ao feudalismo também não sustentavam que a terra não o pudesse ser. É mesmo concebível que todos os habitantes de uma cidade (pequena) paguem renda ao mesmo senhorio, mas não que lhe prestem homenagem. A questão em todos estes casos é, não a existência, mas as implicações da propriedade. O que a democracia exige é que a propriedade não constitua moeda de troca política, que se não converta em algo de parecido com a soberania, a autoridade ou o controlo permanente de homens e mulheres. Pelo menos depois de 1894, a maior parte dos observadores parece estar de acordo em que a propriedade de Pullman sobre a cidade não era democrática. E seria diferente a sua propriedade sobre a empresa? A inusitada justaposição de ambas favorece uma boa comparação.

Não são diferentes devido à perspicácia, energia, inventiva, etc., empresariais que estiveram na base do fabrico dos vagões-cama, -restaurante e -salão de Pullman. É que todas estas qualidades estiveram na base da criação da cidade. Era disto, aliás, que Pullman se vangloriava: de que o seu «"sistema" que fora um êxito no transporte de passageiros por caminho-de-ferro, estava agora a ser aplicado aos problemas suscitados pelo trabalho e pela habitação»[24]. E se essa aplicação não originar poder político num caso, por que é que o há-de originar no outro*?

E a diferença também não reside no investimento de capital privado no caso da empresa. Pullman também investiu na cidade sem que tenha por isso adquirido o direito de governar os seus habitantes. Passa-se o mesmo com aqueles que adquirem obrigações do município: não se tornam proprietários da municipalidade. A menos que vivam e votem na cidade, não podem sequer tomar parte nas decisões sobre o modo como o seu dinheiro deve ser gasto. Não têm direitos políticos, ao passo que os residentes os têm independentemente de serem ou não investidores. Não parece

---

* Talvez fossem, porém, os conhecimentos de Pullman e não as suas perspicácia, energia, etc., que justificavam o seu governo autocrático. Talvez as fábricas devessem ser incluídas na categoria das instituições disciplinares e geridas por administradores científicos. Pode, contudo, argumentar-se do mesmo modo quanto às cidades. Na verdade, as câmaras municipais contratam às vezes administradores profissionais os quais estão, porém, subordinados à autoridade dos vereadores eleitos. Os administradores fabris estão subordinados, embora frequentemente de maneira ineficaz, à autoridade dos proprietários. A questão, portanto, subsiste: porquê dos proprietários e não dos trabalhadores (ou dos seus representantes eleitos)?

haver qualquer razão para não se fazer a mesma distinção no caso das sociedades de fim económico, pondo de um lado os investidores e do outro os participantes, num acto de justa retribuição da parte do poder político.

Finalmente, a fábrica e a cidade não são diferentes pelo facto de os homens e as mulheres virem trabalhar para aquela com pleno conhecimento das suas normas e regulamentos. É também por sua livre vontade que vêm viver para a cidade e nem num caso nem no outro adquirem pleno conhecimento das normas, enquanto não têm alguma experiência delas. Em qualquer caso, residência não significa concordância com normas despóticas, mesmo que estas sejam antecipadamente conhecidas e a retirada imediata não é a única maneira de exprimir oposição. Há, na verdade, algumas sociedades relativamente às quais estas últimas afirmações podem plausivelmente inverter-se. Por exemplo, um homem que entra para uma ordem monástica que exige uma obediência estrita e incondicional, parece escolher mais um modo de vida do que um lugar para viver (ou um lugar para trabalhar). Não o respeitaremos convenientemente se nos recusarmos a reconhecer a eficácia da sua escolha. O objectivo e o efeito moral desta consistem precisamente na autorização das decisões dos superiores e ele não poderá subtrair-se à sua autoridade sem se subtrair a si próprio à vida em comum que aquela torna possível. Já o mesmo se não pode dizer de um homem ou de uma mulher que entra para uma empresa ou vai trabalhar para uma fábrica. Aqui, a vida em comum não é tão envolvente nem exige a aceitação incondicional da autoridade. Só respeitamos o novo operário se presumirmos que ele não procurou conscientemente a submissão política. É claro que se defrontará com os capatazes e os seguranças da empresa como sabia que aconteceria e pode ser que o êxito da empresa exija a sua obediência, assim como o êxito de uma cidade ou de uma vila exige que os cidadãos obedeçam às autoridades públicas. Em nenhum destes casos poderemos, porém, dizer (o que diríamos a um frade noviço): se você não gosta destas autoridades nem das ordens que dão, pode ir-se embora quando quiser. É importante que haja outras opções além da partida, relacionadas com a nomeação das autoridades e a elaboração das normas que estas impõem.

Há organizações doutro tipo que suscitam problemas maiores. Veja-se um exemplo utilizado por Marx, no terceiro volume de *O Capital*, para ilustrar a natureza da autoridade numa fábrica comunista. O trabalho cooperativo exige, escreveu ele, «uma vontade dominante» que comparou à de um maestro[25]. Este dirige a harmonia dos sons e também, como Marx parece ter pensado, a harmonia dos músicos. É uma comparação perturbante, pois os maestros têm-se comportado frequentemente como déspotas. Deverá a sua vontade ser dominante? Talvez sim, uma vez que a orquestra deve exprimir uma só interpretação da música que toca. Todavia, os padrões de trabalho numa fábrica são mais facilmente ajustados. E também não acontece que os membros da orquestra tenham de obedecer ao maestro em todos os aspectos da actividade que compartilham. Podem reivindicar o direito de ser ouvidos sobre os assuntos da orquestra mesmo que, quando tocam, aceitem a vontade dominante do maestro.

Porém, os membros de uma orquestra, como os operários de uma fábrica, embora passem muito tempo juntos, não vivem juntos. Talvez a linha divisória entre a política e a economia tenha a ver com a diferença entre a residência e o trabalho.

Pullman juntou os dois e submeteu residentes e trabalhadores à mesma autoridade. Será suficiente que os residentes se administrem a si próprios, ficando os trabalhadores submetidos ao poder da propriedade, que os residentes sejam cidadãos e os trabalhadores metecos? É certo que a auto-administração dos residentes é normalmente concebida como uma questão de extrema importância. É por isso que um senhorio tem muito menos poder sobre os seus inquilinos do que o dono de uma fábrica sobre os seus trabalhadores. Para poderem ter segurança em suas casas, devem os homens e mulheres dirigir o local onde vivem. *A casa de um homem é o seu castelo.* É de presumir que este velho adágio exprima um autêntico imperativo moral. Porém, o que este adágio exige é, não tanto o autogoverno político, e sim mais a protecção legal na esfera doméstica, não só contra as ingerências económicas, mas também contra as políticas. Necessitamos de um espaço de recolhimento, repouso, intimidade e (por vezes) solidão. Tal como um barão feudal se retirava para o seu castelo para ruminar as desconsiderações públicas, assim eu me retiro para a minha casa. Todavia, a comunidade política não é uma colecção de locais de ruminação ou não é só isso. É também uma empresa comum, um lugar público onde debatemos o interesse público e onde decidimos quais os objectivos a alcançar e discutimos sobre os riscos aceitáveis. Tudo isto estava ausente da cidade-modelo de Pullman até o Sindicato dos Ferroviários Americanos ter arranjado um fórum tanto para os trabalhadores como para os residentes.

Nesta perspectiva, uma empresa económica parece-se muito com uma cidade, ainda que se pareça — ou em parte porque se parece — tão pouco com um lar. É um lugar, não de repouso e intimidade, mas antes de actividade cooperante, não de inércia, mas antes de decisão. Se os senhorios com poder político são susceptíveis de se intrometer na vida das famílias, também os proprietários com tal poder são susceptíveis de exercer coacção sobre os indivíduos. É de crer que o primeiro caso seja pior do que o segundo, mas esta comparação não estabelece qualquer distinção fundamental entre os dois, limitando-se a graduá-los. A intromissão e a coacção tornam-se igualmente possíveis por motivo de uma realidade mais funda, ou seja, a usurpação da empresa comum, o afastamento do processo decisório colectivo, pelo poder da propriedade. E quanto a isto nenhuma das habituais justificações parece adequada. Pullman expôs a sua fragilidade, ao pretender dirigir a cidade exactamente como dirigia as suas fábricas. Na verdade, estes dois tipos de direcção são parecidos e ambos se assemelham àquilo a que vulgarmente se chama política autoritária. O direito a impor multas é como que uma tributação e o direito de despejar inquilinos é (em certa medida) como que uma punição. As regras são elaboradas e impostas sem qualquer debate público, por autoridades nomeadas em vez de eleitas. Não se encontram instituídos procedimentos judiciais, nem formas legítimas de oposição, nem canais de participação ou sequer de protesto. Se este género de coisas é mau para as cidades, então também o é para as empresas e fábricas.

Imaginemos agora que Pullman ou os seus herdeiros decidiam transferir a sua fábrica/cidade. Tendo pago o seu investimento inicial, descobrem um terreno mais valioso noutro sítio; ou então sentiram-se atraídos por um novo projecto, um modelo melhor de uma cidade melhor e querem pô-lo em prática. Afirmam que a decisão é só sua uma vez que a fábrica/cidade é só sua; nem os habitantes nem os trabalhadores têm algo a dizer. Mas como pode isto estar certo? Não há dúvida que desenraizar uma comunidade, exigir uma migração em larga escala, privar pessoas das casas onde viveram anos e anos, são actos políticos e de natureza extrema. Esta decisão constitui um exercício de poder e se os habitantes da cidade tivessem simplesmente de se submeter, pensaríamos que eram destituídos de amor-próprio. E quanto aos trabalhadores?

Que arranjos políticos deveriam os trabalhadores tentar conseguir? A autoridade política implica um certo grau de autonomia, mas não é manifesto que essa autonomia seja possível numa única fábrica ou mesmo num conjunto de fábricas. Os habitantes de uma cidade são também os consumidores dos bens e serviços por ela fornecidos e, salvo no que toca a visitantes ocasionais, são os únicos consumidores. Porém, os trabalhadores de uma fábrica são produtores de bens e serviços; só algumas vezes são consumidores e nunca os únicos. E mais: estão metidos num conjunto de relações económicas estreitas com outras fábricas por eles fornecidas ou de cujos produtos dependem. Os proprietários privados relacionam-se uns com os outros no mercado. Em teoria, as decisões económicas são apolíticas e são coordenadas sem intervenção da autoridade. Até onde esta teoria é verdadeira, as cooperativas de trabalhadores posicionar-se-ão na rede das relações de mercado. Todavia, na verdade, essa teoria esquece tanto os conluios dos proprietários entre eles como a sua capacidade colectiva de apelar ao apoio das autoridades públicas. Neste caso, o que poderia substituir este sistema seria uma democracia industrial organizada tanto a nível nacional como local. Como poderá, porém, precisamente, o poder ser distribuído de modo a ter em conta tanto a necessária autonomia como a articulação prática das empresas e fábricas? Esta questão é frequentemente suscitada, sendo respondida de várias maneiras na literatura que tem por tema o controlo operário. Não vou tentar responder-lhe mais uma vez nem pretendo negar a sua dificuldade; quero apenas reafirmar que os vários sistemas exigidos por uma democracia industrial não são assim tão diferentes dos exigidos por uma democracia política. A menos que sejam Estados independentes, as cidades e vilas nunca são inteiramente autónomas; não têm sequer autoridade plena sobre os bens e serviços que produzem para consumo interno. Presentemente, nos Estados Unidos, enredamo-las numa estrutura federal e regulamos o que podem fazer nas áreas da educação, justiça criminal, uso do ambiente, etc. As fábricas e as empresas deveriam ser igualmente enredadas e reguladas (e também tributadas). Numa economia desenvolvida, tal como numa sociedade organizada e desenvolvida, decisões diferentes deverão ser tomadas por diferentes grupos de pessoas a diferentes níveis de organização. A divisão de poderes em ambos estes casos só parcialmente é uma questão de princípio; é também uma questão de oportunidade e conveniência.

O raciocínio é semelhante no que toca aos sistemas constitucionais existentes nas fábricas e nas empresas. Haverá grandes dificuldades em efectivá-los; haverá falsas partidas e experiências falhadas, tal como tem havido ao longo da história das cidades e vilas. Nem deveremos esperar encontrar só um sistema adequado. Democracia directa, representação proporcional, círculos eleitorais uninominais, representantes mandatados e independentes, parlamentos bicamerais e unicamerais, administradores municipais, comissões reguladoras, empresas públicas: o processo decisório político é organizado de muitas e variadas maneiras e continuará a sê-lo. O importante é que saibamos que tem natureza política, tendo a ver com o exercício do poder e não com a utilização livre da propriedade.

Há hoje muitos homens e mulheres, presidindo a empresas nas quais se integram centenas e mesmo milhares dos seus concidadãos, dirigindo e controlando a actividade laboral destes e que se justificam exactamente como Pullman o fazia. Dirijo estas pessoas — dizem — do mesmo modo como se dirige aquilo de que se é dono. Quem fala assim não tem razão. Compreende mal as prerrogativas da propriedade (e da fundação de empresas, do investimento e da assunção de riscos). Reivindicam um poder a que não têm direito.

Dizer isto não é negar a importância da actividade empresarial. Tanto nas empresas como nas cidades, precisa-se de homens como Pullman, cheios de energia e ideias, cheios de vontade de inovar e de correr riscos e capazes de elaborar grandes projectos. Seria disparatado criar um sistema que não os colocasse em primeiro plano. Não nos podem ser úteis se ficarem a ruminar nos seus castelos. Não há, porém, nada que façam que lhes confira o direito de dominar os outros, a menos que obtenham o seu acordo. A certa altura do desenvolvimento de uma empresa, terá pois esta de escapar ao controlo do empresário; terá de ser organizada ou reorganizada em determinados moldes políticos, segundo a concepção (democrática) dominante do modo como o poder deve ser distribuído. Diz-se com frequência que os empresários económicos não avançarão se não esperarem vir a ser donos das empresas que fundam. Isto equivale, porém, a dizer que ninguém buscaria a graça divina nem a sabedoria se não esperasse tornar-se possuidor de uma igreja ou de uma «comunidade sacra» por via hereditária, ou que ninguém fundaria novos hospitais nem escolas experimentais se não tencionasse deixá-las aos seus filhos, ou que ninguém apoiaria inovações e reformas políticas a menos que lhe fosse possível ser dono do Estado. A propriedade não é, porém, o objectivo da vida religiosa nem da vida política e há outros objectivos atraentes e até mesmo imperativos. Na verdade, se Pullman tivesse fundado uma cidade melhor podia ter granjeado para si próprio o género de respeito público que os homens e mulheres têm por vezes considerado como o fim mais elevado da acção humana. Se o que ele queria era também o poder, deveria ter-se candidatado a presidente do município.

A cidadania democrática

Assim que tivermos colocado a propriedade, a especialização, a sabedoria religiosa, etc., nos seus lugares próprios e estabelecido a sua autonomia, não há alternativa à democracia na esfera política. A única coisa que pode justificar formas não-democráticas de governo é uma concepção indiferenciada dos bens sociais, por exemplo, mais ou menos do género das perfilhadas pelos teocratas e pelos plutocratas. Mesmo um regime militar, que parece basear-se unicamente numa afirmação de força, tem de pretender fundar-se em algo de mais profundo, ou seja, em que a força das armas e o poder político são, na verdade, uma e a mesma coisa, que os homens e mulheres só podem ser governados por meio de ameaças e coacção física e, portanto, que o poder deve ser dado (mesmo que ainda não tenha sido tomado por eles) aos militares mais eficientes. Este argumento baseia-se também na sabedoria especial, pois não é qualquer militar que deve governar e sim o que melhor souber como organizar as tropas e utilizar as armas. Se, porém, tivermos uma concepção mais restrita da força militar, como Platão, ao submeter os guardiães aos filósofos, poderemos também estabelecer limites ao domínio militar. O melhor de entre os militares domina o exército e não o Estado. E do mesmo modo, se tivermos uma concepção da filosofia mais restrita que a de Platão, concluiremos que os melhores filósofos, embora possam orientar as nossas especulações, não podem governar as nossas pessoas.

Os cidadãos devem governar-se a si próprios. «Democracia» é o nome deste governo, mas aquele termo não exprime nada que se pareça com um sistema único e nem a democracia é o mesmo que a igualdade simples. Na verdade, o governo nunca pode limitar-se a ser igualitário, pois a um dado momento, alguém ou algum grupo vai ter de decidir esta ou aquela questão e de impor seguidamente a decisão e outro alguém ou algum outro grupo vai ter de aceitar essa mesma decisão e sujeitar-se à sua imposição. A democracia é uma forma de atribuição do poder e de legitimação do seu uso, ou melhor, é *a forma política* de distribuir o poder. Toda e qualquer razão extrínseca está excluída. O que conta é a discussão entre os cidadãos. A democracia encoraja a palavra, a persuasão, a habilidade retórica. De um ponto de vista ideal, o cidadão que produzir os argumentos mais persuasivos, quer dizer, os argumentos que realmente convençam o maior número de cidadãos, consegue o que pretende. Não pode, porém, usar a força nem fazer valer a sua posição nem distribuir dinheiro; deve falar sobre as questões em causa. E todos os outros cidadãos devem igualmente usar da palavra, ou pelo menos, ter oportunidade de o fazer. Não é, porém, apenas a participação que produz o governo democrático. Igualmente importante é aquilo a que poderíamos chamar o império da argumentação. Os cidadãos trazem ao fórum os seus argumentos e mais nada. Todos os bens de natureza não-política têm de ser depositados no exterior: armas e carteiras, títulos e graus académicos.

A democracia, segundo Thomas Hobbes, «não é mais do que uma aristocracia de oradores, por vezes interrompida pela monarquia temporária de um único orador»[26]. Hobbes estava a pensar na assembleia ateniense e em Péricles. No circunstancialismo actual, ter-se-ia de atender a uma variedade muito maior de cenários — comissões, reuniões políticas, partidos, grupos de interesses, etc. — e, portanto, a uma variedade muito maior de estilos. Há muito que os grandes oradores perderam a sua preponderância. Contudo, Hobbes tinha, sem dúvida, razão ao afirmar que os cidadãos participam sempre, em maior ou menor grau, no processo decisório. Alguns deles são mais eficientes e mais influentes do que outros. Com efeito, se isto não fosse assim, se todos os cidadãos tivessem literalmente a mesma dose de influência, é difícil perceber como é que alguma vez poderiam chegar a decisões claras. Se os cidadãos têm de fazer as leis para si próprios, então as suas discussões terão, de uma maneira ou de outra, de resultar em *leis*. E embora estas leis possam muito bem reflectir um grande número de compromissos, será, na sua forma definitiva, também mais conforme com os desejos de alguns cidadãos do que com os de outros. Uma decisão integralmente democrática é susceptível de ser mais conforme com os desejos dos cidadãos politicamente mais aptos. A política democrática é monopólio dos políticos.

O sorteio ateniense

Uma forma de evitar aquele monopólio consiste em escolher os detentores de cargos por sorteio. Estamos aqui perante a igualdade simples na esfera dos cargos e já me referi a algumas das suas versões modernas. Vale, porém, a pena determo-nos por momentos na análise do exemplo ateniense, pois este revela muito claramente como o poder político escapa a este tipo de igualdade. Não quero com isto negar o igualitarismo impressionante da democracia ateniense. Muitas autoridades eram escolhidas por sorteio, sendo-lhes confiadas importantes responsabilidades cívicas. Eram, na verdade, submetidas a uma espécie de exame antes de lhes ser permitido tomar essas responsabilidades. As perguntas formuladas eram, porém, iguais para todos os cidadãos e para todos os cargos e destinavam-se apenas a demonstrar que os potenciais detentores de cargos eram cidadãos de boa reputação e que tinham cumprido os seus deveres políticos e familiares. O exame «não punha de modo algum à prova a capacidade (do indivíduo) para o desempenho do cargo para que tinha sido sorteado»[27]. Presumia-se que todos os cidadãos tinham essa capacidade. E essa presunção parece ter sido justificada; de qualquer maneira, o trabalho era feito, e eficazmente, por cidadãos sorteados, uns a seguir aos outros.

Contudo, os cargos mais importantes — os que se caracterizavam por uma maior independência nas decisões — não eram distribuídos deste modo. E — o que era mais importante — as leis e as políticas não eram adoptadas por este processo. Nunca ninguém sugeriu que aos cidadãos fosse permitido «indicar» determinada política ou redigir uma lei para ser sorteada. Tal teria sido considerado um meio irresponsável e arbitrário de determinar os objectivos e riscos da comunidade. Em vez disso, a assembleia discutia as diversas propostas, ou melhor, a aristocracia de oradores discutia-as e a massa dos cidadãos ouvia e votava. O sorteio distribuía o poder administrativo, mas não propriamente o político.

O poder político numa democracia é distribuído através de discussão e votação. Mas não será o voto uma espécie de poder, distribuído de acordo com a regra da igualdade simples? Uma espécie de poder, talvez, mas algo que fica muito aquém da capacidade de determinar destinos e riscos. Eis, a seguir, outro exemplo de como a regra da igualdade simples desvaloriza os bens a que se aplica. Segundo Rousseau, um voto representa uma fracção de 1/n da soberania[28]. Numa oligarquia, essa fracção é considerável; numa democracia e especialmente numa democracia moderna de massas, é, na verdade, bem pequena. O voto é, todavia, importante, porque tanto serve para exprimir a qualidade de membro como para lhe conferir um sentido concreto. «Um cidadão/um voto» é o equivalente funcional, na esfera da política, da regra que proíbe a exclusão e o aviltamento na esfera da previdência, do princípio da igualdade de tratamento na esfera dos cargos e da garantia de um lugar na escola para toda e qualquer criança na esfera da educação. É a base de toda a actividade distributiva e o quadro em que, inelutavelmente, as opções têm de se fazer. Mas estas têm de ser feitas, apesar de tudo, dependendo, não dos votos individuais, e sim da soma deles; daí que dependam do jogo das influências, da persuasão, das pressões, do regateio, da organização, etc. É através do seu envolvimento em actividades deste género que os políticos, quer como dirigentes, quer como figuras de segundo plano, exercem o poder político.

Os partidos e as eleições primárias

O poder «pertence» à persuasão e, por isso, os políticos não são déspotas desde que o seu poder seja convenientemente limitado e a sua persuasão não seja constituída pela «linguagem do dinheiro» ou por deferência para com o nascimento e a linhagem. Os democratas, porém, desconfiaram sempre dos políticos e de há muito que vêm tentando descobrir uma maneira qualquer de tornar a igualdade simples mais efectiva na esfera da política. Poderíamos, por exemplo, colocar em desvantagem os mais persuasivos dos nossos concidadãos, limitando o seu número de intervenções numa discussão, ou exigindo que, nos comícios, falem com seixos na boca, como Demóstenes quando se exercitava na praia[29]. Ou, com maior plausibilidade, poderíamos suprimir completamente os comícios e proibir os clubes e partidos organizados pelos políticos para tornar eficaz o seu poder de persuasão. Era esta a ideia de Rousseau quando afirmava que os cidadãos tomariam sempre boas decisões desde que «habilitados com a adequada informação... não comunicassem uns com os outros». Então, cada indivíduo pensaria «unicamente pela sua cabeça». Não haveria oportunidade para a persuasão ou para a organização, nem prémio para a habilidade na redacção dos discursos ou na organização das comissões; em vez de uma aristocracia de oradores, teríamos uma autêntica democracia de cidadãos[30]. Quem forneceria, porém, a informação necessária? E o que fazer, se surgissem divergências sobre qual a que se deveria considerar «adequada»?

A política é, na verdade, inevitável e os políticos são igualmente inevitáveis. Mesmo que não falemos uns com os outros, alguém terá de falar com todos nós, não só fornecendo factos e números, mas também defendendo posições. A tecnologia moderna torna possível algo deste género, pondo os cidadãos em contacto directo — ou no que parece ser tão bom como o contacto directo — com as decisões sobre a política a seguir e os candidatos aos cargos. Poderemos, assim, organizar referendos de carregar no botão sobre questões essenciais, com os cidadãos isolados nas suas salas de estar, vendo televisão e discutindo só com os seus cônjuges, com os dedos suspensos sobre as suas máquinas de votar privadas. E poderemos organizar escolhas de candidatos e eleições exactamente do mesmo modo: um debate televisivo e uma votação imediata. Isto é algo de parecido com a igualdade simples na esfera da política (há, evidentemente, aquelas outras pessoas que discutem na televisão). Mas será isto exercício do poder? Em vez disso, estou em crer que estamos apenas perante mais um exemplo da erosão de valores, um meio falso e que acabará por ser aviltante, de participação no processo decisório.

Comparemos por momentos as eleições primárias com os congressos partidários, dois métodos muito diferentes de escolher candidatos presidenciais. Os democratas e os igualitaristas têm vindo a insistir em que se devem realizar mais eleições primárias e mais abertas (nas quais os votantes possam escolher livremente a competição partidária em que participarão) e depois em que as primárias devem ser regionais ou nacionais de preferência a estatais. Aqui, mais uma vez, o que se pretende é minimizar a influência das organizações e máquinas partidárias, dos políticos instalados, etc., e maximizar a influência dos cidadãos. O primeiro efeito é com toda a certeza alcançado. Uma vez estabelecidas as primárias e particularmente se estabelecidas de forma aberta, as organizações estatais e locais perdem o seu poder. Os candidatos fazem os seus apelos não por intermédio de uma estrutura articulada e sim através dos meios de comunicação social de massas. Não negoceiam com os dirigentes locais, nem usam da palavra em reuniões partidárias, nem formam alianças com grupos de interesses estabelecidos. Em vez disso, têm de solicitar os votos, por assim dizer, um por um, a todos os eleitores inscritos sem olhar à sua afinidade com o partido, à sua lealdade ao respectivo programa e à sua vontade de trabalhar em prol do êxito do mesmo. Por sua vez, os eleitores só vêem o candidato na televisão, sem qualquer mediação política. A votação é retirada do contexto dos partidos e das plataformas; é mais uma compra impulsiva do que um processo decisório político.

Presentemente, nos Estados Unidos, uma campanha primária é como um ataque de comandos. O candidato e sua comitiva pessoal, acompanhados de alguns adjuntos profissionais, publicitários, esteticistas da cara e do espírito, caem sobre um Estado, travam breve luta e retiram-se rapidamente. Não são precisas ligações locais; as organizações de base e o apoio dos notáveis locais são igualmente supérfluos. Toda esta actividade requer enorme esforço de umas quantas pessoas que mal chegam logo se vão embora, ao passo que os habitantes do Estado são meros espectadores e seguidamente, como que por milagre, passam a cidadãos soberanos, escolhendo os seus favoritos. Pelo contrário, a política partidária é, não um ataque de surpresa, mas antes uma longa luta. Apesar de interrompida pelas eleições, tem um ritmo mais regular do que uma campanha para as primárias; requer empenhamento e resistência. Envolve mais pessoas durante mais tempo, mas são unicamente as pessoas envolvidas que tomam as decisões cruciais, escolhendo os candidatos do partido e elaborando a sua plataforma em reuniões e congressos. Quem fica em casa é excluído. A política partidária tem a ver com reuniões e discussões, sendo muito importante a comparência às reuniões e a escuta das discussões; os cidadãos passivos só mais tarde intervêm no processo, não para nomear candidatos e sim para escolher entre os nomeados.

As reuniões partidárias e os congressos são normalmente considerados menos igualitários do que as primárias, mas esta ideia não exprime toda a verdade. As formas mais intensas de participação reduzem efectivamente a distância entre dirigentes e simpatizantes e servem para manter a essência da discussão, sem a qual a igualdade política depressa se converte numa distribuição sem sentido. Os candidatos escolhidos nas reuniões partidárias e nos congressos serão, sem dúvida, mais conhecidos e por mais pessoas do que os escolhidos nas primárias. É que aqueles, ao contrário destes, terão sido vistos mais de perto e sem maquilhagem; terão trabalhado as circunscrições eleitorais, tomado posições e assumido compromissos especiais para com determinados homens e mulheres. A sua vitória será a vitória do partido e exercerão o poder mais colectivamente, não já tanto sobre os seus apoiantes e sim mais em conjunto com eles. As reuniões partidárias e os congressos constituem o cenário fundamental para as negociações que determinam este esforço comum, juntando as forças divididas do partido — os notáveis, a máquina, as facções, os grupos de pressão — numa união mais ampla. Na pior das hipóteses, é uma política de dirigentes locais (e não das celebridades nacionais que o sistema das primárias exige e produz); na melhor, uma política de organizadores partidários, activistas e militantes que vão aos comícios, discutem os problemas e fazem acordos. As primárias são como as outras eleições: todos os cidadãos votam e os votantes são iguais entre si. Mas tudo o que os votantes fazem é... votar. As reuniões e os congressos são geralmente como os partidos: os cidadãos vêm com o poder a que podem recorrer e este recurso compromete-os mais profundamente no processo político do que a mera votação. O cidadão/eleitor é essencial à sobrevivência da política democrática, mas o cidadão/político é essencial ao seu vigor e à sua integridade.

Os argumentos a favor de formas mais intensas de participação são argumentos a favor da igualdade complexa. Está fora de dúvida que a participação pode ser largamente dispersa como acontece, por exemplo, no sistema de jurados. Mas mesmo apesar de os jurados escolhidos por sorteio e mesmo apesar de cada um deles ter um — e só um — voto, o sistema funciona mais como uma reunião partidária ou um congresso do que como uma eleição primária. A sala do júri é mais um cenário de exercício desigual do poder. Alguns membros têm mais talento retórico ou encanto pessoal, ou força moral, ou teimosia do que outros e são mais susceptíveis de determinar o veredicto. Poder-se-á pensar nesses indivíduos como «chefes naturais», no sentido de que a sua chefia não depende da sua riqueza ou nascimento ou mesmo da sua educação; é inerente ao processo político. Se os jurados nunca se encontrassem nem falassem uns com os outros e se limitassem a escutar as alegações dos advogados, a pensar pela sua cabeça e a seguir votassem, os chefes naturais nunca surgiriam. O poder dos jurados mais passivos aumentaria, sem dúvida, com esse procedimento. Não sei se os veredictos seriam melhores ou piores, mas o que julgo é que o sistema de jurados como um todo desvalorizar-se-ia e os jurados dariam menos valor às suas próprias funções. É que concebemos normalmente a verdade como nascendo da discussão, tal como concebemos as orientações como nascendo da flexibilidade do debate político. E é melhor e mais satisfatório participar nas discussões e debates, mesmo com desigualdade, do que aboli-los a bem da igualdade simples.

A democracia exige igualdade de direitos e não igualdade de poder. Os direitos constituem aqui oportunidades garantidas do exercício do poder mínimo (o direito de voto) ou da tentativa de exercício de um poder mais amplo (liberdade de expressão e direitos de reunião e de petição). Os teóricos da democracia costumam conceber o bom cidadão como alguém que está permanentemente a tentar exercer mais poder, embora não necessariamente no seu próprio interesse. Tem princípios, ideias e programas e colabora com homens e mulheres que pensam de igual modo. Ao mesmo tempo, está em conflito intenso e, às vezes, áspero com outros grupos de homens e mulheres que têm os seus próprios princípios, ideias e programas. Aprecia provavelmente o conflito, a natureza «ferozmente competitiva» da vida política, a oportunidade de agir publicamente[31]. O seu objectivo é vencer, ou seja, exercer um poder *sem igual*. Na busca desse objectivo, explora juntamente com os amigos todas as vantagens que possam obter. Tiram grande proveito do seu talento retórico e da sua capacidade de organização; jogam com a lealdade partidária e as recordações de antigas lutas; buscam o apoio de pessoas facilmente aceites ou publicamente respeitadas. Tudo isto é inteiramente legítimo (desde que aquela aceitação se não converta directamente em poder político; não concedemos àqueles que respeitamos um duplo voto ou um cargo público). Não seria, contudo, legítimo, por razões que já referi, que alguns cidadãos pudessem vencer as suas batalhas políticas devido à sua riqueza pessoal ou por terem apoiantes ricos ou amigos e parentes poderosos no governo em exercício. Há algumas desigualdades que podem, e outras que não podem, ser exploradas no decurso da actividade política.

E, o que seria mais importante ainda, não seria legítimo que, após a vitória, os vencedores usassem o seu poder desigual para cortar os direitos de voto e participação do lado vencido. Poderão dizer com razão: porque discutimos e organizámos, convencemos a assembleia ou realizámos a eleição, governar-vos-emos. Seria, porém, despótico dizer: governar-vos-emos para sempre. Os direitos políticos constituem garantias permanentes; são os alicerces de um processo interminável, de um debate sem conclusão definitiva. Na política democrática, os destinos são todos temporários. Nenhum cidadão pode alguma vez pretender ter convencido os seus concidadãos para todo o sempre. Por um lado, há sempre novos cidadãos, e por outro, os mais antigos têm sempre o direito de reabrir a discussão ou de tomar parte numa discussão relativamente à qual antes se abstiveram (ou de mandar continuamente bocas da geral). É este o significado da igualdade complexa na esfera política: não se trata de um poder partilhado, mas sim de oportunidades e ocasiões de poder. Todos os cidadãos são participantes e políticos potenciais.

Esta potencialidade é a condição necessária do amor-próprio dos cidadãos. Já antes me referi, de certo modo, à relação entre a cidadania e o amor-próprio e apenas pretendo agora concluir o raciocínio. O cidadão respeita-se a si mesmo como alguém que é capaz, quando os seus princípios lho exigem, de entrar na luta política, de colaborar e competir no exercício e na busca do poder. E também se respeita como alguém que é capaz de resistir à violação dos seus direitos, não só na esfera política, mas também nas outras esferas da distribuição; é que a resistência é, em si mesma, uma forma de exercício do poder e a política é a esfera que regula as outras todas. O exercício negligente ou arbitrário do poder não gera amor-próprio; é por isso que a participação simplesmente maquinal dá origem a uma política moralmente insatisfatória. O cidadão deve estar preparado para e ser capaz de, ao chegar a sua vez, deliberar juntamente com os seus concidadãos, ouvir e se fazer ouvir e assumir a responsabilidade do que disser e fizer. Preparado e capaz, não só nos Estados, cidades e vilas, mas também nas empresas e fábricas e ainda nos sindicatos, universidades e profissões. Privado permanentemente de poder, quer a nível nacional, quer local, encontrar-se-á igualmente privado da consciência de si mesmo. Daí a inversão da máxima de Lord Acton, inversão essa atribuída a uma série de políticos e autores do século XX: «O poder corrompe, mas a sua falta corrompe absolutamente.»[32] Esta ideia só se compreende num cenário democrático em que a consciência do poder potencial é reconhecida como uma forma de saúde moral (mais do que como uma ameaça de subversão política). Os cidadãos destituídos de amor-próprio sonham com uma vingança despótica.

Actualmente, nos Estados Unidos, a forma mais comum de ausência de poder deriva do predomínio do dinheiro na esfera política. O espectáculo permanente da propriedade/poder, a história do êxito político dos ricos, representada vezes sem conta em todos os palcos da sociedade, acaba por ter, com o tempo, um efeito profundo e penetrante. Os cidadãos sem dinheiro acabam por se convencer profundamente de que a política nada tem para lhes oferecer. Retiram da experiência esta espécie de sabedoria prática e transmitem-na aos seus filhos. Com ela vêm a passividade, a deferência e o ressentimento[33]. Devemos ter, porém, o cuidado de não apertar demasiado o círculo: da ausência de poder para a perda do amor-próprio, desta para uma cada vez mais funda ausência de poder, etc. É que a luta contra o predomínio do dinheiro e contra a riqueza e o poder das grandes empresas constitui talvez a mais bela manifestação de amor-próprio da actualidade. E os partidos e movimentos que organizam essa luta e a levam por diante são alfobres de cidadãos que se respeitam. Essa luta é, em si mesma, uma negação da ausência de poder, uma expressão das virtudes da cidadania. O que a torna possível? Uma vaga de esperança, talvez gerada por uma crise económica ou social, uma concepção comum dos direitos políticos e um impulso para a democracia latente na cultura (mas não em todas as culturas).

Não posso, porém, afirmar que a vitória seja garantia do amor-próprio. Podemos reconhecer direitos, podemos distribuir poder ou, pelo menos, oportunidades de poder, mas não podemos garantir a orgulhosa actividade tornada possível por aqueles direitos e oportunidades. A política democrática, logo que tenhamos derrubado todo e qualquer predomínio injusto, é um convite permanente aos cidadãos para que ajam publicamente e se reconheçam como tal, sendo capazes de escolher destinos e aceitar riscos para si próprios e para os outros e também de vigiar as fronteiras distributivas e apoiar uma sociedade justa. Não há, porém, maneira de garantir que você ou eu, ou quem quer que seja, aproveitará essa oportunidade. Penso que esta é a versão temporal da afirmação de Locke de que ninguém podia ser obrigado a salvar-se. Contudo, a cidadania, diversamente da salvação, não depende de certos arranjos públicos que atrás tentei descrever. E os domínios da cidadania, ao contrário dos da graça (ou do dinheiro, dos cargos, da educação e do nascimento e linhagem) não são despóticos; representam até o fim do despotismo.

CAPÍTULO XIII

TIRANIAS E SOCIEDADES JUSTAS

A relatividade e a não-relatividade da justiça

A melhor análise que se pode fazer da justiça distributiva é a análise das partes que a compõem: bens sociais e esferas de distribuição. Pretendo, porém, dizer algo sobre o todo: em primeiro lugar, no que se refere à sua natureza relativa; em segundo, no que se refere à forma que assume na nossa sociedade; e em terceiro, no que se refere à estabilidade dessa forma. Com estes três pontos concluirei a minha exposição. Não intentarei aqui ocupar-me da questão de saber se as sociedades em que os bens são justamente distribuídos são igualmente boas. É evidente que a justiça é melhor do que o despotismo; não sou, porém, capaz de dizer se esta sociedade justa é melhor do que aquela. Há alguma concepção especial (e portanto uma distribuição especial) de bens sociais que seja simplesmente *boa*? Trata-se de uma questão de que me não ocupo neste livro. Como concepção especial, a ideia do bem não domina a nossa exposição sobre a justiça.

A justiça é relativa aos significados sociais. Na verdade, a relatividade da justiça resulta da clássica definição não-relativa que dá a cada um o que lhe é devido, assim como da minha sugestão de distribuição de bens por razões «internas». Estamos aqui perante definições formais que requerem — como tenho tentado demonstrar — realização histórica. Não podemos dizer o que é devido a este ou àquele, enquanto não soubermos como se relacionam estas pessoas umas com as outras por intermédio das coisas que produzem e distribuem. Não pode haver uma sociedade justa, enquanto não houver uma sociedade, e o adjectivo *justa* não determina, mas antes se limita a modificar a vida real das sociedades que qualifica. Há um número infinito de vidas possíveis, determinadas por um número infinito de culturas, religiões, combinações políticas, condições geográficas, etc., possíveis. Determinada sociedade é justa se a sua vida real for vivida de certo modo, ou seja, de um modo conforme às concepções comuns dos seus membros. (Sempre que as pessoas não estão de acordo quanto ao significado dos bens sociais e sempre que as suas concepções são controvertidas, a justiça exige que a sociedade atenda a esses desacordos, proporcionando os canais institucionais para a sua expressão e para os mecanismos da sua resolução e distribuições alternativas.)

Numa sociedade em que os significados sociais se encontram definidos e hierarquizados a justiça vem em auxílio da desigualdade. Vejamos novamente o sistema de castas que já anteriormente me serviu como teste de coerência teórica. Eis o resumo de um relato detalhado da distribuição de cereais numa aldeia indiana:

> Cada aldeão participava na divisão da pilha de cereais. Não havia regateio nem pagamento de determinados serviços prestados. Não havia contabilidade embora cada participante na vida da aldeia tivesse direito a parte do seu produto, sendo o produto total dividido entre os aldeãos, facilmente e com êxito [1].

Esta é a aldeia como comuna, representando um quadro ideal, mas não absurdo. Porém, se cada um tinha direito a uma parte da pilha comunal de cereais, alguns tinham direito a uma parte maior do que a de outros. Os quinhões dos aldeãos eram desiguais e de modo significativo, encontrando-se essa desigualdade relacionada com uma longa série de outras desigualdades, todas elas justificadas por normas consuetudinárias e por uma doutrina religiosa superstrutural. As distribuições eram públicas e «facilmente» feitas de maneira que não deve ter sido difícil descobrir apropriações e aquisições injustas e não só de cereais. Por exemplo, um proprietário rural que contratasse trabalhadores de fora para substituir os membros de casta inferior da comunidade aldeã, estaria a violar os direitos destes últimos. O adjectivo *justo* aplicado a esta comunidade, exclui esta violação. Não exclui, porém, a desigualdade dos quinhões nem exige um plano novo e radical para a aldeia, contrariando as concepções comuns dos seus membros. Se o fizesse, a própria justiça seria despótica.

Talvez devêssemos, todavia, duvidar de que as concepções predominantes na vida da aldeia fossem realmente comuns. Talvez os membros das castas inferiores se irritassem e indignassem até (embora escondessem esses sentimentos) com os proprietários rurais que se limitavam a tirar os seus «justos» quinhões. Se assim era, seria então importante descobrir os princípios que determinavam aquelas irritação e indignação. Esses princípios devem ter também um papel a desempenhar na justiça da aldeia e se eram conhecidos no seio das castas inferiores, não eram desconhecidos (embora talvez fossem reprimidos) no seio das superiores. Os significados sociais não têm de ser harmoniosos; algumas vezes, limitam-se a fornecer a estrutura intelectual em que as distribuições são debatidas. Essa estrutura é, porém, necessária. Não há princípios extrínsecos ou universais que a possam substituir. Todas as análises reais da justiça distributiva são de natureza local *.

Aqui chegados, será útil voltar a uma das questões que pus de lado no prefácio. Por virtude de que características somos iguais uns aos outros? Acima de todas, há uma característica que é essencial ao meu raciocínio. Somos (todos nós) seres produtores de cultura; construímos e habitamos mundos com sentido. Uma vez que

* Pode acontecer ao mesmo tempo que, como referi no capítulo 1, certos princípios internos, certas concepções dos bens sociais sejam reiteradas em muitas ou talvez em todas as sociedades humanas. Trata-se de uma questão empírica. Não pode ser determinada por qualquer discussão filosófica entre nós mesmos e nem por qualquer discussão filosófica travada por uma versão ideal de nós mesmos.

não há qualquer maneira de classificar e ordenar aqueles mundos relativamente à sua concepção dos bens sociais, fazemos justiça aos homens e mulheres reais, respeitando as suas particulares criações. E estes reclamam justiça e opõem-se ao despotismo, insistindo no sentido que os bens sociais têm entre eles. A justiça baseia-se nas várias concepções dos lugares, honras, empregos e coisas de todo o género que constituem a maneira de viver compartilhada. Pôr de lado estas concepções é agir (sempre) injustamente.

Admitamos agora que os aldeões indianos aceitam efectivamente as doutrinas em que se baseia o sistema de castas. Um visitante da aldeia poderia, apesar disso, tentar convencê-los — é uma actuação inteiramente respeitável — de que aquelas doutrinas são falsas. Poderia argumentar, por exemplo, que os homens e mulheres são criados iguais, não através de várias encarnações, mas apenas no âmbito da presente. Se fosse bem sucedido, surgiria uma variedade de novos princípios distributivos (tudo dependendo do modo como as ocupações fossem repensadas para poderem corresponder às novas concepções das pessoas). Mais simplesmente, a imposição de uma burocracia estatal moderna por sobre o sistema das castas introduz imediatamente novos princípios e linhas de diferenciação. A pureza ritual deixa de estar ligada ao exercício de cargos. A distribuição de empregos do Estado implica critérios diferentes e se os párias forem excluídos, poderemos começar — porque eles começarão — a falar de injustiça. De facto, esse discurso apresenta uma forma familiar, uma vez que inclui (na Índia actual) argumentos relativos à reserva de certos cargos, o que é visto por algumas pessoas como uma modificação do sistema de castas e por outras como um remédio necessário do mesmo sistema[2]. Como traçar com precisão a fronteira entre as antigas castas e a nova burocracia é susceptível de constituir matéria controversa, mas uma fronteira terá de ser traçada logo que a burocracia se instale.

Assim como se pode descrever um sistema de castas que se oriente por padrões (internos) de justiça, também se pode descrever um sistema capitalista que igualmente o faça. Só que aqui a descrição terá de ser muito mais complexa, pois os significados sociais já não são assimilados da mesma maneira. Pode acontecer, como refere Marx no primeiro volume de *O Capital*, que a criação e apropriação da mais-valia constitua «uma boa sorte especial para o comprador (da força de trabalho), mas não, em qualquer caso, uma injustiça para o vendedor»[3]. Isto não é, porém, de modo algum, o retrato integral da justiça e da injustiça na sociedade capitalista. Será também fundamental saber se aquela mais-valia é convertível, se com ela se podem adquirir privilégios especiais nos tribunais, no sistema educativo ou nas esferas política e dos cargos. Uma vez que o capitalismo evolui acompanhado de uma considerável diferenciação em matéria de bens sociais que efectivamente favorece, não há análise das actividades de compra e venda nem descrição da livre troca que possam alguma vez resolver o problema da justiça. Teremos de aprender muito sobre outros processos distributivos e sobre a sua autonomia relativamente ao mercado ou a sua integração neste. O predomínio do capital fora do mercado torna o capitalismo injusto.

A teoria da justiça está atenta às diferenças e é sensível aos limites. Daquela teoria não se conclui, porém, que as sociedades serão mais justas se forem mais diferenciadas. O que acontece é que a justiça tem mais campo de acção nessas sociedades, pois há mais bens diferenciados, mais princípios distributivos, mais agentes e mais meios de actuação. E quanto maior for o campo de acção da justiça, mais evidente se tornará que a forma assumida por esta será a da igualdade complexa. O despotismo tem também maior campo de acção. Vistos de fora e da nossa perspectiva, os brâmanes indianos parecem-se muito com déspotas e assim se tornarão se a concepção em que se baseia a sua elevada posição deixar de ser geral. Todavia, vistos de dentro, as coisas vêm-lhes naturalmente às mãos, por assim dizer, por virtude da sua pureza ritual. Não precisam de se converter em déspotas para gozarem de todo o conjunto de bens sociais. Ou melhor, ao converterem-se em déspotas, estão simplesmente a aproveitar as vantagens que já têm. Mas quando os bens são diferenciados e as esferas distributivas autónomas, esse mesmo gozo requer esforço, intriga e violência. É esta a manifestação fundamental do despotismo: um permanente esbulho de coisas que não surgem naturalmente, uma luta impiedosa para exercer o mando fora do seu sector.

A forma mais completa do despotismo, o totalitarismo moderno, só é possível em sociedades altamente diferenciadas. É que o totalitarismo é a *Gleichschaltung*, a coordenação sistemática de bens sociais e esferas da vida que devem permanecer separadas e o seu terror característico deriva da força que tem esse «devem» nas nossas vidas. Os déspotas contemporâneos estão permanentemente ocupados. Têm imenso que fazer se quiserem tornar o seu poder dominante em toda a parte, na administração e nos tribunais, no mercado e nas fábricas, nos partidos e nos sindicatos, nas escolas e nas igrejas, entre amigos e amantes, entre parentes e concidadãos. O totalitarismo origina novas e radicais desigualdades, mas o facto de a teoria da justiça nunca vir em seu auxílio, é talvez o único aspecto redentor dessas desigualdades. A injustiça assume aqui uma espécie de perfeição como se concebêssemos e criássemos uma multiplicidade de bens sociais e traçássemos as fronteiras das suas esferas próprias só para despertar e dilatar as ambições dos tiranos. Mas ao menos podemos reconhecer a tirania.

A justiça no século XX

A justiça, encarada como o contrário do despotismo, tem pois a ver com as mais terríveis experiências do século XX. A igualdade complexa é o oposto do totalitarismo: máxima diferenciação, em vez da máxima coordenação. É o especial valor que para nós tem a igualdade complexa, aqui e agora, que torna clara esta oposição. É que a igualdade não pode constituir o objectivo da nossa política, a menos que possamos descrevê-la de um modo que nos proteja do moderno despotismo da política e contra a dominação do partido/Estado. Tenho, pois, de focar o modo como essa protecção funciona.

As formas contemporâneas de política igualitária tiveram a sua origem nas lutas contra o capitalismo e o especial despotismo do dinheiro. E sem dúvida que hoje em dia nos Estados Unidos é o despotismo do dinheiro que mais claramente convida à resistência: propriedade/poder mais do que o poder em si. É, porém, vulgar a afirmação de que, sem a propriedade/poder, o poder em si é demasiado perigoso. As autoridades públicas serão despóticas — dizem-nos — sempre que o seu poder não for contrabalançado pelo poder do dinheiro. Resulta, então, daí que os capitalistas serão despóticos sempre que a riqueza não for contrabalançada por um governo forte. Ou, para utilizar a metáfora alternativa da ciência política americana, o poder político e a riqueza devem limitar-se mutuamente: desde que surjam exércitos de homens e mulheres ambiciosos a avançar de um dos lados da fronteira o que é preciso é que idênticos exércitos avancem do outro lado. John Kenneth Galbraith desenvolveu esta metáfora numa teoria dos «poderes equilibrados»[4]. Há também uma posição concorrente daquela e segundo a qual a liberdade só é garantida se não houver nunca e em lugar algum, oposição aos exércitos do capitalismo. Contudo, esta posição não é correcta, pois ao bloquearmos um grande número (o maior número) de possíveis trocas, não estamos só a defender a igualdade, mas também a liberdade. E a teoria do equilíbrio de poderes também não pode aceitar-se sem reserva. É claro que as fronteiras têm de ser defendidas de ambos os lados. Todavia, o problema suscitado pela propriedade/poder é o de que esta já, em si, representa uma violação de fronteiras, um confisco de terreno na esfera política. A plutocracia é um facto certo não só quando homens e mulheres ricos governam o Estado, mas também quando governam a empresa e a fábrica. E quando estes dois tipos de governo andam juntos, é normalmente o primeiro que serve os objectivos do segundo pois este é primordial. É por isso que a Guarda Nacional é chamada para defender o poder local e a base política real dos proprietários e dos administradores.

E, todavia, o despotismo do dinheiro assusta menos do que as formas de despotismo que têm a sua origem no outro lado da linha que separa o dinheiro da política. Sem dúvida que a plutocracia assusta menos do que o totalitarismo; aí a resistência é menos perigosa. A principal razão desta diferença é que o dinheiro pode comprar poder e influência como pode comprar cargos, educação, honras, etc., sem coordenar radicalmente as várias esferas distributivas e sem eliminar processos e agentes alternativos. Corrompe as distribuições sem as modificar e, assim, as distribuições corrompidas coexistem com as legítimas, como a prostituição com o amor conjugal. Continua, porém, a existir despotismo, o qual pode resultar em formas severas de dominação. E se a resistência é menos heróica do que nos Estados totalitários, dificilmente se poderá considerar menos importante.

A resistência exigirá em certa altura uma concentração do poder político que se oponha à concentração de poder plutocrático, daí que surja um movimento ou um partido que se apodere ou, pelo menos, se sirva do Estado. Mas uma vez vencida a plutocracia, definhará o Estado? Tal não acontecerá, pese embora a todas as promessas dos dirigentes revolucionários, nem deve acontecer. A soberania é um aspecto permanente da vida política. A questão fundamental tem a ver, como sempre, com as fronteiras no interior das quais opera a soberania e estas dependem do empenhamento doutrinário, da organização política e da actuação prática do movimento ou partido bem sucedido. Quer isto dizer que este movimento deve aceitar na sua política quotidiana a autonomia real das esferas distributivas. Qualquer campanha contra a plutocracia que não respeite a gama integral dos bens e significados sociais é razoavelmente susceptível de acabar em tirania. São, porém, possíveis outros tipos de campanha. Face ao predomínio do dinheiro o que se pretende, afinal, é uma declaração de independência distributiva. Em princípio, o movimento e o Estado são agentes de independência e sê-lo-ão na prática se estiverem firmemente em poder de cidadãos que se respeitem.

Muito depende dos cidadãos, da sua capacidade de se afirmarem através do conjunto de bens e de preservarem a sua própria noção do seu significado dos mesmos. Não pretendo afirmar que não haja sistemas institucionais que poderão tornar a igualdade complexa mais fácil (embora nunca possa ser tão «fácil» como o sistema de castas). Os sistemas adequados são, penso eu, na nossa sociedade, os próprios de um socialismo democrático descentralizado: um Estado Social forte dirigido, pelo menos em parte, por autoridades locais e amadoras, um mercado limitado, um serviço civil aberto e desmistificado, escolas públicas independentes, partilha do trabalho duro e dos tempos livres, protecção da vida religiosa e familiar, um sistema de reconhecimento e descrédito públicos liberto de toda e qualquer consideração de posição ou classe social, controlo operário das empresas e fábricas e uma política de partidos, movimentos, comícios e debates públicos. Porém, instituições desta espécie são de pouca utilidade se não forem ocupadas por homens e mulheres que se sintam à vontade no seu seio e estejam preparados para as defender. O facto de a igualdade complexa exigir uma defesa enérgica — defesa essa que começa quando essa igualdade está ainda em desenvolvimento — pode constituir um argumento contra ela. É, contudo, também um argumento contra a liberdade. O preço de ambas é a vigilância permanente.

A igualdade e as transformações sociais

A igualdade complexa poderia parecer mais segura se pudéssemos descrevê-la mais em termos da harmonia do que da autonomia das esferas. Porém, os significados sociais e as distribuições só são harmoniosos na medida em que, quando nos apercebemos da razão porque determinado bem tem certa forma e é distribuído de certo modo, também nos apercebemos porque razão outro tem de ser diferente. Todavia, justamente por causa destas diferenças o conflito de fronteiras é endémico. Os princípios adequados às diversas esferas não se harmonizam uns com os outros, o mesmo acontecendo com os padrões de comportamento e de sentimentos que geram. Os regimes de previdência e os mercados, os cargos e as famílias, as escolas e os Estados regem-se por princípios diferentes e assim deve ser. Aqueles princípios devem de algum modo ajustar-se entre si no seio de uma mesma cultura, devendo ser compreensíveis nos diversos grupos de homens e mulheres. Isto não exclui, porém, a existência de profundas tensões e estranhas justaposições. A antiga China era governada por um imperador hereditário de direito divino e uma burocracia meritocrática. Para se explicar esta espécie de coexistência é preciso contar uma história complicada. A cultura de uma comunidade é a história que os seus membros contam de modo a conferir um sentido às diferentes partes da sua vida social, e a justiça é a doutrina que diferencia essas partes. Em qualquer sociedade diferenciada, a justiça só produzirá a harmonia se primeiro produzir a divisão. As boas vedações fazem as sociedades justas.

Nunca sabemos exactamente onde colocar as vedações; estas não têm uma localização natural. Os bens que diferenciam são artefactos; assim como se fabricam, também podem voltar a fabricar-se. As fronteiras são, pois, vulneráveis a mudanças de significado social e não temos outra escolha senão viver com as contínuas sondagens e incursões por meio das quais se processam aquelas mudanças. Normalmente, essas mudanças são como as do mar, muito lentas, como na história que contei no capítulo 3 acerca da cura das almas e da cura dos corpos, no Ocidente medieval e moderno. Porém, a verdadeira revisão de fronteiras, quando tem lugar, é susceptível de acontecer subitamente como sucedeu com a criação de um serviço nacional de saúde na Grã-Bretanha, após a Segunda Guerra Mundial: em determinado ano, os médicos eram profissionais e empresários e, no ano seguinte, eram profissionais e funcionários públicos. Podemos programar tais revisões com base no nossa concepção actual dos bens sociais. Podemos opor-nos, como eu fiz, às formas correntes de predomínio. Não podemos, porém, prever as mudanças mais profundas e que se operam na consciência, nem na nossa comunidade nem seguramente em qualquer outra. O universo social terá um dia um aspecto diferente do que tem hoje, e a justiça distributiva tomará uma forma diferente daquela com que se nos apresenta. A vigilância eterna não garante a eternidade.

Não é, contudo, provável que experimentemos (ou que os nossos filhos ou netos experimentem) mudanças tão amplas que ponham em dúvida a existência da diferenciação e a argumentação a favor da igualdade complexa. As formas de predomínio e dominação, os modos precisos de negação da igualdade, poderão muito bem mudar. Na verdade, é hoje corrente, por banda dos teóricos sociais, a afirmação de que a educação e os conhecimentos técnicos constituem, cada vez mais, os bens dominantes nas sociedades modernas, substituindo o capital e fornecendo a base prática de uma nova classe de intelectuais[5]. Esta afirmação é provavelmente errada, mas sugere subtilmente a possibilidade de transformações em larga escala que, todavia, deixarão intacto o conjunto de bens e significados sociais. É que mesmo que os conhecimentos técnicos adquiram uma nova importância, nada nos leva a pensar que venham a ser tão importantes que nos façam prescindir de todos os outros processos distributivos nos quais presentemente não desempenham qualquer papel, submetendo, por conseguinte, as pessoas a exame, por exemplo, antes de consentir que façam parte de um júri ou eduquem crianças ou gozem férias ou participem na vida política. Nem a importância dos conhecimentos será de molde a garantir que só os intelectuais possam ganhar dinheiro ou alcançar a graça divina ou conquistar o respeito dos seus concidadãos. Penso que podemos presumir que as mudanças sociais deixarão mais ou menos intactos os diversos grupos de homens e mulheres.

E isto significa que a igualdade complexa continuará a ser uma possibilidade viva, mesmo que novos adversários da igualdade venham substituir os antigos. Esta possibilidade é permanente para todos os efeitos práticos... tal como a oposição que lhe é feita. O estabelecimento de uma sociedade igualitária não representará o fim da luta pela igualdade. Tudo o que se pode esperar é que a luta se torne um pouco mais branda à medida que os homens e mulheres aprendam a viver com a autonomia das distribuições e a reconhecer que resultados diferentes para pessoas diferentes em diferentes esferas tornam a sociedade justa. Há uma certa postura mental que está na base da teoria da justiça e que deve ser fortalecida com a experiência da igualdade complexa; podemos concebê-la como uma forma decente de respeito pelas opiniões da Humanidade. Não me estou a referir à opinião deste ou daquele indivíduo que pode até merecer um resposta brusca e sim àquelas opiniões mais profundas que resultam da reflexão nas mentes individuais, moldada igualmente pelo pensamento individual, dos significados sociais que constituem a nossa vida comum. Para nós e em termos de futuro previsível, aquelas opiniões produzem distribuições autónomas e todas as formas de predomínio são, por isso, actos de desrespeito. Para contestar o predomínio e as desigualdades que o acompanham só é necessário prestar atenção aos bens em causa e à concepção comum desses bens. Quando os filósofos o fazem, quando exprimem as suas ideias, respeitando as concepções que compartilham com os seus concidadãos, estão a buscar justamente a justiça e a reforçar a busca comum.

Na sua *Política*, Aristóteles afirma que, numa democracia, a justiça exige que os cidadãos governem e sejam governados alternadamente. Revezam-se uns aos outros no governo[6]. Não é este o retrato provável de uma comunidade política composta por dezenas de milhões de cidadãos. Algo de semelhante poderia ser possível para muitos deles, dirigindo não só o Estado, mas também cidades e vilas, empresas e fábricas. Todavia, atento o número de cidadãos e a curta duração da vida, o tempo simplesmente não chega — mesmo que haja vontade e capacidade bastantes — para que cada um tenha a sua oportunidade. Se considerarmos a esfera política em si mesma, as desigualdades tenderão a surgir. Os políticos, os oradores, os activistas e os militantes — esperemos que sujeitos às limitações constitucionais — exercerão mais poder do que os outros. Mas a política é apenas uma (embora provavelmente a mais importante) das muitas esferas da actividade social. O que é exigido por uma ampla concepção de justiça não é que os cidadãos se revezem no governo, mas sim que governem numa esfera e sejam governados noutra, significando aqui «governar», não que exercem o poder, mas antes que recebem um quinhão maior do que os outros de qualquer bem que seja distribuído. Não se pode garantir aos cidadãos uma «oportunidade» em toda a parte. Penso, na verdade, que não se lhes pode garantir uma «oportunidade» onde quer que seja. Porém, a autonomia das esferas produzirá uma maior repartição dos bens sociais do que qualquer outro sistema concebível. Espalhará mais amplamente o prazer de governar e tornará certo o que hoje permanece em dúvida: a compatibilidade entre o ser governado e conservar o amor-próprio. É que o governo sem dominação não ofende a nossa dignidade nem nega a nossa capacidade moral e política. O respeito mútuo e o amor-próprio compartilhados são apoios firmes da igualdade complexa e juntos constituem a fonte da sua possível resistência.

NOTAS

Prefácio

1. Frank Parkin, *Class, Inequality and Political Order*, Londres, 1972, p. 183.
2. Karl Marx, *Economic and Philosophical Manuscripts* em *Early Writings*, trad. T. B. Bottomore, Londres, 1963, p. 153.
3. Cf. John Stuart Mill, «On Liberty», em *The Philosophy of John Stuart Mill*, ed. Marshall Cohen, Nova Iorque, 1961, p. 198.
4. Michael Walzer, *Just and Unjust Wars: A Moral Argument with Historical Illustrations*, Nova Iorque, 1977, esp. os caps. 4 e 8.

Capítulo I

1. V. John Rawls, *A Theory of Justice*, Cambridge, Mass., 1971; Jürgen Habermas, *Legitimation Crisis*, trad. Thomas McCarthy, Boston, 1975, esp. p. 113; Bruce Ackerman, *Social Justice in the Liberal State*, New Haven, 1980.
2. Robert Nozick produz uma afirmação semelhante em *Anarchy, State and Utopia*, Nova Iorque, 1974, pp. 149-150, mas com conclusões radicalmente individualistas que parecem esquecer o carácter social da produção.
3. Ralph Waldo Emerson, «Ode», em *The Complete Essays and Other Writings*, ed. Brooks Atkinson, Nova Iorque, 1940, p. 770.
4. John Stuart Mill, «On Liberty» em *The Philosophy of John Stuart Mill*, ed. Marshall Cohen, Nova Iorque, 1961, p. 255. Para uma descrição antropológica da atitude de gostar ou não dos bens sociais, v. Mary Douglas e Baron Isherwood, *The World of Goods*, Nova Iorque, 1979.
5. William James, cit. por C. R. Snyder e Howard Fromkin, *Uniqueness: The Human Pursuit of Difference*, Nova Iorque, 1980, p. 108.
6. Karl Marx, *The German Ideology*, ed. R. Pascal, Nova Iorque, 1947, p. 89.
7. Bernard Williams, «The Idea of Equality», em *Problems of the Self: Philosophical Papers, 1956-1972*, Cambridge, Inglaterrra, 1973, pp. 230-249. Este ensaio constitui um dos pontos de partida do meu próprio pensamento sobre a justiça distributiva. V. também a crítica da exposição de Williams (e de um ensaio meu anterior) em Amy Gutmann, *Liberal Equality*, Cambridge, Inglaterrra, 1980, cap. 4.
8. V. Allen W. Wood, «The Marxian Critique of Justice», em *Philosophy and Public Affairs* 1, 1972, pp. 244-282.
9. Michael Young, *The Rise of the Meritocracy, 1870-2033*, Harmondsworth, Inglaterra, 1961 — um brilhante exemplo de ficção científica de carácter social.
10. Rawls, *Theory of Justice* [1], pp. 75 e ss.

11. V. o comentário de Marx, na sua «Crítica do Programa de Gotha», segundo o qual a república democrática é a «forma de Estado» em cujo seio a luta de classes será travada até ao fim; essa luta reflecte-se imediatamente e sem distorções, na vida política (Marx e Engels, *Selected Works*, Moscovo 1951, vol. II, p. 31).

12. Blaise Pascal, *The Pensées*, trad. J. M. Cohen, Harmondsworth, Inglaterra, 1961, p. 96, n.º 244.

13. Karl Marx, «Economic and Philosophical Manuscripts», em *Early Writings*, ed. T. B. Bottomore, Londres, 1963, pp. 193-194. É interessante notar um eco mais antigo da argumentação de Pascal na *Theory of Moral Sentiments*, Edimburgo, 1813, vol. I, pp. 378-379, de Adam Smith, o qual, porém, parece ter acreditado que as distribuições na sua sociedade obedeciam realmente a este conceito de conformidade, erro este que nem Marx nem Pascal alguma vez cometeram.

14. V. descrição resumida em Jean Bodin, *Six Books of a Commonweale*, ed. Kenneth Douglas McRae, Cambridge, Mass., 1962, pp. 210-218.

15. Cf. Nozick sobre a «composição de um modelo», *Anarchy, State and Utopia* [2], pp. 155 e ss.

16. Marx, «Programa de Gotha» [11], p. 23.

17. J. H. Hutton, *Caste in India: Its Nature, Function and Origins*, 4.ª ed., Bombaim, 1963, pp. 127-128. Utilizei também Célestin Bouglé, *Essays on the Caste System*, trad. D. F. Pocock, Cambridge, Inglaterra, 1971, esp. a III parte, caps. 3 e 4 e Louis Dumont, *Homo Hierarchus: The Caste System and Its Implications*, ed. inglesa revista, Chicago, 1980.

18. Hutton, *Caste in India* [17], p.125.

19. V. Charles Beitz, *Political Theory and International Relations*, Princeton, 1979, III parte, quanto à tentativa de aplicação do contratualismo ideal de Rawls à sociedade internacional.

Capítulo II

1. John Rawls, *A Theory of Justice*, Cambridge, Mass., 1971, p. 115. Relativamente a uma discussão útil sobre a ajuda mútua como possível direito v. Theodore M. Benditt, *Rights*, Totowa, N. J., 1982, cap. 5.

2. Rawls, *Theory of Justice* [1], p. 339.

3. John Winthrop, *Puritan Political Ideas: 1558-1794*, ed. Edmund S. Morgan, Indianapolis, 1965, p. 146.

4. Sobre a criação de zonas v. Robert H. Nelson, *Zoning and Property Rights: An Analysis of the American System of Land Use Regulation*, Cambridge, Mass., 1977, pp. 120-121.

5. V. a decisão do Supremo Tribunal dos EUA, em *Village of Belle Terre v. Boraas*, sessão de Outubro de 1973.

6. Bernard Bosanquet, *The Philosophical Theory of the State*, Londres, 1958, p. 286.

7. Henry Sidgwick, *Elements of Politics*, Londres, 1881, pp. 295-296.

8. *Ibid.*, p. 296.

9. Cf. Maurice Cranston, sobre a concepção comum do direito de deslocação, em *What Are Human Rights?*, Nova Iorque, 1973, p. 32.

10. V. o relato destes debates por John Higham, *Strangers in the Land*, Nova Iorque, 1968.

11. Winthrop, *Puritan Political Ideas* [3], p. 145.

12. Thomas Hobbes, *The Elements of Law*, ed. Ferdinand Tönnies, 2.ª ed., Nova Iorque, 1969, p. 88 (I parte, cap. 17, § 2).

13. Bauer expôs a sua teoria em *Die Nationalitätenfrage und die Sozialdemokratie* (1907); dela se incluem alguns excertos em *Austro-Marxism*, ed. Tom Bottomore e Patrick Goode, Oxford, Inglaterra, 1978, pp. 102-125.

14. Sidgwick, *Elements of Politics* [7], p. 295. Cf. a carta de John Stuart Mill para Henry George a propósito da imigração chinesa para a América, citada por Alexander Saxton em *The Indispensable Enemy: Labor and the Anti-Chinese Movement in California*, Berkeley, 1971, p. 103.

15. Thomas Hobbes, *Leviathan*, II parte, cap. 30.

16. Citado por H. I. London, em *Non-White Immigration and the «White Australia» Policy*, Nova Iorque, 1970, p. 98.

17. Hobbes, *Leviathan*, I parte, cap. 15.

18. Sidgwick, *Elements of Politics* [7], pp. 296-297.

19. Bruce Ackerman, *Social Justice in the Liberal State*, New Haven, 1980, p. 95.

20. E. C. S. Wade e G. Godfrey Phillips, *Constitutional and Administrative Law*, 9.ª ed. revista por A. W. Bradley, Londres, 1977, p. 424.

21. Para se conhecer esta história ignóbil na sua totalidade, v. Nikolai Tolstoy, *The Secret Betrayal:* 1944-1947, Nova Iorque, 1977.

22. Victor Ehrenberg, *The People of Aristophanes*, Nova Iorque, 1962, p. 153; utilizei a discussão sobre os estrangeiros na Atenas do século V, na sua totalidade, pp. 147, 64.

23. David Whitehead, *The Ideology of the Athenian Metic*, Sociedade Filológica de Cambridge, vol. suplementar n.º 4, 1977, p. 41.

24. Aristóteles, *The Politics*, 1275a e 1278a; utilizei a trad. de Eric Havelock em *The Liberal Temper in Greek Politics*, New Haven, 1957, pp. 367-369.

25. Isócrates, cit. por Whitehead, *Athenian Metic* [23], pp. 51-52.

26. Whitehead, *Athenian Methic*, [23], p. 174.

27. *Ibid.*, pp. 57-58.

28. *Ibid.*, pp. 154 e ss.

29. Aristóteles, *The Politics*, 1326b, trad. Ernest Barker, Oxford, 1948, p. 343.

30. Na minha análise do problema dos trabalhadores-hóspedes, baseio-me sobretudo em Stephen Castles e Godula Kosack, *Migrant Workers and Class Structure in Western Europe*, Oxford, Inglaterra, 1973, e também em Cheryl Bernard, «Os trabalhadores emigrantes e a democracia europeia», *Political Science Quarterly* 92, Verão de 1979: 277-99 e John Berger, *A Seventh Man*, Nova Iorque, 1975.

31. Fui buscar a expressão «comunidades de carácter» a Otto Bauer (v. Austro-Marxism [13], p. 107).

Capítulo III

1. Jean-Jacques Rousseau, «Discurso sobre a Economia Política» em *The Social Contract and Discourses*, trad. G. D. H. Cole, Nova Iorque, 1950, pp. 302-303.

2. Edmund Burke, *Reflections on the French Revolution*, Londres, 1910, p. 75.

3. Cf. David Hume, *A Treatise of Human Nature,* livro III, II parte, cap. 8.

4. A citação é do geógrafo grego Pausânias, em George Rosen, *A History of Public Health*, Nova Iorque, 1958, p. 41.

5. Simone Weil, *The Need for Roots*, trad. Arthur Wills Boston, 1955, p. 21.

6. Charles Fried, *Right and Wrong*, Cambridge, Mass., 1978, p. 122.

7. Michael Walzer, «Filosofia e Democracia», em *Political Theory*, 9, 1981, pp. 379-399. V. também a profunda discussão em Amy Gutmann, *Liberal Equality*, Cambridge, Inglaterra, 1980, especialmente pp. 197-202.

8. Louis Cohn-Haft, *The Public Physicians of Ancient Greece*, Estudos de História da Faculdade Smith, vol. 42, Northampton, Mass., 1956, p. 40.

9. *Ibid.*, p. 49.

10. Aristóteles, *The Constitution of Athens* em *Aristotle and Xenophon on Democracy and Oligarchy*, trad. J. M. Moore, Berkeley, 1975, pp. 190-192 (secs. 49-52); M. I. Finley, *The Ancient Economy*, Berkeley, 1973, p. 170.

11. Aristóteles, *Constitution* [10], p. 191 (50.2).

12. *Ibid.*, p. 190 (49.4).

13. Kathleen Freeman, *The Murder of Herodes, and Other Trials from the Athenian Law Courts*, Nova Iorque, 1963, p. 167.

14. A. H. M. Jones, *Athenian Democracy*, Oxford, Inglaterra, 1957, p. 6.

15. Finley, *Ancient Economy* [10], p. 173.

16. S. D. Goitein, *A Mediterranean Society*, vol. II: *The Community*, Berkeley, 1971.

17. Salo Wittmayer Baron, *The Jewish Community*, Filadélfia, 1942, pp. 248-256; H. H. Ben-Sasson, «A Idade Média», em Ben Sasson, ed., *A History of the Jewish People*, Cambridge, Mass., 1976, p. 551.

18. Baron, *Jewish Community* [17], p. 333.

19. Goitein, *Mediterranean Society* [16], p. 142.

20. *Ibid.*

21. Baron, *Jewish Comunity* [17], p. 172; v. também Ben-Sasson, «Idade Média», [17], pp. 608-611.

22. A defesa filosófica mais enérgica desta posição encontra-se em Robert Nozick, *Anarchy, State, and Utopia*, Nova Iorque, 1974.

23. Morris Janowitz, *Social Control of the Welfare State*, Chicago, 1977, p. 10.

24. V. Baron, *Jewish Community* [17], pp. 177-179.

25. Goitein, *Community* [16], p. 186.

26. Freeman, *Murder of Herodes* [13], p. 169.

27. Para uma descrição da fome e da resposta britânica, v. C. B. Woodham-Smith, *The Great Hunger: Ireland 1845-1849*, Londres, 1962.

28. Burke, *French Revolution* [2], p. 57.

29. John Rawls, *A Theory of Justice*, Cambridge, Mass., 1971, I parte, caps. 2 e 3.

30. T. H. Marshall, *Class, Citizenship, and Social Development*, Garden City, Nova Iorque, 1965, p. 298.

31. V. Judith Walzer Leavitt, *The Healthiest City: Milwaukee and the Politics of Health Reform*, Princeton, 1982, cap. 5.

32. V. a discussão pormenorizada em Harold L. Wilensky, *The Welfare State and Equality*, Berkeley, 1975, pp. 87-96.

33. P. H. J. H. Gosden, *Self-Help: Voluntary Associations in the Nineteenth Century*, Londres, 1973, cap. 9.

34. V., por exemplo, a discussão sobre as concepções de comunidade e medidas de previdência na Noruega, em Harry Eckstein, *Division and Cohesion in Democracy: A Study of Norway*, Princeton, 1966, pp. 85-87.

35. Rousseau, *Social Contract* [1], pp. 250-252.

36. Louis Dumont, *Homo Hierarchus: The Caste System and Its Implications*, ed. inglesa revista, Chicago, 1980, p. 105.

37. Wilensky, *Welfare State* [32], caps. 2 e 3.

38. V. Whitney North Seymour, *Why Justice Fails*, Nova Iorque, 1973, esp. o cap. 4.

39. René Descartes, *Discourse on Method*, trad. Arthur Wollaston, Harmondsworth, Inglaterra, 1960, p. 85.

40. Para uma breve análise destes desenvolvimentos, v. Odin W. Anderson, *The Uneasy Equilibrium: Private and Public Financing of Health Services in the United States, 1875-1965*, New Haven, 1968.

41. Bernard Williams, «O Conceito de Igualdade», em *Problems of the Self*, Cambridge, Inglaterra, 1973, p. 240.

42. V. Robert Nozick, *Anarchy, State, and Utopia*, Nova Iorque, 1974, pp. 233-235.

43. Thomas Scanlon, «Preferência e Urgência», *Journal of Philosophy*, 57, 1975, pp. 655-670.

44. Monroe Lerner, «Diferenças Sociais na Saúde Física», John B. McKinley, «O Comportamento dos Pobres em Busca de Auxílio» e Julius Roth, «O Tratamento dos Doentes», em *Poverty and Health: A Sociological Analysis*, ed. John Kosa e Irving Kenneth Zola, Cambridge, Mass., 1969, declarações resumidas a pp. 103, 265 e 280-281.

45. E também, presumivelmente, uma forma mais barata de previdência: v. Colin Clark, *Poverty before Politics: A Proposal for a Reverse Income Tax*, Hobart Paper 73, Londres, 1977.

46. V. *The New York Times*, de 2 de Julho de 1978, p. 1, col. 5.

47. Marcel Mauss, *The Gift*, trad. Ian Cunnison, Nova Iorque, 1967, p. 63.

48. Richard Titmuss, *The Gift Relationship: From Human Blood to Social Policy*, Nova Iorque, 1971.

49. A frase citada foi extraída de *Social Work, Welfare, and The State*, ed. Noel Parry, Michael Rustin e Carole Satyamurti, Londres, 1979, p. 168; para uma afirmação semelhante v. Janowitz, *Social Control* [23], pp. 132-133.

Capítulo IV

1. William Shakespeare, *Timon of Athens*, IV: 3, tal como vem citado por Karl Marx em *Economic and Philosophical Manuscripts*, em *Early Writings*, trad. e ed. T. B. Bottomore, Londres, 1963, p. 190.

2. Marx, *Early Writings* [1], p. 191.

3. William Shakespeare, *Henry VI, Part II*, IV: 2.

4. Sobre a escalada da guerra e os efectivos necessários, v. Walter Millis, *Arms and Men: A Study of American Military History*, Nova Iorque, 1958, pp. 102-104.

5. Marcus Cunliffe, *Soldiers and Civilians: The Martial Spirit in America, 1775-1865*, Nova Iorque, 1973, pp. 205-206.

6. James McCague, *The Second Rebellion: The Story of the New York City Draft Riots of 1863*, Nova Iorque, 1968, p. 54.

7. *Ibid.*, p. 18.

8. Arthur Okun, *Equality and Efficiency: The Big Tradeoff*, Washington, D. C., 1975, pp. 6 e ss.

9. *Ibid.*, p. 20.

10. Douglas M. MacDowell, *The Law in Classical Athens*, Ithaca, N. Y., 1978, pp. 171-173.

11. Samuel Butler, *Hudibras*, III parte, cap. 3, l. 1279.

12. Sobre a importância das «coisas» v. Mary Douglas e Baron Isherwood, *The World of Goods*, Nova Iorque, 1979, esp. o cap. 3; e Mikaly Csikszentmikalyi e Eugene Rochberg-Halton, *The Meaning of Things: Domestic Symbols and the Self*, Cambridge, Inglaterra, 1981.

13. John Locke, *Second Treatise of Government*, cap. 5, §§ 25-31.

14. Lee Rainwater, *What Money Buys: Inequality and the Social Meaning of Income*, Nova Iorque, 1974, p. XI.

15. É claro que uma avaliação totalmente individualizada, uma linguagem privada dos bens, é impossível; v. novamente Douglas e Isherwood, *World of Goods* [12], caps. 3 e 4.

16. V. Louis O. Kelso e Mortimer J. Adler, *The Capitalist Manifesto*, Nova Iorque, 1958, pp. 67-77, numa exposição que apresenta a distribuição da riqueza baseada na contribuição por analogia com a distribuição dos cargos baseada no mérito. Economistas como Milton Friedman são mais cautelosos, mas a ideologia popular do capitalismo é, sem dúvida, esta: o êxito é uma recompensa merecida por virtude da «inteligência, determinação, trabalho duro, e aceitação de riscos» (George Gilder, *Wealth and Poverty*, Nova Iorque, 1981, p. 101).

17. V. a distinção feita por Robert Nozick entre direito e merecimento, *Anarchy, State, and Utopia*, Nova Iorque, 1974, pp. 155-160.

18. Walt Whitman, *Complete Poetry and Selected Prose*, ed. James E. Miller, Jr., Boston, 1959, p. 471n.

19. Sobre a economia do bazar, v. Clifford Geertz, *Peddlers and Princes: Social Development and Economic Change in Two Indonesian Towns*, Chicago, 1963, pp. 35-36.

20. Ralph M. Hower, *History of Macy's of New York, 1858-1919: Chapters in the Evolution of the Department Store*, Cambridge, Mass., 1943, caps. 2-5 onde se narra a história dos desaires de Macy e do seu êxito final.

21. *Ibid.*, pp. 141-157; v. também Michael B. Miller, *The Bon Marché: Bourgeois Culture and the Department Store*, Princeton, 1981.

22. Ezra Vogel, *Japan as Number One: Lessons for America*, Nova Iorque, 1980, p. 123; vários países europeus têm leis semelhantes.

23. Hower, *History of Macy's* [20], pp. 298, 306.

24. André Gorz, *Socialism and Revolution*, trad. Norman Denny, Garden City, N. Y., 1973, p. 196.

25. *Ibid.*, pp. 195-197.

26. *Ibid.*, p. 196.

27. Para uma crítica da «sociedade de consumo» nestes termos, v. Charles Taylor, «Crescimento, Legitimidade e Identidade Moderna», em *Praxis International* 1, Julho de 1981, p. 120.

28. V. Alfred E. Kahn, «A Tirania das Decisões Pouco Importantes: Desaires no Mercado, Imperfeições e os Limites da Economia», em *KYKLOS: International Review of Social Sciences*, 19, 1966.

29. Gorz, *Socialism and Revolution* [24], p. 195.

30. Henry Phelps Brown faz uma útil análise destes diversos factores em *The Inequality of Pay*, Berkeley, 1977, pp. 322 e ss.; v. também p. 13.

31. V. uma apresentação das actuais discussões em Mark Granovetter, «Para Uma Teoria Sociológica das Diferenças de Rendimento», em *Sociological Perspectives on Labor Market*, ed. Ivar Berg, Nova Iorque, 1981, pp. 11-47.

32. Adolph Sturmthal, *Workers Councils: A Study of Workplace Organization on Both Sides of the Iron Curtain*, Cambridge, Mass., 1964, p. 106.

33. Martin Carnoy e Derek Shearer, *Economic Democracy: The Challenge of the 1980s*, White Plains, N. Y., 1980, p. 175.

34. *R. H. Tawney's Commonplace Book*, ed. J. M. Winter e D. M. Joslin, Cambridge, Inglaterra, 1972, pp. 33-34.

35. V. a análise do *pooling* (constituição do fundo comum) em Marshall Sahlins, *Stone Age Economics*, Chicago, 1972, cap. 5. Gostaria de salientar que a constituição do fundo comum não produz necessariamente quinhões iguais; v. Walter C. Neale, «Reciprocidade e Redistribuição numa Aldeia Indiana: Continuação de Algumas Brilhantes Discussões», em *Trade and Market in the Early Empires*, ed. Karl Polanyi, Conrad M. Arensberg e Harry W. Pearson, Chicago, 1971, pp. 223-228.

36. Robert Kuttner, *Revolt of the Haves: Tax Rebellions and Hard Times*, Nova Iorque, 1980.

37. V., por exemplo, Henri Pirenne, *Economic and Social History of Medieval Europe*, Nova Iorque, 1958, pp. 172-174.

38. Benjamin Franklin, *Poor Richard's Almanac*, Abril de 1735.

39. Jack Barbash, *The Practice of Unionism*, Nova Iorque, 1956, p. 195.

40. Bronislaw Malinowski, *Argonauts of the Western Pacific*, Nova Iorque, 1961.

41. *Ibid.*, p. 95.

42. *Ibid.*, p. 81.

43. *Ibid.*, pp. 96, 81.

44. Sahlins, *Stone Age Economics* [35], p. 169.

45. Malinowski, *Argonauts* [40], pp. 189-190.

46. John P. Dawson, *Gifts and Promises: Continental and American Law Compared*, New Haven, 1980, pp. 48-50.

47. John Stuart Mill, «Principles of Political Economy», livro II, cap. 2, sec. 5, em *Collected Works of John Stuart Mill*, vol. II, ed. J. M. Robson, Toronto, 1965, p. 226n.

48. *Ibid.*, p. 225.

49. *Ibid.*, p. 226.

50. *Ibid.*, p. 223.

Capítulo V

1. V. uma análise deste processo relativamente a um dos seus momentos críticos em G. Tellenbach, *Church, State, and Society at the Time of the Investiture Contest*, Oxford, Inglaterra, 1940.

2. Estado de Massachusetts, «Anúncios para o serviço civil» (1979), mimeogr. Frederick C. Mosher, *Democracy and the Public Service*, Nova Iorque, 1968, cap. 3, fornece uma útil análise da concepção americana do exercício de cargos públicos.

3. John Rawls, *A Theory of Justice*, Cambridge, Mass., 1971, p. 83.

4. Emile Durkheim, *The Division of Labour in Society*, trad. George Simpson, Nova Iorque, 1964, p. 377.

5. *Ibid.*

6. William Shakespeare, *Henry VI, Part II*, IV: 7.

7. No tocante a Rousseau, v. *The Government of Poland*, trad. Willmoore Kendall, Indianapolis, 1972, p. 20. No tocante a Andrew Jackson v. Mosher, *Democracy and Public Service* [2], p. 62. No tocante a Lenine, *State and Revolution*, Nova Iorque, 1932, p. 38; v. também pp. 83-84.

8. V. Ying-Mao Kau, «A Elite Burocrática Urbana na China Comunista: Um Estudo Factual sobre Wuhan, 1949-1965», em *Chinese Communist Politics in Action*, ed. A. Doak Barnett, Seattle, 1969, pp. 221-260.

9. V. um relato ficcionado da realização deste objectivo em Michael Young, *The Rise of Meritocracy, 1870-2033*, Baltimore, 1961, e uma defesa filosófica em Barry R. Gross, *Discrimination in Reverse: Is Turnabout Fair Play*?, Nova Iorque, 1978.

10. John Dryden, trad. das «Geórgicas» de Virgílio, IV, 136 em *The Poetical Works of Dryden*, ed. George Noyes, Cambridge, Mass., 1950, p. 478.

11. Chung-Li Chang, *The Chinese Gentry: Studies on Their Role in Nineteenth-Century Chinese Society*, Seattle, 1955, pp. 165 e ss. Também me baseei em Ping-Ti Ho, *The Ladder of Success in Imperial China: Aspects of Social Mobility, 1368-1911*, Nova Iorque, 1962, e em Ichisada Myiazaki, *China's Examination Hell: The Civil Service Examinations of Imperial China*, trad. Conrad Schirokauer, New Haven, 1981.

12. Ho, *Ladder of Success* [11], p. 258.

13. *Ibid.*, cap. 4.

14. *Ibid.*, p. 11.

15. Myiazaki, *Examination Hell* [11], pp. 43-49.

16. Citado por Chang em *Gentry* [11], p. 172.

17. *Ibid.*, p.182.

18. William Cowper, *The Task*, livro IV, l. 788.

19. Mas só em 1567 foi oficialmente condenada, na bula papal *Admonet nos*; v. *The New Catholic Encyclopedia*, 1967, s. v. «nepotismo».

20. Para uma análise útil desta questão, v. Alan H. Goldman, *Justice and Reverse Discrimination*, Princeton, 1979; Robert K. Fullinwinder, *The Reverse Discrimination Controversy: A Moral and Legal Analysis*, Totowa, N. J., 1980; e Gross, *Discrimination in Reverse* [9].

21. V. a análise desta afirmação em Goldman, *Reverse Discrimination* [20], pp. 188-194. Qualquer exposição dos direitos dos grupos — como, por exemplo, a de Owen Fiss, «Os Grupos e a Cláusula de Igualdade de Protecção», em *Philosophy and Public Affairs* 5, 1976, 107-177 — parece sugerir o uso da proporcionalidade como regra de medida da violação de direitos ou da ausência de igualdade de protecção.

22. Arend Lijphart, *Democracy in Plural Societies: A Comparative Exploration*, New Haven, 1977, pp. 38-41, *passim*.

23. V. Harold Isaacs, *India's Ex-Untouchables*, Nova Iorque, 1974, pp. 114 e ss.

24. V. a análise de Fullinwinder em *Controversy* [20], pp. 45 e ss.; v. também Judith Jarvis Thomson, «Contratação Preferencial», em *Philosophy and Public Affairs* 2, 1973, 364-84.

25. Ronald Dworkin, *Taking Rights Seriously*, Cambridge, Mass., 1977, p. 227; v. também Dworkin, «Por que Motivo Bakke Não Tem Razão», em *The New York Review of Books*, 10 de Novembro de 1977, pp. 11-15.

26. V. Boris J. Bittker, *The Case for Black Reparations*, Nova Iorque, 1973, e Robert Amdur, «Justiça Compensatória: O Problema do Custo», em *Political Theory* 7, 1979, 229-44.

27. Magali Sarfatti Larson, *The Rise of Professionalism: A Sociological Analysis*, Berkeley, 1977, esp. a introdução e o cap. 6.

28. T. H. Marshall, *Class, Citizenship, and Social Development*, Garden City, N. Y., 1965, p. 177.

29. Tom Levin, *American Health: Professional Privilege vs. Public Need*, Nova Iorque, 1974, p. 41.

30. V. Henry Phelps Brown, *The Inequality of Pay* (Berkeley, 1977), pp. 322-328.

31. R. H. Tawney, *The Acquisitive Society*, Nova Iorque, s/d, p. 178.

32. Larson, *Professionalism* [27], p. 9 (citando Everett Hughes). Cf. a exposição algo diferente de Adam Smith, *An Inquiry into the Nature and Causes of the Wealth of Nations*, ed. Edwin Cannan, Nova Iorque, 1937, p. 105.

33. Karl Marx, «The Civil War in France», em Marx e Engels, *Selected Works*, Moscovo, 1951, vol. 1, p. 471.

34. Brown, *Inequality of Pay* [30], p. 84 (quadro 3.4). V. uma exposição a favor deste género de igualização em Norman Daniels, «Mérito e Meritocracia», em *Philosophy and Public Affairs*, [7] 1978, 206-223.

35. George Bernard Shaw, «Crítica Socialista da Profissão Médica», em *Transactions of the Medico-Legal Society* [6], Londres 1908-1909, 210.

36. Smith, *Wealth of Nations* [32], p. 100.

37. Blaise Pascal, *The Pensées*, trad. J. M. Cohen, Harmondsworth, Inglaterra, 1961, n.º 104, p. 62.

Capítulo VI

1. Oscar Wilde, «A Alma Humana sob o Socialismo», reimpresso em *The Artist as Critic: Critical Writings of Oscar Wilde*, ed. Richard Ellmann, Nova Iorque, 1969, p. 269.

2. John Ruskin, *The Crown of Wild Olive: Four Lectures on Industry and War*, Nova Iorque, 1874, pp. 90-91.

3. V. a análise do sistema de Fourier em Frank E. Manuel, *The Prophets of Paris*, Cambridge, Mass., 1962, p. 229.

4. George Orwell, *The Road to Wigan Pier*, Nova Iorque, 1958, p. 44.

5. *Ibid.*, pp. 32-33.

6. Jean-Jacques Rousseau, «The Social Contract», livro III, cap. 15, em *Social Contract and Discourses*, trad. G. D. H. Cole, Nova Iorque, 1950, p. 93.

7. Melford E. Spiro, *Kibbutz: Venture in Utopia*, Nova Iorque, 1970, pp. 16-17.

8. *Ibid.*, p. 77.

9. *Ibid.* V. uma análise da divisão sexual no trabalho nos *kibbutzes* em Joseph Raphael Blasi, *The Communal Future: The Kibbutz and the Utopian Dilemma*, Norwood, Pa., 1980, pp. 102-103.

10. Spiro, *Kibbutz* [7], p. 69.

11. Bernard Shaw, *The Intelligent Woman's Guide to Socialism, Capitalism, Sovietism, and Fascism*, Harmondsworth, Inglaterra, 1937, p. 106.

12. Harold R. Isaacs, *India's Ex-Untouchables*, Nova Iorque, 1974, pp. 36-37.

13. Walt Whitman, «Canção da Exposição», em *Complete Poetry and Selected Prose*, ed. James E. Miller, Jr., Boston, 1959, p. 147.

14. V. Michael Walzer, *The Revolution of the Saints: A Study in the Origin of Radical Politics*, Cambridge, Mass., 1965, p. 214.

15. Stewart E. Perry, *San Francisco Scavengers: Dirty Work and the Pride of Ownership*, Berkeley, 1978, p. 7.

16. Shaw, *Woman's Guide* [11], p. 105.

17. *Ibid.*, p. 109.

18. Perry, *Scavengers* [15], p. 197.

19. Wilde, «A Alma Humana» [1], p. 268.

20. Perry, *Scavengers* [15], p. 8.

21. *Ibid.*, pp. 188-191.

22. Studs Terkel, *Working*, Nova Iorque, 1975, p. 168.

23. Bernard Shaw, «Máximas para Revolucionários», *Man and Superman*, em *Seven Plays*, Nova Iorque, 1951, p. 736.

24. W. H. Auden, «Em Tempo de Guerra» (XXV), em *The English Auden: Poems, Essays, and Dramatic Writings 1927-1939*, ed. Edward Mendelson, Nova Iorque, 1978, p. 261.

25. Everett Hughes, *The Sociological Eye*, Chicago, 1971, p. 345.

26. *Ibid.*, p. 314.

27. *Ibid.*

28. Shaw, *Woman's Guide* [11], p. 107.

29. Terkel, *Working*, [22], p. 153.

Capítulo VII

1. Thorstein Veblen, *The Theory of Leisure Class*, Nova Iorque, 1953, p. 47.

2. James Boswell, *The Life of Samuel Johnson*, ed. Bergen Evans, Nova Iorque, 1952, p. 206.

3. V. a análise destas palavras em Sebastian de Grazia, *Of Time, Work and Leisure* (Nova Iorque, 1962), p. 12 e Martin Buber, *Moses: The Revelation and the Covenant*, Nova Iorque, 1958, p. 82.

4. T. H. Marshall, *Class, Citizenship, and Social Development*, Garden City, N. Y., 1965, p. 159.

5. Alfred Zimmern, *The Greek Commonwealth*, Oxford, 1961, p. 271, parafraseando uma passagem de G. Salvioli, *Le Capitalisme dans le monde antique*, Paris, 1906, p. 148.

6. Aristóteles, *Nichomachean Ethics*, X. 7.

7. Karl Marx, citado por Stanley Moore, em *Marx on the Choice between Socialism and Communism*, Cambridge, Mass., 1980, p. 42. V. *The Grundrisse*, ed. e trad. por David McLellan, Nova Iorque, 1971, p. 124.

8. Karl Marx, *Capital*, Nova Iorque, 1967, vol. III, p. 820; cf. Moore, *Choice* [7], p. 44.

9. Marx, *Capital* [8], vol. I, pp. 234-235.

10. *Ibid.*, vol. I, pp. 264-265.

11. *Ibid.*, I, 264.

12. De Grazia, *Time* [3], pp. 89-90; Neil H. Cheek e William R. Burch, *The Social Organization of Leisure in Human Society*, Nova Iorque, 1976, pp. 80-84; William L. Parish e Martin King Whyte, *Village and Family in Contemporary China*, Chicago 1980, p. 274. Os cálculos no caso da China são os de um comunista adversário das formas tradicionais de lazer (v. adiante no presente livro, p. 210).

13. Marx, *Capital* [8], I, 264.

14. William Shakespeare, *Henry V*, IV: 1.

15. Bernard Shaw, *The Intelligent Woman's Guide to Socialism, Capitalism, Sovietism, and Fascism*, Harmondsworth, Inglaterra, 1965, p. 340.

16. *Ibid.*, p. 342.

17. De Grazia, *Time* [3], p. 467 (quadro 12).

18. *Ibid.*, p. 66. Estou em dívida para com esta análise de De Grazia e também com a de pp. 116 e ss.

19. Cheek e Burch, *Social Organization* [12], cap. 3.

20. Buber, *Moses* [3], p. 84.

21. Max Weber, *Ancient Judaism*, trad. H. H. Gerth e Don Martindale, Nova Iorque, 1967, p. 33.

22. V. Louis Ginzberg, *The Legends of the Jews*, Filadélfia, 1954, vol. IV, p. 201.

23. Citado por Isadore Twersky, *Introduction to the Code of Maimonides*, New Haven, 1980, pp. 113-114.

24. Leo Baeck, *This People Israel: The Meaning of Jewish Existence*, trad. Albert H. Friedlander, Nova Iorque, 1964, p. 138.

25. V. E. Wight Bakke, *Citizens Without Work*, New Haven, 1940, pp. 13-18.

26. William Shakespeare, *Henry IV, Part I*, I: 2.

27. Ginzberg, *Legends* [22], vol. III, p. 99.

28. Parish e Whyte, *Village and Family* [12], p. 274.

29. *Ibid.*, p. 287.

30. Pacto Internacional das Nações Unidas sobre os Direitos Económicos, Sociais e Culturais, I parte, art. 8; v. a análise de Maurice Cranston em *What Are Human Rights?*, Nova Iorque, 1973, cap. 8.

Capítulo VIII

1. Aristóteles, *The Politics*, 1337a., trad. Ernest Barker, Oxford, 1948, p. 390.

2. V. Samuel Bowles e Herbert Gintis, *Schooling in Capitalist America*, Nova Iorque, 1976, p. 12

3. John Dewey, *Democracy and Education*, Nova Iorque, 1961, pp. 18-22.

4. Cf. as propostas de Rousseau em *The Government of Poland*, trad. Willmoore Kendall, Indianapolis, 1972, p. 20: «Acima de tudo, não cometam o erro de converter o ensino numa carreira.» Isto afigura-se-me totalmente errado.

5. G. C. Vaillant, *The Aztecs of Mexico*, Harmondsworth, Inglaterra, 1950, p. 117.

6. Jacques Soustelle, *The Daily Life of the Aztecs*, trad. Patrick O'Brian, Harmondsworth, Inglaterra, 1964, pp. 178, 175, resp.

7. Aristóteles, *The Politics*, 1332b [1], p. 370.

8. Esta história vem novamente contada por Aaron H. Blumenthal, em *If I Am Only for Myself: The Story of Hillel*, s/ lug., 1974, pp. 2-3.

9. V. o apêndice («Selecção de casos...») em Ping-Ti Ho, *The Ladder of Success in Imperial China: Aspects of Social Mobility, 1368-1911*, Nova Iorque, 1962, pp. 267-318.

10. R. H. Tawney, *The Radical Tradition*, Nova Iorque, 1964, p. 69.

11. Aristóteles, *The Politics,* 1332b [1], p. 370.

12. Daí que seja normal afirmar que o valor, digamos, da educação secundária, se encontra «degradado» pelo facto de ser mais largamente distribuído; v. a útil análise de David K. Cohen

e Barbara Neufeld, em «O Fracasso das Escolas Secundárias e o Progresso da Educação», em *Daedalus*, Verão de 1981, p. 79 e em geral.

13. William Cummings, *Education and Equality in Japan*, Princeton, 1980, pp. 4-5.
14. *Ibid.*, p. 273.
15. *Ibid.*, p. 274; v. também p. 154.
16. Aristóteles, *The Politics*, 1337a [1], p. 391.
17. Cummings, *Japan* [13], p. 274; v. também p. 127.
18. *Ibid.*, p. 275.
19. *Ibid.*
20. *Ibid.*, p. 117.
21. Bernard Shaw, *The Intelligent Woman's Guide to Socialism, Capitalism, Sovietism, and Fascism*, Harmondsworth, Inglaterra, 1937, pp. 436-437.
22. V. Ivan Illich, *Deschooling Society*, Nova Iorque, 1972, que nada tem para dizer a respeito de como o ensino básico seria levado a cabo numa sociedade «descolarizada».
23. Tawney, *Radical Tradition* [10], pp. 79-80, 73.
24. V. David Page, «Contra a Educação Superior para Alguns», em *Education for Democracy*, ed. David Rubinstein e Colin Stoneman, 2.ª ed., Harmondsworth, Inglaterra, 1972, pp. 227-228.
25. John Milton, «Da Educação», em *Complete Prose Works of John Milton*, vol. II, ed. Ernest Sirluck, New Haven, 1959, p. 379.
26. V. a análise de Cummings em *Japan* [13], cap. 8, sobre o cada vez maior número de jovens japoneses que concorrem a lugares na universidade.
27. Bernard Crick, *George Orwell: A Life*, Boston, 1980, cap. 2, analisa as provas.
28. George Orwell, «Tanta, Tanta era a Alegria», em *The Collected Essays, Journalism, and Letters of George Orwell*, ed. Sonia Orwell e Ian Angus, Nova Iorque, 1968, vol. III, p. 336.
29. *Ibid.*, p. 343.
30. *Ibid.*, p. 340.
31. William Shakespeare, *As You Like It*, II: 7.
32. V. a descrição que Michel Foucault faz da «continuidade carcerária» e que inclui prisões, hospícios, quartéis, fábricas e escolas, em *Discipline and Punish: The Birth of the Prison*, trad. Alan Sheridan, Nova Iorque, 1979, pp. 293-308. Foucault atribui muita importância a esta similaridade.
33. John E. Coons e Stephen D. Sugarman, *Education by Choice: The Case for Family Control*, Berkeley, 1978.
34. Albert O. Hirschman, *Exit, Voice, and Loyalty: Responses to Decline in Firms, Organizations, and States*, Cambridge, Mass., 1970.
35. V. a análise crítica da decisão de Garrity e da «paridade estatística» em geral, em Nathan Glazer, *Affirmative Discrimination: Ethnic Inequality and Public Policy*, Nova Iorque, 1975, pp. 65-66.
36. Congresso da Igualdade Racial (CORE), «Uma Proposta de Zonas Escolares Comunitárias», 1970, em *The Great School Bus Controversy*, ed. Nicolaus Mills, Nova Iorque, 1973, pp. 311-321.
37. Isto torna-se particularmente evidente quando os activistas locais falam uma língua «estrangeira»: v. Noel Epstein, *Language, Ethnicity, and the Schools*, Instituto para a Liderança Educativa, Washington, D. C., 1977.

Capítulo IX

1. James Boswell, *The Life of Samuel Johnson*, ed. Bergen Evans, Nova Iorque, 1952, p. 285.
2. *The Analects of Confucius*, trad. Arthur Waley, Nova Iorque, s/d, p. 83 (I, 2).
3. Lucy Mair, *Marriage*, Nova Iorque, 1972, p. 20.

4. V. a análise de Eugene Victor Walter sobre as limitações impostas pelo parentesco ao poder político, em *Terror and Resistance: A Study of Political Violence, with Case Studies of Some Primitive African Communities*, Nova Iorque, 1969, cap. 4 e depois a sua descrição do ataque lançado contra o parentesco por Shaka, o «tirano terrorista» dos zulus, esp. pp. 152-154.

5. John Selden, *Table Talk*, ed. Frederick Pollack, Londres, 1927, p. 75.

6. Meyer Fortes, *Kinship and the Social Order: The Legacy of Lewis Henry Morgan*, Chicago, 1969, p. 309.

7. A frase citada é de Fortes, *Kinship and the Social Order* [6], p. 232.

8. John Rawls, *A Theory of Justice*, Cambridge, Inglaterra, 1971, p. 74.

9. *Ibid.*, p. 511.

10. Platão, *The Republic*, trad. F. M. Cornford, Nova Iorque, 1945, pp. 165, 166 (V. 463-464).

11. Lawrence Stone, *The Family, Sex, and Marriage in England: 1500-1800*, Nova Iorque, 1979, p. 426.

12. Platão, *The Republic* [10], p. 155 (comentário de Cornford).

13. V. Lawrence Kohlberg, «A Exigência de Adequação Moral no Nível Superior da Evolução Moral», *Journal of Philosophy* 70, 1975, pp. 631-647.

14. Mair, *Marriage* [3], p. 7.

15. V. Gordon J. Schochet, *Patriarchalism in Political Thought*, Nova Iorque, 1975, caps. 1-3.

16. Frederick Engels, «The Condition of the Working Class in England», 1844, em Karl Marx e Frederick Engels, *Collected Works*, Nova Iorque, 1975, vol. 4, esp. pp. 424-425 sobre o «incumprimento de todas as obrigações domésticas». V. também Steven Marcus, *Engels, Manchester, and The Working Class*, Nova Iorque, 1974, pp. 238 e ss.

17. Jane Humphries, «A Família Operária: Uma Perspectiva Marxista», em Jean Betke Elshtain, ed., *The Family in Political Thought*, Amherst, Mass., 1982, p. 207.

18. «Manifesto of the Communist Party», em Karl Marx e Frederick Engels, *Selected Works*, Moscovo, 1951, vol. I, p. 48.

19. V. também Frederick Engels, *The Origin of the Family, Private Property, and the State*, em *Selected Works*, vol. II: e a análise de Eli Zaretsky em *Capitalism, the Family, and Personal Life*, Nova Iorque, 1976, pp. 90-97.

20. V. a análise do ponto de vista de Marx em Phillip Abbott, *The Family on Trial: Special Relationships in Modern Political Thought*, University Park, Pa., 1981, pp. 72-85.

21. Zaretsky, *Capitalism* [19], pp. 62-63.

22. Bernard Shaw, *The Intelligent Woman's Guide to Socialism, Capitalism, Sovietism, and Fascism*, Harmondsworth, Inglaterra, 1937, p. 87.

23. Jean-Jacques Rousseau, *Politics and the Arts: Letter to M. d'Alembert on the Theatre*, trad. Allan Bloom, Glencoe, Ill., 1960, p. 128.

24. *Ibid.*, p. 131.

25. Mair, *Marriage* [3], p. 92.

26. Estes e outros exemplos de «libertação» encontram-se bem caracterizados por Abbott, em *Family on Trial* [20], esp. pp. 153-154.

27. A citação é de John Milton, *Paradise Lost*, livro V, l. 538.

28. Esta é uma das principais questões suscitadas por Susan Moller Okin em *Women in Western Political Thought*, Princeton, 1979; v. um resumo a pp. 274-275.

29. Hugh D. R. Baker, *Chinese Family and Kinship*, Nova Iorque, 1979, p. 176.

30. Jean Bethke Elshtain, *Public Man, Private Woman: Women in Social and Political Thought*, Princeton, 1981, pp. 229-235.

31. Citado por Baker em *Chinese Family* [29], p. 182.

32. Citado por Fortes em *Kinship and Social Order* [6], p. 79, da autoria de Elaine Cumming e David Schneider, «Solidariedade Fraterna: Uma Característica do Parentesco na América», *American Anthropologist* 63, 1961, 498-507.

Capítulo X

1. Martinho Lutero, *The Pagan Servitude of the Church*, em *Martin Luther: Selections from His Writings*, ed. John Dillenberger, Garden City, N. Y., 1961, p. 283.
2. John Locke, *A Letter Concerning Toleration*, intr. Patrick Romanell, Indianapolis, 1950, p. 18; Lutero, *Secular Authority*, em *Selections* [1], p. 385.
3. Locke, *Letter* [2], p. 17.
4. *Ibid.*, p. 27.
5. *Ibid.*
6. Oliver Cromwell, *Oliver Cromwell's Letters and Speeches*, ed. Thomas Carlyle, Londres, 1893, p. 354 (discurso no parlamento dos santos a 4 de Julho de 1653).
7. *Ibid.*, p. 355.
8. Increase Mather, *Pray for the Rising Generation* (1618), citado por Edmund S. Morgan, *The Puritan Family*, Nova Iorque, 1966, p. 183; v. a análise em J. R. Pole, *The Pursuit of Equality in American History*, Berkeley, 1978, cap. 3.
9. Alan Simpson, *Puritanism in Old and New England*, Chicago, 1961, p. 35.
10. Locke, *Letter* [2], p. 135.

Capítulo XI

1. V. uma boa análise do que resta deste sistema em «Armiger», *Titles and Forms of Address: A Guide to Their Correct Use*, 7.ª ed., Londres, 1949.
2. Alexis de Tocqueville, *Democracy in America*, trad. George Lawrence, Nova Iorque, 1966, p. 601.
3. Orlando Patterson, *Slavery and Social Death: A Comparative Study*, Cambridge, Mass., 1982, p. 97 e cap. 3 em geral.
4. Thomas Hobbes, *Leviathan*, I parte, cap. 13.
5. *Oxford English Dictionary*, s. v. «Mr.». V. também o artigo «Titles of Honour» na *Encyclopedia Britannica*, 11.ª ed., 1911.
6. Ralph Waldo Emerson, «Conduct of Life», em *The Complete Essays and Other Writings of Ralph Waldo Emerson*, ed. Brooks Atkinson, Nova Iorque, 1940, p. 729.
7. H. L. Mencken, *The American Language*, 4.ª ed., Nova Iorque, 1938, p. 275.
8. Harold R. Isaacs, *India's Ex-Untouchables*, Nova Iorque, 1974, pp. 27-28.
9. Hobbes, *Leviathan*, I parte, cap. 13.
10. Esta é uma das principais questões suscitadas de William J. Good, em *The Celebration of Heroes: Prestige as a Social Control System*, Berkeley, 1978.
11. Thomas Hobbes, *The Elements of Law*, ed. Ferdinand Tönnies, 2.ª ed., Nova Iorque, 1969, pp. 47-48, I parte, cap. 9, § 21 (omiti algumas definições).
12. *Ibid.*
13. Blaise Pascal, *Pensées*, n.º 151, trad. J. M. Cohen, Harmondsworth, Inglaterra, 1961.
14. Frank Parkin, *Class, Inequality, and Political Order*, Londres, 1972, pp. 34-44.
15. Thomas Nagel, *Mortal Questions*, Cambridge, 1979, p. 104.
16. Parkin afirma que essas avaliações já existem, embora se encontrem subordinadas a outros «sistemas significantes» (*Class* [14], p. 97).
17. Georg Friedrich Hegel, *The Phenomenology of Mind*, trad. J. B. Baillie, Londres, 1949, p. 231.
18. V. John Rawls, *A Theory of Justice*, Cambridge, Mass., 1971, pp. 103-104 e também 72-74. Os argumentos de Rawls constituem aquilo a que dou aqui mais atenção. Acompanho parcialmente as críticas de Robert Nozick em *Anarchy, State, and Utopia*, Nova Iorque, 1974, pp. 213-216 e 228.

19. Robert C. Tucker, «Estaline e a Psicologia», em *The Soviet Political Mind*, Nova Iorque, 1963, 101.

20. Isaac Deutscher, *Staline: Uma Biografia Política*, Nova Iorque, 1960, pp. 270-271.

21. Anders Österling, «O Prémio Literário», em H. Schück e outros, *Nobel: The Man and His Prizes*, Amesterdão, 1962, p. 75.

22. *Ibid.*, p. 87.

23. Jean-Jacques Rousseau, *Government of Poland*, trad. Willmoore Kendall, Indianapolis, 1972, pp. 95-96.

24. Simone Weil, *The Need for Roots*, trad. Arthur Wills, Boston, 1955, p. 20.

25. Jean Bodin, *The Six Books of a Commonweale*, ed. Kenneth Douglas McRae, Cambridge, Mass., 1962, p. 586.

26. Francis Bacon, «Da Verdadeira Grandeza dos Reinos e dos Estados», *Essays*, n.º 29.

27. Bodin, *Six Books* [25], p. 586.

28. V. a afirmação de Ronald Dworkin, segundo a qual a justiça se baseia, em última análise, na ideia de que «todos os homens e mulheres» gozam do direito de serem igualmente respeitados (*Taking Rights Seriously*, Cambridge, Mass., 1977, cap. 6).

29. Thomas Hobbes, *Leviathan*, II parte, cap. 28.

30. M. I. Finley, *The Ancient Greeks*, Harmondsworth, Inglaterra, 1977, p. 80. V. uma análise da história e métodos do ostracismo em *Aristotle and Xenophon on Democracy and Oligarchy*, trad. e com. de J. M. Moore, Berkeley, 1975, pp. 241-244.

31. Finley, *Greeks* [30], p. 80.

32. V. a útil análise da «perigosidade» como motivo de prisão, em Norval Morris, *The Future of Imprisonment*, Chicago, 1974, pp. 63-73.

33. H. L. A. Hart, *Punishment and Responsibility*, Oxford, Inglaterra, 1968, pp. 21-24.

34. Jean-Jacques Rousseau, *A Discourse on the Origins of Inequality*, em *The Social Contract and Discourses*, trad. G. D. H. Cole, Nova Iorque, 1950, p. 266. V. uma boa análise da posição de Tertuliano em Max Scheler, *Ressentiment*, ed. Lewis A. Coser, Nova Iorque, 1961, p. 67.

35. Mary Searle-Chatterjee, «A Identidade Poluída do Trabalho: Um Estudo sobre os Varredores de Benares», em Sandra Wallman, ed. *The Social Anthropology of Work*, Londres, 1979, pp. 284-285.

36. William Makepeace Thackeray, *The Book of Snobs*, Garden City, N. Y., 1961, p. 29.

37. Norbert Elias, *The Civilizing Process: The History of Manners*, Nova Iorque, 1978, p. 210; v. também Nozick, *Anarchy* [18], pp. 243-244.

38. *Oxford English Dictionary*, s. v. *self-esteem* e *self-respect*. David Sachs foi um dos poucos filósofos contemporâneos que escreveu sobre esta distinção; v. «Como Distinguir a Auto-Admiração do Amor-Próprio», *Philosophy and Public Affairs* 10, Outono de 1981, 346-360.

39. Tocqueville, *Democracy in America* [2], p. 599.

40. Weil, *Need for Roots* [24], p. 19.

41. Jean-Jacques Rousseau, «The Social Contract», livro III, cap. 15, em *Social Contract and Discourses* [34], p. 93.

42. V. a análise destes temas, de Rawls, ainda que sob o título «amor-próprio» (*Theory of Justice* [18], p. 234).

43. Weil, *Need for Roots* [24], p. 20.

44. V. a afirmação de Robert Lane segundo a qual o trabalho é mais importante que a política no que toca à conservação do «amor-próprio» («Governo e Amor-Próprio», *Political Theory* 10, Fevereiro de 1982, 13).

45. Pascal, *Pensées* [13], n.os 145, 306.

46. William Shakespeare, *Anthony and Cleopatra*, III, 4.

47. Platão, *The Republic* IX, 571-576.

48. Karl Marx, *Economic and Philosophical Manuscripts,* em *Early Writings*, trad. T. B. Bottomore, Londres, 1963, p. 191.

Capítulo XII

1. Thomas Hobbes, *Leviathan*, II parte, cap. 19.

2. V. a análise de Lucy Mair sobre as tutelas dos chefes e dos reis em *Marriage*, Nova Iorque, 1972, pp. 76-77.

3. Os textos-chave de Platão são *The Republic*, I, 341-47, IV, 488-489; *Gorgias*, 503-508; e *Protagoras*, 320-328.

4. Platão, *The Republic*, VI, 488-89, trad. F. M. Cornford, Nova Iorque, 1945, pp. 195-196.

5. Renford Bambrough, «As Analogias Políticas de Platão», em *Philosophy, Politics, and Society*, ed. Peter Laslett, Oxford, 1967, p. 105.

6. Platão, *Protagoras* 322; v. a tradução e análise desta passagem em Eric A. Havelock, *The Liberal Temper in Greek Politics*, New Haven, 1957, p. 169.

7. Tucídides, *History of the Peloponesian War*, trad. Richard Crawley, Londres, 1910, p. 123 (II, 40).

8. Michel Foucault, *Discipline and Punish: The Birth of the Prison*, trad. Alan Sheridan, Nova Iorque, 1979, p. 223; v. também Foucault, *Power/Knowledge: Selected Interviews and Other Writings, 1972-1977*, ed. Colin Gordon, Nova Iorque, 1980, esp. os n.os 5 e 6.

9. Foucault, *Discipline and Punish* [8], pp. 293-308.

10. V. as úteis análises de Steven Lukes em *Power: A Radical View*, Londres, 1974, e de William E. Connolly em *The Terms of Political Discourse*, Lexington, Mass., 1974, cap. 3.

11. A título de exemplo v. Martin Carnoy e Derek Shearer, *Economic Democracy: The Challenge of the 1980s*, White Plains, N. Y., 1980, pp. 360-361.

12. V. a argumentação no sentido de que é melhor confiar no mercado e nos tribunais do que na acção legislativa ou executiva, em Robert Nozick, *Anarchy, State, and Utopia*, Nova Iorque, 1974, pp. 79-81; cf. o estudo factual de Matthew Crenson, *The Unpolitics of Air Pollution: A Study of Non-Decisionmaking in Cities*, Baltimore, 1971.

13. A respeito de uma possível complicação posterior v. Connolly sobre ameaças e previsões, *Political Discourse* [10], pp. 95-96.

14. Para um excelente começo v. Grant McConnell, *Private Power and American Democracy*, Nova Iorque, 1966.

15. *R. H. Tawney's Commonplace Book*, ed. J. M. Winter e D. M. Joslin, Cambridge, Inglaterra, 1972, pp. 34-35.

16. Karl Marx, «Sobre a Questão Judia», em *Early Writings*, trad. J. T. Bottomore, Londres, 1963, pp. 12-13.

17. Stanley Buder, *Pullman: An Experiment in Industrial Order and Community Planning, 1880-1930*, Nova Iorque, 1967.

18. *Ibid.*, pp. 98-99.

19. *Ibid.*, p. 107.

20. *Ibid.*, p. 95; v. também William M. Carwardine, *The Pullman Strike*, intr. Virgil J. Vogel, Chicago, 1973, caps. 8, 9 e 10.

21. Richard Ely, citado por Buder, *Pullman* [17], p. 103.

22. *Ibid.*; v. também Carwardine, *Pullman Strike* [20], cap. 4.

23. Carwardine, *Pullman Strike* [20], p. XXXIII.

24. Buder, *Pullman* [17], p. 44.

25. Karl Marx, *O Capital*, Nova Iorque, 1967, vol. III, pp. 383, 386. Lenine repete a afirmação, apresentando a «direcção suave de um maestro» como exemplo da autoridade comunista; v. «As Tarefas Imediatas do Governo Soviético», em *Selected Works*, Nova Iorque, s/ d, vol. VII, p. 342.

26. Thomas Hobbes, *The Elements of Law*, ed. Ferdinand Tönnies, 2.ª ed., Nova Iorque, 1969, pp. 120-121 (2.ª parte, cap. 2, § 5).

27. *Aristotle and Xenophon on Democracy and Oligarchy*, trad. e com. de J. M. Moore, Berkeley, 1975, p. 292 (a citação é do com. de Moore).
28. Jean-Jacques Rousseau, *The Social Contract*, trad. G. D. H. Cole, Nova Iorque, 1950, p. 56 (livro III, cap. 1).
29. Jane J. Mansbridge, *Beyond Adversary Democracy*, Nova Iorque, 1980, p. 247.
30. Rousseau, *Social Contract* [28], livro II, cap. 3, p. 27.
31. Hannah Arendt, *The Human Condition*, Chicago, 1958, p. 41.
32. Atribuída a Adlai Stevenson, segundo o *Oxford Dictionary of Quotations*, 3.ª ed., 1979.
33. V. John Gaventa, *Power and Powerlessness: Quiescence and Rebellion in na Appalachian Valley*, Champaign, Ill., 1982.

Capítulo XIII

1. Walter C. Neale, «Reciprocidade e Redistribuição numa Aldeia Indiana: Continuação de Algumas Brilhantes Discussões», em *Trade and Market in the Early Empires*, ed. Karl Polanyi, Conrad M. Arensberg e Harry W. Pearson, Chicago, 1971, p. 226.
2. Harold R. Isaacs, *India's Ex-Untouchables*, Nova Iorque, 1974, caps. 7 e 8.
3. Karl Marx, *O Capital*, ed. Frederick Engels, Nova Iorque, 1967, p. 194; segui a tradução e interpretação de Allen W. Wood, «A Crítica Marxista da Justiça», *Philosophy and Public Affairs* 1, 1972, 263 e ss.
4. John Kenneth Galbraith, *American Capitalism*, Boston, 1956, cap. 9.
5. V., por exemplo, Alvin W. Gouldner, *The Future of Intellectuals and the Rise of the New Class*, Nova Iorque, 1979.
6. Aristóteles, *The Politics,* 1283, trad. Ernest Barker, Oxford, Inglaterra, 1948, p. 157.